C0-AYP-327

Zu diesem Buch

Paradoxien sind garstige, widerspenstige Kobolde, beheimatet in den Fundamenten des logischen Denkens, wo sie auf Abgründe und Unvereinbarkeiten verweisen und so manchen wackeren Philosophen in die Verzweiflung treiben. Woher wissen wir, was wir wissen?

William Poundstone führt den Leser in Regionen, wo jede vermeintliche Gewißheit verzagt, und bringt ihn zum Staunen: über schwarze Löcher und Zeitreisen, über Geheimschriften und unknackbare Codes, über Platons Höhlengleichnis und Searles chinesisches Zimmer, über Willensfreiheit und Determinismus, über einen Computer von der Größe des Universums.

«In Zeiten, wo Chaos mehr ist als nur ein Modewort der Theoriedebatten, eröffnet Poundstones Buch die Perspektive auf eine Kritik nicht der reinen, sondern der unreinen Vernunft.» – *Die Zeit*

«Wenn Sie etwas übrig haben für geistreiche Gedankenexperimente und für philosophische Rätsel, dann sind Sie bei Poundstone goldrichtig.» – *Frankfurter Allgemeine Zeitung*

William Poundstone studierte Physik am Massachusetts Institute of Technology (MIT). Er lebt in Los Angeles und hat neben zahlreichen Zeitschriftenartikeln vier weitere Bücher veröffentlicht: «Big Secrets» und «Bigger Secrets» (über die Tricks professioneller Zauberkünstler), «The Recursive Universe» (über die philosophischen Implikationen des Computerspiels «Life») und die John-von-Neumann-Biographie «Prisoner's Dilemma».

Foto: Margo Vann Studio

William Poundstone

IM LABYRINTH DES DENKENS

Wenn Logik nicht weiterkommt: Paradoxien, Zwickmühlen und die Hinfälligkeit unseres Denkens

Deutsch von
Peter Weber-Schäfer

Rowohlt

rororo science
Lektorat Jens Petersen

Veröffentlicht im Rowohlt Taschenbuch Verlag GmbH,
Reinbek bei Hamburg, Januar 1995
Copyright © 1992 by Rowohlt Verlag GmbH
Die Originalausgabe erschien 1988 unter dem Titel
«Labyrinths of Reason» im Verlag Anchor Press, Doubleday, New York
Copyright © 1988 by William Poundstone
Umschlaggestaltung Barbara Hanke
Alle deutschen Rechte vorbehalten
Gesamtherstellung Clausen & Bosse, Leck
Printed in Germany
1890-ISBN 3 499 19745 6

Für William Hilliard, Jr.

INHALT

ERSTER TEIL

ZWEITER TEIL

Erster Teil

1. PARADOXE

Blauer Himmel, Sonnenschein, und ein furchtüberschattetes Déjà-vu-Erlebnis. In Kürze wird etwas Schreckliches geschehen. Strahlende Sommersonne liegt über dem hohen Gras auf der Wiese. J. V. schlendert träge hinter ihren Brüdern her, bleibt zurück. Ein Schatten fällt auf den Boden; irgend etwas raschelt im Gras. J. V. wendet sich um – sie kann nichts dagegen tun, denn das ist es, was als nächstes geschieht – und sieht einen Fremden. Er hat kein Gesicht, bleibt unscharf wie eine Nebenfigur im Traum. Der Mann hält etwas in der Hand, das sie nur undeutlich sehen kann; etwas, das sich krümmt und windet. Er fragt: «Möchtest du zu den Schlangen in den Sack steigen?»

J. V.s Erlebnis setzt einen Meilenstein im Denken des Zwanzigsten Jahrhunderts. J. V., ein vierzehnjähriges Mädchen, befand sich nicht auf einer sommerlichen Wiese, sondern auf einem Operationstisch im Neurologischen Institut von Montreal. Ihr Arzt, Wilder Penfield, versuchte eine noch wenig erprobte Operation, die sie von ihren heftigen epileptischen Anfällen befreien sollte. Die Ärzte hatten J. V.s Schädeldecke seitlich geöffnet und den Schläfenlappen des Gehirns freigelegt. Um die Stelle zu lokalisieren, von der die Anfälle ausgingen, nahm Penfield eine Gehirnsondierung mit einer Elektrode vor, die an einen Elektroenzephalographen angeschlossen war. Die Untersuchung war von der Zusammenarbeit zwischen Arzt und Patientin abhängig. J. V. mußte die ganze Zeit bei Bewußtsein bleiben und dem Arzt bei seiner Suche helfen. Als Penfield eine bestimmte Stelle des Schläfenlappens mit der Elektrosonde berührte, fand sich J. V. erneut auf der Wiese wieder...

J. V. hatte die Episode mit dem Fremden vor sieben Jahren in dem erlebt, was wir die wirkliche Welt nennen. Sie erzählte, sie habe sich selbst als das siebenjährige kleine Mädchen gesehen, das sie damals war. J. V. war erschrocken, aber sonst war ihr nichts geschehen, und sie war weinend zu ihrer Mutter nach Hause gelaufen. Der kurze Augenblick des Schreckens verfolgte sie immer wieder. Der Mann mit dem Sack voller Schlangen drängte sich in ihre Träume und verwandelte sie in Alpträume. Das Schockerlebnis verknüpfte sich mit ihren epileptischen Anfällen. Ein leichter Anstoß der Erinnerung konnte wie Prousts Madeleine das ganze Ereignis wieder ins Gedächtnis rufen und so einen Anfall auslösen.

Bei der Untersuchung unter dem EEG-Gerät erinnerte sich J. V. nicht nur an das Erlebnis, sie *erlebte* es aufs neue. Das ursprüngliche Ereignis kehrte in dem ganzen Reichtum seiner Einzelheiten, in aller Klarheit seines Schreckens wieder. Von Penfields Sonde angeregt wiederholte das Gehirn vergangene Erfahrungen wie einen alten Film. Mit numerierten Papierstücken markierte Penfield die Bereiche der Großhirnrinde, von denen die einzelnen Erinnerungen ausgingen. Die Berührung benachbarter Punkte löste verschiedenartige Empfindungen aus. Berührte die Sonde einen Punkt, erinnerte sich J. V. daran, wie sie gescholten wurde, weil sie etwas angestellt hatte. Andere Stellen brachten nur Trugbilder buntfarbiger Sterne hervor.

Retortengehirne

Penfields klassische Experimente in den dreißiger Jahren regten ein berühmtes Rätsel an, das unter Philosophiestudenten als das Rätsel der «Retortengehirne» bekannt ist. Es lautet folgendermaßen: Sie glauben, Sie säßen hier und läsen dieses

Buch. In Wirklichkeit könnten Sie genausogut ein vom Körper getrenntes Gehirn sein, das irgendwo in einem Laboratorium in einer Retorte voll Nährflüssigkeit schwimmt. Das Gehirn ist an Elektroden angeschlossen, und ein wahnsinniger Wissenschaftler füttert es mit einem ständigen Strom elektrischer Impulse, so daß die Erfahrung, dieses Buch zu lesen, perfekt vorgetäuscht wird!

Wir können die Anekdote etwas ausgestalten, um ihren ganzen Bedeutungsgehalt zu erschließen. Zu einem unbestimmten Zeitpunkt in der Vergangenheit ist Ihr Gehirn im Schlaf aus Ihrem Körper entfernt worden. Geschickte Chirurgen haben jeden einzelnen Nervenstrang durchtrennt und an eine mikroskopisch kleine Elektrode angeschlossen. Jede einzelne dieser Millionen von Elektroden ist mit einer Maschine verbunden, die genau die gleichen schwachen Impulse produziert wie die ursprünglichen Nerven.

Wenn Sie umblättern, fühlt sich die Buchseite wie eine Buchseite an, weil die Elektroden Ihr Gehirn mit genau den gleichen Nervenimpulsen füttern, wie dies echte Finger getan hätten, die eine echte Seite berühren. Aber die Seiten sind ebenso eine Illusion wie die Finger. Halten Sie das Buch näher ans Gesicht, sieht es größer aus; halten Sie es mit ausgestrecktem Arm von sich weg, sieht es kleiner aus... Eine dreidimensionale Perspektive kann erzeugt werden, wenn der Wissenschaftler die Spannung der Elektroden am Stumpf des Sehnervs vorsichtig ausgleicht. Wenn Sie in diesem Moment kochende Spaghetti in der Küche riechen und im Hintergrund Lautenmusik hören, ist das auch nur ein Teil der Illusion. Sie können sich selbst in den Arm kneifen und das erwartete Gefühl verspüren, aber das beweist nichts. Es gibt tatsächlich *keine Methode zu beweisen, daß dem nicht so ist.* Wie rechtfertigen Sie also Ihren Glauben daran, daß die Außenwelt existiert?

Träume und böse Geister

Das Paradox der Retortengehirne ist für jeden Skeptiker attraktiv und zugleich enervierend. Der Nachweis, daß vielleicht alles, was Sie wissen, falsch ist, ist faszinierend!

Trotz des Einflusses, den Penfield und andere Gehirnspezialisten hatten, sind Zweifel an der Wirklichkeit kein spezifisch modernes Problem. Das Paradox der Retortengehirne ist nur eine verschärfte Version älterer Rätsel, die um die Frage kreisen: «Woher weißt du, daß du nicht träumst?» Die bekannteste unter diesen Anekdoten ist die Geschichte des chinesischen Philosophen Zhuangzi aus dem vierten Jahrhundert vor Christi Geburt. Zhuangzi träumte, er sei ein Schmetterling. Dann wachte er auf und fragte sich, ob er nicht vielleicht ein Schmetterling sei, der träumte, ein Mensch zu sein.

Zhuangzis Parabel ist nicht sehr überzeugend. Es stimmt zwar, daß wir im Traum normalerweise nicht merken, daß wir schlafen. Aber wenn wir wach sind, wissen wir doch immer, daß wir nicht träumen... oder etwa nicht?

Darüber kann man geteilter Meinung sein. In seiner 1641 erschienenen *Ersten Meditation* stellte der Philosoph und Mathematiker René Descartes fest, daß er nicht *absolut* sicher sein könne, nicht zu träumen. Die meisten Menschen würden sich seiner Meinung wohl nicht anschließen. Jetzt und hier, in diesem Augenblick träumen Sie nicht, und Sie wissen das, weil Erfahrungen im Traum sich von Erfahrungen im wachen Leben unterscheiden.

Aber *worin* genau sie sich unterscheiden, läßt sich nicht so leicht sagen. Wenn sich das wache Leben in absoluter und unverwechselbarer Weise von einem Traum unterscheidet, dann müßte es einen garantiert sicheren Test geben, mit dessen Hilfe Sie zwischen den beiden unterscheiden können. Zum Beispiel:

– Es gibt die alte Redensart, man solle sich in den Arm kneifen, um zu sehen, ob man träume. Dahinter steckt offenbar der Gedanke, daß man im Traum keinen Schmerz empfindet. Aber ich *habe* im Traum Schmerz empfunden, und ich habe den Verdacht, daß das von Zeit zu Zeit allen Menschen passiert. Der Test taugt nichts.

– Da Träume selten farbig sind, beweist die rote Rose auf Ihrem Tisch, daß Sie wach sind. Aber in Wirklichkeit sind Farbempfindungen im Traum gar nicht so selten. Viele Menschen träumen farbig, und selbst wenn Ihnen das noch nie geschehen ist, könnte diesmal ja das erste Mal sein.

– Das wirkliche Leben ist normalerweise detaillierter und zusammenhängender als ein Traum. Wenn Sie die Wand vor sich betrachten und jeden kleinen Riß in der Tapete sehen können, heißt das, daß Sie wach sind. Wenn Sie eine Zahlenreihe addieren und das Ergebnis mit einem Taschenrechner überprüfen können, sind Sie wach. Das sind bessere Tests, aber sie sind immer noch nicht absolut sicher. (Könnten Sie nicht träumen, kleine Risse in der Tapete zu sehen, nachdem Sie gehört haben, die Fähigkeit, kleine Risse in der Tapete zu sehen, «beweise», daß Sie wach sind?)

– Manchmal wird behauptet, allein die Tatsache, daß Sie sich fragen, ob Sie wach sind oder träumen, beweise, daß Sie wach seien. Im wachen Leben weiß man um Traumzustände, aber im Traum vergißt man den Unterschied (und glaubt, man sei wach). Aber wenn das wahr wäre, könnten sie keine Träume haben, in denen Sie wissen, daß Sie träumen; und viele Menschen haben sogar häufig derartige Träume.

– Ich habe ein Testverfahren vorzuschlagen, das auf der Idee der «kohärenten Neuigkeit» basiert. Legen Sie ein Buch mit Limericks neben Ihr Bett. Lesen Sie nicht in dem Buch, machen Sie nur folgendes: Jedesmal, wenn Sie wissen wollen, ob Sie wach sind oder träumen, gehen Sie ins Schlafzimmer und schlagen das Buch an einer beliebigen Stelle auf. Lesen Sie einen Limerick, aber vergewissern Sie sich, daß es einer ist, den Sie noch nie gelesen oder gehört haben. Höchstwahrscheinlich können Sie auf Anhieb keinen korrekten Limerick verfassen. Sie können das in wachem Zustand nicht, und schon gar nicht im Schlaf. Dennoch kann jedermann einen Limerick *erkennen*, wenn er einen sieht. Ein Limerick hat einen bestimmten Rhythmus, ein Reimschema und ist komisch (oder soll es wenigstens sein). Wenn Ihr Limerick all diesen Kriterien genügt, muß er ein Teil der Außenwelt und nicht ein Hirngespinst Ihrer Träume sein.*

> 's gibt 'nen Hustensaft Scopolamin,
> da steckt wirklich Musieke drin.
> Sogar Tut-ench-amen
> Wär' rasch wieder beisammen,
> Göß ihm hinter die Binde man ihn.

Worum es mir eigentlich geht, ist, daß Sie keinen dieser Tests anwenden müssen, um zu wissen, daß Sie wach sind. Sie *wissen* es einfach. Die Behauptung, das «wirkliche» Leben Zhuangzis oder irgendeines anderen Menschen sei im wörtlichen Sinne ein nächtlicher Traum, ist nicht glaubwürdig.

Aber es könnte sich um eine andere Art von «Traum» handeln. Die bekannteste Ausführung dieses Gedankens findet sich in Descartes *Meditationen*. Der Philosoph fragt sich, ob die Außenwelt einschließlich seines eigenen Körpers eine Illusion sei, die ein «böser Geist» geschaffen habe, um ihn zu be-

* Samuel Taylor Coleridge verfaßte sein Meisterwerk *Kubla Khan* im Traum. Coleridge schlief bei der Lektüre einer Biographie des Mongolenkaisers ein und träumte mit erstaunlicher Klarheit ein Gedicht von 300 Zeilen. Beim Erwachen beeilte er sich, das Gedicht aufzuschreiben, bevor es ihm wieder entglitt. Er schrieb etwa 50 Zeilen – das Gedicht, das wir kennen –, bevor er durch einen Besucher gestört wurde. Später konnte er sich nur noch an ein paar unzusammenhängende Einzelzeilen von den restlichen 250 erinnern. Aber Coleridge war im wachen Leben ein Dichter. Ich empfehle den Limerick-Test nur Leuten, denen es nicht leichtfällt, einen Limerick zu schreiben. Außerdem war Coleridges Traum vermutlich untypisch, denn er hatte ein opiumhaltiges Schlafmittel genommen.

trügen. «So will ich denn annehmen... daß irgendein böser Geist, der zugleich höchst mächtig und verschlagen ist, allen seinen Fleiß daran gewandt habe, mich zu täuschen; ich will glauben, Himmel, Luft, Erde, Farben, Gestalten, Töne und alle Außendinge seien nichts als das täuschende Spiel von Träumen, durch die dieser meiner Leichtgläubigkeit Fallen stellt; mich selbst will ich so ansehen, als hätte ich keine Hände, keine Augen, kein Fleisch, kein Blut, überhaupt keine Sinne, sondern glaubte nur fälschlich, dies alles zu besitzen.»

Der Höhepunkt der Täuschung, so schloß Descartes, läge darin, daß nur der Dämon und Descartes' Bewußtsein wirklich wären. Gäbe es auch nur ein anderes Bewußtsein, das so etwas wie ein «Publikum» für die Täuschung darstellte, hätte Descartes wenigstens da recht, wo es um die Existenz eines Bewußtseins wie seines eigenen geht.

Descartes böser Geist nimmt das Paradox der Retortengehirne in allen wichtigen Einzelheiten voraus. Die Penfieldschen Experimente haben nur aufgewiesen, wie die metaphysische Phantasie eines Descartes physisch vorstellbar wird. Die Illusion in den Penfield-Experimenten war realistischer als ein Traum oder eine Erinnerung, aber sie war nicht vollkommen, Penfields Patienten beschrieben sie als ein doppeltes Bewußtsein: Auch während sie die vergangenen Erfahrungen im Detail neu erlebten, waren sie sich zugleich der Tatsache bewußt, daß sie auf dem Operationstisch lagen.

Man kann sich die vollständigere neurologische Illusion gut vorstellen, auf der das Rätsel der Retortengehirne beruht. Weder senden die Augen Bilder an das Gehirn noch das Ohr Töne. Die Sinnesorgane stehen über elektrochemische Impulse in den Nervenzellen mit dem Gehirn in Verbindung. Jede Zelle im Nervensystem «sieht» nur die Impulse der benachbarten Zellen, nicht den äußeren Reiz, der sie ausgelöst hat.

Wenn wir einmal mehr über die unmittelbare Nervenverbindung mit dem Gehirn wissen – in etwa einem Jahrhundert könnte das der Fall sein –, kann es möglich werden, jede beliebige Erfahrung künstlich zu simulieren. Diese Möglichkeit läßt alle Erfahrung zweifelhaft erscheinen. Selbst der gegenwärtige unentwickelte Zustand der Neurologie bietet keine Garantie für die Zuverlässigkeit unserer Sinne. Das fünfundzwanzigste Jahrhundert könnte bereits heute angebrochen sein, und die Hintermänner des Laboratoriums mit den Retortengehirnen wollen, daß Sie glauben, es sei das zwanzigste Jahrhundert, wo so etwas nicht möglich ist!

Die Existenz des eigenen Gehirns ist genauso zweifelhaft wie die der Außenwelt. Wir sprechen von «Retortengehirnen», weil das ein bequemes Bild ist, das ironisch an schlechte Science-fiction erinnert. Das Gehirn ist hier nur eine Abkürzung für «Bewußtsein». Wir wissen ebensowenig mit unangreifbarer Gewißheit, daß unser Bewußtsein sich in einem Gehirn befindet, wie wir wissen, daß es sich in einem Körper befindet. In einer noch vollkommeneren Version dieser Phantasie müßte sich Ihr Bewußtsein die ganze Welt, einschließlich Penfields, J. V.s und des Rätsels der Retortengehirne einbilden.

Mehrdeutigkeit

Die Frage der «Retortengehirne» ist ein prägnantes Beispiel für das, was Philosophen das «Erkenntnisproblem» nennen. Es geht nicht um die recht unwahrscheinliche Möglichkeit, daß wir Gehirne in Retorten sind, sondern daß wir uns in einer Art und Weise täuschen, die wir uns nicht einmal vorstellen können. Wenige Menschen überschreiten das vierzehnte Lebensjahr, ohne sich irgendwann einmal derartige Gedanken zu machen. Woher wissen wir überhaupt etwas mit Gewißheit?

Unsere gesamte Erfahrung besteht aus einem stetigen Strom von Nervenimpulsen. Der Glanz einer Barockperle, das Klingeln des Telephons und der Duft von frischen Aprikosen sind Schlußfolgerungen, die wir aus diesen Nervenimpulsen ziehen. Wir alle haben uns eine Welt imaginiert, die eine Erklärung für die spezifische Serie von Nervenimpulsen bieten könnte, die wir von Geburt an (eigentlich schon ein paar Monate vor unserer Geburt) empfangen haben. Das übliche Bild einer realen Außenwelt ist nicht die einzig mögliche Erklärung für diese neuralen Erfahrungen. Wir müssen notgedrungen zugeben, daß die Erfahrungen unserer Nerven genausogut durch die Annahme eines bösen Geistes oder eines Retortenexperiments erklärbar sind. Erfahrung ist immer mehrdeutig.

Die Wissenschaft vertraut in hohem Maße auf das Zeugnis der Sinne. Die meisten Menschen reagieren skeptisch auf Berichte über Geistererscheinungen, das Ungeheuer von Loch Ness und fliegende Untertassen. Aber sie sind nicht skeptisch, weil derartige Vorstellungen an und für sich unsinnig wären, sondern weil bisher noch niemand unbezweifelbare Beweise für ihre Existenz auf der Ebene der Sinneserfahrungen vorgelegt hat. Die Idee der Retortengehirne stellt diese (scheinbar vernünftige) Skepsis auf den Kopf. Wie können Sie aus der Erfahrung Ihrer Sinneswahrnehmungen schließen, daß Sie kein Gehirn in einer Retorte sind? Sie können es nicht! Es gibt keinen empirischen Beweis dafür, daß Sie kein Gehirn in einer Retorte sind. Die Frage übersteigt, philosophisch gesprochen, den Bereich der Beweisbarkeit.

Das ist ein ernsthafter Angriff auf den Glauben, daß «man alles wissenschaftlich entscheiden kann». Es geht hier nicht um eine irrelevante Detailfrage wie die Hautfarbe eines Tyrannosaurus. Wenn wir nicht einmal wissen können, ob die Außenwelt existiert, ist unser Wissen äußerst begrenzt. Unsere konventionellen Meinungen darüber, wie die Welt beschaffen ist, könnten in absurder Weise falsch sein.

Das Problem der Mehrdeutigkeit liegt einer berühmten Analogie zugrunde, die Albert Einstein und Leopold Infeld 1938 entwickelt haben:

«Bei unseren Bemühungen, die Wirklichkeit zu begreifen, machen wir es manchmal wie ein Mann, der versucht, hinter den Mechanismus einer geschlossenen Taschenuhr zu kommen. Er sieht das Zifferblatt, sieht, wie sich die Zeiger bewegen, und hört sogar das Ticken, doch hat er keine Möglichkeit, das Gehäuse aufzumachen. Wenn er scharfsinnig ist, denkt er sich vielleicht irgendeinen Mechanismus aus, dem er alles das zuschreiben kann, was er sieht, doch ist er sich wohl niemals sicher, daß seine Idee die einzige ist, mit der sich seine Beobachtungen erklären lassen. Er ist niemals in der Lage, seine Ideen an Hand des wirklichen Mechanismus nachzuprüfen. Er kommt überhaupt gar nicht auf den Gedanken, daß so eine Prüfung möglich wäre, ja er weiß nicht einmal, was das ist.»

Gibt es irgend etwas Gewisses?

Descartes' böser Geist wurde zum Ausgangspunkt einer Untersuchung darüber, wie wir das wissen, was wir wissen. Descartes schrieb: «Schon vor einer Reihe von Jahren habe ich bemerkt, wieviel Falsches ich in meiner Jugend als wahr habe gelten lassen und wie zweifelhaft alles ist, was ich hernach darauf aufgebaut, und daß ich daher einmal im Leben alles von Grund aus umstoßen und von den ersten Grundlagen an neu beginnen müsse, wenn ich endlich einmal etwas Festes und Bleibendes in den Wissenschaften ausmachen wolle.»

Descartes wollte das Problem der Erkenntnis nach der Methode untersuchen, nach der Euklid zweitausend Jahre vor ihm die Geometrie aufgebaut hatte. Die gesamte euklidische Geometrie läßt sich aus fünf *Axiomen* ableiten. Als Axiom galt zu Euklids Zeiten ein Satz von so unmittelbar einleuchtender Wahrheit, daß man sich keine Welt vorstellen kann, in der er falsch wäre. (Zum Beispiel: «Jede beliebigen zwei Punkte können durch eine gerade Linie miteinander verbunden werden.») Alle *Theoreme* – die beweisbar wahren Sätze der klassischen Geometrie – können aus den fünf euklidischen Axiomen abgeleitet werden.

Descartes wollte das gleiche mit den Tatsachen der wirklichen Welt tun. Zuerst mußte er also eine Reihe von Tatsachen finden, die wir mit absoluter Sicherheit wissen. Diese Tatsachen sollten zu den Axiomen seiner Naturphilosophie werden. Dann wollte er gültige Schlußregeln festlegen. Und erst dann wollte Descartes mit Hilfe dieser Regeln neue Tatsachen aus den ursprünglichen unbestreitbaren Tatsachen ableiten.

Unglücklicherweise ist fast jede Aussage über die wirkliche Welt bis zu einem gewissen Grade zweifelhaft. Descartes sah, wie sich die Grundlagen seiner Naturphilosophie unter seinen Füßen auflösten. «Die gestrige Betrachtung hat mich in Zweifel gestürzt, die so gewaltig sind, daß ich sie nicht mehr vergessen kann, und von denen ich doch nicht sehe, in welcher Weise sie zu lösen seien; sondern, wie wenn ich unversehens in einen tiefen Strudel hinabgestürzt wäre, bin ich so verwirrt, daß ich weder auf dem Grunde festen Fuß fassen noch zur Oberfläche emporschwimmen kann.»

Der verwirrende Strudel, in den Descartes sich gezogen fühlte, ist eine gute Beschreibung der *Ontologie*, der philosophischen Lehre vom Sein. Das erste, das man sich klarmachen muß, wenn man eine Ontologie konstruieren will, ist, daß die allgemein anerkannten «Alltagstatsachen» der Außenwelt anzweifelbar sind. Man kann sich fast immer eine Situation vorstellen, in der sich unbezweifelte Glaubenssätze als falsch erweisen. Ist Paris die Hauptstadt von Frankreich? Höchstwahrscheinlich ja, aber ein leiser Hauch des Zweifels läßt sich nicht auflösen. Es ist gerade noch vorstellbar, daß wir in einer totalitären Diktatur leben, deren Machthaber sich aus Gründen, die nur sie selbst kennen, verschworen haben, den Namen der wirklichen Hauptstadt von Frankreich vor den Bürgern geheimzuhalten. Sie haben alle Geschichts- und Erdkundebücher umgeschrieben und die Lehrer gezwungen, jede neu heranwachsende Schülergeneration mit der Behauptung zu indoktrinieren, daß Paris die Hauptstadt von Frankreich sei. Sie waren letzten Sommer in Paris und haben dort ein paar echt wirkende französische Regierungsgebäude gesehen? Vielleicht waren Sie nur in einer Art von Disneyland, das von unserer Regierung unterhalten wird, um den Bürgern vorzugaukeln, sie genössen Reisefreiheit.

Derart wilde Phantasien sollten nicht über die Tatsache hinwegtäuschen, daß manche Dinge bezweifelbarer sind als andere. Für die meisten Menschen ist das Ungeheuer von Loch Ness weniger wirklich als ein Tyrannosaurus, und beide sind weniger wirklich als der Elefant, den Sie letzten Sonntag im Zoo gesehen haben. Was ist das Sicherste von allem?

Eine beliebte Antwort lautet, sicher seien die Wahrheiten der Mathematik und der Logik. Selbst wenn Ihr Grundschullehrer das blinde Werkzeug einer Verschwörung war, mit dem einzigen Ziel, Ihnen etwas Falsches beizubringen, können Sie nicht daran zweifeln, daß 2 plus 2 gleich 4 ist. Sie können sich jetzt, in diesem Augenblick, zwei Dinge vorstellen, noch zwei weitere Dinge danebenlegen und feststellen, daß die Summe vier ist. Dieser Schluß muß anscheinend in jeder möglichen Welt gültig sein, ob es sich nun um die Außenwelt handelt, an deren Existenz wir glauben, um das Laboratorium der Retortengehirne oder um etwas noch Seltsameres.

Die Antwort birgt zwei Gefahren. Einmal kann man die ultra-skeptische Meinung vertreten, auch Logik und Mathematik seien Täuschungen. Nur weil Sie sich nicht vorstellen können, Sie hätten Unrecht mit der Annahme, 2 plus 2 sei 4, ist noch lange nicht gesagt, daß es wirklich so ist.

Wenn Sie einen gültigen logischen oder mathematischen Schluß ziehen, ist offenbar Ihr Gehirn in einem ganz bestimmten Zustand. Was sollte die Herren des Gehirnlaboratoriums daran hindern, Sie über Mathematik und Logik genau so zu betrügen wie über die physische Welt? Vielleicht ist 2 plus 2 in Wirklichkeit 62,987; aber, indem sie Ihre Gehirnzellen auf eine bestimmte Art stimulieren, lassen die wahnsinnigen Wissenschaftler Sie denken, die Summe sei 4. Sie lassen Sie sogar denken, es sei offensichtlich, daß sie 4 ist, und Sie könnten beweisen, daß sie 4 ist. Vielleicht spielen sie irgendwo mit einer ganzen Serie von Retortengehirnen herum, von denen jedes an eine andere Summe für 2 plus 2 glaubt und in einer anderen, mit dieser Summe vereinbarten «Wirklichkeit» lebt.

In der Philosophie wird die Skepsis nur selten so weit getrieben. Das andere, pragmatischere Problem, wenn man Gewißheit auf die Gebiete der Logik und der Mathematik beschränken will, ist, daß uns dann keine Methode mehr bleibt, Annahmen über die physische Welt zu rechtfertigen. Gewißheit in der Arithmetik sagt nichts darüber aus, was die Hauptstadt von Frankreich ist. Gibt es also außerhalb der Logik und der Mathematik irgendwelche Tatsachen, deren wir uns gewiß sein können?

Descartes hat einige interessante Überlegungen zu dieser Frage angestellt. Er merkte an, daß der Phantasie – möglicherweise sogar der Phantasie böser Geister – Grenzen gesetzt sind. Die phantastischen Gegenstände von Träumen oder surrealistischen Gemälden beruhen auf wirklichen Objekten. «Sind doch auch die Maler», schrieb er, «selbst wenn sie Sirenen und Satyrn in den fremdartigsten Gestalten zu bilden sich Mühe geben, nicht imstande, ihnen in jeder Hinsicht neue Eigenschaften zuzuteilen, sondern sie mischen nur die Glieder von verschiedenen lebenden Wesen durcheinander.» (Gibt es mythische Monster, die nicht einfach eine Travestie der Natur darstellen? Kentauren, der Minotaurus, Einhörner, Greifen, Chimären, Sphinxe, Wolpertinger und dergleichen stellen der menschlichen Einbildungskraft kein gutes Zeugnis aus. Keines davon ist so originell wie ein Känguruh oder ein Seestern.)

Descartes hätte vermutlich behauptet, die Wesen, die das Laboratorium der Retortengehirne beherrschen, hätten nicht *alles* aus dem Nichts heraus erfinden können. Es gäbe in der «wirklichen» Welt außerhalb des Laboratoriums, sagen wir mal, so etwas wie Augen oder Fell, auch wenn sie nicht so angeordnet wären wie bei einem Hund. Descartes hat auch darauf hingewiesen, daß die Farben der phantastischsten Gemälde immer noch *wirkliche* Farben sind. Deshalb hielt er den Glauben für berechtigt, daß die Farbe Rot existiert, selbst wenn ihn ein böser Geist täuschen sollte. (Sind Sie derselben Meinung? Oder könnten Sie sich vorstellen, daß die «wirkliche» Welt schwarz-weiß ist und daß Farbe eine neurologische Illusion ist, die ein besonders erfinderisches Retortenlaborteam entwickelt hat?)

Wenn Descartes von der Wirklichkeit der Farben sprach, meinte er subjektive Farbempfindungen, nicht Pigmente, Lichtwellenlängen oder irgend etwas von dem, das wir mittlerweile mit diesen Primärerfahrungen in Verbindung bringen. Letzten Endes, so Descartes' Schlußfolgerung, sind das einzige, dessen wir gewiß sein können, subjektive Gefühle, besonders unsere eigenen subjektiven Gefühle. (Wer kann schon sicher sein, daß andere so fühlen und denken wie man selbst?)

Stellen Sie sich vor, Sie zweifelten daran, daß Ihr eigenes Bewußtsein existiert. Dann zweifeln Sie daran, daß Sie zweifeln, und das heißt, daß Sie tatsächlich zweifeln. Irgend etwas muß es sein, das da zweifelt. Sie können sich über viele Dinge täuschen, aber es muß wenigstens ein Bewußtsein geben, das getäuscht wird. Daher Descartes berühmte Schlußfolgerung: «Ich denke, also bin ich.»

Idealismus ist der Glaube, nur der Geist sei real oder erkennbar. Obwohl er selbst kein eigentlicher Idealist war, hat Descartes diese Geistesströmung ausgelöst. Ein Idealist sagt, wenn Sie Pfefferschoten essen und sich den Mund verbrennen, seien die Schmerz- oder Hitze*empfindungen* unbestreitbar real. Die Pfefferschote selbst kann eine Illusion sein: eine mit Tabasco gewürzte Marzipanimitation oder Bestandteil eines Alptraums nach einem zu schweren Abendessen. Weil Schmerz und Geschmack rein subjektiv sind, ist die Tatsache des Schmerz- oder des Geschmacksempfindens unstrittig. Subjektive Empfindungen überschreiten die physikalische Realität ihrer Ursachen.

Ein weiteres Beispiel: Fast jeder Mensch ist schon einmal von Horrorfilmen, Schauerromanen und Alpträumen erschreckt worden. Obgleich es sich nur um einen Film/Roman/Traum handelte, war der momentane Schrecken echter Schrecken. Penfields Patientin J. V. hatte echte Angst vor dem Mann mit dem Sack voller Schlangen, obgleich er (als neurologische Wiederholung auf dem Operationstisch) eine Illusion war. Genausowenig kann man daran zweifeln, daß man glücklich, traurig, verliebt, betrübt, fröhlich oder eifersüchtig ist, wenn es so ist.

Subjektive Empfindungen geben eine sehr begrenzte Basis für Schlüsse auf die Außenwelt ab. Dennoch glaubte Descartes, viele bedeutsame Schlüsse aus der Realität seines eigenen Geistes ableiten zu können. Aus «Ich bin» schloß er: «Gott existiert». Jede Wirkung, so Descartes' Argumentation, muß eine Ursache haben, und so mußte er selbst einen Schöpfer besitzen. Aus der Aussage «Gott existiert» folgerte Descartes: «Die Außenwelt existiert», denn Gott als vollkommenes Wesen kann uns nicht trügerisch zu dem Glauben an eine vorgetäuschte Außenwelt verleiten: Er würde die Existenz des bösen Geistes nicht zulassen.

Nur wenige zeitgenössische Philosophen akzeptieren diese Argumentation. Es mag so scheinen, als hätten alle Dinge eine Ursache, aber wissen wir das mit absoluter Gewißheit? Auch das Gesetz von Ursache und Wirkung könnte eine Fiktion sein, die ein böser Geist in unser Bewußtsein gesenkt hat.

Selbst wenn es einen Grund für die eigene Existenz gibt, werden wir irregeführt, wenn wir diese Ursache «Gott» nennen. Das Wort «Gott» bezeichnet wesentlich mehr als eine Ursache der eigenen Existenz. Vielleicht bietet die Darwinsche Evolutionslehre einen Grund für unsere Existenz. Aber das ist nicht das, was die meisten Menschen unter «Gott» verstehen. Und selbst wenn Gott existiert, woher wissen wir, daß er keinen bösen Geist duldet?

All dies bedeutet nicht, daß Descartes Unrecht gehabt hätte, sondern nur, daß er dem Geist seines eigenen Skeptizismus nicht treu geblieben ist. Einer der schärfsten Kritiker des Kartesianischen Denkens war der schottische Philosoph und Historiker David Hume (1711–1776). Auf dem Höhepunkt seines Ruhms galt Hume in London wie in Paris als prominente Persönlichkeit und durfte dennoch wegen seines offenen Atheismus an keiner Universität lehren. Eine Zeitlang verdiente er seinen Lebensunterhalt mühsam als Privatlehrer des geisteskranken Dritten Marquis von Annandale. Hume bezweifelte jeden einzelnen Schritt in Descartes' Argumentation, sogar die Existenz eines Bewußtseins. Er sagte, bei der nach innen gerichteten Betrachtung «stolpere» er zwar jedesmal über Vorstellungen und Gefühle. Nirgends aber fand er ein von diesen Gedankengebilden getrenntes Selbst.

Hume behauptete, es gebe nur zwei Arten von Wahrheit, die uns offenstünden. Es gibt «Wahrheiten der Vernunft», wie den Satz, daß 2+2=4 ist; und es gibt «Tatsachenurteile» wie «Der Rabe in der Volière des Kopenhagener Zoos ist schwarz.» Diese zweizinkige Konzeption der Wahrheit ist als «Humes Gabel» bekannt. Eine Frage, die keinem der beiden Typen angehört (etwa: «Existiert die Außenwelt wirklich?»), ist Hume zufolge unbeantwortbar und sinnlos.

Deduktion und Induktion

Um zu brauchbaren Schlüssen über die wirkliche Welt zu kommen, müssen wir von Prämissen ausgehen, die (gemessen an den strengen Anforderungen des philosophischen Skeptikers) ungewiß sind. Die Wissenschaft und der alltägliche Menschenverstand errichten die Gebäude ihrer Überzeugungen immer auf schwankendem Grund. Kein wissenschaftlicher Schluß ist vollkommen sicher.

Es gibt zwei Methoden, durch die wir Dinge erkennen (oder glauben, sie zu erkennen), und sie sind eng mit der Unterscheidung Humes verwandt. Der eine Weg der Erkenntnis ist die Deduktion, die «logische» Methode der Schlußfolgerung aus gegebenen Tatsachen. Ein Beispiel für einen deduktiven Schluß ist:

Alle Menschen sind sterblich.
Sokrates ist ein Mensch.
Also ist Sokrates sterblich.

Die beiden ersten Zeilen sind die Prämissen des Schlusses, die Tatsachen, die man als gegeben annimmt. Deduktion ist der Vorgang der Ableitung der dritten Zeile aus den beiden darüberstehenden Zeilen. Gültige Schlüsse sind in der Humeschen Terminologie Wahrheiten der Vernunft.

Descartes wollte auf deduktivem Wege neue Tatsachen aus gewissen Prämissen ableiten. Die neu gefundenen Tatsachen haben dann die gleiche Gewißheit wie die Prämissen. Glücklicherweise kann die Technik der Deduktion auch auf weniger gewisse Prämissen angewandt werden. Ein eingefleischter Skeptiker könnte einwenden, daß keine der beiden angeführten Prämissen gewiß ist. Vielleicht gibt es irgendwo unsterbliche Menschen, und Sokrates hätte ein Wesen von einem anderen Planeten sein können. Die Ungewißheiten übertragen sich auf die Schlußfolgerung. Aber der deduktive Schluß selbst ist so gewiß, wie es eine Aussage der Logik nur sein kann. *Immer wenn* gilt: «Alle As sind Bs» und «C ist A», *folgt* «C ist B». Man kann genausogut schließen:

Alle Bankiers sind reich.
Abs ist ein Bankier.
Also ist Abs reich.

oder:

Alle Raben sind schwarz.
Der Vogel in Edgar Allan Poes Gedicht ist ein Rabe.
Also ist der Vogel in Edgar Allan Poes Gedicht schwarz.

Diese Form der Argumentation bezeichnet man als *Syllogismus*. Eine merkwürdige Eigenschaft der Deduktion ist es, daß der «Gegenstand» der Prämissen keinerlei Einfluß auf den deduktiven Prozeß hat.

Der andere grundlegende Weg zur Erkenntnis ist die Induktion. Induktion ist der bekannte Prozeß, durch den wir allgemeine Aussagen gewinnen. Sie sehen einen Raben. Er ist schwarz. Sie sehen noch mehr Raben, und die sind auch schwarz. Sie sehen nie einen Raben, der nicht schwarz ist. Auf induktivem Wege können Sie schließen, daß alle Raben schwarz sind.

Die Wissenschaft beruht ebenso auf Induktion wie der Alltagsverstand. Trotz der Anerkennung, die seine «deduktiven Fähigkeiten» genießen, sind die meisten Schlüsse, die Sherlock Holmes zieht, eher induktiv als deduktiv. Induktion ist die Argumentation aus «Indizien» oder Humes «Tatsachenurteilen». Sie extrapoliert aus Beobachtungen, die der Beobachter nicht auf einer tieferen Ebene versteht. Sie wissen nicht, *warum* alle Raben, die Sie je gesehen haben, schwarz waren. Selbst nachdem Sie 100000 schwarze Raben gesehen haben, könnte der 100001. Rabe vielleicht weiß sein. Ein weißer Rabe ist keine in sich absurde Idee wie etwa ein Dreieck mit vier Seiten. Induktive Schlüsse besitzen keine logische Notwendigkeit.

Deshalb galt die Induktion schon immer als schwächer legitimiert als die Deduktion. Hume etwa stand ihr skeptisch gegenüber. Wir benützen, wie er bemerkte, induktive Argumente, um induktive Argumentation zu rechtfertigen. («Induktion hat sich im Lauf der Zeit bewährt. Also sollte sie auch in der Zukunft zuverlässig sein.») Der Philosoph Morris Cohen hat einmal behauptet, Lehrbücher der Logik bestünden aus zwei Teilen: einem ersten Teil über Deduktion, in dem Trugschlüsse erklärt werden, und einem zweiten Teil über Induktion, in dem Trugschlüsse begangen werden. (Bitte beachten Sie den abweichenden Aufbau dieses Buchs!)

Induktion ist eine Art des Rückwärtsgehens, als wolle man das Geheimnis eines Irrgartens lösen, indem man sich vom Ziel aus zurückarbeitet. Statt von einem allgemeinen Gesetz («Alle Raben sind schwarz») auszugehen und es auf spezifische Einzelfälle anzuwenden («Dieser Vogel ist ein Rabe; also ist dieser Vogel schwarz»), schreitet die Induktion von Einzelfällen zu einem allgemeinen Gesetz vor. Induktion gründet auf dem Glauben – der Hoffnung –, daß die Welt in ihrem Wesen nicht trügerisch ist. Aus der Tatsache, daß alle jemals beobachteten Raben schwarz waren, schließen wir, daß *alle* Raben schwarz sind, selbst diejenigen, die noch nie jemand gesehen hat. Wir nehmen an, daß die unbeobachteten Raben den beobachteten Raben ähnlich sind, daß die anscheinend beobachtbaren Regelmäßigkeiten der Welt echt sind.

Es wäre möglich, daß die Welt voll von weißen Raben ist, die niemand zu Gesicht bekommt, die sich ständig hinter Ihrem Kopf zusammenscharen, die nie in Ihr Gesichtsfeld treten. Jeder induktive Schluß ist mit einem unaufhebbaren Hauch von Ungewißheit belastet. Warum machen wir uns dann überhaupt die Mühe, induktive Schlüsse zu ziehen? Wir bedienen uns der Induktion, weil sie die einzige Methode ist, weiträumig anwendbare Tatsachen über die wirkliche Welt zu erschließen. Ohne sie hätten wir nichts als unsere Trillionen von Einzelerfahrungen, von denen jede so isoliert und bedeutungslos wäre wie Konfettischnipsel.

Die Induktion stellt die grundlegenden Fakten bereit, auf deren Basis wir Schlüsse über die Welt ziehen. In der Wissenschaft spielen empirisch überprüfte Verallgemeinerungen die Rolle, von der Descartes gehofft hatte, daß gewisse Axiome sie in seiner Philosophie übernehmen könnten. Das Zusammenspiel von Induktion und Deduktion ist die Grundlage der wissenschaftlichen Methode.

Bestätigungstheorie

Das Problem der Erkenntnis hat viele unter den scharfsinnigsten Philosophen, Naturwissenschaftlern und Dichtern beschäftigt, soweit unsere Überlieferungen zurückreichen. Philosophen bezeichnen diesen Zweig der Untersuchung als *Epistemologie* oder *Erkenntnistheorie*. Ein neuerer Ausdruck, der sich in den exakten Wissenschaften eingebürgert hat, ist *Bestätigungstheorie*. Es geht jeweils um die Frage, wie wir das wissen, was wir wissen; die Untersuchung des Vorgangs, wie wir gültige Schlüsse aus Indizien ziehen.

Den Prozeß der Erkenntnis selbst zu erforschen ist etwas anderes als die Erforschung von Schmetterlingen, Spiralnebeln oder dergleichen. Bestätigungstheorie ist weitgehend die Untersuchung logischer Rätsel und Paradoxe. Dem Außenstehenden mag das so seltsam erscheinen wie die wissenschaftliche Erforschung von Luftspiegelungen und Trugbildern. Es liegt im Wesen von Paradoxen, daß sie die Risse im Gebäude unserer Überzeugungen offenlegen. Bertrand Russell hat gesagt: «Eine logische Theorie muß sich an ihrer Fähigkeit messen lassen, mit Rätseln umzugehen, und wenn man über Logik nachdenkt, empfiehlt es sich, so viele Rätsel wie möglich im Geist bereit zu halten, weil sie weitgehend die gleiche Funktion erfüllen wie Experimente in der Physik.»

Die jüngstvergangenen Jahrzehnte haben eine reiche Ernte an Paradoxen der Erkenntnis erbracht. In diesem Buch werden eine Anzahl neuerer Paradoxe besprochen, die so bedeutsam und umwerfend waren, daß sie sich ihren Platz im geistigen Kuriositätenkabinett jedes halbwegs gebildeten Menschen verdient haben.

Paradoxe

Es empfiehlt sich, zunächst einmal zu erklären, was ein Paradox ist. Natürlich wird das Wort in verschiedenen Bedeutungen gebraucht, aber ihnen allen gemeinsam ist das Element der Widersprüchlichkeit. Ein Paradox geht von einer Reihe vernünftiger und einleuchtender Prämissen aus. Aus diesen Prämissen erschließt es eine Folgerung, die die Prämissen unterminiert. Das Paradox ist eine Travestie des Glaubens an Beweisbarkeit.

Was nicht unmittelbar zutage tritt (sofern das Paradox raffiniert genug ist), ist der Grund für die Widersprüchlichkeit. Kann eine vollkommen gültige Argumentationskette zu einem Widerspruch führen, oder gibt es eine «Garantie» dafür, daß das nicht geschehen kann?

Paradoxe können grob danach eingeteilt werden, wann und wo (falls irgendwo) der Widerspruch erscheint. Die schwächste Form des Paradoxes ist der Trugschluß. Das ist ein Widerspruch, der durch einen trivialen, aber gut getarnten Denkfehler entsteht. Wir alle kennen die algebraischen Beweise dafür, daß 2 gleich 1 ist, und ähnliche Absurditäten. Die meisten beruhen darauf, daß man dazu verführt wird, durch 0 zu dividieren. Ein Beispiel:

1. Angenommen: $x = 1$
2. Offensichtlich: $x = x$
3. Beide Seiten zum Quadrat: $x^2 = x^2$
4. Subtrahiere x^2 auf beiden Seiten: $x^2 - x^2 = x^2 - x^2$
5. Faktorenzerlegung: $x(x-x) = (x+x)(x-x)$
6. Dividiere durch $(x - x)$: $x = (x + x)$
7. Oder: $x = 2x$
8. Und da $x = 1$: $1 = 2$

Der verhängnisvolle Schritt bestand darin, durch $(x-x)$ zu dividieren, denn $(x-x)$ ist 0. Die fünfte Zeile, also «$x(x-x) = (x+x)\ (x-x)$» behauptet zutreffenderweise, daß 1 mal 0 gleich 2 mal 0 ist. Daraus folgt aber nicht, daß 1 gleich 2 ist; jede beliebige Zahl mal 0 ist gleich jeder anderen Zahl mal 0.

Das Paradoxe an einem Trugschluß ist eine Illusion. Wenn man den Fehler einmal entdeckt hat, ist die Welt wieder in Ordnung. Es könnte scheinen, letztlich seien alle Paradoxe so beschaffen. Der Fehler mag nicht immer so offensichtlich sein wie in unserem Beispiel, aber er ist da. Finden Sie ihn, und das Paradox verschwindet.

Wenn das alles wäre, worum es bei Paradoxen geht, wären Bestätigungstheorie und Epistemologie einfachere und weniger interessante Gebiete, als sie es sind. Wir werden uns nicht mit einfachen Trugschlüssen beschäftigen. Es gibt viele gültige und beunruhigende Paradoxe.

Stärkere Paradoxe nehmen oft die Form eines Gedankenexperiments an. So nennt man eine Situation, die man sich vorstellen kann, die aber (meist) schwierig in der Wirklichkeit herzustellen wäre. Üblicherweise zeigen Gedankenexperimente, daß gewisse konventionell übliche Annahmen zu absurden Konsequenzen führen können.

Eines der einfachsten und erfolgreichsten Gedankenexperimente war Galileis Demonstration der Tatsache, daß schwere Gegenstände nicht schneller fallen als leichte. Nehmen wir an (wie man das vor Galilei tat), daß eine zehn Pfund schwere Bleikugel schneller fällt als eine ein Pfund schwere Holzkugel. Stellen Sie sich vor, daß Sie die beiden Kugeln mit einer Schnur aneinander binden und sie dann aus großer Höhe fallen lassen. Die Holzkugel, die ja leichter ist als die Bleikugel, wird langsamer fallen und die Schnur straff ziehen. Wenn das einmal geschehen ist, haben wir es mit einer Holzkugel zu tun, die durch eine Bleikugel beschwert ist: mit einem elf Pfund schweren System, das noch schwerer ist und deshalb schneller fallen sollte als jede der Kugeln einzeln. Beschleunigt sich das System, wenn die Schnur einmal straff ist? Obwohl das nicht im strengen Sinne unmöglich ist, klingt die Schlußfolgerung verdächtig genug, um die ursprünglichen Annahmen zweifelhaft erscheinen zu lassen. Im Gegensatz zu den meisten Gedankenexperimenten war Galileis Experiment leicht in die Praxis umsetzbar. Galilei ließ Gegenstände von verschiedenem Gewicht (allerdings entgegen der Legende nicht vom Schiefen Turm von Pisa) fallen und stellte fest, daß sie mit der gleichen Geschwindigkeit fielen. Heute ist die Gleichförmigkeit der Gravitationsbeschleunigung eine so allgemein akzeptierte Tatsache, daß uns Galileis Gedankenexperiment nicht mehr paradox erscheint.

Der Eindruck des Paradoxen kommt in einem anderen berühmten Gedankenexperiment, dem «Zwillingsparadox», deutlicher zu Bewußtsein. Die Relativitätstheorie behauptet, daß die Zeit je nach der Bewegung des Beobachters verschieden verläuft. Nehmen wir an, einer von zwei eineiigen Zwillingen starte in einer Rakete, fahre fast mit Lichtgeschwindigkeit bis zum Sirius und kehre auf die Erde zurück. Nach der Relativitätstheorie wird er feststellen, daß er um Jahre jünger ist als sein Zwillingsbruder. Er ist nach Aussage der Datumsuhr, die er mitgenommen hat, nach Aussage der Zahl seiner Falten und grauen Haare, gemäß seinem subjektiven Eindruck vom verstrichenen Zeitraum und gemäß jeder anderen uns bekannten physikalisch sinnvollen Definition von Zeit jünger.

Als es das erste Mal formuliert wurde, stand das Zwillingsparadox in so krassem Gegensatz zu jeder Erfahrung, daß es von zahlreichen Wissenschaftlern (unter ihnen der französische Philosoph Henri Bergson) als Beleg dafür angeführt wurde, daß die Relativitätstheorie falsch sein müsse. Nichts im Alltagsleben erweckt bei uns den Glauben, daß Zeit relativ sein könne. Ein Zwillingspaar bleibt von der Wiege bis zur Bahre gleichaltrig.

Heute gilt das Zwillingsparadox als akzeptierte Tatsache. Es ist in zahlreichen Experimenten überprüft worden: zwar nicht mit Zwillingen, aber mit extrem genauen Uhren. In einem Experiment, das der Physiker Joseph Hafele 1972 durchführte, konnte mit Cäsiumuhren, die auf Düsenverkehrsmaschinen rund um die Welt transportiert wurden, nachgewiesen werden, daß die menschlichen Passagiere um eine winzige, aber meßbare Zeiteinheit jünger nach Hause kamen. Kein Physiker zweifelt daran, daß ein Astronaut, der mit einer an Lichtgeschwindigkeit grenzenden Geschwindigkeit reiste, jünger zurückkehren würde als ein ursprünglich gleichaltriger Daheimgebliebener.

Das Paradox beruht auf unseren irrigen Annahmen darüber, wie die Welt funktioniert, und nicht auf der Logik der Situation. Die unausgesprochene Prämisse des Zwillingsparadoxes ist die, daß Zeit etwas Universelles sei. Das Zwillingsparadox zeigt, daß diese Prämisse unhaltbar ist: Der gesunde Menschenverstand irrt. Vielleicht glauben Sie nicht, daß es ein Tier gibt, das einen Pelz hat und Eier legt, aber es gibt das Schnabeltier – eine Art von lebendem Paradox. Natürlich ist es nicht logisch notwendig, daß ein Pelztier keine Eier legt; aber es ist auch nicht logisch notwendig, daß Zeit nicht von der Bewegung des Beobachters abhängig sein sollte.

Die ist also die zweite Art von Paradoxen, der Typ: «Der gesunde Menschenverstand hat Unrecht». In diesen Paradoxen kann der Widerspruch, so überraschend er auch ist, aufgelöst werden. Es ist weitgehend offensichtlich, welche der ursprünglichen Annahmen aufgegeben werden muß, und wie schmerzhaft der Verzicht auch sein mag, wenn sie einmal aufgegeben ist, verschwindet der Widerspruch.

Es gibt noch stärkere Paradoxe. Weder der Trugschluß noch der Typ des irrenden gesunden Menschenverstandes sind so quälend wie die besten Paradoxe. Die paradoxesten Paradoxe widerstehen jeder Auflösung.

Ein sehr einfaches Beispiel für ein echtes Paradox ist das «Lügnerparadox». Das Paradox, das von Eubulides, einem griechischen Philosophen des vierten vorchristlichen Jahrhunderts, formuliert wurde, wird häufig Epimenides zugeschrieben, der in Wirklichkeit nur ein fiktiver Dialogpartner ist (so wie Sokrates in den platonischen Dialogen). Der Kreter Epimenides soll angeblich gesagt haben: «Alle Kreter sind Lügner». Um die Geschichte in ein vollgültiges Paradox zu verwandeln, müssen wir ein bißchen schwindeln und einen Lügner als jemanden definieren, dessen Aussagen immer falsch sind. Dann hätte Epimenides dem Sinne nach gesagt: «Ich lüge», oder «Dieser Satz ist falsch.»

Nehmen wir die zweite Version. Ist der Satz wahr oder falsch? Nehmen wir an, der Satz «Dieser Satz ist falsch» sei wahr. Dann ist der Satz falsch, weil er ein wahrer Satz ist, und genau das behauptet er!

Also gut, dann wird er eben falsch sein. Aber wenn der Satz «Dieser Satz ist falsch» falsch ist, dann muß er wahr sein. Das liefert eine doppelte *reductio ad absurdum*. Wenn der Satz wahr ist, ist er falsch, also kann er nicht wahr sein, und wenn er falsch ist, ist er wahr, also kann er nicht falsch sein. Das Paradox ist echt und unauflösbar.

Bei diesem dritten Typ von Paradoxen ist überhaupt nicht klar, welche Prämisse aufgegeben werden sollte (oder auch nur könnte). Derartige Paradoxe bleiben offene Fragen. Die Paradoxe, von denen in diesem Buch die Rede sein wird, gehören mindestens dem zweiten, hauptsächlich aber dem dritten Typ an. Machen Sie sich darauf gefaßt, daß es für wenige davon eine allgemein anerkannte Lösung gibt.

Die besten Paradoxe werfen Fragen darüber auf, was für Widersprüche auftreten können, was für eine Art von Unmöglichkeiten möglich ist. Der argentinische Autor Jorge Luis Borges (1899–1986), dessen Werke den Beifall aller Liebhaber des Paradoxen finden, hat in seinen Erzählungen viele solcher Paradoxe erforscht. In *Tlön, Uqbar, Orbis Tertius* beschreibt er eine angeblich aus einer anderen Welt stammende Enzyklopädie, in Wirklichkeit den gewaltigen Schwindel einer Gruppe von Gelehrten. Borges' Gelehrte denken sich sogar die Paradoxe ihrer erfundenen Welt aus; und das Denken von «Tlön» ist so fremd, daß ihre Paradoxe für uns Gemeinplätze sind. Das größte Paradox von Tlön ist die Geschichte von den «Neun Kupfermünzen»:

«Am Dienstag überquert X einen menschenleeren Weg und verliert neun Kupfermünzen. Am Donnerstag findet Y auf dem Weg vier Münzen, die der Regen vom Mittwoch ein wenig geschwärzt hat. Am Freitag entdeckt Z drei Münzen auf dem Weg. Am Freitag morgen findet X zwei Münzen im Flur seines Hauses... Die Sprache von Tlön widersetzte sich der Formulierung dieses Paradoxons; die meisten verstanden es überhaupt nicht. Die Verfechter des gesunden Menschenverstandes beschränkten sich anfangs darauf, der Anekdote jeden Wahrheitsgehalt abzusprechen. Sie hoben wiederholt hervor, es handle sich um eine sprachliche Täuschung, beruhend auf der tollkühnen Verwendung zweier durch den allgemeinen Gebrauch nicht autorisierter und jedem strengen Denken fernstehender Neologismen: der Verben «finden» und «verlieren», die insofern eine petitio principii beinhalten, als sie die Identität der neun ersten und der neun letzten Münzen voraussetzen. Sie gaben zu bedenken, daß jedes Substantiv (Mensch, Münze, Donnerstag, Mittwoch, Regen) nur einen metaphorischen Wert hat. Sie wiesen auf den erschlichenen Nebenumstand hin: *die der Regen vom Mittwoch ein wenig geschwärzt hatte*, der voraussetzt, was erst bewiesen werden soll: die Andauer der Münzen zwischen dem Donnerstag und dem Dienstag. Sie erklärten, daß *Gleichheit* etwas anderes ist als *Identität*, und formulierten eine Art *reductio ad absurdum* an Hand eines hypothetischen Falles: neun Menschen erleiden in neun aufeinanderfolgenden Nächten einen heftigen Schmerz. Wäre es nicht lächerlich zu behaupten, so fragten sie, daß dieser Schmerz ein und derselbe sei?... So unglaublich es klingen mag: mit diesen Widerlegungen hatte es nicht sein Bewenden.»

Für das Denken von Tlön hat die Geschichte der «Neun Kupfermünzen» alle Merkmale eines echten Paradoxons und wird nie vollständig erklärt. Es ist eine interessante Frage, ob unsere Paradoxe den Bewohnern einer anderen Welt ebenso banal erschienen. Sind Paradoxe «nur in unserem Kopf», oder sind sie der allgemeinen Struktur der Logik inhärent?

Wissenschaft als Landkarte

Dieses Buch handelt von Paradoxen der Erkenntnis; Paradoxen, die ein Licht darauf werfen, wie wir Dinge wissen. Auf den ersten Blick ist die Vorstellung, man könne wissen, wie das

Universum beschaffen ist, absurd. Penfields Experimente haben bewiesen, daß Erinnerungen *Engramme* besetzen, spezifisch lokalisierbare Regionen im Gehirn. Wissen, wer Winnetou ist oder was Rauhreif ist oder wo Tasmanien liegt, bedeutet einen Gehirnteil besitzen, der Winnetou, dem Rauhreif oder Tasmanien zugeordnet ist. Möglicherweise verschieben sich diese Gehirnregionen und durchdringen einander, und insgesamt ist der Vorgang der Speicherung und Wiederfindung von Erinnerungen vermutlich viel komplizierter, als wir uns das heute vorstellen können. Aber davon abgesehen sind Engramme mit Sicherheit nicht unendlich klein. Ihr geistiges Bild von Winnetou nimmt einen Teil der Speicherkapazität Ihres Gehirns ein, der nicht gleichzeitig von etwas anderem besetzt werden kann.

Man kann sich das Gehirn naiv so vorstellen, als ob es maßstabgetreue Modelle von Dingen der Außenwelt enthielte. Offenbar müssen diese Modelle viele Details aussparen. Die reine Tatsache, daß das Universum so viel größer ist als Ihr Kopf, macht allumfassendes Wissen zu etwas Unerreichbarem. Das menschliche Gehirn kann nicht die Darstellungen aller Gegenstände der Welt enthalten.

Daß unsere Gehirne so gut arbeiten, wie sie es tun, weist auf eine selektive Speicherung hin. Das wichtigste Werkzeug zur Reduktion der Komplexität der Welt ist Verallgemeinerung. Diese Aufgabe leistet unser Gehirn auf mehreren Ebenen. Wissenschaft ist eine bewußt angewandte kollektive Methode der Vereinfachung durch Verallgemeinerung. Sie ist eine der Möglichkeiten, die wir anwenden, um das große und weite Universum in unsere winzig kleinen Gehirne zu zwängen.

Wissenschaft ist ein mnemonisches System, ein System der Gedächtnisstützung. Statt uns daran zu erinnern, was mit jedem einzelnen Apfel geschehen ist, der sich vom Ast gelöst hat, erinnern wir uns an die Schwerkraft. Sie ist eine Landkarte der Außenwelt. Wie jede Landkarte läßt sie Details aus. Dörfer, Bäume, Häuser und Felsen fehlen auf Straßenkarten, um Platz für Landstraßen, Küstenlinien, Staatsgrenzen und andere Dinge zu schaffen, die als bedeutsamer für den Benutzer gelten. Ähnliche Entscheidungen muß auch der Wissenschaftler treffen.

Wissenschaft kann nicht nur ein zusammenhangloser Katalog von Informationen sein. Zur Wissenschaft gehört nicht nur die Sammlung von Informationen, sondern auch der Versuch, sie zu verstehen. Was ist Verstehen? Erstaunlicherweise gibt es eine ziemlich exakte, wenn auch vorläufige Antwort auf diese philosophische Frage.

Paradoxe und ERFÜLLBARKEIT

Es ist oft einfacher, etwas Unbekanntes durch eine Grenze zu umschreiben, als es zu beschreiben. Als Thomas Jefferson 1803 Louisiana von Frankreich kaufte, wußte er nicht, was das neue Territorium enthielt; er kannte nur seine Grenzen. Das ist ein günstiger Zugang zur Beschreibung dessen, was es heißt, Informationen zu verstehen.

Als absolutes Minimum gehört zum Verstehen die Fähigkeit, einen inneren Widerspruch, ein Paradox, zu entdecken. Wenn man nicht einmal feststellen kann, ob eine Reihe von Aussagen sich selbst widerspricht, dann versteht man die Aussagen nicht richtig, hat sie nicht hinreichend durchdacht. Denken Sie an die tückische Lehrerin, die einen Widerspruch in ihren Vortrag einschmuggelt, um zu sehen, ob eine vor sich hin träumende Schülerin zustimmen wird:

«Das ist doch so, Miriam?»

«Eh – ja, doch.»

«Aha. Du hast offenbar nichts von dem gehört, was ich gesagt habe.»

Widersprüche zu entdecken ist nicht alles, was zum Verstehen gehört. Wahrscheinlich gehört noch viel mehr dazu. Aber es ist sicher eine notwendige Voraussetzung. Wenn er einen Widerspruch in einem Satz von Annahmen enthüllt, zeigt uns der Verfasser eines Paradoxons, daß wir nicht so viel verstehen, wie wir dachten.

In der Logik bezeichnet man das abstrakte Problem der Entdeckung von Paradoxen als ERFÜLLBARKEIT. (Dieses und verwandte Probleme der Logik werden meist in Großbuchstaben geschrieben.) Wenn eine Serie von Prämissen vorliegt, stellt sich die Frage der ERFÜLLBARKEIT: «Widersprechen diese Aussagen einander notwendigerweise?» Eine andere Formulierung ist: «Gibt es irgendeine mögliche Welt, in der alle diese Prämissen zugleich wahr sein können?»

ERFÜLLBARKEIT bezieht sich auf logische Abstraktionen, nicht notwendigerweise auf die Wahrheiten der wirklichen Welt. Betrachten Sie die beiden folgenden Prämissen:

1. Alle Kühe sind lila.
2. Der König von Spanien ist eine Kuh.

Die spontane Reaktion ist, daß beide Aussagen falsch sind. Aber etwas kann falsch sein, ohne paradox zu sein. Man kann sich zumindest eine Welt vorstellen, in der diese beiden Aussagen wahr sind. Logiker bezeichnen einen Satz von Aussagen als *erfüllbar*, wenn sie in einer möglichen Welt wahr sind – es braucht nicht die unsere zu sein.

Die folgende Situation ist andersartig:

1. Alle Kühe sind lila.
2. Der König von Spanien ist eine Kuh.
3. Der König von Spanien ist grün.

In keiner möglichen Welt können alle drei Aussagen zugleich wahr sein (wenn wir annehmen, daß Farben wie Lila und Grün einander gegenseitig ausschließen). Hier haben wir ein Paradox; die Aussagen werden als unerfüllbar bezeichnet.

Achten Sie darauf, daß keine der Aussagen allein an dem Widerspruch schuld ist. Sie können jede beliebige Aussage streichen, und Sie erhalten einen möglichen Zustand. Das Paradox entsteht aus der Verschränkung der drei Aussagen miteinander.

Diese Merkwürdigkeit erweist sich als unglaublich bedeutsam. Weil das Paradox nicht an einer Stelle festgemacht werden kann, ist ERFÜLLBARKEIT generell eine extrem schwierige Forderung. In der Tat gilt das Problem der ERFÜLLBARKEIT als besonders diffizil, als ein Musterbeispiel von Unzugänglichkeit. Es ist in dem Sinne ein vertracktes Problem, daß mit einer steigenden Zahl von Prämissen die Zeit, die benötigt wird, um sie auf mögliche Widersprüche hin zu untersuchen, in schwindelerregendem Tempo ansteigt. Die Zuwachsrate ist so groß, daß viele Probleme der ERFÜLLBARKEIT mit hundert oder mehr Prämissen praktisch unlösbar sind. Selbst wenn man den schnellsten Computer der Welt mit ihnen füttern würde, nähme ihre Lösung noch immer einen nahezu unendlichen Zeitraum in Anspruch.

Wir können Paradoxe als Metaphern benutzen, als eine Methode, die Grenzen des Verstehens abzustecken. Die Wissenschaft versucht, einfache Verallgemeinerungen zu entdecken, durch die Millionen und Abermillionen von Tatsachen erklärt werden. Immer dann, wenn wir nicht imstande sind, auch nur die auffälligsten Widersprüche in einem Wissens- oder Glaubensbestand zu entdecken, haben wir ihn nicht verstanden. Die Schwierigkeit der ERFÜLLBARKEIT vermittelt eine vage Ahnung davon, wie schwer es ist, empirische Informationen in Verallgemeinerungen zu komprimieren. ERFÜLLBARKEIT umschreibt in etwa die Schwierigkeit, Informationen zu gewinnen und Schlußfolgerungen aus ihnen zu ziehen.

Das universelle Problem

In den frühen siebziger Jahren wurde eine erstaunliche Entdekkung auf dem Gebiet der mathematischen Logik gemacht. In zwei grundlegenden Aufsätzen von Stephen Cook (1971) und Richard Karp (1972) stellte sich heraus, daß viele Typen abstrakter Probleme der Logik in Wirklichkeit dasselbe Problem in verschiedenen Formen sind. Sie entsprechen alle dem Problem der ERFÜLLBARKEIT, dem Problem, wie man Paradoxe erkennen kann.

Die Klasse der Probleme, die der ERFÜLLBARKEIT entsprechen, bezeichnet man als «NP-vollständig». (Machen Sie sich vorläufig keine Gedanken über den Namen.) Eine überraschende Eigenschaft der NP-vollständigen Probleme ist ihre (scheinbare) Verschiedenartigkeit. In Karps Aufsatz wurden 21 NP-vollständige Probleme aufgeführt, darunter das bekannte Problem des «Handlungsreisenden» und dasjenige der «Hamiltonschen Umdrehung», das auf einen Vorläufer des Rubik-Würfels im neunzehnten Jahrhundert zurückgeht. Im Laufe der Jahre ist die Liste der Probleme, von denen man weiß, daß sie NP-vollständig sind, enorm angewachsen.

Probleme wie das, einen Weg durch ein Labyrinth zu finden, einen Code zu entziffern oder Kreuzworträtsel zu konstruieren, sind NP-vollständig. Zu den NP-vollständigen Problemen gehören generalisierte Versionen klassischer Logik- und Denksportaufgaben, also die Art von Unterhaltungslogik, die wir in jüngster Zeit aus den Werken Martin Gardners, Raymond Smullyans und Thomas v. Randows (Zweistein) kennen und wie sie früher von Sam Lloyd, Lewis Carroll, Henry Ernest Dudeney und vielen anderen bekannten und unbekannten vor ihnen betrieben wurde. Daß so verschiedenartige Probleme sich in ihrem Wesen auf ein Problem reduzieren lassen, war vollkommen unerwartet. Es ist keine allzu große Übertreibung, wenn man die Entdeckung von Cook und Karp mit der Entdeckung vergleicht, daß alles aus Atomen besteht. Ein großer Teil der intellektuellen Schwierigkeiten der Welt, seien sie ernsthaft oder spielerisch, besteht aus dem gleichen Material. NP-Vollständigkeit ist ein kosmisches Rätsel, ein Musterbeispiel der Undurchdringlichkeit eines Universums unendlicher Möglichkeiten für einen endlichen Geist.

Wenn Logiker sagen, alle NP-vollständigen Probleme seien letzten Endes das gleiche Problem, meinen sie damit, daß eine brauchbare Lösung für *jedes* beliebige NP-vollständige Problem so umgeformt werden könnte, daß alle anderen Probleme lösbar würden. Wenn irgendwann einmal irgend jemand ein NP-vollständiges Problem löst, werden alle NP-vollständigen Probleme dahinschmelzen wie Zuckerwatte im Sommerregen.

Es wäre wie die Entdeckung, daß alle verborgenen Schätze der Welt mit dem gleichen Schlüssel gefunden werden könnten – falls es diesen Schlüssel gibt. Gibt es eine brauchbare Lösung für ein/alle NP-vollständigen Probleme? Das ist eine der tiefgehendsten unbeantworteten Fragen der derzeitigen mathematischen Logik.

Das Paradox ist ein viel tiefgreifenderer und universellerer Begriff, als man sich das im Altertum erträumt hätte. Das Paradox ist keine Ausnahmeerscheinung, sondern eine der Hauptstützen der Wissenschaftsphilosophie. Paradoxe sind attraktiv und peinigend zugleich. Es bereitet ein subversives Vergnügen, die Gesetze der Logik wie ein Kartenhaus einstürzen zu sehen. Alle bekannten Paradoxe der Bestätigungstheorie und der Epistemologie sind als mehr oder weniger spielerische Schöpfungen entstanden. Auf wenigen anderen Gebieten kann der interessierte Laie so viel vom eigentlichen Wesen des Gebiets mitbekommen und so viel Spaß daran haben. Wie wir wissen, was wir wissen – das Zusammenspiel von Induktion und Deduktion, von Mehrdeutigkeit und Gewißheit –, ist das Thema der folgenden Paradoxe.

2. INDUKTION

Hempels Rabe

Das bekannteste Paradox der modernen Bestätigungstheorie hat der deutsch-amerikanische Philosoph Carl G. Hempel 1946 vorgetragen. Hempels «Rabenparadox» betrifft die Induktion, die Ableitung von allgemeinen Aussagen. Es ist eine raffinierte Reaktion auf all die, die annehmen, in der Wissenschaft könne nach einfachen Rezepten gekocht werden.

Hempel versuchte, sich einen Vogelkundler vorzustellen, der die Hypothese «Alle Raben sind schwarz» überprüfen will.*

* Ornithologische Anmerkung: Als «Raben» bezeichnet man üblicherweise eine einzige Spezies, *Corvus Corax*, die auf der gesamten Nördlichen Halbkugel vorkommt. Dies ist der Rabe, von dem das Gedicht Edgar Allan Poes handelt. Raben haben ein schwarz schimmerndes Gefieder mit vorwiegend grünen, violetten und blauen Glanzpunkten. In Mexiko und dem Südwesten Amerikas gibt es daneben einen kleineren Vogel, den sogenannten Chihuahu-Raben (*Corvus cryptoleucus*). Dieser Vogel ist schwarz und hat einen weißen Hals, der zutage tritt, wenn er den Kopf senkt. Ich habe keinerlei Erwähnungen von Albino-Raben oder anderen nicht schwarzen Exemplaren der Spezies gefunden, wäre aber nicht allzu überrascht zu erfahren, daß es derartige Vögel gibt. Das alles hat natürlich nicht das geringste mit dem vorliegenden Fall zu tun. Von dieser Anmerkung ausgenommen, werde ich von der Annahme ausgehen, daß die Farbe von Raben vollkommen wohldefiniert ist und daß nie jemand einen Raben gesehen hat, der irgendeine andere Farbe hatte als Schwarz.

Die übliche Art, diese Theorie zu überprüfen, besteht darin, Raben zu suchen und ihre Farbe zu kontrollieren. Jeder aufgefundene schwarze Rabe bestätigt die Hypothese. (Er liefert Beweismaterial für sie.) Andererseits widerlegt bereits ein einziger Rabe, der irgendeine andere Farbe als schwarz hat, die Hypothese unmittelbar. Wenn Sie auch nur einen einzigen roten Raben entdecken, brauchen Sie nicht weiter zu suchen: Die Hypothese ist falsch.

Darüber besteht allgemein Einmütigkeit. Hempels Paradox geht von der Behauptung aus, man könne die Hypothese folgendermaßen umformulieren: «Alle nichtschwarzen Dinge sind Nichtraben.» Es ist logisch einsichtig, daß dieser Satz genau dasselbe sagt wie die ursprüngliche Hypothese. Wenn alle Raben schwarz sind, kann selbstverständlich etwas, das nicht schwarz ist, kein Rabe sein. Diese Umformulierung nennt man *Kontraposition*, und die kontraponierte Form einer Aussage ist mit der Ausgangsaussage bedeutungsgleich.

Die Überprüfung der Behauptung «Alle nichtschwarzen Dinge sind Nichtraben» ist erheblich einfacher. Jedesmal, wenn Sie etwas sehen, das nicht schwarz ist, und sich herausstellt, daß es sich *nicht* um einen Raben handelt, wird die neuformulierte Hypothese bestätigt. Statt in feuchter und unzugänglicher Moorlandschaft auf Rabenjagd zu gehen, brauchen Sie nur noch nach Dingen Ausschau zu halten, die weder schwarz noch Raben sind.

Sie erblicken ein Rotkehlchen. Es ist nicht schwarz, und es ist kein Rabe. Das bestätigt die kontraponierte Version der Hypothese. Die gleiche Bestätigung bieten ein rosa Flamingo, eine Purpurschwalbe und ein grüner Pfau. Natürlich braucht ein nichtschwarzer Gegenstand nicht einmal ein Vogel zu sein. Ein Goldring, ein blauer Gartenzwerg, der sprichwörtliche rote Hering, der Bluthunde von der Spur abbringt, und das weiße Papier dieser Buchseite bestätigen die Hypothese ebenfalls. Der Vogelkundler braucht sich nicht vom Lehnstuhl zu erheben, um Belege dafür zu finden, daß alle Raben schwarz sind. Wo Sie sich auch gerade befinden mögen, Ihr Gesichtsfeld wimmelt von Gegenständen, die bestätigen: «Alle Raben sind schwarz».

Natürlich ist das lächerlich. Um das ganze Ausmaß der Absurdität zu erkennen, stellen Sie sich vor, Sie wollten dem Paradox die Spitze abbrechen, indem Sie zugeben, daß ein Rotkehlchen oder ein roter Hering den Satz «Alle Raben sind schwarz» in minimalem Grade bestätigen. Wenn Sie einen Geist beschwören könnten, der imstande wäre, alle nichtschwarzen Gegenstände der Welt in einem Augenblick zu erfassen, und wenn dieser Geist feststellte, daß nicht ein einziges unter diesen nichtschwarzen Dingen ein Rabe ist, dann wäre das sicher ein Beweis dafür, daß es keine nichtschwarzen Raben gibt, daß also alle Raben schwarz sind. Vielleicht ist die Idee doch nicht so unvorstellbar, daß ein roter Hering unsere Hypothese bestätigen könnte.

Geben Sie sich nicht zu schnell mit dieser bequemen Lösung zufrieden. Es ist leicht einsichtig, daß der gleiche rote Hering *auch* die Hypothese «Alle Raben sind weiß» bestätigt. Die kontraponierte Form dieser Aussage lautet «Alle nichtweißen Dinge sind Nichtraben», und der Hering, der rot und nicht weiß ist, bestätigt sie. Eine Beobachtung kann aber nicht zwei einander ausschließende Hypothesen bestätigen. Wenn Sie einen derart offensichtlichen Widerspruch einmal zulassen, wird alles «beweisbar». Der rote Hering bestätigt, daß die Farbe aller Raben schwarz und zugleich, daß sie weiß ist. Also

Schwarz ist weiß. Q.e.d.

Vernünftige Annahmen haben zu einem massiven Widerspruch geführt.

Für Wissenschaftler ist Hempels Paradox mehr als eine bloße Denksportaufgabe. Zu jeder Hypothese existiert eine Kontraposition; und es ist häufig leicht, bestätigende Beispiele für die Kontraposition zu finden. Irgend etwas stimmt hier nicht. Aber was?

Hempels Rabe ist eine gute Einführung in die Gefahren und

Geheimnisse der Bestätigung. Unter all den wichtigeren Paradoxen, von denen hier die Rede sein soll, ist es eines derjenigen, die einer Lösung am nächsten gekommen sind. Aber bevor wir auf die Lösung eingehen, lohnt es, ein wenig zurückzugehen und den Hintergrund des Paradoxons darzustellen.

Bestätigung

So knapp wie möglich ausgedrückt, ist Bestätigung die Suche nach Wahrheit. Sie ist die Antriebsfeder der Wissenschaft, und darüber hinaus ist Bestätigung etwas, womit wir es ständig im Alltagsleben zu tun haben.

Die Analyse der Bestätigung hat eine gewisse Ähnlichkeit mit dem Versuch, das Niesen zu analysieren: Wir wissen genau, was es ist, aber normalerweise geschieht es so automatisch, daß wir nicht exakt beschreiben können, wie wir es tun. Die Paradoxe der Bestätigungstheorie gehen vermutlich weitgehend auf gemeinsame unbewußte Erwartungen zurück, Erwartungen, die uns in die Irre führen können.

Wahrscheinlich erinnern Sie sich noch daran, daß man Ihnen, wie uns allen, in der Schule beigebracht hat, es gebe so etwas wie eine «wissenschaftliche Methode», die folgendermaßen verlaufe: Man formuliert eine Hypothese, eine unbestätigte Annahme darüber, wie die Welt funktioniert. Dann versucht man, diese Hypothese durch Beobachtung oder Experimente zu überprüfen. Die gesammelten Beweismaterialien bestätigen die Hypothese oder widerlegen sie. Wie so manches von dem, was man uns in der Schule beigebracht hat, ist das eine korrekte Beschreibung, die Wesentliches ausläßt.

Die meisten fruchtbaren Hypothesen sind Verallgemeinerungen. Hempels Paradox spielt mit einer Commonsense-Regel, die man nach dem französischen Philosophen Jean Nicod als «Nicods Kriterium» bezeichnet. Auf schwarze Raben angewandt, sagt diese Regel, daß (a) das Auffinden eines schwarzen

Raben die allgemeine Aussage «Alle Raben sind schwarz» wahrscheinlich macht; daß (b) das Auffinden eines nichtschwarzen Raben die gleiche Aussage widerlegt; und daß (c) Beobachtungen schwarzer Nichtraben und nichtschwarzer Nichtraben irrelevant sind. Eine schwarze Billardkugel oder ein blauer Gartenzwerg verraten uns nichts über die Farbe von Raben. Nicods Kriterium liegt jeder wissenschaftlichen Forschung zugrunde, und wenn daran etwas nicht stimmt, geraten wir in erhebliche Schwierigkeiten.

Die Beobachtung eines schwarzen Raben liefert eine bestärkende Bestätigung für die Annahme, daß alle Raben schwarz sind, beweist die Hypothese aber selbstverständlich nicht. Das kann überhaupt keine Einzelbeobachtung leisten. Die Beobachtung schwarzer Raben bei gleichzeitigem Fehlen von Raben irgendeiner anderen Farbe erhöht (vernünftigerweise) Ihre Zuversicht, daß alle Raben schwarz sind.

Bestätigung ist ein komplizierteres Geschäft, als man gemeinhin annimmt. Man sollte glauben, je mehr bestätigendes Beweismaterial es für eine Hypothese gibt, desto wahrscheinlicher sei es, daß sie wahr ist. Das braucht aber nicht so zu sein. Es ist möglich, daß zwei bestätigende Beobachtungen beweisen, daß eine Hypothese falsch ist. Das ist der Witz bei dem folgenden Gedankenexperiment, das auf den Philosophen Wesley Salmon zurückgeht.

Materie und Antimaterie

Nehmen wir einmal an, einige Planeten im Universum bestünden aus Materie und andere aus Antimaterie. (Derartige Vermutungen sind schon angestellt worden.) Materie und Antimaterie sehen vollkommen gleich aus. Wenn man einen entfernten Stern im Fernrohr betrachtet, kann man auf keine Weise feststellen, ob er aus Materie oder aus Antimaterie besteht. Auch das Licht des Sterns verrät nichts, denn Photonen sind ihre eigenen Antipartikel, und ein Stern aus Antimaterie strahlt das gleiche Licht aus wie ein Stern aus Materie. Nur wenn Antimaterie normale Materie berührt – dann KNALLT ES!!! Materie wie Antimaterie werden in einer gigantischen Explosion vernichtet.

Diese störende Tatsache stellt einen Risikofaktor bei der Aufnahme interstellarer Kontakte dar. Ein Raumschiff vom Planeten X trifft zufällig im Weltraum ein Raumschiff vom Planeten Y. Sie nehmen Funkkontakt auf (auch Rundfunkwellen bestehen aus Photonen, sind also weder Materie noch Antimaterie). Die Computer entziffern die fremden Sprachen, und man nimmt diplomatische Beziehungen auf. Die beiden Raumschiffe einigen sich darauf, anzulegen und Botschafter auszutauschen. Alles ist voll von Frieden und Freude, bis im letzten Moment die Schiffe anlegen, und dann – KNALLT ES oder nicht, je nachdem, woraus die Planeten X und Y bestehen. Jedesmal, wenn der eine aus Materie und der andere aus Antimaterie besteht, explodieren die Schiffe. (Wenn beide Raumschiffe aus Antimaterie bestehen, kommt es nicht zum Knall.)

Eines Tages berichten irdische Astronomen, daß sie zwei winzige Lichtpunkte entdeckt haben, die sich aufeinander zu bewegen und bei denen es sich möglicherweise um Raumschiffe handelt. Sie sind nicht sicher, ob die beiden Objekte Raumschiffe sind, aber auf Grund bisheriger Erfahrungen können die Astronomen sagen, daß für jeden der beiden Lichtpunkte eine dreißigprozentige Chance besteht, daß es sich um ein Raumschiff handelt, und eine siebzigprozentige Chance, daß es ein völlig irrelevantes anderes natürliches Phänomen ist. Man weiß auch aus früheren Beobachtungen, daß zwei Raumschiffe, die einander so nahe kommen, immer aneinander anlegen. Anscheinend weiß niemand im Weltraum, außer der Menschheit, etwas von dem Problem, das Materie und Antimaterie darstellen. Alle anderen müssen erst noch aus bitteren Erfahrungen lernen.

Also lautet die große Frage: Explodieren sie oder nicht? Die

Buchmacher von Las Vegas nehmen makabre Wetten auf die mögliche Totalvernichtung an. Sie argumentieren wie folgt: Es ist bekannt, daß zwei Drittel aller Planeten im Universum aus Materie bestehen und ein Drittel aus Antimaterie. Also besteht für jeden der beiden Lichtpunkte eine Chance von 70 %, daß es sich um ein Naturereignis handelt, das in diesem Zusammenhang uninteressant ist, eine Chance von 20 %, daß es sich um ein Raumschiff aus Materie handelt, und eine Chance von 10 %, daß es ein Antimaterie-Raumschiff ist.

Nennen wir die beiden Lichtpunkte A und B. Zum Knall kann es auf einem von zwei einander ausschließenden Wegen kommen. Entweder ist Objekt A ein Materie-Raumschiff und Objekt B ein Antimaterie-Raumschiff, oder Objekt A ist ein Antimaterie-Raumschiff und Objekt B ein Materie-Raumschiff. Die Wahrscheinlichkeit für den ersten Fall beträgt 20 % von 10 %, also 2 %. Die Chancen für den zweiten Fall berechnen sich als 10 % von 20 %, also wieder 2 %. Da die beiden Möglichkeiten einander ausschließen, beträgt die Gesamtwahrscheinlichkeit der gegenseitigen Vernichtung 2 % plus 2 %, also 4 %.

Die Buchmacher setzen die Gewinnquoten auf der Grundlage dieser berechneten Wahrscheinlichkeit fest. Nehmen wir jetzt an, ein Goldgräber im Weltraum auf dem Heimweg zur Erde stößt durch einen jener unendlich unwahrscheinlichen Zufälle, wie sie dennoch immer wieder auftreten, mit Objekt A zusammen. Dabei erfährt er, daß Objekt A ein Raumschiff ist und aus gewöhnlicher Materie besteht. (Letzteres weiß er, weil er das Ereignis überlebt hat.) Auf die Erde zurückgekehrt, hört er von den Wetten, die in Las Vegas abgeschlossen werden.

Der Goldgräber handelte klug, wenn er aufgrund seiner Insider-Informationen auf Vernichtung setzte. Er weiß mit Sicherheit, daß Objekt A ein Raumschiff ist, während alle anderen denken, es sei höchstwahrscheinlich (mit einer siebzigprozentigen Wahrscheinlichkeit) nur ein Asteroid oder sonst ein natürlicher Gegenstand. Wenn aber Gegenstand A ein Raumschiff aus normaler Materie ist, ist die Chance für Vernichtung 10 Prozent, denn das ist die Wahrscheinlichkeit, daß Objekt B ein Raumschiff ist und aus Antimaterie besteht. Die Buchmacher haben die Gewinnchancen auf 4 % berechnet, aber der Goldgräber, der über umfassenderes Wissen verfügt, kann die Wahrscheinlichkeit auf 10 % berechnen.

Schön und gut. Was wäre nun, wenn ein zweiter Metallsucher im Weltraum den gleichen Unfall mit Objekt B hätte und dabei feststellte, daß es sich auch hier um ein Raumschiff handelt, das aus Materie besteht? Er könnte natürlich aufgrund des gleichen Gedankengangs zum selben Schluß kommen: nämlich, daß die Vernichtungschancen von 4 % auf 10 % gestiegen seien. Aber in Wirklichkeit schließen die kombinierten Informationen der beiden Abenteurer die Möglichkeit der Vernichtung vollständig aus. Sie haben festgestellt, daß beide Raumschiffe aus der gleichen Art von Materie bestehen wie die Erde, und das bedeutet, daß die Wahrscheinlichkeit für eine alles vernichtende Explosion genau Null ist!

Absolute und kumulative Bestätigung

Zwei bestätigende Ereignisse (die beiden Zusammenstöße der Weltraumabenteurer mit den Raumschiffen) bestätigen jeweils einzeln die Annahme, daß es zur Explosion kommen wird, obwohl beide Beobachtungen zusammen sie widerlegen. Ich möchte eine derartige Situation nicht im eigentlichen Sinne paradox nennen, denn ohne Zweifel können solche seltsamen Konstellationen entstehen. Die Wahrscheinlichkeitsberechnungen der Buchmacher, der Abenteurer und unsere eigenen, soweit wir die Erfahrungen beider Abenteurer kennen, sind korrekt. Diese seltsamen Konstellationen sind in der Bestätigungstheorie eingehend untersucht worden.

Das Seltsame an ihnen ist zum Teil semantisch bedingt. Das Verb «bestätigen» wird in zweierlei Bedeutung verwendet. Im alltäglichen Sprachgebrauch wenden wir «bestätigen» fast immer im *absoluten* Sinne an, als wollten wir sagen, etwas sei jetzt endgültig klar, über jeden Zweifel erhaben. «Der Chef hat bestätigt, daß Sandra eine Gehaltserhöhung kriegt», heißt: Egal, was für Zweifel bestanden haben mögen, jetzt ist es praktisch hundertprozentig sicher, daß Sandra die Gehaltserhöhung bekommt.

Es gibt aber kaum Experimente, die eine Hypothese im absoluten Sinne bestätigen würden. Wissenschaftler und Bestätigungstheoretiker verwenden das Wort «bestätigen» häufig im *kumulativen* Sinne. Kumulativ bestätigen heißt «Belegmaterial für etwas liefern» oder «die Wahrscheinlichkeit von etwas erhöhen». Wir sprechen hier von Wahrscheinlichkeit, weil eine allgemeine Aussage immer nur vorläufig bestätigt werden kann.

Man kann eine Hypothese, die wahrscheinlich von Anfang an unzutreffend war und es auch weiterhin bleibt, kumulativ bestätigen. Wir würden nicht sagen: «Der Chef bestätigt, daß Sandra eine Gehaltserhöhung bekommt», wenn wir meinen, daß auf Grund einer uneindeutigen Bemerkung des Chefs die Wahrscheinlichkeit der Gehaltserhöhung von 15 % auf 18 % gestiegen ist. Aber das ist die Art von Bestätigung, die für wissenschaftliche Forschung typisch ist.

Kumulative Bestätigung war das entscheidende Element der Geschichte von der Raumschiffvernichtung. Die Informationen jedes einzelnen Abenteurers erhöhen eine geringe Vernichtungswahrscheinlichkeit (4 Prozent) auf eine größere, aber immer noch geringe Wahrscheinlichkeit (10 Prozent). Ihr gemeinsamer Informationsgehalt aber läßt die Wahrscheinlichkeit auf Null schrumpfen. Es ist ein tröstlicher Gedanke, daß derartige Ausrutscher nicht mehr auftreten, wenn die Wahrscheinlichkeiten höher sind, wenn eine Hypothese sich ihrer absoluten Bestätigung nähert.

Das läßt sich zeigen, wenn wir die Chancen etwas manipulieren. Definieren wir die Situation so, daß die Einschätzung der Buchmacher ein bißchen näher an die tatsächliche Situation herankommt. Für jeden der beiden Gegenstände soll die Wahrscheinlichkeit, daß er ein natürlicher Gegenstand ist, jetzt 10 % betragen, diejenige, daß es ein Materie-Raumschiff ist, 80 % und die, daß es ein Antimaterie-Raumschiff ist, 10 %. Dann müssen die Buchmacher die Wahrscheinlichkeit der Vernichtung auf (80 % von 10 %) plus (10 % von 80 %), also auf 16 % berechnen. Jeder der beiden Abenteurer kann, nachdem er festgestellt hat, daß einer der Gegenstände ein Materie-Raumschiff ist, (genau wie im ersten Beispiel) damit rechnen, daß die Wahrscheinlichkeit der Vernichtung 10 % beträgt, nämlich genau die Wahrscheinlichkeit, daß der zweite Gegenstand ein Antimaterie-Raumschiff ist. Jetzt ist die Wahrscheinlichkeitsschätzung jedes der beiden Abenteurer niedriger als die der Buchmacher. Das ist normal, denn sie wissen mehr als die Buchmacher, und die tatsächliche Wahrscheinlichkeit bleibt ja weiterhin Null.

Gegenbeispiele

An dieser Geschichte kann man sehen, daß es nicht nur um Bestätigung geht. Beobachtete Belegmaterialien können eine Hypothese auch widerlegen oder falsifizieren. Wissenschaftstheoretiker der Schule Karl Poppers betonen die Bedeutung der Falsifikation.

Das klingt ein wenig nach der Unterscheidung zwischen einem halbleeren und einem halbvollen Glas. Aber so einfach ist es nicht, denn Bestätigung und Widerlegung stehen nicht in einem symmetrischen Verhältnis zueinander. Eine allgemeine Aussage ist leichter zu widerlegen als zu bestätigen.

Ein Gegenbeispiel ist die Ausnahme von einer vermeintlichen Regel. Ein weißer Rabe ist ein Gegenbeispiel zur Hypothese, alle Raben seien schwarz. Ein weißer Rabe läßt die Hypothese nicht bloß weniger wahrscheinlich erscheinen, sondern beweist ein für allemal, daß sie falsch ist. In der Logik bezeichnet man das als *modus tollens* oder «Verneinung der Schlußfolgerung».

In der Praxis liegen die Dinge nur selten so einfach. Es hat viele «Gegenbeispiele» gegen die Hypothese gegeben, daß es kein Ungeheuer von Loch Ness gibt. Jedesmal, wenn jemand behauptet, es gesehen zu haben, ist das ein Gegenbeispiel. Dennoch glauben die meisten Wissenschaftler weiterhin nicht an das Ungeheuer von Loch Ness. Offensichtlich sind nicht alle angeblichen Gegenbeispiele gewichtig genug, um eine sonst bestätigte Hypothese zu widerlegen.

Viele Hypothesen im Randgebiet des erreichten Wissensstandes können nur in Situationen überprüft werden, in denen zugleich zahlreiche Zusatzhypothesen überprüft werden. Zusatzhypothesen sind vorgängige Annahmen darüber, wie sich die Haupthypothese in den allgemeinen Wissensstand einfügen läßt, wie Mikroskope, Fernrohre und andere zur Überprüfung der Hypothese notwendige Instrumente funktionieren und so weiter. Bei diesen Zusatzhypothesen ist häufig die problemlose Anwendbarkeit des *modus tollens* nicht garantiert.

Wesley Salmon führte einen schönen Fall an, wo zwei ähnliche Gegenbeispiele zur Widerlegung einer Zusatz- beziehungsweise der Haupthypothese geführt haben. Vom Newtonschen Gravitationsgesetz ausgehend, sind die zukünftigen Positionen der Planeten vorhersagbar. Im neunzehnten Jahrhundert stellte sich heraus, daß die Vorhersagen für die Umlaufbahn des Uranus geringfügig, aber gleichmäßig falsch waren.

Einige Astronomen kamen auf die Idee, die Unstimmigkeiten könnten auf einen unbekannten Planeten jenseits der Umlaufbahn des Uranus zurückgehen. Nachdem dieser Planet (der Neptun) 1846 entdeckt worden war, war die Newtonsche Theorie nicht nur wiederhergestellt, sondern sogar bestärkt. Die Existenz des Neptun war ein zusätzlicher Beleg für die Theorie Newtons.

Ungefähr zur gleichen Zeit wurden andere Unregelmäßigkeiten in der Umlaufbahn des Merkur festgestellt. Die Astronomen versuchten, auch in der Nähe des Merkur einen Planeten zu finden, der die Abweichungen erklären könnte. Der französische Amateurastronom D. Lescarbault berichtete 1859, er habe einen Planeten innerhalb der Umlaufbahn des Merkur gesichtet. Urbain Jean Leverrier, einer der Entdecker des Neptun, akzeptierte die Existenz dieses Planeten und nannte ihn Vulkan. Später aber konnten die Astronomen den Planeten nicht mehr wiederfinden, so daß die Beobachtung bald als irrig galt. Der Merkur aber wich weiterhin von seiner vorherberechneten Umlaufbahn ab. Die Abweichungen waren nicht zufällig, sondern gleichmäßig und deutlich verschieden von dem, was die (auf Newtons Gravitationstheorie beruhenden) Keplerschen Gesetze voraussagten.

In diesem Fall wurden die Unstimmigkeiten schließlich als Beweis dafür akzeptiert, daß Newtons Gravitationsgesetz falsch ist. Die schwankende Umlaufbahn des Merkur war eine der ersten Bestätigungen für Einsteins Allgemeine Relativitätstheorie.

Die Geschichte der Planeten Neptun und Vulkan weist auf zwei Eigenschaften von Gegenbeispielen hin. Einmal kann ein Gegenbeispiel eine Zusatzhypothese statt der Haupthypothese widerlegen. Es kommt darauf an festzustellen, welche von beiden irrig ist. Meist gibt es so viele spekulative Möglichkeiten, daß sofortige Widerlegungen selten sind. Zweitens geschieht, wenn man eine Theorie aufgibt, dies, um sie durch eine weitergefaßte Theorie zu ersetzen, in der zahlreiche Voraussagen mit denen der ursprünglichen Theorie gleichlautend sind. Unter den typischen Bedingungen des Sonnensystems lassen sich aus Einsteins Allgemeiner Relativitätstheorie Schwerkraftwirkungen ableiten, die mit denjenigen der einfacheren Newtonschen Theorie praktisch identisch sind. Der Unterschied taucht erst in extrem starken Gravitationsfeldern auf. Unter den Planeten ist der Merkur, der am nächsten an der Sonne ist, diesen Relativitätswirkungen am stärksten ausgesetzt. Anscheinend hält nur er sich nicht an die Newtonschen Gesetze.

Abwegige Theorien

Eine neue Theorie sollte nicht nur Raum für die erfolgreich bestätigten Voraussagen der Theorie lassen, die sie ersetzt; sie sollte auch noch neue, eigene Voraussagen ermöglichen. Die neue Theorie muß in der Terminologie Poppers einen größeren «empirischen Gehalt» haben. Sie muß in mehr Erfahrungsbereichen als die alte Theorie mehr überprüfbare Voraussagen machen als diese.

Eine neue Theorie muß leichter, nicht schwerer überprüfbar und damit auch leichter widerlegbar sein als die alte. Wenn es ein deutliches Indiz für die abwegigen Theorien von Spinnern gibt, dann, daß sie so modifiziert worden sind, daß sie ihre eigene Widerlegbarkeit einschränken. Eine vernünftige Hypothese ist so formuliert, daß man sie widerlegen kann. Nichts gegen die Behauptung, im alten Haus der Millers gebe es einen Geist, der jedesmal bei Vollmond um Mitternacht erscheint. Eine Hypothese dieses Typs ist es wert, überprüft zu werden, sofern es vernünftige Belege für sie gibt; etwa die Aussagen mehrerer verläßlicher Augenzeugen. Weitaus häufiger trifft man jedoch auf Geistergeschichten, die nicht widerlegbar sind: Der Geist erscheint zwar, aber er tut das nie, wenn Ungläubige in der Nähe sind.

Die Beschränkungen der Widerlegbarkeit sind meist ein Indiz dafür, daß sich die Hypothese schon in den ersten Stufen des Bestätigungsprozesses nicht bewährt hat, aber von denjenigen aufrechterhalten wird, die unabhängig von ihrer Wahrheit an sie glauben wollen. Niemand hat von Anfang an angenommen,

– daß Wiedergeborene ein so schwaches Gedächtnis haben, daß sie sich keine überprüfbaren historischen Daten (sagen wir, den Namen der Frau des regierenden Pharao) merken können;

– oder daß fliegende Untertassen absichtlich nur Personen entführen, denen «das Establishment» keinen Glauben schenkt, damit die Anwesenheit der Außerirdischen unbekannt bleibt;

– oder daß die Überreste verstorbener Yetis sich außerordentlich schnell auflösen (oder Yetis ihre Toten besonders sorgfältig begraben), so daß man noch nie ein Yeti-Skelett gefunden hat;

– oder daß die Sterne (der Astrologie) wahr, aber nicht deutlich sprechen.

All diese Zusatzannahmen entstanden erst, nachdem die Bestätigung der Theorie auf sich warten ließ. Das bedeutet zwar nicht automatisch, daß die modifizierten Hypothesen falsch sein müssen, aber entmutigend ist es schon. Wenn der Prozeß der Modifizierung von Hypothesen zum Zweck ihrer Immunisierung gegen Widerlegung lange genug anhält, entsteht das, was Karl Popper ironisch eine «unwiderlegbare» Hypothese nennt. Das klingt vielleicht nicht schlecht, aber überlegen Sie einmal, was es bedeutet! Es geht um eine Hypothese, von der auf keine Weise bewiesen werden kann, daß sie falsch ist; eine so unscharfe Aussage, daß keine denkbare Beobachtung unvereinbar mit ihr ist. Eine derartige Hypothese sagt in Wirklichkeit gar nichts.

Die Aussage «Es gibt außersinnliche Wahrnehmung, aber sie ist so unsicher, daß selbst die besten Hellseher in einer experimentellen Situation manchmal keine besseren als Zufallsergebnisse schaffen» – und diese Behauptung haben einige Vertreter der außersinnlichen Wahrnehmung sinngemäß aufgestellt – ist nicht widerlegbar. Man kann allenfalls fragen: «Inwieweit sähe die Welt anders aus, wenn es keine außersinnliche Wahrnehmung gäbe?»

Warum können Wissenschaftler schlecht belegten Hypothesen gegenüber nicht offen sein? Der Hauptgrund liegt darin, daß zur Erklärung eines bestimmten Satzes von Daten sehr viele Hypothesen formuliert werden können. Wenn wir sagen: «Also gut, es gibt außersinnliche Wahrnehmungen, weil kein Experiment das Gegenteil bewiesen hat» (was zweifellos wahr ist), müssen wir eine Unzahl ebensowenig widerlegter Hypothesen zulassen. Letzten Endes ist es das Streben nach Einfachheit, das Wissenschaftler veranlaßt, nur die Hypothesen zuzulassen, die überprüfbar sind. Nach Popper wäre es sogar die Aufgabe der Wissenschaft, anhand neuer Daten so viele Hypothesen wie möglich auszuschalten.

Kontraponierte Aussagen

Nachdem wir uns über die Grundlagen der Bestätigung klargeworden sind, können wir unter Berücksichtigung dieses zusätzlichen Blickwinkels zu Hempels Paradox zurückkehren. Was die meisten Menschen, die zum erstenmal davon hören, irritiert, ist das ganze Getue um die kontraponierten Aussagen. «Nichtschwarze Gegenstände» und «Nichtraben» sind unhandliche Begriffskonstruktionen. Heißt «Alle nichtschwarzen Gegenstände sind Nichtraben» wirklich das gleiche wie «Alle Raben sind schwarz»? Wenn nein, dann gibt es kein Paradox.

Daß die Sätze logisch gleichwertig sind, läßt sich folgendermaßen demonstrieren. Vergessen wir unsere menschlichen und deshalb unvollkommenen Versuche, Wissen zu erwerben. Nehmen wir an, uns stünde ein überirdischer Geist zu Diensten, der restlos jede spezifische Einzeltatsache unmittelbar feststellen kann. In anderen Worten, der Geist kann alle Tatsachenurteile im Humeschen Sinne, also die unmittelbaren sinnlichen Resultate der Wahrnehmung ohne Interpretation, Interpolation oder Kommentar sammeln.

Außerdem behauptet der Geist – genau wie Hume –, er verstünde Verallgemeinerungen nicht ganz richtig. Wenn Sie also wissen wollen, ob eine Aussage wie «Alle Raben sind schwarz» wahr ist, müssen Sie sie dem Geist als eine Ansammlung von Einzelbeobachtungen erklären. Sie müssen dem Geist genau sagen, was er tun muß, um festzustellen, ob Hempels Hypothese wahr oder falsch ist.

Es mag zunächst überraschen, daß die Beobachtungen schwarzer Raben für die endgültige Wahrheit oder Falschheit des Satzes «Alle Raben sind schwarz» praktisch bedeutungslos sind. Das steht in krassem Widerspruch zu den vorangehenden Ausführungen, aber diesmal sprechen wir von einem Geist und nicht von menschlichen Wesen. Der Geist soll die endgültige, kosmisch gültige Wahrheit der Aussage überprüfen, nicht einfach Belegmaterial dafür sammeln. Die Beobachtung schwarzer Raben kann die Aussage weder beweisen noch widerlegen.

Nehmen wir an, der Geist entdeckt einen schwarzen Raben. Wäre das ein Beweis dafür, daß alle Raben schwarz sind? Natürlich nicht! Nehmen wir an, der Geist entdeckt eine Million schwarzer Raben. Wäre das ein Beweis? Nein! Es könnte immer noch andersfarbige Raben geben. Alle verfügbaren Beobachtungen stützten die Behauptung «Alle Schwäne sind weiß», bis Australien entdeckt wurde. In Australien gibt es schwarze Schwäne.

Nehmen wir an, das Universum sei unendlich und es gebe eine unendliche Anzahl von Planeten, die der Erde so ähnlich sind, daß es auf ihnen schwarze Raben gibt, und der Geist entdecke deshalb unendlich viele schwarze Raben. Wäre das der Beweis? Aus demselben Grunde, nein. An diesem Punkt würde der Geist zu Recht ungeduldig, denn offenbar entscheidet keine noch so große Menge schwarzer Raben irgend etwas. Die Jagd nach schwarzen Raben ist vergeblich.

Wenn Sie darüber nachdenken, wird Ihnen klar, daß der Kernpunkt der Angelegenheit die nichtschwarzen Raben sind. Hempels Aussage kann nur *falsch* sein, wenn es irgendwo einen Raben gibt, der nicht schwarz ist. Sie kann nur wahr sein, wenn es keinen solchen Raben gibt. Um die endgültige Wahrheit oder Falschheit festzustellen, muß der Geist nach nichtschwarzen Raben suchen. Wenn er auch nur einen einzigen findet, ist die Aussage unrettbar falsch. Wenn er das ganze Universum absucht, wenn er jeden Ort erforscht, an dem sich ein nichtschwarzer Rabe aufhalten könnte, und keinen findet, dann ist Hempels Aussage unwiderlegbar wahr.

Pragmatisch gesehen scheint der Satz «Alle Raben sind schwarz» eine Aussage über schwarze Raben zu sein; aber dem ist nicht so. Wenn man ihn in eine Handlungsanweisung für den Geist übersetzt, bedeutet er in Wirklichkeit: «Es gibt keine nichtschwarzen Raben».

Lassen wir den Geist jetzt die kontraponierte Aussage überprüfen, also den Satz: «Alle nichtschwarzen Dinge sind Nichtraben». Das ist wieder eine jener allgemeinen Aussagen, die der Geist nicht versteht. Wir erklären: «Der Satz ‹Alle nichtschwarzen Dinge sind Nichtraben› kann nur dann falsch sein, wenn es wenigstens einen nichtschwarzen Raben gibt. Wahr kann der Satz nur sein, wenn es nirgends auf der Welt nichtschwarze Raben gibt.»

Genau so haben wir die ursprüngliche Aussage erklärt. Was der Geist tun muß, um den Satz «Alle Raben sind schwarz» zu beweisen oder zu widerlegen, ist genau dasselbe, was er tun muß, um den Satz «Alle nichtschwarzen Dinge sind Nichtraben» zu beweisen oder zu widerlegen. Das stützt die Behauptung, die beiden Sätze seien äquivalent.

Man könnte einwenden, daß es einen kleinen Unterschied gibt. Schließt die Wahrheit der Aussage «Alle Raben sind schwarz» nicht die Behauptung ein, daß es mindestens einen schwarzen Raben gibt?

Nehmen wir die Hypothese «Alle Kentauren sind grün». Der Geist, der sich auf die Suche nach nichtgrünen Kentauren macht, würde keine finden und berichten, die Aussage sei wahr. Natürlich gibt es überhaupt keine Kentauren. Infolgedessen klingt die Behauptung, der Satz sei wahr, merkwürdig.

Das ist wieder eine Frage der Semantik. Logiker lassen die Behauptung zu, Aussagen wie «Alle Kentauren sind grün» und «Wenn X ein Kentaur ist, ist X grün» seien wahr. Aus verschiedenen Gründen ist das praktischer. Ein Logiker kennt infolgedessen keinen Unterschied zwischen einer Aussage und ihrer Kontraposition.

Natürlich können Sie abweichender Meinung sein und darauf bestehen, es müsse mindestens einen Kentauren geben, damit die Aussage wahr wird. Damit entsteht eine kleine Asymmetrie zwischen Hempels ursprünglicher Annahme und ihrer Kontraposition: Bei der Originalaussage müssen Sie dem Geist auftragen sicherzustellen, daß es wenigstens einen schwarzen Raben gibt, bevor er die Aussage für wahr erklären darf. Für die kontraponierte Aussage muß er wenigstens einen nichtschwarzen Nichtraben (zum Beispiel einen blauen Gartenzwerg) finden. Meiner Meinung nach ändert das nichts an der grundlegenden Äquivalenz der Aussagen. Den obligatorischen schwarzen Raben oder blauen Gartenzwerg zu finden ist eine reine Formsache. Die eigentliche Aufgabe des Geistes besteht in beiden Fällen darin, sich zu vergewissern, daß es keine nichtschwarzen Raben gibt.

Sag niemals nie

Eine «negative Hypothese» ist eine Annahme, die aussagt, daß es etwas nicht gibt. Negative Hypothesen sind außerordentlich schwer beweisbar. («Sag niemals nie!») Es ist ein gewaltiger Unterschied, ob ein Geist jeden Ort überprüft, an dem sich ein nichtschwarzer Rabe aufhalten könnte, und so beweist, daß es so etwas nicht gibt, oder ob wir Menschen das versuchen.

Sie machen sich auf die Rabenjagd, sehen Unmengen von schwarzen Raben und finden keine nichtschwarzen Raben. Nach einiger Zeit hängt Ihnen das ganze Unternehmen zum Hals heraus. Alle Ihre Freunde sagen Ihnen, daß Sie nie einen nichtschwarzen Raben finden werden. Wann dürfen Sie aufhören zu suchen?

In der Praxis werden Sie irgendwann aufhören. Danach sind Sie recht überzeugt davon, daß es keine nichtschwarzen Raben gibt. Aber das ist im logisch strengen Sinne kein Beweis dafür, daß alle Raben schwarz sind. Um das zu schaffen, müßten Sie tatsächlich jeden Ort im Universum überprüfen, an dem sich ein Rabe aufhalten könnte. Das ist offenbar eine unerfüllbare Bedingung.

Philosophen bezeichnen Vorgänge, zu denen eine unendliche Serie von Handlungen notwendig wird, als «Superaufgaben». Manche Philosophen gehen davon aus, daß etwas, zu dessen Feststellung eine unendliche Zahl von Handlungen notwendig wird, überhaupt nicht wißbar ist. Von Michael Dummett stammt das Beispiel: «Am Nordpol wird nie eine Stadt errichtet werden.» Um das zu überprüfen, könnten Sie in Ihre Zeitmaschine steigen, ein bestimmtes Jahr ansteuern, in dieses Jahr reisen und nachsehen, ob es am Nordpol eine Stadt gibt. Wenn nicht, stellen Sie die Zeitmaschine auf ein anderes Jahr ein und versuchen es noch einmal. Sie können feststellen, ob es zu irgendeinem gegebenen Zeitpunkt am Nordpol eine Stadt gibt. Aber es ist eine ganz andere Frage, ob sie jemals gebaut wird. Um das zu wissen, müssen Sie eine unendliche Anzahl von Tatsachen wissen, eine unendliche Forschungsarbeit leisten.

Wenn das Universum unendlich ist, ist auch der Satz «Es gibt keine nichtschwarzen Raben» eine Aussage, zu deren Bestätigung unendlich viele Einzelbeobachtungen nötig sind. Der Geist kann empirische Superaufgaben lösen, wir können es nicht. Das ist der eigentliche Grund dafür, daß wir Bestätigung in der Beobachtung von schwarzen Raben suchen und nicht im Scheitern des Versuchs, nichtschwarze Raben zu finden. Die Zahl der beobachteten schwarzen Raben hält uns auf dem laufenden, während wir nach einem Gegenbeispiel suchen. Je mehr schwarze Raben wir gesehen haben, ohne einen nichtschwarzen zu Gesicht zu bekommen, desto überzeugter sind wir davon, daß es keine nichtschwarzen Raben gibt. Nicods Kriterium besagt, daß schwarze Raben besser dazu geeignet sind, beim Prozeß der Bestätigung auf dem laufenden zu bleiben, als nichtschwarze Nichtraben. Um Hempels Paradox aufzulösen, müssen wir herausfinden, warum das so ist.

Bewußtseinsstrom

Versuchen wir es auf einem anderen Weg. Kategorien wie «Nichtraben» und «nichtschwarze Dinge» sind unnatürlich. Meistens bemerkt man zuerst, daß ein «Ding» ein Rabe oder ein Hering oder ein Brotmesser ist. Man erfährt Gegenstände üblicherweise nicht als «Nichtraben» oder «Nichtheringe» oder «Nichtmesser». Nur Hempels Ausgangsformulierung («Alle Raben sind schwarz») beschreibt, wie Menschen wirklich denken.

Der Gedankengang, mit dem Sie an die zwei Hypothesen herangehen, ist nicht der gleiche. Wenn Sie einen Raben sehen, denken Sie normalerweise:

(a) Sieh mal, ein Rabe.
(b) Und er ist schwarz.
(c) Also bestätigt er die Behauptung «Alle Raben sind schwarz».

Um einen roten Hering mit Hempels Hypothese in Verbindung zu bringen, brauchen Sie einen viel umständlicheren Bewußtseinsstrom:

(a) Da ist ein Hering.
(b) Er ist rot.
(c) Moment mal, wie war doch das Paradox mit dem Raben? Ach ja, es handelt sich um ein «nichtschwarzes Ding» ...

(d) ... und es ist kein Rabe.
(e) Also bestätigt es die Behauptung «Alle nichtschwarzen Dinge sind Nichtraben» ...
(f) ... und das ist gleichbedeutend mit «Alle Raben sind schwarz».

In der ursprünglichen Formulierung steht zwischen den Schritten (a) und (b) – unmittelbar nachdem Sie erkannt haben, daß der Gegenstand ein Rabe ist, und bevor Sie über seine Farbe nachdenken – die Hypothese zur Disposition. In diesem kurzen Augenblick könnte der Rabe eine andere Farbe haben und die Aussage widerlegen. Die Aussage «Alle nichtschwarzen Dinge sind Nichtraben» der zweiten Formulierung steht nie wirklich zur Disposition. Bis Sie bei Schritt (c) angekommen sind, haben Sie schon erkannt, daß der Gegenstand rot ist (daß er nichtschwarz ist, haben Sie aus dem Wissen gefolgert, daß er rot ist) und daß es sich um einen Hering handelt. (Das haben Sie wahrscheinlich von Anfang an gewußt.)

Warum ist «Rabe» eine vernünftige Kategorie und «Nichtrabe» nicht? Nun, Raben haben eine Menge Eigenschaften miteinander gemeinsam, und «Nichtrabe» ist nur ein Sammelbegriff für alles, was nicht darunter paßt. Die eine Kategorie umreißt eine Form, die andere gibt den Hintergrund an. Das ist die gleiche Geschichte wie die über den Bildhauer, der mit dem Meißel allen Marmor entfernt, der nicht aussieht wie sein Gegenstand. Bildhauer denken nicht so, und Wissenschaftler auch nicht.

Außerdem besteht zwischen den Kategorien ein gewaltiges numerisches Ungleichgewicht. Kehren wir noch einmal zu der ursprünglichen Idee zurück, daß das Paradox etwas mit der jeweiligen Anzahl von Raben und nichtschwarzen Gegenständen zu tun hat.

Hempels Argument braucht nicht zu einem Paradox zu führen, wenn die Anzahl der zu untersuchenden Gegenstände deutlich begrenzt ist. Nehmen wir an, im ganzen Universum existiere nichts außer sieben geschlossenen Schachteln. Ohne daß Sie das wissen, enthalten fünf der Schachteln schwarze Raben, eine enthält einen weißen Raben, und eine enthält einen grünen Holzapfel. In diesem Fall könnten Sie vernünftigerweise davon ausgehen, daß der Satz «Alle Raben sind schwarz» bestätigt wird, wenn Sie eine Schachtel öffnen und den Holzapfel vorfinden. In der Tat bestände diesmal die schnellste Methode, die Annahme zu beweisen oder zu widerlegen, darin, alle nichtschwarzen Dinge zu untersuchen. Es gibt nur zwei nichtschwarze Dinge, aber sechs Raben. Natürlich ist das ein konstruiertes Modell. Es geht davon aus, daß die Zahl der zu untersuchenden Dinge im voraus bekannt ist. Das wissen Sie aber fast nie, jedenfalls nicht zu Beginn der Untersuchung.

Typischerweise sagt das Original und nicht die kontraponierte Aussage etwas über eine erkennbar begrenzte Klasse von Gegenständen aus. Die Zeit, der Aufwand und die Kosten, die investiert werden müssen, um die These «Alle Raben sind schwarz» zu bestätigen, hängt von der Anzahl der Raben (oder der Anzahl nichtschwarzer Dinge) ab. Nach der Schätzung von R. Todd Engstrom vom Ornithologischen Institut der Universität Cornell gibt es auf der Welt ungefähr eine halbe Million schwarze Raben. Die Anzahl der nichtschwarzen Gegenstände ist beunruhigender. Sie hat astronomische Dimensionen.

Eines Tages entdeckt man, daß im Loch Ness ein Ungeheuer lebt. Es gibt nur ein einziges Ungeheuer; durch Echolotverfahren hat man festgestellt, daß es sonst keine gibt. Sie wollen die Hypothese überprüfen «Loch-Ness-Ungeheuer sind grün». Sie nähern sich dem Ungeheuer in einem U-Boot, schalten die Scheinwerfer ein und sehen aus dem Fenster. Das Ungeheuer ist grün. Da es keine weiteren Ungeheuer im Loch Ness gibt, ist die Behauptung «Alle Loch-Ness-Ungeheuer sind grün» damit bewiesen.

Hier hat eine einzige Überprüfung einer Annahme ausschlaggebendes Gewicht. Ein nichtgrünes Ungeheuer hat nur eine einzige Möglichkeit, die These zu widerlegen. Hier will es noch lächerlicher als bei den Raben erscheinen, von der Kontraposition auszugehen. Die kontraponierte Aussage lautet: «Alle nichtgrünen Gegenstände sind Nicht-Loch-Ness-Ungeheuer.» Stellen Sie sich vor, Sie laufen durch die Welt und numerieren alle nichtgrünen Gegenstände. Nichtgrüner Gegenstand Nr. 42990276 ist ein blauer Gartenzwerg. Handelt es sich um ein Nicht-Loch-Ness-Ungeheuer? Ja! Die Annahme ist weiterhin bestätigt...

Das ist ein mühsam umständlicher Weg, an die Frage heranzugehen. Wenn wir weiterhin annehmen, daß es nur ein Loch-Ness-Ungeheuer, also auch nur ein mögliches Gegenbeispiel gibt, ist die Wahrscheinlichkeit, daß die Hypothese durch einen beliebigen nichtgrünen Gegenstand Nr. 42990276 widerlegt wird, nicht größer als 1/N, wobei N die Anzahl aller nichtgrünen Gegenstände ist. Im beobachtbaren Universum gibt es in etwa 10^{80} Atome (das ist die Zahl, die entsteht, wenn man eine 1 mit 80 Nullen schreibt). Es gibt mindestens ebenso viele nichtgrüne Gegenstände. Außerdem könnte man behaupten, daß auch abstrakte Begriffe, beispielsweise Zahlen, nichtgrüne Gegenstände sind. Dann ist die Zahl unendlich groß.

Das ist ein Gedankengang, der viel Verlockendes birgt. (Hempel hat ihn in seinen ursprünglichen Überlegungen im Jahre 1946 vorhergesehen.) Vielleicht bestätigt ein roter Hering die Behauptung, alle Raben seien schwarz, aber er tut das nur in nahezu unendlich geringem Ausmaß, weil es so viele nichtschwarze Gegenstände gibt. Die Farbe von Raben zu überprüfen ist einfach eine effizientere Methode, die Hypothese zu bestätigen. In diesem Zusammenhang hat der Philosoph Nicholas Rescher eine Schätzung der Unkosten vorgelegt, die bei der Untersuchung einer statistisch relevanten Auswahl von Raben und nichtschwarzen Gegenständen entstehen würden. Rescher kam auf Forschungskosten in Höhe von US$ 200 Quadrillionen für nichtschwarze Gegenstände.

Bleibt noch die Frage, wieso ein roter Hering die These «Alle Raben sind schwarz» und die These «Alle Raben sind weiß» gleichzeitig bestätigen kann. Man kann sich das als eine Aufgabe der Infinitesimalrechnung vorstellen. Der Bestätigungsgehalt, den ein roter Hering für den Satz «Alle Raben sind schwarz» besitzt, liegt in der Größenordnung von 1/unendlich. Die «Unendlichkeit» im Nenner des Bruchs bezieht sich auf die unendliche Anzahl nichtschwarzer Gegenstände, zu denen der Hering gehört. Da der Hering zugleich ein nichtweißer Gegenstand ist, muß er die These «Alle Raben sind weiß» in genau dem gleichen Grad von 1/unendlich bestätigen. 1/unendlich ist als infinitesimale Größe definiert, als eine Zahl, die größer ist als Null, aber kleiner als jeder Normalbruch.

Wird der Widerspruch durch den Begriff der infinitesimalen Bestätigung erträglicher? Wir könnten sagen, daß ein roter Hering sowohl «Alle Raben sind schwarz» als auch «Alle Raben sind weiß» bestätigt, aber beides nur in infinitesimalem Grade.

Eine kleine Wahrheit bleibt eine Wahrheit; eine kleine Lüge ist immer noch eine Lüge; und ein Widerspruch bleibt ein Widerspruch, auch wenn er sich auf unendlich kleiner Ebene einstellt. Der einzige Ausweg liegt darin zuzugeben, daß die Bestätigung in beiden Fällen genau Null beträgt – wie dies der gesunde Menschenverstand sagt. Warum ist dann aber ein bestätigendes Beispiel für eine Hypothese kein bestätigendes Beispiel für ihre Kontraposition?

Das Neunundneunzig-Fuß-Paradox

Manchmal enthält ein Paradox die Lösung eines anderen. Paul Berents Paradox vom neunundneunzig Fuß großen Mann stellt eine weitere Demonstration der Fehlbarkeit von Nicods Kriterium dar. Nehmen wir an, Sie teilten die vernünftige Überzeugung: «Alle Menschen sind kleiner als einhundert Fuß.» Jeder Mensch, den Sie je gesehen haben, ist ein bestätigendes Beispiel für diese Hypothese. Dann gehen Sie eines Tages in den Zirkus und sehen einen Mann, der neunundneunzig Fuß groß ist. Mit Sicherheit sind Sie, wenn Sie aus dem Zirkus kommen, nicht mehr ganz so überzeugt davon, daß alle Menschen kleiner sind als hundert Fuß. Warum? Der neunundneunzig Fuß große Mann war doch ein zusätzliches bestätigendes Beispiel.

Das Paradox entspringt zwei Quellen. Einmal sagen wir nicht immer genau das, was wir meinen. Manchmal drücken die Worte die (oft vage) Hypothese in unseren Köpfen unvollkommen aus.

Manches spricht dafür, daß Sie eigentlich meinten, kein Mensch schieße zu phantastisch märchenhafter Größe auf; zu einer Höhe also, die in einer ganz anderen Größenordnung liegt als die des Durchschnittsmenschen. Die genaue Zahl von einhundert Fuß war unwichtig. Sie haben sie als ein Beispiel für eine Höhe aus der Luft gegriffen, die Sie für einwandfrei unmöglich hielten.

Wären Sie als Kontinentaleuropäer an das metrische System gewöhnt, hätten Sie auch sagen können: «Alle Menschen sind kleiner als 30 Meter.» 30 Meter sind 98,42 Fuß. Also wäre der Neunundneunzig-Fuß-Mann ein Gegenbeispiel gegen die Dreißig-Meter-These gewesen. Man hat das Gefühl, das, was Sie mit dem Satz «Alle Menschen sind kleiner als einhundert Fuß» sagen wollten, sei durch die Existenz des Neunundneunzig-Fuß-Mannes teilweise angegriffen. Es ist, wie wenn man dem Buchstaben, aber nicht dem Geist der Gesetze gehorcht.

Das Paradox hat noch eine zweite Wurzel. Nehmen wir an, die Hypothese sei Gegenstand einer ständigen Wette, die Sie mit einem Freund abgeschlossen haben. Falls irgendwann einmal ein Mensch von hundert oder mehr Fuß Größe auftaucht, haben Sie verloren und schulden Ihrem Freund ein Abendessen in einem Nobelschuppen. Die Hypothese ist nicht aus intellektueller Neugierde formuliert worden, sondern um die Wette exakt zu machen. Nur die genauen Wettbedingungen zählen. Der neunundneunzig Fuß große Mann kommt der Sache nahe, aber die Wette ist nicht verloren. Er stellt keinerlei Gefahr dar, wo es um Ihre Wettchancen geht.

Dennoch hätten Sie das Gefühl, die Chancen, mit Ihrer Hypothese recht zu behalten, seien gesunken. Das kommt daher, daß Sie einiges über das menschliche Größenwachstum und seinen Variationsspielraum wissen und infolgedessen aus der Existenz eines neunundneunzig Fuß großen Mannes eine größere Wahrscheinlichkeit dafür ableiten können, daß es auch einen hundert Fuß großen Mann geben kann. Jede menschliche Eigenschaft tritt irgendwann einmal (manchmal sogar gesteigert) in einem anderen Individuum wieder auf. Der Neunundneunzig-Fuß-Mann ist ein Beleg dafür, daß es Menschen genetisch und physisch möglich ist, eine Größe von etwa einhundert Fuß zu erreichen.

Stellen Sie sich jetzt vor, Sie verfügten über eine Methode, Ihre Hypothese zu überprüfen, ohne dabei irrelevante Informationen anzusammeln. Mitten in New York vergraben Sie einen Sensor unter dem Bürgersteig, der auf jede vorüberkommende Person anspricht. Hundert Fuß über dem Sensor ist ein elektrisches Auge installiert. Wenn jemand auf die Sensorplatte tritt, stellt das elektrische Auge fest, ob ein Lichtstrahl in einer Höhe von einhundert Fuß über dem Boden von einem hochgewachsenen Fußgänger unterbrochen worden ist. Ein und dasselbe Registriergerät sammelt Informationen über den Gesamtfußgängerverkehr und den Verkehr von Fußgängern über hundert Fuß Größe.

Sie kontrollieren das Zählwerk und suchen nach Ergebnissen. Die Skala steht auf «0/310628». Es sind also 310628 Fußgänger vorbeigekommen, von denen keiner (0) größer als 100 Fuß war. Jeder einzelne der 310628 Fußgänger war ein bestätigendes Beispiel für die Wahrheit der Hypothese. Jeder von ihnen bestätigt die Hypothese in genau dem gleichen

Maße. Es wäre lächerlich, behaupten zu wollen, irgendeiner der Fußgänger habe mehr zur Bestätigung beigetragen als ein anderer, wenn Sie nichts über sie wissen, außer daß sie kleiner als 100 Fuß waren.

Wenn der Neunundneunzig-Fuß-Mann zufällig vorbeigekommen und mitgezählt worden wäre, hätte er die Hypothese bei Ihrem Wissens- (oder eigentlich Unwissens-)Stand genau so bestätigt wie jeder andere. Seinetwegen notierte die Skala «0/310628» und nicht «0/310627», und infolgedessen sind Sie ein wenig sicherer.

Offenbar ist es die verfügbare Zusatzinformation (nämlich: daß der Mann 99 Fuß groß ist, und das, was Sie über die Variationsbreite des menschlichen Phänotyps wissen), die ein einfaches bestätigendes Beispiel in ein wirksam widerlegendes verwandelt.

Der Logiker Rudolf Carnap hat vom «Erfordernis des vollständigen Beweismaterials» gesprochen. Bei induktiven Schlüssen muß alle verfügbare Information verwendet werden. Wenn Sie nichts von dem Neunundneunzig-Fuß-Mann wissen und nur die Meßwerte Ihres Geräts ablesen, ist das ein gültiges Bestätigungsbeispiel. Wenn Sie über mehr Wissen verfügen, ist es das nicht.

Das Erfordernis des vollständigen Beweismaterials hat die wissenschaftliche Diskussion stark beschäftigt, weil es einen großen Teil der Forschungsgebiete der Biochemie, der Astronomie, der Physik und anderer Naturwissenschaften berührt. Die Art und Weise, wie wir Gene oder subatomare Partikel untersuchen, ist dem Fußgängerzählgerät näher verwandt als einfacher Beobachtung.

RNA oder Quarks treten uns nicht von Angesicht zu Angesicht gegenüber. Im Gegenteil, wir formulieren eine exakte Frage und lesen die Antwort von Maschinen ab.

Das ist ganz in Ordnung, solange wir unsere Suche nach Wissen nicht unnötig einengen. Wenn wir nichts über hinzutretende Faktoren wissen und dies notwendigerweise so ist, können wir nur auf der Grundlage der verfügbaren Informationen verallgemeinernde Schlüsse ziehen. Je vollständiger aber die eingeholte Information ist, desto wirksamer können wir schlußfolgernd verallgemeinern.

Raben und die Gesamtheit des Beweismaterials

Fassen wir zusammen: Wissenschaft beschäftigt sich überwiegend mit Verallgemeinerungen: «Alle X sind Y». Nur mit Hilfe von Verallgemeinerung können wir unsere Sinneserfahrung in verwertbarer Form komprimieren.

Verallgemeinerungen sind verkappte negative Hypothesen: «Es gibt kein X, das nicht Y wäre», oder «Diese Regel kennt keine Ausnahmen». Die kontraponierte Form einer allgemeinen Aussage entspricht der identischen negativen Hypothese.

In einem unendlichen Universum ist der Beweis einer negativen Hypothese eine unerfüllbare Aufgabe. (Wenn das Universum zwar endlich, aber sehr groß ist, wird der Beweis einer negativen Hypothese zu einer Herkulesarbeit, die einer unerfüllbaren Aufgabe so nahe kommt, daß es praktisch keinen Unterschied macht.) Wir können unerfüllbare Aufgaben nicht erfüllen und hegen begründetes Mißtrauen gegen ein Wissen, das nur durch unerfüllbare Aufgaben erreichbar wäre.

Statt dessen bauen wir Allgemeinaussagen auf bestätigenden Einzelfällen auf: auf «X, die Y sind», in Hempels Beispiel auf schwarze Raben. Diese Methode kann eine allgemeine Aussage nie strikt beweisen, sondern sie nur durch ein Gegenbeispiel (einen nichtschwarzen Raben) widerlegen. Die Auflistung der Fälle, in denen schwarze Raben gesichtet wurden, ist nichts weiter als eine Art der Buchführung darüber, wie wohlbegründet die Hypothese ist. Wir gehen gefühlsmäßig davon aus, jeder einzelne Rabe habe einen Fall dargestellt, in dem die Hypothese einem echten Risiko ausgesetzt war, widerlegt zu werden, und habe dies Risiko unangefochten überstanden. Wir haben nicht das Gefühl, nichtschwarze Nichtraben (Bestätigungsfälle für die kontraponierte Form) hätten die gleiche – oder überhaupt eine – Bedeutung. Das Rätsel der Raben besteht darin, wie man dieses instinktive Gefühl einsichtig und vernünftig begründen kann.

Der Schlüssel zur Lösung des Rätsels ist die Forderung nach vollständigem Beweis. Wenn unser Wissen vom Universum so mager wäre, daß schwarze Raben, nichtschwarze Raben, schwarze Nichtraben und nichtschwarze Nichtraben nichts weiter wären als isolierte Datenpunkte, dann wäre die im Paradox vorgeschlagene Methode der Bestätigung angebracht.

Aber wir wissen zu viel über Raben, um so nach Bestätigung zu suchen. Jemand entdeckt eine Albino-Krähe (ein Gegenstück zum Neunundneunzig-Fuß-Mann). Es handelt sich um einen nichtschwarzen Gegenstand und um einen Nichtraben. Dennoch würde die Krähe die Theorie «Raben sind schwarz» nicht bestätigen, sondern sie sogar sehr zweifelhaft erscheinen lassen. Krähen gehören derselben Gattung an wie Raben. Wenn Krähen anfällig für Albinismus sind, sind es Raben vielleicht auch. Das Hintergrundwissen macht die Bestätigung hinfällig.

Allgemeiner gesprochen wissen wir, daß Raben viel, viel mehr Punkte der Gemeinsamkeit mit verwandten Vogelarten teilen als mit roten Heringen oder blauen Gartenzwergen. Vor dem Hintergrund dieser Gesamtheit von Beweismaterial wird uns klar, daß es Zeitverschwendung ist, nichtschwarze Nichtraben zu überprüfen. Ob alle Raben schwarz sind, ist eine Frage, die man am besten durch Beobachtung von Raben und verwandter Vogelarten sowie die Untersuchung biologischer Variabilität entscheiden kann.

Die Argumente auf der Grundlage der Anzahl von Raben im Gegensatz zur Anzahl der nichtschwarzen Dinge sind vielleicht irreführend. Kehren wir noch einmal zu dem Fall zurück, in dem das Universum aus sieben verschlossenen Schachteln besteht. In diesem Fall sind wir uns einig darüber, daß es eine korrekte Vorgehensweise ist, nichtschwarze Nichtraben als bestätigende Beweisstücke zu zählen. Ist der entscheidende Unterschied zwischen diesem Universum und der wirklichen Welt tatsächlich eine Frage der numerischen Größe?

Stellen Sie sich ein Universum vor, in dem es beispielsweise 10^{80} verschlossene Schachteln gibt. Die meisten Schachteln enthalten schwarze Raben; ein paar enthalten grüne Holzäpfel; und vielleicht gibt es irgendwo einen oder zwei weiße Raben. Sie haben sehr viele Schachteln geöffnet und bisher nichts als schwarze Raben und grüne Holzäpfel gefunden. Wenn Sie eine neue Schachtel öffnen und noch einen schwarzen Raben finden, bestätigt das den Satz «Alle Raben sind schwarz» – in sehr kleinem Ausmaß, denn Sie haben schon eine Menge Schachteln aufgemacht, und Trillionen stehen noch ungeöffnet herum.

Wird die Hypothese nicht auch ein klein wenig bestätigt, wenn Sie eine Schachtel öffnen und einen grünen Holzapfel finden? Einmal bedeutet das ja, daß Sie sich über eine mögliche Widerlegung weniger Sorgen machen müssen. Zum anderen erhöht es Ihr Vertrauen darauf, daß die Gegenstände, die Sie in den Schachteln finden, bestimmte festliegende Farben haben. Sie könnten sogar Ihren Glauben an die Wahrheit der Hypothese folgendermaßen verteidigen: «Jeder Rabe, der mir je zu Gesicht gekommen ist, war schwarz. Und jedesmal, wenn ich etwas gesehen habe, das nicht schwarz war, war es ein Holzapfel, nie war es ein Rabe. Die Holzäpfel sind die ‹Ausnahme, die die Regel bestätigt›.»

In diesem Universum der geschlossenen Schachteln gibt es keine Ornithologie, keinen Albinismus, keine biologischen Variationen. Kurz: Es gibt keine Hintergrundinformationen darüber, wie die Welt funktioniert. Anstelle von echten Raben oder Holzäpfeln könnten die Schachteln genausogut Papierstückchen mit der Inschrift «schwarzer Rabe», «weißer Rabe» etc. enthalten. Jetzt haben wir das Ganze endgültig auf ein formalisiertes Spiel reduziert. Wenn Sie eine Schachtel öffnen und einen Zettel «weiße Krähe» finden, ist nicht ersichtlich, wieso das eine andere Bedeutung für die Hypothese haben sollte als «grüner Holzapfel».

Instinktiv wissen wir alle, daß es falsch ist, Hintergrundmaterial zu vernachlässigen, aber diese wichtige Tatsache wurde (vor Hempel) in der Diskussion wissenschaftlicher Methodik nicht berücksichtigt. Man braucht die Äquivalenz der kontraponierten Aussage nicht zu leugnen (Logiker sagen, man könne es auch gar nicht). Hempel kam nur zu dem einfachen Schluß, daß man mit der logischen Transformation von Hypothesen vorsichtig umgehen muß. Die Kontraposition ist zwar eine Äquivalenzoperation, aber Bestätigungsprozesse «erkennen» logische Transformationen nicht immer «an». Die verschiedenen Arten, in denen die Konsequenzen induktiver Überzeugung in die Irre führen können, sind die Quelle zahlreicher Paradoxe. Im nächsten Kapitel werden wir auf ein weitaus beunruhigenderes Paradox zu sprechen kommen.

3. KATEGORIEN

Das Graun-Blün-Paradox

In seinem Essay «Die analytische Sprache John Wilkins'» erwähnt Jorge Luis Borges eine chinesische Enzyklopädie namens *Himmlischer Warenschatz wohltätiger Erkenntnisse*: «Auf ihren weit zurückliegenden Blättern steht geschrieben, daß die Tiere sich wie folgt gruppieren a) Tiere, die dem Kaiser gehören, b) einbalsamierte Tiere, c) gezähmte, d) Milchschweine, e) Sirenen, f) Fabeltiere, g) herrenlose Hunde, h) in diese Gruppierung gehörige, i) die sich wie Tolle gebärden, k) die mit einem ganz feinen Pinsel aus Kamelhaar gezeichnet sind, l) und so weiter, m) die den Wasserkrug zerbrochen haben, n) die von weitem wie Fliegen aussehen.»

Der Mensch ist das kategorienerfindende Tier. Die Wissenschaft ist eine Litanei von Stämmen, Gattungen und Arten, Ären und Epochen, Elementen und Verbindungen, Leptonen, Mesonen und Hadronen. Ironisch ist nur, daß viele wissenschaftlich als wertvoll beurteilte Kategorien dem Laien ebenso willkürlich erscheinen wie die des *Himmlischen Warenschatzes*. Biologen etwa unterteilen das Tierreich in zweiundzwanzig Stämme. Innerhalb dieser Grobeinteilung bilden alle «normalen» Tiere (Füchse, Hühner, Nilpferde, Menschen) eine kleine Unterabteilung eines Stammes. Die meisten anderen Stämme dienen dazu, die Formenvielfalt der Würmer aufzuzählen.

Borges' Essay beschreibt die ambitionierte, vielleicht auch wahnsinnige künstliche Sprache, die der britische Naturwissenschaftler und Professor John Wilkins (1614–1672) entworfen hat. Wilkins' Sprache teilt die Welt in vierzig Kategorien ein. Jede Kategorie ist in Subkategorien (Differenzen) und Subsubkategorien (Spezies) unterteilt wie im Katalogisierungssystem einer Bibliothek. Wilkins ordnet jeder Kategorie einen oder zwei Buchstaben zu. In seiner Sprache werden die Wörter, die Dinge bezeichnen, gebildet, indem man die Buchstaben der Einzelkategorien aneinanderreiht, die sie definieren. Das ist, als wäre der Titel jedes Buchs in der Bibliothek zugleich seine Katalognummer; oder als bestünden die Namen von Personen aus Buchstaben, die den Namen ihrer Vorfahren entnommen sind.

«Das Wort ‹Lachs› sagt uns nichts; ‹zana›, das entsprechende Wort bei Wilkins, enthält (jedenfalls für einen, der in den vierzig Kategorien und in den Genera dieser Kategorien bewandert ist) die Definition eines schuppenbedeckten Fisches, der in Flüssen lebt und dessen Fleisch rötlich ist», schreibt Borges. «Theoretisch ist die Vorstellung einer Sprache denkbar, in welcher der Name jedes einzelnen Geschöpfs alle Einzelheiten seines Schicksals in Vergangenheit und Zukunft angibt.»

Graune Smaragde

1953 formulierte der amerikanische Philosoph Nelson Goodman das, was er «das neue Rätsel der Induktion» nannte. Das «Graun-Blün-Paradox», wie es auch genannt wird, stellt unsere Vorstellungen von Kategorien in Frage. Ein Juwelier prüft einen Smaragd. «Aha», sagt er, «noch ein grüner Smaragd. In meiner langen Geschäftserfahrung habe ich Tausende von Smaragden gesehen, und jeder einzelne von ihnen war grün.» Wir halten es für vernünftig von dem Juwelier, wenn er annimmt, alle Smaragde seien grün.

Im Nachbarhaus hat ein zweiter Juwelier sein Geschäft, der

eine ebenso reiche Erfahrung mit Smaragden hat. Er spricht nur die Indianersprache der Choctaw. Farbunterscheidungen sind nicht so sprachübergreifend, wie man denken könnte. Die Choctaw unterscheiden nicht zwischen grün und blau; das gleiche Wort bezeichnet beide Farben. Dafür unterscheiden sie sprachlich zwischen *okchamali*, einem lebhaften Blau- oder Grünton, und *okchakko*, einem blassen Grün oder Blau. Der Juwelier, dessen Muttersprache Choctaw ist, sagt: «Alle Smaragde sind *okchamali.*» Er weist darauf hin, daß alle seine jahrelang gesammelten Erfahrungen im Juwelengeschäft diese Annahme bestätigen.

Ein dritter Juwelier spricht eine seltsame Kunstsprache namens Graunblün. Graunblün hat ebensogut eigene Farbbezeichnungen wie Deutsch oder Choctaw, aber es kennt kein eigenes Wort für grün. Statt dessen gibt es das Wort *graun.* «Graun» kann auf deutsch folgendermaßen definiert werden: Wenn etwas vor dem Mitternachtspunkt des 31. Dezember 1999 grün und danach blau ist, dann ist es graun. Der Juwelier, dessen Muttersprache Graunblün ist, kommt logischerweise zu dem Schluß, daß alle Smaragde graun sind.

Fragen Sie die drei Juweliere: «Welche Farbe wird der Smaragd im Jahr 2000 haben?» Alle drei schütteln den Kopf und sagen, sie hätten noch nie gehört, daß ein Smaragd eine andere Farbe haben könne als die, die er genau jetzt hat. Der deutschsprachige Juwelier sagt mit voller Zuversicht voraus, daß der Smaragd im Jahre 2000 grün sein wird. Der, dessen Muttersprache Choctaw ist, sagt, er werde *okchamali* sein. Der Graunblün-Sprecher versichert, der Smaragd werde im Jahr 2000 graun sein. Achtung! «Graun im Jahr 2000» heißt auf deutsch blau! (Auf Choctaw heißt es *okchamali.*)

Das Paradox liegt darin, daß alle drei Juweliere die gleichen Erfahrungen mit Smaragden gehabt haben und daß alle nach dem gleichen Induktionsverfahren vorgegangen sind. Dennoch widerspricht die Vorhersage des Graunblün-Sprechers derjenigen des deutschsprachigen Juweliers. (Die Vorhersage des Juweliers, der Choctaw spricht, ist mit jeder der beiden Vorhersagen seiner Kollegen vereinbar.) Man kann das Paradox nicht als sinnlos abtun. Zum Ende des Jahrhunderts wird mindestens eine der Vorhersagen falsch sein.*

Das Paradox kann so absurd gestaltet werden, wie Sie wollen. Sagen wir, «grila» bedeute grün vor der Stichsekunde und lila danach. Nennen Sie einen Gegenstand «Smaraku», der vor der Entscheidungszeit ein Smaragd ist und danach eine Kuh. Dann bestätigt der grüne Smaragd die Aussage: «Alle Smarakus sind grila», das heißt, im Jahr 2000 wird der grüne Smaragd eine lila Kuh sein. Wenn man den Stichpunkt und die Termini richtig wählt, bestätigt *alles*, daß es zu *irgendeinem* späteren Zeitpunkt *irgend etwas* anderes sein wird.

Willkürliche Kategorien

Ähnlich wie bei Hempels Paradox gibt es auch hier eine «offensichtliche Lösung», die kläglich versagt. Die Schwierigkeiten gehen offenbar auf den Gebrauch des Wortes «graun» zurück. «Graun» ist seinem Wesen nach ein komplizierteres Wort als «grün», wie man schon seiner Definition ansieht. Es ist ein Wort ohne natürliche Bedeutung. Goodman hat es zu dem einzigen Zweck erfunden, ein Paradox zu erzeugen. Es

* Gemmologische Anmerkung. Ein blauer Smaragd ist tatsächlich paradox, denn Smaragde sind durchsichtige Berylle, die von Chromspuren grün gefärbt sind. Ein blauer Beryll, der Edelsteinqualität besitzt, heißt Aquamarin. Wesentlich seltener als echte Smaragde sind sogenannte «orientalische Smaragde», die grüne Phase des Korunds (Rubine und Saphire sind die entsprechenden roten und blauen Formen). Egal, ob es sich um den Beryll- oder den Korundtyp handelt, ein nichtgrüner Smaragd ist ein Widerspruch in sich selbst, wie ein Waisenkind, dessen Eltern am Leben sind.

bezieht sich in irrelevanter Weise auf ein bestimmtes zeitliches Datum.

Natürlich benützen wir im wirklichen Leben einige recht künstliche Kategorien. Wenn jemand in Chicago sagt, es sei 5 Uhr, sagt er eigentlich, es sei 5 Uhr in einem Gebiet westlich von 82,5 Grad westlicher Länge und östlich von 97,5 Grad westlicher Länge, soweit diese Abgrenzungen nicht durch örtliche Gültigkeit der Central Standard Time modifiziert werden. In der Eastern Time Zone ist es 6 Uhr, in der Mountain Time Zone 4 Uhr, und an verschiedenen Orten rund um die Erde herrschen verschiedene andere Zeiten. Irgendwo ist immer jederzeit. Das ist eine Definition, die zumindest genauso blödsinnig klingt wie die von «graun». Sie bezieht sich auf einen geographischen Ort, was mit Zeit nicht das geringste zu tun hat.

Wieviel vernünftiger wäre es doch, auf der ganzen Welt Greenwich-Zeit zu verwenden. Wenn es in São Paulo 5 Uhr 30 ist, wäre es in Tokio, Lagos, Winnipeg, Bochum und überall sonst auf der Welt auch 5 Uhr 30. Möglicherweise würden wir von diesem Standpunkt aus die derzeit übliche Methode der Zeitangabe als Patchwork eines logischen Paradoxes betrachten.

Und ist «grün» ein weniger willkürlicher Begriff? Der Logiker W. V. O. Quine hat darauf hingewiesen, daß unter dem Gesichtspunkt eines Physikers der Begriff der Farbe willkürlich ist. Licht existiert in einem Kontinuum von Wellenlängen, und die Wellenlängen, die wir «grün» nennen, zeichnen sich durch nichts Besonderes aus. Wollten wir einem Besucher von einem anderen Planeten erklären, was «grün» bedeutet, müßten wir etwa folgendes sagen: «Grün ist das, was wir erfahren, wenn wir Licht mit einer Wellenlänge von mehr als 4912 Angström, aber weniger als 5750 Angström sehen.» Warum 4912 und 5750 statt irgendwelcher anderer Grenzwerte? Kein Grund; es ist einfach so.

Natürlich übernimmt «graun» die spektrale Willkür von

«grün» (und von «blau»). Aber «graun» ist auf eine Art und Weise willkürlich, wie es «grün» nicht ist. «Graun» setzt einen Farb*wandel* voraus. Nicht, daß es nichts auf der Welt gäbe, das von grün zu blau wechselt. Unreife Blaubeeren tun genau das, wenn sie reifen. Aber ein allgemeiner und gleichzeitiger Wandel ist vollkommen vorbildlos. Das Wort «graun» fordert uns auf, an diesen Wandel zu glauben, an einen Wandel, der noch nie beobachtet worden ist.

Das klingt wie ein starker Einwand. Aber er kann genausogut von der anderen Seite erhoben werden, wenn wir aus dem Spiegel heraus statt in ihn hinein schauen. Die idiosynkratische Sprache des dritten Juweliers kennt ein weiteres Farbadjektiv: «blün». Ein Gegenstand ist blün, wenn er bis zum 31. Dezember 1999 um Mitternacht blau und danach grün ist.

Um dem Juwelier, dessen Muttersprache Graunblün ist, das deutsche Wort «grün» zu erklären, müssen wir sagen, ein Gegenstand sei grün, wenn er vor der Mitternacht des 31. Dezember 1999 graun und danach blün sei. Für ihn, der die Worte graun und blün mit der Muttermilch eingesogen hat, ist «grün» der künstliche Begriff. Denn es ist die Definition von *grün*, die sich auf einen bestimmten Zeitpunkt bezieht.

Die intersprachlichen Definitionen sind vollkommen symmetrisch. Schlagen Sie in einem Deutsch-Graunblün- und einem Graunblün-Deutsch-Wörterbuch nach und zählen die Wörter, die gebraucht werden, um «grün» und «graun» zu definieren. «Graun» kann unter Verwendung der Wörter «grün» und «blau» definiert werden oder «grün» unter Verwendung der Wörter «graun» und «blün». Die Frage, welche Formulierung ursprünglicher sei, ist die Frage danach, ob das Ei zuerst da war oder die Henne.

Um sich der vollen Bedeutung dieser Tatsache bewußt zu werden, stellen Sie sich vor, «graun» und «blün» seien keine künstlich gebildeten Termini eines Logikparadoxons, sondern echte Wörter einer natürlichen Sprache. Die Einheimischen sagen ganz normalerweise, das Gras sei graun und der Himmel blün. Für sie wirft die Behauptung, ein Kleid sei blün, die Frage nicht auf, durch welche physikalischen oder chemischen Prozesse es mit Ablauf des Jahrhunderts grün werden soll. (Wenn wir sagen, eine Banane sei gelb, behaupten wir ja auch nicht, sie werde nie braun werden, sondern ewig gelb bleiben.) Wenn sie sagen, das Kleid sei blün, dann meinen sie, daß es *jetzt in diesem Moment* als blün wahrgenommen wird. Es hat die gleiche Farbe wie der Teil der Farbskala, der mit dem Etikett «blün» versehen ist, die Farbe des blünen Himmels und des blünen Vogels der Romantik. Der einzige Unterschied zwischen ihrem Blün und unserem Blau ist, daß die Definition eine Zeitbegrenzungsklausel enthält. (Oder etwa nicht?)

Kontrafaktische Ausdrücke

Das Graun-Blün-Paradox hat unter anderem etwas mit *kontrafaktischen Ausdrücken* zu tun: mit Formulierungen, die von etwas sprechen, das geschehen *würde*, obwohl es nicht geschehen ist. Eine Büroklammer ist biegsam, säurelöslich und schmelzbar. Sie ist biegsam, säurelöslich und schmelzbar, auch wenn sie noch nie verbogen, in Säure aufgelöst oder geschmolzen worden ist. Ein grauner Smaragd wäre graun, auch wenn er vor dem Jahr 1999 zerstört wird.

Kontrafaktische Ausdrücke sind in der Wissenschaft häufig. Nach Goodman könnten Astronomen die Farbe der Sonne als «geiß» beschreiben. Die Sonne ist derzeit ein gelber Normalstern und wird in etwa 10 Milliarden Jahren ein weißer Zwerg sein. Natürlich hat niemand den Wandel der Sonne vom gelben Stern zum weißen Zwerg beobachtet. Das hat man noch bei keinem Stern beobachtet. All unsere unmittelbare Erfahrung bestätigt die Annahme, die Sonne werde immer gelb bleiben, genausogut wie die, daß sie «geiß» ist.

Was ist der Unterschied zwischen dieser Feststellung und Goodmans Paradox? Der Glaube der Astronomen an den in der Zukunft liegenden Wandel ist nicht zufällig. Er ist nicht durch die Tatsache bestimmt, daß es in irgendeinem Wörterbuch das Adjektiv «geiß» gibt. Er beruht auf einer Theorie der Astrophysik, die sich in anderen Bereichen bewährt hat.

Ausdrücke wie «graun» und «blün» wirken verdächtig, weil ihre Widerlegbarkeit willkürlich auf einen Zeitpunkt in der Zukunft verlegt ist. Kein denkbares im zwanzigsten Jahrhundert durchgeführtes Experiment kann dazu dienen, einen graunen Smaragd von einem grünen zu unterscheiden. Der Farbwechsel in der Zukunft ist eine (bisher) unnötige Annahme. Deshalb werden wir zu Recht mißtrauisch, wenn jemand behauptet, Smaragde seien graun.

Das ist wahr, aber es löst das Paradox nicht auf. Wieder zeigt die höllische Symmetrie der Situation ihr häßliches Doppelgesicht. Der Juwelier, dessen Muttersprache Graunblün ist, kann sich ja auch darüber beschweren, daß es kein im zwanzigsten Jahrhundert durchführbares Experiment gibt, das ihm zu entscheiden hilft, ob ein Smaragd im Jahr 2000 blün wird (denn das ist seine Definition von «grün»). Um uns einer Auflösung des Paradoxons auch nur zu nähern, müssen wir den Aspekt finden, unter dem die Situation nicht symmetrisch ist.

Der rotierende Farbkreisel

Vielleicht hat das Problem etwas damit zu tun, daß der Farbwandel so plötzlich ist. Plötzliche Veränderungen müssen meist eine Ursache haben. Im Vakuum kann ein Gegenstand seine Bewegung ewig beibehalten, aber ein plötzlicher Geschwindigkeitswechsel kann nur durch Außeneinwirkung entstehen.

Wenn es der plötzliche Wandel ist, der Sie beunruhigt, stellen Sie sich vor, «graun» beschreibe einen allmählichen Farbwandel von grün zu blau, der eintausend Jahre währt. Der Farbkreisel des Künstlers dreht sich langsam, und was jetzt grün ist, wird in 1000 Jahren blau, in 2000 Jahren lila, in

3000 Jahren rot sein und nach 6000 Jahren wieder seine Ausgangsfarbe grün erreicht haben. «Graun» bezieht sich auf die Klasse von Gegenständen (Smaragde, Blätter im Sommer etc.), die jetzt grün, in 1000 Jahren blau und so weiter sind.

Wenn wir einen Farbzyklus von 6000 Jahren annehmen, würde sich die Farbe aller Dinge in jedem Augenblick unmerklich verändern. Der kumulative Farbwandel im Laufe eines Menschenlebens wäre jedoch so gering, daß er kaum jemandem auffallen würde. (Niemand würde dem alten Juwelier widersprechen, der sich beklagt, daß Smaragde nicht mehr ganz die Farbe haben wie in seiner Jugend. Glauben nicht viele unserer älteren Mitbürger, daß die Winter heutzutage wärmer und die Fußballfans brutaler werden?)

Wir könnten auch nicht aus historischem Belegmaterial auf den Farbwandel schließen. Der grüne Smaragd von heute wäre zwar gelb gewesen, als er am Ring eines mittelalterlichen Feudalherrn glänzte, und orangefarben im Diadem Kleopatras. Aber woher wissen wir, was die antiken Autoren mit ihren Farbadjektiven meinten? Wenn die Klassiker ein bestimmtes Wort für die Farbe von Smaragden, Gras und des Atlantischen Ozeans verwendeten, würden wir es mit «grün» übersetzen. *Vielleicht* erschienen alle diese Dinge unseren Augen orangefarben, wenn wir mit einer Zeitmaschine ins Jahr 1 zurückreisten. Wir können auch nicht sicher sein, daß das althochdeutsche *gruoni* nicht in Wirklichkeit gelb hieß.

Das umgekehrte Farbspektrum

Das paßt gut zu dem bei Philosophen beliebten Gedankenexperiment des «umgekehrten Farbspektrums». Nehmen Sie einmal an, Sie hätten von Geburt an Farben genau umgekehrt gesehen wie alle anderen Menschen. Sprich: Die Farbempfindung, die sich bei Ihnen einstellt, wenn Sie eine rote Rose sehen – die Empfindung, die Sie gelernt haben, «rot» zu nennen –, ist in Wirklichkeit die, die alle anderen «grün» nennen. Alle Farben, die Sie sehen, sind genau umgekehrt wie bei allen anderen Menschen. Können zwei Menschen einander ihre subjektiven Farbempfindungen so beschreiben, daß sie *sicher* sind, die gleichen Farben zu sehen?

Das scheint unmöglich. Farben werden meist beschrieben, indem man sie mit etwas anderem vergleicht (türkisblau, ziegelrot, elfenbeinfarben etc.). Das würde aus dem gleichen Grund nicht funktionieren. Die beste Grundlage für den Glauben, wir könnten imstande sein, umgekehrte Farbempfindungen zu entdecken, ist die angebliche Korrelation zwischen Farben und psychischen Zuständen. Man sagt, hellgrün und blau seien entspannend, rot rufe Zorn oder Tollkühnheit hervor, blau sei für Jungen und rosa für Mädchen, bestimmte Farben (zum Beispiel blau) seien beliebter oder eleganter als andere (wie etwa orange oder lila).

Möglicherweise haben bestimmte Farbwerte reale psychologische Wirkungen, die sich im Laufe der Menschheitsgeschichte entwickelt haben. Aber es ist genauso möglich, daß es sich nur um gesellschaftliche Konventionen handelt, die Kinder in früher Jugend internalisieren. Im Gegensatz zu vielen anderen epistemologischen Fragen könnte die Debatte über das umgekehrte Farbspektrum entschieden werden, wenn man irgendwo (unter intensiver Anwendung umweltverträglicher Farbstoffe?) ein Land gründete, in dem alle Farben verkehrt sind. Grünes Gemüse würde leuchtend rot gefärbt (hieße aber natürlich immer noch «grünes Gemüse»); die Säuglingskleidung wäre «blau» (in Wirklichkeit orange) für Jungen und «rosa» (in Wirklichkeit olivfarben) für Mädchen. Firmen, die Malerfarben importieren, würden gezwungen, die violette Farbe aus der Originaltube zu quetschen und in Tuben mit dem Etikett «gelb» umzufüllen. Farbphotos aus der Außenwelt wären zugelassen, aber natürlich nur als Negative! Das Land wäre in sich abgeschlossen und unterirdisch gelegen, damit das Blau des Himmels das Experiment nicht stört. Würden Menschen, die in diesem Land aufgewachsen sind, unsere Farbvorlieben teilen? Könnte man ein einheimisches abstraktes Kunstwerk an irgendwelchen Indizien erkennen?

Gleichgültig, ob es absolut unmöglich ist, ein umgekehrtes Farbspektrum zu erkennen, oder nicht, schwierig ist es auf jeden Fall. Also können wir ein graduelles Graun-Blün-Paradox konstruieren, in dem es weder plötzlichen Wechsel noch unbeobachteten Wandel in der Zukunft gibt. Der «Wandel», von dem die Rede ist, vollzieht sich die ganze Zeit und hat dies schon immer getan. All unsere gegenwärtige und vergangene Erfahrung ist mit dem Wandel vereinbar. Damit scheint eine einfache Lösung für das Paradox unmöglich.

Das umgekehrte Spektrum und das Graun-Blün-Paradox beziehen sich nicht auf Farben allein. Goodman verwendete Farben als Beispiel für die Kategorien, in die wir die Welt aufteilen. Durch Kategorien geht Erfahrung in Sprache ein. Goodmans Juweliere vertreten empirische Überzeugungen über Smaragde, die sich im Lauf der Zeit bewährt haben – und diese Überzeugungen weichen radikal voneinander ab!

Dämonentheorie Nr. 16

Instinktiv wissen wir, daß «Alle Smaragde sind grün» eine vernünftige Annahme ist und daß mit «Alle Smaragde sind graun» irgend etwas nicht stimmt. Die Frage ist, wie man vernünftige Annahmen von unvernünftigen unterscheidet. Man könnte meinen: durch experimentelle Überprüfung. Das ist eine gute Unterscheidungsmethode, aber man kann nicht alle Hypothesen, seien sie gut, schlecht oder neutral, experimentell überprüfen.

«Forschung besteht darin, sich in Gassen herumzutreiben, um zu sehen, ob es Sackgassen sind», hat der Biologe Marston Bates einmal gesagt. Aber die Möglichkeiten der Forschung nach dem Schrotschußverfahren sind in Wirklichkeit eng umgrenzt. Der Wissenschaftsphilosoph Hilary Putnam illustriert das mit Hilfe einer «Dämonentheorie». Die Theorie (eigentlich eine Hypothese) ist die folgende: Ein Dämon (vielleicht der Descartessche Dämon) wird vor Ihren Augen erscheinen, wenn Sie sich einen Mehlbeutel auf den Kopf setzen und in schneller Folge sechzehnmal auf den Tisch klopfen. Natürlich ist das eine stupide Annahme, aber es *ist* eine Annahme, und man *kann* sie experimentell überprüfen. Sie ist sogar erheblich leichter überprüfbar als die meisten wissenschaftlichen Hypothesen.

Das ist Dämonentheorie Nr. 16. Es gibt auch eine Dämonentheorie Nr. 17, die genauso funktioniert, nur daß Sie siebzehnmal klopfen müssen, eine Dämonentheorie Nr. 18, eine Dämonentheorie Nr. 19 und so weiter. Es gibt unendlich viele Dämonentheorien. Offenbar, so Putnam, müssen Wissenschaftler wählerisch sein, wenn es darum geht, welche Theorien sie überprüfen wollen. Man könnte sonst sein ganzes Leben damit verbringen, idiotische Theorien zu überprüfen, ohne jemals Resultate zu erreichen. Die Möglichkeit, den Weizen der «möglicherweise wahren» Hypothesen noch vor dem experimentellen Stadium von der Spreu derjenigen zu trennen, die nur das Prädikat «nicht der Mühe wert» verdienen, ist von entscheidender Bedeutung.

Im Gegensatz zu Putnams Dämonentheorie haben die meisten wissenschaftlichen Hypothesen und Annahmen eine Erfahrungsgrundlage. Eine Schneeflocke fällt auf Ihren Jackenärmel; sie ist sechseckig. Eine vernünftige Hypothese ist jetzt: «Alle Schneeflocken sind sechseckig». Aber warum diese Hypothese und nicht zum Beispiel: «Alle Schneeflocken, die dienstags fallen, sind sechseckig» oder «Alles ist sechseckig» oder «Alles, das schmilzt, hat eine gerade Seitenzahl» oder «Alle sechseckigen Gegenstände haben sechs Ecken»? Noch viel entscheidender ist die Frage: Warum glauben wir überhaupt, daß an der Form von Schneeflocken etwas Verallgemeinerbares ist? Allein die Tatsache, daß es ein Wort «Schneeflocke» gibt, setzt das gemeinsame Wissen darüber voraus, daß es eine Klasse winzig kleiner, kalter, weißer Gegenstände gibt, die vom Himmel fallen und möglicherweise noch weitere Eigenschaften gemeinsam haben. Ohne den im Wort implizierten Tip könnten wir ewig blind nach Hypothesen suchen wie etwa: «Alles in der Klasse, das (dieses weiße Ding auf meinem Ärmel, Königin Viktoria, Lasagne und alle Gummibälle im freien Westen) umfaßt, hat sechs Ecken.»

Alles bestätigt alles

Schlechte Hypothesen verderben gutes Belegmaterial. Ein Beispiel hierfür ist das Paradox, das unter dem Namen «Alles bestätigt alles» bekannt ist und als Trugschluß vermutlich häufiger auftaucht als irgendein anderes der in diesem Buch besprochenen Paradoxe.

Es ist vernünftig anzunehmen, etwas, das eine Hypothese bestätigt, müsse auch jede notwendige Folgerung aus der Hypothese bestätigen. Wenn der Mensch vom Affen abstammt, dann stammt unzweifelhaft auch Darwin vom Affen ab. Ein fossiler Fund, der die Hypothese bestätigt, der Mensch stamme vom Affen ab, muß auch die Hypothese bestätigen, Darwin stamme vom Affen ab. Soweit ist das auch in Ordnung.

Nehmen wir jetzt eine zusammengesetzte Aussage wie «8497 ist eine Primzahl, und die Rückseite des Mondes ist flach, und Königin Elisabeth wurde an einem Dienstag gekrönt.» (Das Beispiel stammt von Goodman.) Um das zu überprüfen, suchen Sie nach Divisoren von 8497 und stellen fest, daß es eine Primzahl ist. Diese Entdeckung bestätigt die zusammengesetzte Aussage, und eine der Konsequenzen der Aussage ist, daß die Rückseite des Mondes flach ist. Die Tatsache, daß 8497 eine Primzahl ist, bestätigt, daß der Mond flach ist!

Natürlich lassen sich alle beliebigen Behauptungen zu einer zusammengesetzten Aussage verbinden. Ersetzen Sie sie durch

Behauptungen Ihrer Wahl, und bauen Sie Ihr eigenes Paradox. Man kann demonstrieren, daß alles alles bestätigt.

Offenbar ist es einfacher, Hypothesen logisch miteinander zu verbinden, als sicher zu sein, daß es gültige Gründe gibt, sie miteinander zu verbinden. Dieses Verbindungsglied ist es aber, das Bestätigung erst gültig macht. Goodmans Satz ist ein offensichtliches Sammelsurium, bietet aber einen Hinweis auf die weiträumigen Folgen jeder starken Theorie. Viele Apostel von Pseudowissenschaften bedienen sich einer Argumentation nach dem Muster «Alles bestätigt alles». Hier nur ein beliebtes Beispiel:

> HYPOTHESE: Hellsehen gibt es *und* es ist möglich, denn die Physiker wissen eine Menge über Ursache und Wirkung nicht.
> BELEGMATERIAL: Die Bellschen Ungleichheitsexperimente, die auf momentane Kommunikation zwischen subatomaren Teilchen hinzudeuten scheinen.
> SCHLUSSFOLGERUNG: Die Bellschen Ungleichheitsexperimente bestätigen die Hypothese, also bestätigen sie die Realität des Hellsehens.

Ockhams Messer

Die Wissenschaft folgt ästhetischen Regeln. Die «Schönheit» einer Theorie entspricht weitgehend der Einfachheit ihrer Form. Man zieht eine einfache Theorie, die vieles erklärt, einer komplizierten Theorie vor, die wenig erklärt, auch wenn es keinen unmittelbar einsichtigen Grund für die Annahme gibt, daß die komplizierte Theorie weniger korrekt sei als die einfache.

Dieses wichtige Prinzip heißt «Ockhams Messer». Der Name erinnert an den ca. 1285 geborenen Franziskanermönch Wilhelm von Ockham. (In ähnlicher Formulierung taucht es allerdings schon früher bei Odo Rigaldus, Duns Scotus und anderen Philosophen auf.) Ockham war eine umstrittene Erscheinung und zugleich einer der einflußreichsten Denker des Mittelalters. Er starb im Jahre 1349, wahrscheinlich an der Pest.

Ockham ist am bekanntesten für einen Ausspruch, den er vielleicht nie getan hat: *Entia non sunt multiplicanda praeter necessitatem*, oder: «Entitäten dürfen nicht über das Notwendige hinaus vermehrt werden.» Dem Sinne, wenn auch vielleicht nicht dem Wortlaut nach, geht die Regel auf ihn zurück. Gemeint ist, daß man nicht auf neue Annahmen oder Hypothesen (Entitäten) zurückgreifen soll, solange das nicht nötig ist. Wenn die Fußspuren im Schnee durch einen Bären erklärt werden *können*, aber auch durch ein bisher unbekanntes menschenähnliches Lebewesen erklärt werden *könnten*, ist der Bären-Hypothese der Vorzug zu geben.

Man sollte das Prinzip nicht falsch verstehen. Es geht nicht darum, die weniger sensationelle Erklärung zu wählen. Bären genießen nur dann Vorrang vor Yetis, wenn die Indizien (etwa eine halbgeschmolzene Fußspur) so schwach sind, daß sie sich ebensogut durch die Bären- wie durch die Yeti-Theorie erklären lassen.

Ockhams Messer ist nicht unfehlbar. Es hat schon öfter für eine falsche Theorie entschieden. Ist die Erde rund? Verursachen winzige Lebewesen Krankheiten? Heute wissen wir, daß diese Theorien den beobachteten Tatsachen gut gerecht werden, aber es hat einen Punkt gegeben, an dem sie Ockhams Messer zum Opfer fielen. Einen berüchtigten Fall irregeleiteter Skepsis (auf den die heutigen Propagandisten von Geistern, fliegenden Untertassen und anderer derzeit nicht akzeptierter Meinungen gerne verweisen) stellte die lang beibehaltene Weigerung der *Académie Française* dar, die Realität von Meteoriten anzuerkennen. Auf Anraten einer anerkannten wissenschaftlichen Autorität wurden Dutzende von Meteoriten als Fälschungen aus den Museen Europas entfernt.

Damit kommen wir zu einem der schwierigsten Aspekte der Bestätigungstheorie. Für jede wissenschaftliche Entdeckung gibt es ein Stadium, zu dem zwei konkurrierende Theorien die Beobachtungsresultate ungefähr gleich gut erklären. Häufig gibt es eine einfachere Hypothese A, an die bisher jedermann geglaubt hat, und eine neue Hypothese B, die eine Ockhamsche neue «Entität» einführt. Theorie A könnte etwa der Glaube sein, daß die Erde der Mittelpunkt des Universums ist, und B könnte das heliozentrische System des Kopernikus sein. Oder, wenn wir ein Beispiel nehmen wollen, das nicht so offensichtlich Theorie B bevorzugt, könnte A sein, daß es keine fliegenden Untertassen gibt, und B, daß es sie doch gibt. Wann rechtfertigt das Material die Einführung einer neuen Entität?

Es ist gar nicht so einfach, eine eindeutige Antwort zu geben, denn viele Dinge glauben wir aufgrund einer recht schwachen Indizienbasis. Wenn Sie im Supermarkt die Schlagzeilen der Bildzeitung lesen und erfahren, daß eine bekannte Schauspielerin sich einen neuen Liebhaber zugelegt hat, sind Sie vermutlich bereit, der Nachricht Glauben zu schenken. Wenn das gleiche Blatt nächste Woche behaupten sollte, fliegende Untertassen hätten eine Frau in Arizona entführt, werden Sie es wahrscheinlich nicht glauben. Der Astronom Carl Sagan hat darauf hingewiesen, daß Sie hier unbewußt eine bedeutsame Regel der Bestätigungstheorie anwenden: Je unwahrscheinlicher die Hypothese, desto mehr Beweise sind für ihre Bestätigung erforderlich.

Der Grund dafür ist, daß eine unauffällig prosaische Hypothese teilweise durch unser gesamtes Wissen von früheren ähnlichen Fällen bestätigt wird. Für eine unglaubwürdige Hypothese trifft das nicht zu. Das kann aber dazu führen, daß man eine Reihe prosaischer falscher Hypothesen eher glaubt als eine weniger prosaische Wahrheit. (So als die *Académie Française* den Glauben an Meteoriten ablehnte.) Es gibt beispielsweise verhältnismäßig viel Belegmaterial für die Existenz von Geistern. Tausende von Menschen haben von Geistererscheinungen berichtet; und sie waren nicht alle Spinner. Es gibt sogar ein paar unscharfe Photos. Es gibt keine kategorisch eindeutige Erklärung für die Berichte über Geistererscheinungen (außer der, daß es Geister gibt). Angeblich gibt es immer eine «logische Erklärung», aber diese Erklärung ist einmal ein Ast, der gegen die Fensterscheibe schlägt, einmal eine Halluzination, ein andermal Mäuse auf dem Dachboden und wieder ein anderes Mal ein übler Scherz. In wieder anderen Fällen paßt keine dieser Erklärungen, aber man beharrt weiterhin darauf, daß es eine Erklärung geben muß, die nichts mit dem Übersinnlichen zu tun hat.

Was die reine Zahl angeht, gibt es wahrscheinlich mehr Berichte über Geistererscheinungen als über Irrlichter und Sumpffeuer. Aber Wissenschaftler glauben an Irrlichter und nicht an Geister. Letzten Endes werden mehr Theorien durch die schlechte Qualität ihres eigenen Beweismaterials widerlegt als durch Gegenbeweise. Mit einer Theorie, für die es eine Menge zweifelhafter Beweise gibt, stimmt meistens etwas nicht. So scheint es auch um die Theorie zu stehen, daß es Geister gibt. Irrlichter andererseits sind manchmal für jedermann sichtbar.

Aber in Goodmans Paradox stehen wir einer Hypothese («Smaragde sind graun») skeptisch gegenüber, obwohl sie durch genau die gleichen Beweismaterialien gestützt wird wie eine andere («Smaragde sind grün»). Das Problem steckt in der Hypothese, nicht in den Beweisen.

«Alle Smaragde sind graun» spricht von einer Entität, dem Graunsein, auf die wir verzichten können. Unter Berufung auf Ockhams Messer können wir sagen: «Moment mal! Wir haben schon alle Farbadjektive, die wir brauchen. Es ist völlig sinnlos, einen Begriff wie ‹graun› einzuführen, solange Sie nichts vorzeigen können, das graun (und nicht einfach grün) ist...»

Aber auch hier kann der Graunblün-Sprecher das Argument gegen uns kehren. Er hat schon alle Farben, die er braucht,

braucht so etwas wie «grün» nicht und wird es auch nicht brauchen, solange er nichts sieht, das tatsächlich grün (und nicht graun) ist.

Das Graun-Blün-Paradox wird weiterhin lebhaft diskutiert. Derzeit herrscht weitgehende Einigkeit darüber, daß unsere Vorliebe für «grün» statt «graun» auf dem Kriterium der Einfachheit beruht. Die Schwierigkeit liegt darin, einen Ausweg aus dem Problem zu finden, daß der Graunblün-Sprecher uns alle unsere Argumente wie ein Papagei zurückgeben kann. Der Ausweg folgt.

Der Tag der Entscheidung

Was wird am 1. Januar 2000, dem Tag des semantischen Jüngsten Gerichts, geschehen? Es gibt vier Möglichkeiten.

1. Alle Welt wacht auf und entdeckt, daß der Himmel grün und das Gras blau ist! Wir sehen ein, daß «grün» der irreführende Begriff und «graun» richtig war.

Andernfalls werden die Graunblün-Sprecher sich auf eine von drei Weisen mit der Tatsache abfinden müssen, daß die Farben nach dem Entscheidungsmoment gleich geblieben sind:

2. Graunblün-Sprecher könnten erwachen und *mit Überraschung* feststellen, daß sich die Farbe des (immer noch blauen) Himmels von blün zu graun gewandelt hat. Das war Goodmans scherzhafter Lösungsvorschlag.

3. Oder die Graunblün-Sprecher könnten am Vorabend in der *vollen Erwartung* des «Farbwandels» zu Bett gegangen sein. Das wäre, als ob man seine Uhr auf Sommerzeit oder für die Reise in eine neue Zeitzone umstellt. Die Graunblün-Sprecher müßten einsehen, daß ihre Farbbegriffe nicht mit der Realität übereinstimmen.

4. Schließlich könnte es passieren, daß die Graunblün-Sprecher den «Wandel» gar nicht bemerken (weil sie die Zeitklausel in den Definitionen von «graun» und «blün» nicht verstan-

den haben). Denn: *Wie bringen Graunblün-Sprecher ihren Kindern die Sprache bei?*

Viele Philosophen meinen, eigentlich könne niemand Graunblün als erste Sprache lernen. Sicher, die Eltern würden auf das Gras zeigen und «graun» sagen, auf den Himmel zeigen und «blün» sagen. Aber das ist nicht die ganze Bedeutung von graun und blün. An irgendeinem Punkt im Prozeß des Spracherwerbs muß der Wahrnehmungswechsel (man sollte nicht von einem Farbwechsel sprechen; denn für die Sprecher, die diese Worte benützen, sind Graun und Blün Farben) vermittelt werden, der am 31. Dezember 1999 um Mitternacht stattfinden wird. Irgendwann einmal muß ein Elternteil oder ein Lehrer ein ernstes Wort mit dem Graunblün-Kind sprechen und ihm erzählen, wie es im richtigen Leben zugeht.

Hier bricht die Symmetrie zusammen. Niemand muß einem deutschsprachigen Kind erzählen, daß grüne Dinge im Jahr 2000 *nicht* blau werden, nur um zu verhindern, daß das Kind sich eine falsche Vorstellung von «grün» macht. Das versteht sich von selbst. Letzten Endes enthält die Definition von «graun» eben doch einen nicht zur Sache gehörigen Bezug auf die Zeitdimension.

Übertragbarkeit

Goodmans Rätsel hat die Vorstellungen von dem, was Induktion ist, radikal verändert. Goodman sprach von der «Verschanzung» der Begriffe in der Sprache. Es gibt ein Wort für grün und keines für graun, weil das eine zur Welt paßt und das andere nicht. Die voneinander abweichenden Farbunterscheidungen einiger natürlicher Sprachen entsprechen Goodmans Regel. Choctaw kennt unsere Trennung zwischen Grün und Blau nicht, aber kein Wort einer natürlichen Sprache bedeutet irgend etwas Ähnliches wie Graun.

Ein problematisches Attribut wie Graunheit wird als *nicht-*

übertragbar bezeichnet. Ein Attribut ist übertragbar, wenn es in induktiven Argumentationsketten verwendet werden kann. Grünheit ist übertragbar, denn das Beispiel eines grünen Smaragden bestätigt die offensichtliche Verallgemeinerung, daß «alle Smaragde grün sind».

Es gibt aber drei Arten von Situationen, in denen positive Beispiele für etwas nicht übertragbar sind. Die eine ist diejenige des Graun-Blün-Paradoxes, die andere ist «Alles bestätigt alles».

Die dritte Situation der Nichtübertragbarkeit stellt einen Hilfssatz zum Graun-Blün-Paradox dar. Nehmen wir die Hypothese «Alle Smaragde sind beobachtet worden». Natürlich ist jeder Smaragd, den je irgend jemand gesehen hat, beobachtet worden. Die verallgemeinernde Übertragung all dieser Einzelfälle von beobachteten Smaragden führt zu der absurden Schlußfolgerung, daß wir alle Smaragde, die es gibt, beobachtet hätten – daß es keine unbekannten Smaragde gebe. In diesem Fall hat das Attribut «beobachtet worden sein» nichts Künstliches an sich. «Beobachtet» ist ein genausogut in der Sprache verschanztes Wort wie «grün».

Sind Quarkfarben graunartig?

Wissenschaftler müssen vor nichtübertragbaren Begriffen auf der Hut sein. Quarks sind hypothetische Entitäten, von denen man annimmt, daß sie zutiefst im Inneren von Protonen, Neutronen und anderen subatomaren Teilchen beheimatet sind. Quarks sind kontrafaktisch: Nicht nur, daß noch nie ein isoliertes Quark beobachtet worden ist, sondern (den meisten Theorien zufolge) ein isoliertes Quark ist unmöglich. Quarks sind das, in was ein Proton sich spalten *ließe*, *falls* es gespalten werden könnte, was es jedoch *nicht* kann.

Quarks werden durch eine «Farbkraft» in Protonen und Neutronen festgehalten. Die meisten physischen Kräfte, wie etwa die Schwerkraft oder die elektrische Anziehungskraft, nehmen mit der Entfernung ab. Die Farbkraft nimmt mit wachsender Entfernung nicht ab. Es ist, als seien alle Quarks durch Gummibänder miteinander verbunden, die ihre Kraft aus beliebiger Entfernung weiter ausüben. Infolgedessen würde es einen unendlichen Energieaufwand erforderlich machen, ein Quark auf Dauer aus einem Proton zu befreien. Selbst ein weniger ehrgeiziges Projekt wie etwa das, ein Quark wenige Zentimeter aus einem Proton herauszuziehen, würde eine unglaubliche Menge von Energie verbrauchen. (Außerdem würde das Ganze nicht gelingen. Die Energie würde statt eines verbogenen Protons neue Partikel schaffen.)

Die Art, in der die Natur sich anscheinend mit sich selbst verschworen hat, um freie Quarks zu vermeiden, galt schon immer als verdächtig. Einige fürchten, die nie gesehenen Quarks könnten so etwas Ähnliches sein wie die nie gesehenen blauen Smaragde des einundzwanzigsten Jahrhunderts. Obwohl die Theorie der Quarks und der Farbkraft – die Quantenchromodynamik – auf eine Weise bestätigt worden ist, wie das bei der graunen Farbe von Smaragden nicht der Fall ist, ist es weiterhin eine heftig umstrittene Frage, ob Quarks «wirkliche» Partikel sind oder nur eine bequeme Abkürzung zur Kategorisierung derjenigen Partikel, die angeblich aus ihnen bestehen.

Im neunzehnten Jahrhundert gab es eine ähnliche Debatte über die Wirklichkeit von Atomen. Aber John Daltons Atomtheorie erklärte die Entdeckung von Einzelatomen nicht für unmöglich; und genau diese Art von Bestätigung stellten schließlich (1911) Ernest Rutherfords Goldfolienexperimente bereit.

Außerdem breitet sich eine Art Erschöpfung aus, wo es um ein zunehmend komplexer werdendes Quarkmodell geht. Es gibt verschiedene Sorten von Quarks, die man als «Farben» *(colors)* und «Arten» (im Englischen als «Geschmacksrichtungen» *(flavors)* bezeichnet. (Natürlich hat das nichts mit richtigen Farben, geschweige denn mit Geschmackswahrnehmungen zu tun. Aber wie soll man die Attribute eines Objekts schon bezeichnen, das so wenig mit der sinnlich erfahrbaren Welt zu tun hat?) Es gibt drei Farben namens «rot», «blau» und «gelb»; und man spricht von fünf, vielleicht auch sechs Arten, die mit den englischen Wörtern *up, down, strange, charmed, beauty* und *truth* bezeichnet werden. (Im Deutschen sind nur die Abkürzungen u, d, s, c, b und t in Gebrauch.) Das ergibt achtzehn Sorten von Quarks, ohne die Antiteilchen. Es gibt Elektronen, Neutronen, Gluonen, Higgs-Teilchen...

Mancher fragt sich, ob diese «Farben» und «Geschmacksrichtungen» nicht einfach künstliche Komplikationen einer einfachen Wirklichkeit sind, die wir nur noch nicht hinreichend verstehen. Vielleicht wird ja eines Tages jemand entdecken, wie es in der Wirklichkeit wirklich zugeht; und dann werden wir einsehen, daß die Physik, die wir kennen, eine viel zu umständliche Methode ist, diese Wirklichkeit zu beschreiben. Vielleicht geht es uns wie dem Graunblün-Sprecher, der versucht herauszukriegen, warum der Himmel am Entscheidungstag graun geworden ist. Die Antwort liegt nicht im Himmel, sondern in unseren Köpfen.

4. DAS UNERKENNBARE

Nächtliche Verdopplung

Stellen Sie sich vor, letzte Nacht, als alles schlief, sei alles im Universum doppelt so groß geworden. Könnte man überhaupt feststellen, was geschehen ist? Die klassische intellektuelle Rätselfrage stammt von dem französischen Physiker und Mathematiker Jules Henri Poincaré (1854–1912).

Auf Anhieb neigt man zu der Annahme, eine derart drastische Veränderung müsse leicht erkennbar sein. Denken Sie noch einmal nach! *Alles* ist doppelt so groß geworden, auch Lineale, Zollstöcke und Meterbänder. Sie könnten nichts *abmessen*, um die Veränderung festzustellen.

Auch der vielbeschworene Platin-Iridium-Barren in einem Pariser Vorstadtkeller, die letzte Grundlage des metrischen Systems, ist doppelt so lang wie früher und bietet keinen Hinweis auf das Geschehen. Derzeit ist der Meter definiert als das 165 676 3,83fache der Wellenlänge eines bestimmten orangefarbenen Lichts, das von gasförmigem Krypton ausgestrahlt wird. Das hilft immer noch nichts. Die Leuchtröhren, die das Gas enthalten, sind doppelt so groß, und das gleiche gilt für die Kryptonatome in den Röhren. Die Umlaufbahnen der Elektronen im Krypton sind doppelt so groß, und deshalb hat das entsprechende Licht die doppelte Wellenlänge.

Würden die Gegenstände nicht größer *aussehen*? Das Bild an Ihrer Schlafzimmerwand ist jetzt doppelt so groß. Aber Ihr Kopf ist doppelt so weit vom Bild (von jedem Punkt in dem vergrößerten Zimmer) entfernt. Die beiden Faktoren heben einander genau auf und verhindern jede Wahrnehmungsveränderung.

Gut, versuchen wir es anders! Sie befinden sich im nebligen London und schauen auf das Zifferblatt von Big Ben. Die Uhr ist doppelt so groß, und Sie sind von jedem beliebigen Punkt aus doppelt so weit von ihr entfernt. Die Perspektive bleibt die gleiche. Aber in Ihrem Gesichtsfeld befindet sich jetzt doppelt soviel Nebel. Sollte Big Ben nicht verschwommener aussehen?

Leider ist es in Wirklichkeit die Anzahl der Nebeltröpfchen, die den verschwommenen Eindruck hervorruft, und diese Zahl hat sich nicht geändert. Die Tröpfchen sind doppelt so groß wie vorher, und sie zerstreuen die verdoppelten Photonen genauso wie zuvor. Big Ben würde so klar oder so nebelverschwommen erscheinen wie vor der nächtlichen Verdopplung. Mit ähnlichen Argumenten läßt sich zeigen, daß alles genauso aussehen würde wie zuvor.

Worum es in dem Gedankenexperiment eigentlich geht, ist folgendes: Wenn wir zugeben, daß man die Veränderung auf keinen Fall entdecken kann, hat sie dann überhaupt stattgefunden? Die Frage erinnert an die alte Frage der Metaphysiker, ob ein Baum, der von niemandem gehört im Wald umstürzt, ein Geräusch macht.

Man könnte sagen, die nächtliche Verdopplung sei real, weil Gott oder ein ähnliches Wesen «außerhalb» des Universums von der Veränderung wissen würde. Sie können sich Gott vorstellen, wie er irgendwo im Hyperraum sitzt und zusieht, wie sich die Größe unseres Universums verdoppelt. Aber das geht an der Frage vorbei. *Alles*, was existiert, muß doppelt so groß werden wie bisher, einschließlich Gott. Selbst Gott kann nichts tun, um die Veränderung zu demonstrieren. Ist sie *dann* noch wirklich?

Poincaré stritt dies ab. Seiner Meinung nach ist es sinnlos, von einer solchen Veränderung auch nur zu sprechen. Hier trügen die Worte. «Was wäre, wenn alles im Universum seine Größe verdoppelte?» klingt wie eine Beschreibung einer Veränderung, aber die «Veränderung» ist illusorisch. Andere sind anderer Meinung. Am Beispiel der nächtlichen Verdopplung lassen sich die Differenzen zwischen zwei Schulen des philosophischen Denkens darstellen. Die sogenannte realistische Schule gibt zu, daß die nächtliche Verdopplung wirklich sein kann, auch wenn sie nicht beobachtbar ist. Der Realismus geht davon aus, daß die Außenwelt unabhängig von menschlichem Wissen und Beobachtung existiert. Es gibt Wahrheiten jenseits unseres Erkenntnisvermögens. Dazu gehören nicht nur Wahrheiten, die derzeit unbekannt sind und unerforschlich scheinen (Wo ist Mozarts Grab? Gibt es Leben auf Alpha Centauri?), sondern auch Wahrheiten, die niemals jemand wissen wird, egal was geschieht. Die realistische Schule behauptet, diese Wahrheiten existierten dennoch. Der normale Menschenverstand ist in erster Linie realistisch: Natürlich, sagt er, macht der Baum ein Geräusch, auch wenn es niemand hört.

Philosophen der antirealistischen Schule gehen davon aus, daß es keine «evidenztranszendenten» Wahrheiten (also Wahrheiten, die nicht empirisch demonstriert werden können) gibt. Wenn wir davon ausgehen, daß niemand eine nächtliche Verdopplung jemals entdecken könnte, ist die Behauptung, die Verdopplung habe stattgefunden, absurd und irreführend. Die Behauptung, alles sei letzte Nacht doppelt so groß geworden, und die Behauptung, alles sei gleich groß geblieben, sind (allenfalls) verschiedene Beschreibungen für den gleichen Zustand.

Ein großer Teil der Philosophie besteht in der Entscheidung darüber, welche Fragen über die Welt sinnreich sind. Antirealismus ist die Meinung, nur die Fragen, die aufgrund von Beobachtung oder Experimenten entschieden werden können, hätten einen Sinn. Er wendet sich gegen alle Annahmen über Unbeobachtetes und Unbeobachtbares. Der Antirealismus sieht die Welt als eine Art von Filmkulisse, deren Gebäude nur aus Fassaden bestehen. Er widersteht der Versuchung, sich die Gebäude hinter den Fassaden vorzustellen.

Der Unterschied zwischen etwas Unbekanntem und etwas Unerkennbarem kann sehr klein sein. Niemand weiß, was für eine Blutgruppe Charles Dickens hatte. Das System der Typen A, B, O und AB wurde erst eine Generation nach Dickens' Tod (1901 von Karl Landsteiner) entdeckt, infolgedessen ist Dickens' Blutgruppe nie bestimmt worden. Obwohl Dickens' Blutgruppe wahrscheinlich für immer unbekannt bleiben wird, haben die meisten von uns das Gefühl, daß das nichts daran ändert, daß er eine Blutgruppe hatte.

Dagegen empfindet praktisch jeder eine Frage wie «Was für eine Blutgruppe hatte David Copperfield?» als sinnlos. Sie ist sinnlos, weil eine Romanfigur wie David Copperfield nur soweit existiert, wie der Autor sie sich vorgestellt hat, und Dikkens hat nichts über David Copperfields Blutgruppe gesagt. Es geht nicht bloß darum, daß wir David Copperfields Blutgruppe nicht wissen, sondern darum, daß es da nichts zu wissen gibt.

Der Antirealismus spricht von prinzipiell unentscheidbaren Fragen wie etwa der nächtlichen Verdopplung. In seiner radikalsten Form ist Antirealismus die Überzeugung, daß Fragen nach den unerkennbaren Ereignissen der Außenwelt genauso sinnlos sind wie Fragen nach der Blutgruppe einer Romanfigur. Es gibt da einfach nichts, das man nicht wissen könnte.

Wäre das alles, worum es geht, dann wäre die Frage von Realismus oder Antirealismus nichts weiter als eine philosophische Geschmacksfrage. In Wirklichkeit gibt es viele offene Fragen der Physik, der Erkenntnistheorie und anderer Gebiete, in denen die Grenze zwischen dem Unerkennbaren und dem Sinnvollen in einer Grauzone verschwimmt. In diesem Kapitel werden wir uns mit mehreren Varianten der Geschichte vom Baum, den niemand hörte, beschäftigen.

Die Physik dreht durch

Die Debatte um die nächtliche Verdopplung ist komplizierter, als es scheinen will. Zunächst einmal herrscht keine Einigkeit darüber, daß nächtliche Verdopplung unerkennbar sein müßte. Die Philosophen Brian Ellis und George Schlesinger haben überzeugende Argumente für ihre Feststellbarkeit vorgebracht.

In Aufsätzen, die in den Jahren 1962 und 1964 erschienen sind, haben Ellis und Schlesinger behauptet, die Verdopplung müsse eine große Anzahl physikalisch meßbarer Auswirkungen haben. Die Gültigkeit ihrer Schlußfolgerungen ist abhängig von der Interpretation des Gedankenexperiments. Dennoch sind sie beachtenswert.

Schlesinger behauptete beispielsweise, die Schwerkraft würde nur noch ein Viertel so stark sein, weil sich der Durchmesser der Erde bei gleichbleibender Masse verdoppelt haben müßte. Nach der Newtonschen Theorie nimmt die Gravitationskraft mit dem Quadrat der Entfernung zwischen zwei Objekten (in diesem Falle dem Mittelpunkt der Erde und einem Gegenstand im freien Fall an ihrer Oberfläche) ab. Die Verdopplung des Durchmessers ohne Massenzunahme verursacht eine vierfache Abnahme der Schwerkraft.

Einige direkte Versuche, die Abnahme der Schwerkraft zu messen, wären zum Scheitern verurteilt. Man könnte das Gewicht verschiedener Gegenstände nicht auf einer Waage messen. Die Waage kann nur die verminderte Massenanziehung der Gegenstände mit der im gleichen Maße verminderten Massenanziehung von Standardgewichten vergleichen. Schlesinger meinte jedoch, die verminderte Gravitationskraft könne an der Höhe der Quecksilbersäule in einem altmodischen Thermometer abgelesen werden. Die Höhe der Quecksilbersäule ist von drei Faktoren abhängig: vom Luftdruck, von der Dichte des Quecksilbers und von der Stärke der Gravitationskraft. Unter normalen Bedingungen ist nur der Luftdruck größeren Schwankungen unterworfen.

Der Luftdruck wäre nach der Verdopplung achtmal so schwach, denn jedes Volumen wäre 2^3mal, also achtmal so groß geworden. (Sie würden aber keine Unterdruckkrankheit bekommen, denn Ihr Blutdruck wäre auch achtmal so schwach.) Auch die Dichte des Quecksilbers wäre achtmal geringer. Diese beiden Wirkungen würden einander aufheben, so daß die verminderte Schwerkraft als meßbare Veränderung übrigbliebe. Da die Schwerkraft viermal geringer ist, sollte das Quecksilber viermal so hoch steigen – was unsere verdoppelten Zollstöcke als doppelt so hoch anzeigen würden. Das also wäre ein meßbarer Unterschied.

Schlesinger wandte den Verdopplungsgedanken auf ein paar andere Grundgesetze der Physik an und behauptete:

- Die (mit einer Pendeluhr gemessene) Tageslänge müßte 1,414 (die Quadratwurzel aus 2) mal länger sein.
- Die Lichtgeschwindigkeit würde (wieder mit einer Pendeluhr gemessen) um den gleichen Faktor zunehmen.
- Das Jahr wäre 258 (365 geteilt durch die Wurzel aus 2) Tage lang.

Man braucht Schlesingers Argumentation nicht voll zu akzeptieren. Schlesinger benützt eine Pendeluhr als Zeiteinheit. Diese Uhr wird wesentlich langsamer, weil die Schwerkraft geringer ist und die Länge des Pendels verdoppelt wird. Andere Uhren würden diesen Verlangsamungseffekt nicht erfahren. Man kann auf der Grundlage des Hookeschen Gesetzes (das den Widerstand von Spiralfedern beschreibt) behaupten, daß eine normale Uhr mit Antriebsfeder nach der Verdopplung mit genau der gleichen Geschwindigkeit wie vorher laufen würde.

Offen ist auch die Frage, ob die üblichen Erhaltungssätze der

Physik während der Ausdehnung gültig bleiben. Schlesinger nimmt an, daß das Drehmoment der Erde auch während der Verdopplung ebenso konstant bleiben muß wie bei jeder anderen möglichen Kräfteinteraktion. Wenn das Drehmoment der Erde gleich bleiben soll, muß sich die Erdumdrehung verlangsamen.

Die Erhaltungssätze hätten noch weitere Konsequenzen. Das Universum besteht zum größten Teil aus Wasserstoff, also je einem Elektron, das um ein Proton kreist. Zwischen den beiden Teilchen herrscht elektrische Anziehung. Die Größe aller Atome verdoppeln heißt alle Elektronen «bergauf» auf den doppelten Abstand von ihren Protonen bewegen. Das würde einen gewaltigen Energieaufwand mit sich bringen. Wenn das Gesetz der Erhaltung der Massenenergie während der Verdopplung gilt, muß diese Energie von irgendwo herkommen. Am wahrscheinlichsten ist, daß sie durch einen allgemeinen Temperaturabfall entstünde. Alles würde kälter, und das wäre eine zusätzliche Folgeerscheinung der Verdopplung.

Die Stoßrichtung, die Schlesinger mit seiner Argumentation verfolgt, ist die folgende: Stellen Sie sich vor, wir stehen eines Morgens auf und stellen fest, daß alle Quecksilberbarometer in der Welt geplatzt sind. Bei unseren weiteren Nachforschungen entdecken wir, daß die Quecksilbersäule jetzt auf ungefähr 150 cm statt 75 cm ansteigt. (Die Thermometer sind geplatzt, weil man die Glasrohre nicht so lang gemacht hat.) Pendeluhren und Federuhren zeigen jetzt verschiedene Zeit. Die Lichtgeschwindigkeit, wenn sie mit einer Pendeluhr gemessen wird, beträgt jetzt das 1,414fache. Die Jahreslänge hat sich geändert. Es gibt Tausende von Veränderungen. Es ist, als spielten alle physikalischen Gesetze auf einmal verrückt.

Dann kommt jemand auf die Idee, vielleicht hätten sich alle Längen verdoppelt. Diese Hypothese erklärt alle beobachteten Veränderungen und erlaubt Vorhersagen über weitere Veränderungen. Wenn sie von der Hypothese der nächtlichen Verdopplung hören, können Spezialisten für die abgelegensten

Gebiete der Physik sagen: «Einen Augenblick! Gemäß diesem oder jenem Gesetz, in dem von Entfernungen die Rede ist, würde das und das geschehen, wenn es wahr ist, daß sich alle Längen verdoppelt haben.» Jedesmal, wenn man eine derartige Folgerung überprüft, stellt sich heraus, daß sie korrekt war. Die Verdopplungstheorie wäre schnell bestätigt und würde als wissenschaftlich erwiesene Tatsache anerkannt. Nicht nur das. Sie hätte alle Chancen, zum Paradebeispiel für Bestätigung zu werden. Man kann sich kaum eine andere Theorie denken, die so viele unabhängig voneinander überprüfbare Konsequenzen hätte.

Kommen wir zum Kern der Sache: Da es einen vorstellbaren Stand der Dinge gibt, in dem wir gezwungen wären festzustellen, daß sich alle Längen verdoppelt haben, und da dieser vorstellbare Stand derzeit nicht vorliegt, können wir zu Recht sagen, daß sich letzte Nacht *nicht* alles verdoppelt hat.

Dämonen und Verdopplung

Schlesingers Argumentation ist zutreffend. Sie widerlegt zwar die Intention des ursprünglichen Gedankenexperiments nicht, begrenzt sie aber. In Wirklichkeit gibt es zwei vorstellbare Versionen von Poincarés Gedankenexperiment. Sie können sich das folgendermaßen veranschaulicht denken:

Stellen Sie sich vor, die Gesetze der Physik würden von einem Dämon überwacht, der im Universum herumläuft und aufpaßt, daß alles genau nach diesen Gesetzen abläuft. Der Dämon arbeitet wie ein Polizist im Streifendienst. Er marschiert von einem Ort zum nächsten und sieht nach, ob sich alles an die Gesetze hält.

Unmittelbar nach der Verdopplung ist der Dämon mit einer Routineüberprüfung des Newtonschen Gravitationsgesetzes beschäftigt. Dieses Gesetz besagt, daß die Kraft (F) zwischen zwei Objekten gleich dem Produkt aus der Gravitationskonstante (G) und dem Produkt ihrer Massen (m_1 und m_2) geteilt durch das Quadrat der Entfernung zwischen ihnen (r) ist:

$$F = \frac{Gm_1 m_2}{r^2}$$

Der Dämon paßt auf, daß sich die Erde und der Mond nach dem Gesetz richten. Er mißt die Masse der Erde, die Masse des Mondes und die Entfernung zwischen ihnen. Er schlägt in seinem Handbuch den Wert für die Gravitationskonstante nach. Er gibt die Zahlen in seinen Taschenrechner ein und kriegt den richtigen Wert für die Gravitationskraft zwischen Erde und Mond heraus. Dann stellt er einen Zeiger auf einer Skala ein und bestimmt so die derzeitige Gravitationskraft zwischen Erde und Mond.

Die Frage ist: Wie mißt der Dämon Entfernungen? «Kennt» er sie einfach und kann infolgedessen die Verdopplung auf magische Weise wissen? Oder geht es ihm wie uns, und er muß Entfernungen messen, indem er sie mit anderen Entfernungen vergleicht?

Wenn der Dämon von der Verdopplung weiß («wenn die Gesetze der Physik die Verdopplung anerkennen»), sind wir bei Schlesingers Version des Gedankenexperiments. Diese Art von Verdopplung wäre feststellbar, und da wir sie nicht festgestellt haben, können wir zu Recht sagen, eine *für die Gesetze der Physik «sichtbare»* Verdopplung habe nicht stattgefunden. Wenn andererseits die Ausdehnung selbst für die Naturgesetze unsichtbar ist, gibt es keine Methode, sie zu entdecken. Ich glaube, Poincaré hat eine Verdopplung gemeint, die für die Gesetze der Physik unsichtbar ist.

Übrigens sind universelle Veränderungen kein ausschließliches Betätigungsgebiet von Philosophen. Der Physiker Robert Dicke hat eine Theorie der Gravitation vorgeschlagen, in der sich im Lauf der Zeit die Gravitationskonstante langsam verändert. Aus Poincarés Beispiel wird klar, daß jede nützliche Hypothese meßbare Konsequenzen haben muß. Das tut Dickes Theorie. Die Gravitationskonstante gibt die universelle Stärke der Gravitation an. Wenn sie sich über Nacht verdoppeln würde, würden Sie das merken. Die Badezimmerwaage würde Ihnen am nächsten Morgen verraten, daß Sie doppelt soviel wiegen. Vögel hätten Schwierigkeiten mit dem Fliegen. Jo-Jos würden nicht funktionieren. Die Welt würde sich auf tausenderlei Weise ändern. Wahrscheinlich könnte ohnehin niemand eine Verdopplung der Gravitationskonstante überleben. Die verstärkte Schwerkraft würde die Erde in einer Serie unvorstellbarer Erdbeben und Flutwellen zusammenquetschen. Auch die Sonne würde schrumpfen, heißer brennen und die Erde verwüsten.

Dickes Theorie nimmt nun an, daß die Gravitationskonstante abnimmt, nicht daß sie zunimmt. Ein Rückgang der Gravitationskonstante auf die Hälfte hätte entgegengesetzte Wirkungen, wäre aber wahrscheinlich genauso tödlich. Sie würden weniger wiegen. Die Vögel würden sich in höhere Regionen erheben als je zuvor. Die Sonne würde sich ausdehnen und abkühlen, und wir würden erfrieren. Natürlich ist die Abnahme in Dickes Theorie unmerkbar langsam, vielleicht eine Verringerung um ein Prozent in einer Milliarde Jahren. Selbst diese winzige Veränderung wäre bei extrem exakten Messungen der Planetenbewegung, vielleicht auch an ihren geophysischen Auswirkungen feststellbar. Bisher ist es nicht gelungen, Veränderungen der Gravitationskonstante festzustellen.

Variationen

Poincarés Gedankenexperiment, das Einsteins Relativitätstheorie den Boden ebnete, illustriert eine der akzeptabelsten Formen des Antirealismus. Es sind viele Variationen über Poincarés Thema denkbar. Offensichtlich wäre eine nächtliche

Schrumpfung des Universums genausowenig feststellbar. Könnte man es irgendwie feststellen, wenn:

- sich das Universum in nur einer Richtung auf seine doppelte Größe «ausdehnte» (und sich Dinge, die ihre Richtung nach der Veränderung ändern, entsprechend ausdehnten oder zusammenzögen)?
- sich das Universum auf den Kopf stellte?
- das Universum zum Spiegelbild seiner selbst würde?
- alles im Universum, einschließlich von Geld, Edelmetallen und was auch immer die Währung auf anderen Planeten sein mag, seinen Wert verdoppelte?
- die Zeit anfinge, doppelt so schnell zu verstreichen?
- die Zeit anfinge, doppelt so langsam zu verstreichen?
- die Zeit trillionenfach langsamer verstriche?
- die Zeit einfach stehenbliebe, und zwar... JETZT?
- die Zeit anfinge, rückwärts zu laufen?

Die meisten würden wohl sagen, all diese Vorstellungen seien gleich unerkennbar und somit sinnlos. Die letzten beiden Eintragungen in die Liste sollten kommentiert werden.

Sie würden es niemals merken, wenn die Zeit stehenbliebe. Sie *können* wissen, daß sie letzte Nacht oder vor drei Minuten nicht stehengeblieben ist und auch nicht, als Sie das Wort JETZT gelesen haben. (Ich meine, daß die Zeit «auf immer» stehenbleibt, nicht, daß sie «eine Zeitlang» stehenbleibt und dann wieder anfängt. Ein vorübergehender Stillstand der Zeit wäre nicht erkennbar.) Ob dieser Augenblick der Moment ist, in dem die Zeit stehenbleibt, ist etwas, das Sie nicht wissen können, bevor es geschehen ist.

Falls Sie sicher sind, daß die Zeit nicht rückwärts läuft, fragen Sie sich, woher Sie es wissen. Vermutlich werden Sie Ihre Erinnerungen an die Vergangenheit anführen. Wir haben jetzt 1992. Sie erinnern sich an Erfahrungen aus den Jahren 1991, 1990, 1989 usw. Aber Sie würden in diesem Augenblick die Erinnerungen, die Sie haben, genauso haben, wenn die Zeit seit 1992 rückwärts liefe, wie wenn sie vorwärts liefe. Die Frage ist nur, ob der Finger der Zeit Neues in die Wachstafel der Erinnerung eingräbt oder Altes löscht. Das aber kann niemand feststellen!

Hat die Zeit vor fünf Minuten begonnen?

Das bekannteste Gedankenexperiment über die Zeit hat Bertrand Russell 1921 angestellt. (Hat er das wirklich?) Stellen Sie sich vor, die Welt sei vor fünf Minuten geschaffen worden. Sämtliche Erinnerungen und alle sonstigen Spuren «früherer» Ereignisse hat der Schöpfer ebenfalls als privaten Witz vor fünf Minuten geschaffen. Wie beweist man das Gegenteil? Russell bestand darauf, daß das unmöglich sei.

Es hat keinen Sinn, sich mit Russell anzulegen, denn jeder vorgeschlagene Gegenbeweis ist auf die gleiche Art zu widerlegen. Eine Flasche 1945er Château Latour, die vergilbten Seiten einer Gutenbergbibel, Fossilien, Radiokarbondatierungen, astrophysikalische Beweise für das Alter der Sterne, Hulareifen: Nichts davon hat mehr Bedeutung als die Zeit, die eine Uhr auf einem Gemälde zeigt. Sie sind einfach vor fünf Minuten so geschaffen worden.

(In unheimlicher Weise hat die Theologie die Philosophie nachgeahmt, als Gegner der Darwinschen Evolutionslehre behaupteten, Gott habe Versteinerungen geschaffen, um sündige Menschen zum Unglauben an die Tatsache zu verführen, daß die Welt im Jahre 4004 v. Chr. erschaffen worden ist, wie dies Erzbischof Usher im siebzehnten Jahrhundert ausgerechnet hat.)

Die Gefahren des Antirealismus

Die antirealistische Position birgt ihre eigenen Gefahren. Man kann immer voreilig annehmen, etwas gegenwärtig Unerkennbares müsse ewig unerkennbar bleiben. Im Jahre 1835 führte der Gründungsvater des Positivismus, der französische Philosoph und Mathematiker Auguste Comte, die chemische Zusammensetzung der Sterne als etwas notwendigerweise dem menschlichen Wissen Entzogenes an. «Das Gebiet der positiven Philosophie», schrieb er, «liegt vollständig innerhalb der Grenzen unseres Sonnensystems.»

Nicht nur hatte Comte unrecht; er hatte es auch noch zur falschen Zeit. Noch während er diese Zeilen schrieb, zerbrachen sich Physiker den Kopf über die geheimnisvollen dunklen Linien, die Joseph von Fraunhofer im Sonnenspektrum entdeckt hatte. Eine Generation später erkannten Gustav Kirchhoff und Robert Bunsen, daß die Linien von chemischen Elementen in der Sonne erzeugt wurden. Wenn man das Spektroskop auf einen fernen Stern richtete, enthüllte es die chemische Zusammensetzung des Sterns.

Ein Thema der Physik, das in den Diskussionen des Antirealismus häufig zur Sprache kommt, sind Schwarze Löcher. Es wird gelegentlich behauptet, Aussagen über das Innere eines Schwarzen Lochs seien nicht überprüfbar und unterlägen insoweit der antirealistischen Behauptung, derartige Aussagen seien sinnlos. Das ist nicht ganz wahr, und es kann nützlich sein, sich zu überlegen, warum nicht.

Ein Schwarzes Loch ist ein Ort im Raum, der ein so starkes Gravitationsfeld besitzt, daß nichts, was in das Loch hineingerät, wieder heraus kann. Das Wort «nichts» hat hier endgültige und absolute Bedeutung. Weder Materie noch Energie irgendwelcher Art kann ein Schwarzes Loch verlassen. Da selbst Information mit Hilfe von Materie oder Energie übermittelt werden muß, können nicht einmal Informationen ein Schwarzes Loch verlassen.

Denken Sie darüber nach! Für jemanden in einem Schwarzen Loch gibt es keine Methode, uns einen Funkspruch zu schicken. Er kann keine Botschaft in eine Flasche stecken und sie herausschleudern. Wir da draußen können niemals irgend etwas auf direktem Wege über das wissen, was in einem Schwarzen Loch vor sich geht. Hat es also irgendeinen Sinn, über das zu reden, was in einem Schwarzen Loch vor sich geht?

Schwarze Löcher sind Voraussagen der Einsteinschen Gravitationstheorie, der Allgemeinen Relativitätstheorie. Diese Theorie macht Aussagen über das Innere von Schwarzen Löchern – zugleich liefert sie so etwas wie die Garantie dafür, daß diese Aussagen niemals überprüft werden können. Ein Schwarzes Loch entsteht immer dann, wenn eine genügend große Masse in einem genügend kleinen Raum konzentriert ist. Wenn der thermonukleare Brennstoff eines großen Sterns (etwa von der doppelten Größe unserer Sonne oder größer) zur Neige geht und der Stern zusammenfällt, wird er von seiner eigenen Schwerkraft immer enger und enger zusammengepreßt. Je kompakter er wird, desto stärker wird sein Gravitationsfeld. Hat die Schwerkraft einmal einen kritischen Punkt überschritten, gibt es keine bekannte physische Kraft, die sie aufhalten kann. Der Stern schrumpft (soweit irgend jemand das weiß) zu einem Punkt zusammen.

Obgleich der Stern verschwindet, bleibt seine Schwerkraft erhalten. Er hinterläßt ein intensives Gravitationsfeld, das Schwarze Loch. Die «Grenze» eines Schwarzen Lochs nennt man seinen *Ereignishorizont*. Das ist im wörtlichen Sinne der Punkt ohne Wiederkehr. Was immer in diese kugelförmige Grenze hineingerät, kann nie wieder herauskommen.

Ein Schwarzes Loch müßte kugelförmig sein und typischerweise einen Umfang von nur wenigen Kilometern haben. Es müßte vollkommen und absolut schwarz sein; und es würde das Licht irgendwelcher Gegenstände hinter dem Schwarzen Loch so ähnlich wie eine Blase in einer Glasscheibe ablenken. Ein typisches aus dem vollständigen Zusammenfallen eines

Sterns von der zweifachen Größe unserer Sonne entstandenes Schwarzes Loch hätte einen wirksamen Durchmesser von zwölf Kilometern. Dieser wirksame Durchmesser ist fiktiv. Um den Durchmesser (oder den Radius) eines Schwarzen Lochs zu messen, müßte man ein Meßband oder sein Äquivalent *innerhalb des Schwarzen Lochs ausspannen.* Ein Beobachter, der das täte, könnte seine Meßergebnisse der Außenwelt nie wieder mitteilen. Außerdem ist der Durchmesser infolge der Verformung des Raums theoretisch unendlich. Was man messen kann, ist der Umfang eines Schwarzen Lochs. Im Prinzip könnte man das machen, indem man das Meßband gerade außerhalb des Ereignishorizonts um das Schwarze Loch spannt. Wenn man den Umfang durch *pi* teilt, erhält man den wirksamen Durchmesser: einen Maßstab für den Raum, den das Schwarze Loch für Beobachter in der Außenwelt einzunehmen scheint.

Sonden für Schwarze Löcher

Untersuchen wir verschiedene Projekte, um Informationen aus Schwarzen Löchern herauszuholen. Es hätte keinen Sinn, eine normale Weltraumsonde hineinzuschicken, die ihre Daten auf dem Funkweg zurückschickt. Radiowellen sind genau wie sichtbares Licht eine Form elektromagnetischer Strahlung. Ein Funksignal kann genausowenig aus einem Schwarzen Loch herauskommen wie der Strahl einer Taschenlampe.

Genausoschnell können wir das Projekt aufgeben, eine Rakete hinein und wieder heraus zu schicken. Jeder Planet und jeder Stern hat eine Fluchtgeschwindigkeit. Um den Himmelskörper zu verlassen und nicht wieder zurückzufallen, muß die Rakete die Fluchtgeschwindigkeit überschreiten. Für ein Schwarzes Loch ist die Fluchtgeschwindigkeit die Lichtgeschwindigkeit. Da aber die Lichtgeschwindigkeit eine kosmische Geschwindigkeitsbegrenzung darstellt, die nichts überschreiten kann, könnte sich keine denkbare Raketenkonstruktion aus eigener Kraft aus einem Schwarzen Loch herausarbeiten.

Man könnte sich eine Sonde vorstellen, die funktioniert wie ein Bathyskaph. Die mit Scheinwerfern und Kameras bestückte Sonde wird an einem absolut unzerreißbaren Kabel in das Schwarze Loch hinabgelassen. Das Kabel ist an – nun, an irgend etwas sehr Großem und Solidem – verankert. Die Sonde macht ein paar Aufnahmen, dann wird sie wieder herausgezogen.

Es würde nicht funktionieren. Wenn erst einmal ein einziges Atom des Kabels innerhalb des Ereignishorizonts ist, kann keine physikalische Kraft, nicht einmal die elektromagnetischen Kräfte, die die Materie zusammenhalten, das Atom wieder nach draußen befördern. Es kann kein «absolut unzerreißbares» Kabel in einem Universum geben, das Schwarze Löcher enthält.

Gehen wir also davon aus, daß nichts, das in ein Schwarzes Loch hineingerät, jemals wieder herauskommt. Das heißt aber nicht unbedingt, daß Voraussagen über das Innere Schwarzer Löcher nicht verifizierbar sein können. Im Prinzip könnte sich jemand in ein Schwarzes Loch begeben und sich umsehen. Er würde nie wieder herauskommen, und er würde auch drinnen nicht lange überleben. Außerdem müßte es ein sehr großes Schwarzes Loch sein, oder der Beobachter würde nicht einmal das Überschreiten des Ereignishorizonts überleben.

Die Raumverzerrung um ein Schwarzes Loch herum nimmt die Form einer gewaltigen Gezeitenkraft an. Das ist der Krafttyp, der auf der Erde die Gezeiten bestimmt. Die Anziehungskraft des Mondes neigt dazu, die Erde in die Länge zu ziehen und zusammenzupressen. Felsen geben dieser Kraft weniger nach als Wasser, und deshalb beobachten wir die Flut des Ozeans.

Die unglaublich starke Gezeitenkraft in der Nähe eines Schwarzen Lochs hat ebenfalls die Tendenz, jeden Gegenstand in radialer Richtung in die Länge zu ziehen und in den anderen Richtungen zu komprimieren. Stellen Sie sich vor, wie Sie im Weltraum schweben, während Ihre Füße auf ein Schwarzes Loch und Ihr Kopf in die entgegengesetzte Richtung weisen. Gezeitenkräfte von unvorstellbarer Stärke würden Sie vom Kopf zu den Füßen hin auseinanderziehen und Sie von den Seiten her zusammenpressen.

Genau die gleichen Kräfte würden auf eine Rakete oder jedes andere Objekt einwirken. Die wirksamen Kräfte am Ereignishorizont eines Schwarzen Lochs mit der vielfachen Masse der Sonne sind mit Sicherheit stark genug, um einen Menschen zu töten, vermutlich stark genug, um einen größeren Gegenstand aus jedem bekannten Material zu zerstören. Niemand könnte die Annäherung an, geschweige denn das Eindringen in ein Schwarzes Loch von typischer Größe überleben.

Es gibt Schwarze Löcher verschiedener Größe. Die Größe eines Schwarzen Lochs (oder genauer gesagt seiner Grenze, des Ereignishorizonts) hängt von der Masse des Objekts ab, das es geschaffen hat. Merkwürdigerweise sind die Gezeitenkräfte am Ereignishorizont bei massiveren Schwarzen Löchern geringer.

Gemäß den Voraussagen der Allgemeinen Relativitätstheorie nehmen die Gezeitenkräfte am Ereignishorizont mit dem Quadrat der Masse des Schwarzen Lochs ab. Schätzungen besagen, daß der menschliche Körper den Gezeitenkräften am Ereignishorizont eines Schwarzen Lochs mit der tausendfachen Masse der Sonne widerstehen könnte. Kein bekannter Stern hat diese Größe, aber man nimmt an, daß es noch viel größere Schwarze Löcher gibt.

1987 haben die Astronomen Douglas Richstone und Alan Dressler über Anzeichen dafür berichtet, daß es im Zentrum des Andromedanebels und seiner Satellitengalaxie M 32 massive Schwarze Löcher geben könnte. Sie stellten fest, daß Sterne in der Nähe des galaktischen Zentrums erheblich schneller kreisten als erwartet. Im Falle des Andromedanebels wäre das durch die Annahme erklärbar, daß die Sterne ein nicht beobachtetes verhältnismäßig kompaktes Objekt mit etwa der 70millionenfachen Masse der Sonne umkreisen. Unter allen bekannten und spekulativ erschlossenen Objekten käme dafür nur ein Schwarzes Loch in Frage. Andere weniger direkte Anzeichen deuten darauf hin, daß es im Zentrum unserer eigenen Galaxie ein ähnliches Schwarzes Loch geben könnte. Die Gezeitenkräfte am Ereignishorizont eines derartigen Schwarzen Lochs müßten gelinde sein: etwa 5 Milliarden mal schwächer als bei einem Loch von tausendfacher Sonnenmasse. Ein Mensch könnte die Gezeitenkräfte außerhalb und ein kleines Stück innerhalb eines galaktischen Schwarzen Lochs überleben.

Im Mittelpunkt eines Schwarzen Lochs befindet sich eine «Singularität», ein Punkt unendlicher Verdichtung und unendlicher Krümmung der Raumzeit. Jeder Gegenstand, der den Ereignishorizont überschreitet, wird in die Singularität hineingezogen. Für den Beobachter ist der Moment, in dem er die Singularität erreicht, das Ende. Kein Körper und keine Konstruktion kann unendlichen Gezeitenkräften widerstehen.

Die Zeit, die man braucht, um die Singularität zu erreichen, hängt von der Größe des Schwarzen Lochs ab. Sie beträgt 1,54 mal 10^{-5}mal die Masse des Schwarzen Lochs geteilt durch die Masse der Sonne in Sekunden. (Das ist die Zeit, die der fallende Beobachter mißt. Für andere Beobachter weicht der Zeitraum ab. Im Bezugsrahmen eines ruhenden Beobachters in großer Entfernung von dem Schwarzen Loch dauert der Sturz – im wörtlichen Sinne – ewig. Das ist eine weitere Wirkung der enormen Verzerrung von Zeit und Raum in der Umgebung eines Schwarzen Lochs.)

Für ein typisches Schwarzes Loch von der doppelten Masse der Sonne würde die Fallzeit vom Ereignishorizont zur Singularität etwa 3 mal 10^{-5} Sekunden betragen. Für ein Schwarzes Loch mit der eintausendfachen Masse der Sonne würde die maximale Fallzeit 0,0154 Sekunden sein. In beiden Fällen wäre der Beobachter tot, bevor er den Ereignishorizont überschritten hat.

Aber für ein Schwarzes Loch mit 70millionenfacher Sonnenmasse, wie es im Zentrum des Andromedanebels existieren könnte, beträgt der Zeitraum 1100 Sekunden (18 Minuten). Die Gezeitenkräfte blieben fast die ganzen 18 Fallminuten zur Singularität über erträglich. Der Tod wäre erst im letzten Sekundenbruchteil gewiß.

Das endgültige Schicksal eines Menschen, der in ein Schwarzes Loch fällt, ist von surrealistischer Grausamkeit. In den letzten Augenblicken vor seinem Zusammentreffen mit der Singularität würden die Gezeitenkräfte ins Unendliche wachsen. Knochen und Muskelfasern würden sich zuerst auflösen, dann die Zellstruktur und der atomare Aufbau. Der Beobachter würde zu einem Spaghettifaden von ständig zunehmender Länge und ständig abnehmendem Durchmesser auseinandergezerrt. Der Faden würde dünner als das feinste Garn werden und sich auf unendliche Länge dehnen. (Der Radius eines Schwarzen Lochs ist von innen gemessen unendlich.) Das Endvolumen wäre Null. Ein menschlicher Körper, der in ein Schwarzes Loch fällt, wird in eine euklidische ideale Linie verwandelt.

(Wahrscheinlich wäre das, was der fallende Beobachter zu sehen bekäme, enttäuschend. Vermutlich würden Sie gerne die Singularität oder wenigstens all die vorher verbrauchten Gegenstände sehen, die zu radikal gerichteten Nadeln mit Nullvolumen verzerrt worden sind. Leider kann das Licht von vorher verbrauchten Gegenständen, einschließlich der Sterne, aus denen das Schwarze Loch entstanden ist, einen später hineinfallenden Beobachter nie erreichen. Sie könnten nur Objekte sehen, die den Ereignishorizont nach Ihnen überschritten haben. Die Singularität ist wie Brahma keinem Beobachter sichtbar, der nicht zu einem Teil von ihr geworden ist.)

Das Experiment würde sich keiner großen Beliebtheit erfreuen, aber daß es vorstellbar ist, hat Bedeutung für die

«Realität» der Innenseite von Schwarzen Löchern. Der fallende Beobachter hätte Zeit zu photographieren, Experimente anzustellen, Tagebuch über seine Erlebnisse zu führen. Für den Beobachter bestünden keine Zweifel an der Realität der Erfahrung.

Der Haken ist, daß der Beobachter keinerlei Möglichkeit hätte, uns da draußen seine Erfahrungen zu übermitteln. Die Erfahrung kann dem Schatz der gemeinsamen menschlichen Erfahrung nicht einverleibt werden. Macht das einen Unterschied? Wenn Sie die Frage bejahen, stellen Sie sich vor, die Erde fiele in dies galaktische Schwarze Loch. 18 Minuten lang wäre sich jedermann der Tatsache bewußt, daß er in einem Schwarzen Loch ist.

Wir haben den starken Verdacht, all dies weise darauf hin, daß die Innenseiten Schwarzer Löcher wirklich sind (sofern die Allgemeine Relativitätstheorie stimmt). Es gibt einen großen Unterschied zwischen einer Hypothese, die niemand bestätigen kann (wie Poincarés nächtliche Verdopplung), und einer, deren Überprüfung nur sehr schwierig, ja sogar selbstmörderisch ist (wie die Astrophysik des Inneren Schwarzer Löcher). Der Bereich der Wissenschaft ist das Gebiet überprüfbarer Hypothesen, der Bereich von Hypothesen, die in irgendeiner Weise «einen Unterschied machen». Poincarés Verdopplung ist ein Hirngespinst, weil es keinen Unterschied gäbe. Wenn Sie dagegen in ein Schwarzes Loch fielen, würde etwas geschehen, und dieses Etwas würde die Allgemeine Relativitätstheorie entweder bestätigen oder widerlegen.

Fremdbewußtsein

Die Kognitionstheorie, die Wissenschaft vom Bewußtsein, hat es mit mancherlei unüberprüfbaren Wesenheiten zu tun. Das altehrwürdige «Fremdbewußtseinsproblem» der Philosophie fragt, woher wir wissen, daß andere Menschen Gedanken und

Gefühle wie wir haben. Alle anderen könnten ja auch roboterartige Wesen sein, die auf Reaktionen und Sprache programmiert sind, aber nichts empfinden. Was kann man tun, um zu zeigen, daß dem nicht so ist?

Das Problem des Fremdbewußtseins kann als Gedankenexperiment im Stile Poincarés formuliert werden. Stellen Sie sich vor, letzte Nacht hätten alle außer Ihnen Bewußtsein/Seele/ Geist verloren. Sie handeln noch genau so wie früher, aber der innere Dialog hat sozusagen vollständig aufgehört. Gibt es irgendeine Methode festzustellen, daß das geschehen ist? (Oder nehmen Sie an, die Hälfte der Menschen auf der Welt besäßen Seelen, die andere Hälfte nicht. Wie unterscheidet man zwischen denen, die eine haben, und denen, die keine haben?)

Natürlich sprechen andere Menschen von ihren Vorlieben, ihren Abneigungen, ihren Schmerzen und Freuden. Das beweist nichts. Wir müssen annehmen, daß die ganze Variationsbreite menschlichen Verhaltens im Kompetenzbereich der Automaten liegt. Wenn das Bewußtsein anderer Menschen eine Illusion ist, ist es eine gut arrangierte Illusion.

Was wir brauchen, ist eine kluge Frage, mit der wir die angeblichen Roboter überrumpeln können, so daß sie ihren Gefühlsmangel verraten. Man kann behaupten, allein die Tatsache, daß andere Menschen sich das Problem des Fremdbewußtseins ausgedacht und darüber diskutiert haben, beweise, daß sie Verstand besitzen. Roboterähnliche Wesen kämen nicht auf die Idee, daß es so etwas wie echtes Bewußtsein geben kann, und wenn, dann wäre es ihnen egal. Aber das hieße, die hypothetischen Roboter zu unterschätzen.

Es gibt induktive Gründe für den Glauben an fremdes Bewußtsein. Jeder von uns lernt im Laufe seines Lebens auf vielerlei Weise, daß er den fünf Milliarden übrigen Mitgliedern der menschlichen Rasse ähnlich ist. Da (vermutlich) jeder von uns weiß, daß er ein Bewußtsein besitzt, ist es nur natürlich, diese Eigenschaft auf alle anderen zu übertragen. Das ist eine sehr schwache Induktion, denn hier wird aus einem einzigen bekannten Bewußtsein extrapoliert. Es bleibt die Frage, ob sich ein objektiver Test finden läßt.

Der Test müßte darin bestehen, «sich in das Bewußtsein eines anderen zu versetzen» und das zu empfinden, was der andere empfindet (oder nicht empfindet). Außersinnliche Wahrnehmung könnte das ermöglichen (sofern es sie gibt). Die gleiche Möglichkeit eröffnete vielleicht ein futuristisches Hirnexperiment, in dem das Gehirn eines Menschen künstlich mit dem eines anderen verbunden würde. Selbst diese weit hergeholten Methoden würden nicht jeden Zweifel ausschließen. Es wäre immer noch denkbar, daß Sie die einzige Person mit Bewußtsein sind und auf die «Gehirnwellen», die «Ausstrahlung» oder die «Vibrationen» reagieren, die von den roboterartigen Gehirnen anderer produziert werden.

Die meisten Philosophen sind bereit einzugestehen, daß man nicht erkennen kann, ob andere Menschen Bewußtseinsvorgänge erfahren. Manche gehen einen Schritt weiter und behaupten, Bewußtsein und vollkommene Vortäuschung von Bewußtsein seien ein und dasselbe. Hier spielen die meisten Menschen nicht mehr mit. Vermutlich haben Sie das Gefühl, es gebe einen Unterschied zwischen Bewußtsein und Bewußtseinsmangel, auch wenn Sie bereit sind zuzugeben, daß er durch Beobachtung oder Experiment nicht feststellbar ist. Ist das ein vernünftiger Einwand?

Nächtliche Verdopplung von Lust und Unlust

Eine raffinierte Variation zu Poincarés Gedankenexperiment mündet in der Frage, was geschehen würde, wenn die Lust- und Unlustgefühle aller Menschen sich über Nacht verdoppelten. Hier ist es erheblich weniger klar, daß die Frage sinnlos ist, als im ursprünglichen Gedankenspiel. Dennoch ist ein Teil der Argumentation in gleicher Weise anwendbar.

1911 schrieb der Nationalökonom Stanley Jevons:

> «...es gibt in keinem einzigen Fall so etwas wie den Versuch, die Menge des Gefühls in einem Bewußtsein mit der in einem anderen zu vergleichen. Die Empfindsamkeit eines Geistes kann nach allem, was wir wissen, tausendmal größer sein als die eines anderen. Aber wenn wir annehmen, die Empfindsamkeit sei in allen Richtungen im gleichen Verhältnis verschieden, könnten wir den Unterschied niemals feststellen. So bleibt jedes Bewußtsein für jedes andere Bewußtsein ein undurchdringliches Geheimnis, und es scheint keinen gemeinsamen Nenner des Gefühls zu geben.»

Jevons behauptet, vielleicht seien die Gefühle Ihres Freundes tausendmal stärker als Ihre eigenen, oder tausendmal schwächer. Stellen Sie einmal das folgende Gedankenexperiment an:

Über Nacht verdoppeln sich Freude und Schmerz. Das heißt, von jetzt an verursacht jeder Reiz, ein Stück Schokoladentorte, ein Orgasmus oder ein Bienenstich, die doppelte Freude oder den doppelten Schmerz wie zuvor. Wir müssen voraussetzen, daß sich nur die subjektiven Empfindungen verdoppeln. Lust und Unlust hängen mit bestimmten meßbaren Gehirntätigkeiten zusammen. Wäre der Endorphinspiegel (Endorphine sind körpereigene Eiweißstoffe) höher, oder erhöhte sich die elektrische Aktivität der C-Fasern (von denen man annimmt, daß sie mit Schmerzgefühlen zu tun haben) in meßbarer Weise, könnte ein Neurologe die Veränderung offenbar feststellen. Weniger klar ist, ob man eine subjektive Verdopplung feststellen könnte.

Zuerst müssen wir fragen, ob sich Präferenzen (also die Entscheidungen, die Sie da treffen, wo Sie sich frei entscheiden können) ändern würden. Vermutlich nicht, denn Präferenzen scheinen auf der relativen Intensität von Lust- und Unlustempfindungen zu beruhen.

Der Philosoph Roy A. Sorensen kam zu dem Schluß, daß

eine Verdopplung von Präferenzen nicht feststellbar wäre. Sie betreten am Tag nach der Verdopplung eine Eisdiele. Der Laden bietet dreißig Sorten Eiskrem an, von denen Sie neunundzwanzig mehr oder weniger mögen und eine (Lakritz) verabscheuen. Da sich Lust- und Unlustgefühle verdoppelt haben, ist Lakritz jetzt doppelt so abscheulich. Natürlich hätten Sie auch vor der Verdopplung kein Lakritzeis bestellt. Sie hätten Ihre Lieblingssorte bestellt, es sei denn, die Begierde nach etwas Neuem sei stark genug, um diese Vorliebe zu überwinden. Dann hätten Sie eine andere Sorte bestellt.

Jetzt, nach der Verdopplung, handeln Sie genauso. Ihre Lieblingssorte schlägt die zweitbeste mit doppeltem Abstand. Auch der Reiz der Neuheit ist doppelt so groß, und Sie könnten sich dafür entscheiden, eine neue Sorte statt Ihrer Lieblingssorte zu probieren, aber nur dann, wenn Sie das auch ohne die Verdopplung getan hätten. Allgemein gesprochen würden Restaurantgäste die gleichen Menüs wählen; dasselbe gälte für zum Tode Verurteilte, die ihre Hinrichtungsmethode wählen dürfen; und der Marktanteil keiner Fernsehserie würde sich ändern.

George Schlesinger (von dem die Behauptung stammt, Poincarés physikalische Verdopplung sei feststellbar) hat behauptet, eine Verdopplung von Präferenzen würde anhand der sogenannten «ununterscheidbaren Präferenzen» erkennbar werden. Seine Argumentation verläuft etwa folgendermaßen: Nehmen wir an, wenn Sie die Wahl zwischen einem Bienenstich und einem Wespenstich hätten, könnten Sie sich nicht entscheiden, weil Ihnen beides fast den gleichen Schmerz verursacht. Nachdem sich aber Lust und Unlust verdoppelt haben, ist der «Abstand» dazwischen auf Ihrer persönlichen Präferenzskala größer, und Sie können erkennen, daß der Bienenstich in Wirklichkeit weniger weh tut. Vielleicht könnten Sie sogar einen Schmerz empfinden, der in seiner Insistenz dazwischen liegt. Vielleicht wäre klar, daß Sie eine Steuerüberprüfung einem Wespenstich und einen Bienenstich einer Steuerüberprüfung vorziehen. Dagegen hat Sorensen eingewandt, das sei nichts anderes als die Behauptung, die nächtliche Verdopplung aller Längen könne festgestellt werden, indem man Bleistifte aufs neue miteinander vergleicht, die vorher scheinbar genau gleich lang waren!

Das Lustprinzip der Freudschen Psychologie behauptet, wir wählten immer das (für den Augenblick oder langfristig) Angenehmere. Wenn das wahr ist, sollte es keinen großen Unterschied machen, daß das Angenehmste jetzt doppelt so angenehm ist. In der Fernsehshow *Double Jeopardy* beantworten die Kandidaten Fragen, die auf einem Spielbrett mit bestimmten Geldsummen ausgezeichnet sind. Nach der Pause für den Werbespot beginnt das Spiel mit einem neuen Spielbrett wieder, und jetzt ist jede Frage doppelt soviel Geld wert. Offensichtlich gilt für diese Spielphase genau die gleiche Strategie wie für die erste, auch wenn man jetzt doppelt soviel gewinnen kann. Das entspricht einem Grundaxiom der Entscheidungstheorie, das besagt, die Multiplikation des «Nutzenfaktors» (eines numerischen Maßstabs dafür, wie stark man ein bestimmtes Ergebnis wünscht oder nicht wünscht) mit einer positiven ganzen Zahl verändere nichts. Was vorher bevorzugt wurde, wird auch jetzt noch bevorzugt.

Man hat auch die «Lustzentrums»-Experimente von James Olds und Peter Milner als Beleg dafür herangezogen, daß eine Verdopplung von Lust und Unlust feststellbar sein müßte. In den frühen Fünfzigern haben Olds und Milner Ratten Elektroden aus Silberdraht ins Gehirn implantiert, um zu überprüfen, inwieweit sich Verhalten durch elektrische Gehirnreizung beeinflussen läßt. Sie suchten nach hypothetischen «Vermeidungszentren», deren Reizung Ratten lehren könnte, bestimmte Verhaltensweisen zu vermeiden. Die Ratten konnten sich frei auf einer Tischplatte bewegen. Wenn sich eine Ratte einer Tischecke näherte, ließen die Forscher einen elektrischen Impuls von 5 bis 100 Mikroampere über einen Zeitraum von einer halben Sekunde durch die implantierte Elektrode laufen.

Olds und Milner entdeckten sehr starke Vermeidungszentren. Wurden diese Gehirnregionen stimuliert, während eine Ratte sich der verbotenen Tischecke näherte, wandte sie sich um und ergriff die Flucht. Schon nach einem einzigen derartigen Erlebnis hatte die Ratte gelernt, sich für längere Zeit von der Ecke fernzuhalten. Dann ergab sich einer jener Zufälle, die in der Geschichte der Wissenschaft eine so bedeutsame Rolle spielen. Eine Ratte näherte sich der Ecke, erhielt ihren elektrischen Reiz und blieb stehen. Sie bewegte sich wieder ein paar Schritte auf die Ecke zu und blieb erneut stehen. Wurde sie von der Ecke wegbewegt, versuchte sie zurückzukehren. Olds und Milner untersuchten die Ratte sorgfältig und stellten fest, daß ihre Elektrode an einer etwas anderen Stelle des Gehirns implantiert worden war. Diese Gehirnregion hatte die den Vermeidungszentren entgegengesetzte Funktion.

Die neue Region bekam den Namen «Belohnungs-» oder «Lustzentrum», während man die Vermeidungsregionen mit Schmerzzentren identifizierte. Ratten waren bereit, den Weg durch ein Labyrinth zu lernen, um Stimulierung der Lustzentren zu erlangen. Ratten, denen man gestattete, ihre Lustzentren durch Niederdrücken eines Hebels selbst zu stimulieren, taten bald nichts anderes mehr. Sie drückten den Hebel hundertmal pro Minute, bis sie vor Erschöpfung zusammenbrachen; nach einer kurzen Schlafpause fingen sie sofort von neuem damit an.

Die Beschreibung der Gehirnregionen als Lust- und Schmerzzentren war vorläufig. Olds und Milner standen vor einem «Fremdbewußtseins»-Problem auf Nagetierebene: Empfinden Ratten Schmerz und Lust so wie wir, oder sind sie praktisch Automaten? Später wurden Experimente an menschlichen Versuchspersonen durchgeführt. Die Empfindung, die durch Stimulierung eines Lustzentrums ausgelöst wurde, war angenehm (aber anscheinend bei weitem nicht so zwanghaft lustbetont wie bei Ratten). Psychologen ist es gelungen, Dutzende von Lustzentren im menschlichen Gehirn zu lokalisieren, die Sexualität, Hunger, Durst und anderen Grundtrieben zugeordnet sind.

Infolgedessen wurde angenommen, daß wir uns alle, wenn Lust- und Unlustgefühle verdoppelt wären, wie Olds und Milners Ratten in eine unaufhörliche Dauerorgie der Lust stürzen würden. In den Experimenten von Olds und Milner hatte sich aber nur der Lusteffekt einer einzigen Handlung (des Niederdrückens eines Hebels) einseitig erhöht. Damit veränderten sich die Präferenzen der Ratten. Wenn der Lusteffekt aller Handlungen gleichmäßig anstiege, wäre das eine Situation, die derjenigen des ursprünglichen Gedankenexperiments von Poincaré erheblich näher käme.

Nehmen wir an, Sie sitzen in der Eisdiele und essen eine Portion von Ihrer Lieblingssorte. Das Eis schmeckt doppelt so gut wie vorher. Heißt das, daß Sie sich überfressen würden? Das Bauchweh, das Sie bekommen, wenn Sie zuviel Eis essen, wäre jetzt doppelt so unangenehm; Sie achten jetzt doppelt so stark auf Ihre Kalorienzufuhr und haben eine doppelt so starke Abneigung dagegen, Ihre Diät zu durchbrechen, wie vorher. Außerdem treffen Sie ständig die Entscheidung, ob Sie essen oder etwas anderes tun wollen. Wenn Sie hungrig sind, genießt Essen eine hohe Priorität; wenn Sie satt sind, ist sie entsprechend niedriger. All die anderen Dinge, die Sie tun könnten, statt noch eine Portion Eis zu bestellen, wären ebenfalls doppelt so reizvoll.

Aber selbst wenn sich die Menschen genau wie vorher verhielten, wäre Ihnen die Verdopplung nicht trotzdem bewußt? Sie könnten den Unterschied feststellen, indem Sie Ihre gegenwärtigen Lust- und Schmerzgefühle mit den Erinnerungen an Erfahrungen der Vergangenheit vergleichen. Die Tatsache, daß wir Aussagen machen können wie «Das ist die beste Schokoladentorte, die ich je gegessen habe», zeigt, daß wir uns an vergangene Freuden erinnern und sie verwenden können, um gegenwärtige einzuschätzen.

Im großen Ganzen stimme ich dem zu, aber ich bin nicht

sicher, inwieweit es sich von einer Aussage unterscheidet wie: «Soweit ich das beurteilen kann, ist der Eiffelturm das höchste Gebäude, das ich je gesehen habe.» Die Höhe eines Gebäudes kann auf zwei Arten beurteilt werden. Die objektive Methode besteht darin, veröffentlichte Berichte über seine Höhe nachzuschlagen. Die Nachschlagewerke geben die Höhe des Eiffelturms mit 300 Metern an. Sie könnten diese Höhe mit der Höhe anderer großer Gebäude, die Sie gesehen haben, vergleichen und schließen, daß der Eiffelturm das höchste war. Wie würde man Lust und Schmerz objektiv vergleichen? Das ginge nur durch den Vergleich veröffentlichter Berichte über Präferenzen der Vergangenheit (etwa die Resultate einer Weinprobe, bei der verschiedene Jahrgänge verglichen wurden). Diese Berichte würden (alte) Grade von Lust- und Unlustgefühlen mit anderen (alten) Lust- und Unlustgefühlen vergleichen und infolgedessen zu nichts nützen. Es wäre, als wolle man die Höhe eines verdoppelten Eiffelturms mit einem verdoppelten Zollstock messen.

Die subjektive Methode zur Einschätzung der Höhe eines Gebäudes besteht darin, es mit benachbarten Gebäuden, dem Winkel, in dem Sie Ihren Kopf halten müssen, um seine Spitze zu sehen (also mit Ihrer eigenen Höhe), und ähnlichem zu vergleichen. Möglicherweise hat ein Teil unserer Erfahrung von Lust und Unlust etwas mit dem Vergleich mit gegenwärtiger Lust und Unlust zu tun. (Die beste Mahlzeit, die Sie je gegessen haben, war die nach der langen Zeit im Ferienlager / im Gefängnis / auf dem Rettungsfloß auf hoher See; mit dem Kopf gegen die Wand rennen ist ein angenehmes Gefühl, wenn der Schmerz nachläßt; auf Geburtsschmerzen folgt Euphorie.) Wenn alle Lust- und Unlustgefühle verdoppelt sind, kann man die Veränderung nicht durch derartige Vergleiche entdecken.

Wenn Sie glauben, Erinnerungen würden die Veränderung verraten, lassen Sie sie allmählich eintreten (vielleicht Jahrhunderte dauern). Hätte Platon irgend etwas schreiben können, das uns davon überzeugen könnte, daß die alten Griechen doppelt soviel Lust und Schmerz empfunden haben wie wir im dekadenten zwanzigsten Jahrhundert?

Schwerer widerlegbar ist die Behauptung einiger Philosophen, die Nervenbelastung müßte größer sein. Stellen Sie sich vor, Sie betreten ein ausländisches Spielkasino, finden einen grünen Roulettechip auf dem Boden und setzten ihn auf Ihre Glückszahl, die 7. Der Chip ist 100 Lokalpenunzen wert, und Sie berechnen das auf einen Gegenwert von DM 2,–. Unmittelbar nachdem Sie Ihre Wette endgültig plaziert haben, erzählt Ihnen ein Freund, daß Sie sich im Wechselkurs geirrt haben. In Wirklichkeit ist der Chip DM 2000,– wert. Entweder werden Sie DM 2000,– verlieren oder DM 72 000,– gewinnen. Das Verhältnis von möglichem Gewinn zu möglichem Verlust ist genau das gleiche. Aber wären Sie bei dem höheren Einsatz nicht trotzdem nervöser? Es scheint, als müsse sich in einer Welt mit verdoppelten Lust- und Unlustgefühlen der Streß erhöhen. Man hätte ständig doppelt soviel zu gewinnen und doppelt soviel zu verlieren.

Eine denkbare Antwort lautet: Ja, der Streß wäre doppelt so groß, weil Streß eine Art von Schmerz ist und infolgedessen verdoppelt wird. Die Verhältnisse blieben immer noch gleich. Andererseits könnte sich der erhöhte Streß in einer Zunahme von Magengeschwüren, einem wachsenden Verbrauch von Beruhigungsmitteln und einer steigenden Selbstmordquote äußern, also in objektiv meßbaren Veränderungen.

Denkbarerweise würden sich die Freuden und Leiden von Sadisten und Masochisten verdoppeln. Nicht nur, daß Sadisten jetzt einen doppelt so hohen Lustgewinn beim Zufügen von Schmerzen hätten, außerdem würde auch jede zugefügte Grausamkeit doppelt soviel Schmerz verursachen. Eine sadistische Handlung würde den doppelten Schmerz und damit die vierfache Lust auslösen. Eine ähnliche Argumentation gilt für Masochisten: Ihr Schmerz verdoppelt sich, aber der Lustgewinn pro «Schmerzeinheit» ist ebenfalls doppelt so hoch, so daß sich die vierfache Lust ergibt.

Dieser wohlüberlegte Vorschlag krankt daran, daß niemand, nicht einmal ein Sadist, die Lustgefühle und Schmerzen anderer wirklich kennt (ja nicht einmal weiß, ob sie überhaupt ein Bewußtsein besitzen). Es handelt sich um das Gegenstück zu Schlesingers Argumentation zur physikalischen Verdopplung. Woher wüßte der Sadist, daß der Schmerz sich verdoppelt hat?

Ist die Realität einmalig?

All diese Beispiele demonstrieren, daß zahlreiche, weit voneinander abweichende Hypothesen mit der Erfahrung vereinbar sind. Poincaré spricht von einer *unendlichen* Zahl von Hypothesen. Der Wissenschaft steht keine Methode zu Gebote, diese alternativen Hypothesen auszuschließen. Können wir von einer Hypothese wie derjenigen der nächtlichen Verdopplung sagen, sie sei wahr oder falsch?

Poincaré hatte den Eindruck, einige dieser unwiderlegbaren Hypothesen seien anwendbarer, aber nicht notwendigerweise wahrer als andere. Poincarés Meinung ist für viele von uns beunruhigend. Statt einer Realität gibt es mehrere. Sie können sich aussuchen, welche Sie wollen.

«Eine von dem Geist, der sie erfaßt, sieht oder fühlt, vollkommen unabhängige Realität», schrieb Poincaré, «ist unmöglich. Eine so außenliegende Außenwelt wie diese wäre selbst, wenn sie existierte, für uns radikal unzugänglich. Was wir die ‹objektive Realität› nennen, ist genaugenommen das, was mehrere denkende Wesen gemein haben und das allen gemeinsam sein könnte; und dieses Gemeinsame kann, wie wir sehen werden, nur die Harmonie sein, die sich in den Gesetzen der Mathematik ausdrückt.»

Zweiter Teil

ZWISCHENSPIEL

Die Rätsel des Dr. med. John H. Watson

«Bei der Lösung von Aufgaben
dieser Art ist es entscheidend,
rückwärts schließen zu können.»

ARTHUR CONAN DOYLE, *Studie in Scharlachrot*

Es waren schon einige Jahre verstrichen, seit Sherlock Holmes seinen Beruf aufgegeben hatte, um sich in den Sussex Downs dem geruhsamen Leben eines Bienenzüchters zu widmen. Die Nachricht (die erste, die ich von ihm erhielt) war knapp gefaßt: «Die ländliche Idylle sagt mir nicht in jeder Beziehung zu. Oh, wie sehne ich mich nach intellektueller Anregung! Wäre Ihnen ein Besuch möglich?» Ich sagte die paar Verabredungen ab, die mein Terminkalender aufwies, und bestieg schon am nächsten Tag den Zug nach Süden.

Bei einem späten Mahl an diesem Abend erwähnte ich, daß ich in Diskussionen in meinem Club den Versuch gemacht hatte, die Abenteuer unserer gemeinsamen Vergangenheit zu analysieren. «Holmes, ich glaube, wenige Menschen in unserem Land sind so gründlich mißverstanden worden wie Sie. Alle meinen, Ihr Ruf beruhe auf der Schwierigkeit Ihrer Fälle. Ich glaube, was die Erzählungen so beliebt machte, war, daß die Lösungen so *einfach* waren.»

Mit freundlich belustigter Miene legte Holmes die Fingerspitzen aneinander. «Sie sind der Meinung, das britische Publikum wolle Detektivgeschichten für einfache Gemüter lesen?»

Vom Portwein beschwingt fuhr ich in meinen Ausführungen fort: «Das Publikum hat eine Schwäche für Fälle, in denen die Lösung, ist sie einmal bekannt, offensichtlich und selbstverständlich ist, gleichgültig, wie schwer es war, sie zu finden. Erst wenn die Lösung offensichtlich klar ist, kann sich der Leser über sich selbst ärgern, weil er sie nicht alleine gefunden hat.»

«Im Rückblick», sagte Holmes, «sind alle Probleme einfach. Es ist, als wolle man ein Labyrinth ergründen, indem man vom Ziel aus zurückgeht.»

«Da bin ich anderer Meinung», wandte ich ein. «Es gibt Labyrinthe, die gleich schwierig bleiben, wenn man vom Ziel aus zurückgeht. Die Lösung vieler Probleme ist ebenso abstrus wie die Fragestellung selbst. Wenn Sie, so wie Scotland Yard das häufig tut, Ihre Zeit darauf verwandt hätten, Leute aufgrund langweiliger ballistischer Gutachten oder der Untersuchung von Fingerabdrücken an den Galgen zu bringen, hätten Ihre Abenteuer nicht ein Zehntel des Leserkreises gefunden, den sie haben. Der Leser will eine einfache, verständliche Lösung.»

«Ein interessantes Argument», sagte Holmes träumerisch. «Um die Langeweile zu mildern, die das Leben des Imkers auszeichnet, habe ich diverse esoterische Zeitschriften abonniert. In einer davon las ich kürzlich, daß unser Landsmann, der Mathematiker William Shanks, den Wert von *pi* auf 707 Dezimalstellen berechnet hat.* Er hat zwanzig Jahre dazu gebraucht. Das Ergebnis ist eine ganze Seite voll von völlig sinnlosen Ziffern, die wie zufällig wirken. Wollte irgend jemand Herrn Shanks Resultat anzweifeln, müßte er den gleichen Zeitraum aufwenden, um seine Berechnungen zu wiederholen. Auch hier wäre es genauso mühsam, die Antwort zu überprüfen, wie überhaupt eine Antwort zu finden; das genaue Gegenteil einer ‹offensichtlichen› Lösung.»

* Zu Holmes' Zeiten war nicht bekannt, daß Shanks bei der Berechnung der 528ten Dezimalstelle einen Fehler gemacht hatte. Alle Ziffern danach waren falsch.

«Genau so ist es. Ich sprach darüber mit einem Schulfreund in London, und er sagte, es sei genau wie bei dem folgenden Rätsel: Welches häufige englische Wort beginnt und endet mit den Buchstaben UND? Es ist schwer, auf das Wort zu kommen, aber wenn es Ihnen einmal eingefallen ist, können Sie nicht an der Richtigkeit der Antwort zweifeln. Natürlich gilt Nachschlagen in einem Wörterbuch nicht als faire Lösung.»

Hier runzelte Holmes die Stirn, sagte aber nichts.

«Ich habe ein paar Bekannten im Club erzählt, daß ich Sie besuchen und Ihnen ein paar Rätsel zum Zeitvertreib vorlegen wolle. Sie haben mir einige anständig schwere Rätselfragen mitgegeben. Sie sind alle von der Art, auf die Sie sich anscheinend spezialisiert haben: Rätsel, deren Antwort offensichtlich ist, wenn man sie vor sich sieht. Sie können ja, wenn Sie wollen, ein paar Wochen darüber nachdenken. Meine Anwesenheit ist nicht erforderlich, um Ihnen zu sagen, daß Sie recht gehabt haben.»

«Wochen? Das glaube ich kaum!»

Eine Frage der Findigkeit

Nach dem Essen führte ich Holmes in das Gästezimmer neben dem meinen. Seit Holmes hier wohnte, war es kaum benutzt worden. Es war spärlich möbliert. Am Nachmittag hatte ich das Bett und den einzigen Stuhl entfernt und das Zimmer ganz leer gelassen.

Von der Decke hingen zwei Schnüre von je 1 Meter 80 Länge. Die Schnüre waren drei Meter voneinander entfernt. Da das Zimmer ebenfalls drei Meter hoch war, hingen die losen Enden der Schnüre 1 Meter 20 über dem Boden.

Sonst enthielt das Zimmer nur eine etwas seltsame Sammlung von auf dem Fußboden ausgebreiteten Gegenständen: ein Schweizer Taschenmesser, einen Knallfrosch, eine kleine Ampulle Äther, einen fünfundzwanzig Pfund schweren Eiswürfel und ein getigertes Kätzchen. Das Eis lag in einer Wanne, um den indischen Teppich zu schonen.

«Also gut, Watson, was haben Sie vor?» fragte Holmes.

«Die Aufgabe», sagte ich, «ist, die Enden der beiden Schnüre zusammenzubinden. Sie werden bemerkt haben, daß der Abstand zwischen den hängenden Schnüren etwa 1 Meter 20 größer ist als die Reichweite Ihrer Arme. Solange Sie eine Schnur in der Hand halten, können Sie keinen Teil der anderen berühren. Sie dürfen zur Lösung nichts benützen außer dem Schweizer Messer, dem Knallfrosch, dem Äther, dem Eis und/oder dem Kätzchen. Sie dürfen weder die Vorhangstangen noch die Tapeten, den Teppichboden oder sonst irgend etwas im Zimmer benützen. Damit sind auch Ihre Kleidung und alles, was Sie an Ihrer Person tragen, gemeint.»

Holmes' Augen streiften mit detaillierter Aufmerksamkeit über Fußboden und Zimmerdecke. «Bei der Leiter, die Sie benutzt haben, um die Schnüre anzubringen, war die dritte Sprosse locker.»

Ohne darauf einzugehen, fuhr ich fort: «Ich habe die Schnüre mit einfachen Schleifen an der Decke befestigt. Sie tragen Ihr Gewicht nicht. Der einzige Tip, den ich Ihnen geben kann, ist, daß es sich um eines Ihrer beliebten nervtötenden Rätsel handelt, bei denen die Lösung, so schwer sie auch zu erschließen sein mag, lächerlich einfach ist, sobald man sie gefunden hat.»

Gas, Wasser und Strom

Holmes verbrachte einige Minuten still in sich gekehrt. Dann fragte er: «Und das zweite Rätsel?»

«Ihre nächste Aufgabe», sagte ich, «ist eine, über die Henry Ernest Dudney neulich einen Aufsatz geschrieben hat. Ich habe längere Zeit darüber nachgedacht, bis man mir gesagt hat, es gebe überhaupt keine Lösung. Dann habe ich noch einmal darüber nachgedacht und bin zu dem Schluß gekommen, daß es doch eine Lösung gibt.»

Ich zeigte Holmes die Zeichnung, die ich aus einer Zeitung ausgeschnitten hatte. «Es geht um drei Häuser und drei Versorgungsbetriebe: Gaswerk, Wasserwerk, Elektrizitätswerk. Jeder Betrieb will Rohre oder Kabel zu jedem der drei Häuser legen, ohne daß irgendein Rohr oder ein Kabel ein anderes kreuzt. Die Wege der Rohre und Kabel dürfen gekrümmt und verschwenderisch umständlich sein; aber sie dürfen sich nicht kreuzen.»

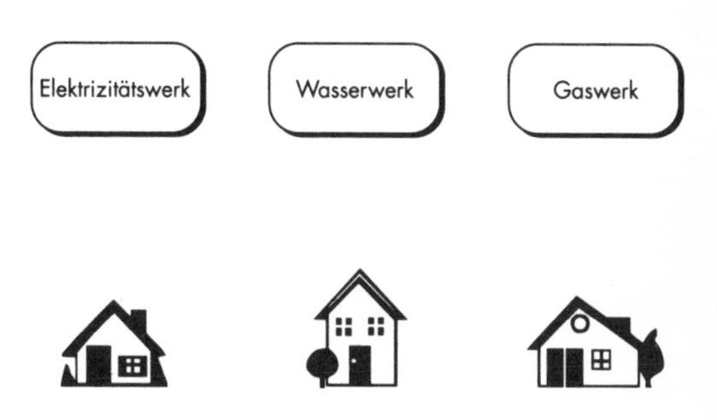

Holmes würdigte den Zeitungsausschnitt kaum eines Blicks. «Ich kenne das Rätsel seit längerem, Watson. Es ist älter als das elektrische Licht oder sogar die Gasbeleuchtung. In weniger modernistischen Versionen ist die Rede von Pfaden zu einem Taubenschlag, einem Brunnen und einem Heuhaufen. Ich kann Ihnen versichern, daß Sie sich irren, wenn Sie glauben, eine Lösung gefunden zu haben. Es ist unmöglich.»

«Ich nehme an, daß Sie mit mir darin übereinstimmen werden, daß es dennoch eine Lösung gibt.»

Holmes seufzte verständnisvoll. «Ich kenne die unfairen Lösungen, die man vorgeschlagen hat. Ein Rohr könnte durch ein Haus gehen. Das Wasserrohr könnte konzentrisch in das Gasrohr eingelassen sein. Ich muß eine gewisse Bewunderung für die Spitzfindigkeit dieser Lösungen eingestehen, aber ich gehe davon aus, daß Ihnen klar ist, daß das Betrug ist. Sie verstoßen gegen den ursprünglichen topologischen Sinn des Rätsels. Die Häuser und die Versorgungsbetriebe sollten als dimensionslose Punkte, die Leitungen als Linien mit einer Breite von Null betrachtet werden.»

«Ich könnte mich nicht in vollerer Übereinstimmung mit Ihnen befinden. Es gibt eine Lösung, die dem topologischen Sinn gerecht wird, den Sie beschworen haben.»

Firmenklatsch

Mein drittes Rätsel lautete folgendermaßen: «Eine große Firma hat 1000 Angestellte und eine seltsame Methode, sie zu entlassen. Nie wird jemandem mitgeteilt, daß er fliegt. Jedem Angestellten, der entlassen werden soll, gibt man die Chance, sein bevorstehendes Schicksal selbst zu erschließen und zu kündigen, bevor man ihm kündigt.

Alle Angestellten der Firma leben in der ständigen Angst, ihre Stelle zu verlieren. Gerüchte über bevorstehende Kündigungen verbreiten sich mit blitzartiger Geschwindigkeit in der ganzen Firma. Die Gerüchteküche ist vollkommen zuverlässig. Es finden so kontinuierlich Kündigungen statt, daß niemand aus Langeweile oder Bosheit Lügen erfindet. Jedesmal wenn jemand auf der Abschußliste steht, weiß es jeder in der Firma außer dem unglücklichen Opfer selbst. Er ist im wörtlichen Sinne der Letzte, der davon hört. Niemand hat den Mut, jemand anderem zu sagen, daß ihm gekündigt werden soll, und alle haben Übung darin, sich in Gegenwart eines zur Entlassung vorgesehenen Arbeitskollegen nichts anmerken zu lassen.

Diese von Klatsch und Verstellung geprägte Umwelt hat die intellektuellen Fähigkeiten der Angestellten enorm geschärft. Jeder liegt jeden Abend im Bett und denkt darüber nach, was er gehört hat und was nicht, und wälzt endlos alle denkbaren Hypothesen über seine Stellung in der Firma im Kopf. Keine noch so feine Nuance, keine Beleidigung und Mißachtung bleibt unbemerkt oder unbedacht. Da alle Angestellten ausgesprochen klug (und ausgesprochen paranoid) sind, erkennt jeder die logischen Folgerungen jeder Handlung. Schließt ein Angestellter, daß er entlassen werden soll, überreicht er sofort am nächsten Morgen sein Kündigungsschreiben.

Eines Tages wurde die Firma von einem großen Konzern übernommen. Der Direktor des Konzerns berief eine Versammlung aller Angestellten ein und sagte: ‹Es ist allerhöchste Zeit, daß hier abgespeckt wird. Köpfe werden rollen.› Er sagte aber nicht, wem gekündigt werden sollte. Er sagte nicht einmal, wie viele Personen man entlassen wollte. Wie immer ließ sich vor der Gerüchteküche nichts geheimhalten. Unmittelbar nach der Versammlung wußten die Klatschbasen, wer entlassen werden sollte. Was geschah dann?»

«Was soll das heißen, was geschah dann?» fragte Holmes.

«Es besteht die Möglichkeit zu einem recht anmutigen Schlußverfahren über die Kündigungen. Die Frage ist, worin besteht dieser Schluß?»

«Dafür reichen die Informationen nicht aus!»

«Der Reiz dieses Rätsels, mein lieber Holmes, liegt darin, wieviel man aus einem Minimum an Informationen schließen kann.»

Holmes schien mit mehreren Ideen zu spielen und sie alle zu verwerfen. «Ich nehme an, einige der Unglücklichen konnten aus dem Verhalten anderer schließen, wie es um sie stand.»

«Nein, nein. Gerade darum geht es ja. Sie sind alle vollendete Schauspieler und haben so wenig Rückgrat, daß sie ihren besten Freund nicht über sein Schicksal aufklären würden.»

«Ich habe bemerkt, daß die Pupillen des Auges manchmal auch den geübtesten Lügner verraten...»

«Ich habe nichts über Pupillen gesagt. Also können sie nicht relevant sein.»

«Die Angestellten können sich nicht zusammentun und ihre Informationen austauschen?»

«Auf keinem anderen Weg als durch die hausinterne Gerüchteküche, die ich beschrieben habe. Niemand erzählt unter irgendwelchen Umständen irgend jemandem, daß er entlassen werden soll, oder läßt zu, daß es ihm ein Dritter außerhalb der Firma erzählt.»

«Anonyme Briefe?»

«Nicht gestattet.»

Das Friedhofsrätsel

«Da wir schon einmal von anonymen Briefen sprechen: Ein Mann erhält einen Brief ohne Absender, der ihn auffordert, sich um Mitternacht auf den örtlichen Friedhof zu begeben. Normalerweise kümmert er sich nicht um dergleichen, aber aus schierer Neugierde kommt er der Aufforderung nach. Die Nacht ist totenstill; nur eine schmale Neumondsichel wirft Licht auf die Gräber. Der Mann nimmt Position vor dem Grabmal seiner Familie. Als er gerade wieder gehen will, hört er das Geräusch schlurfender Schritte. Er stößt einen erschreckten Schrei aus; niemand antwortet. Am nächsten Morgen findet der Friedhofswärter den Mann tot vor dem Grabmal. Ein grauenhaftes Lächeln verzerrt sein Gesicht.

Hat der Mann bei den amerikanischen Präsidentschaftswahlen von 1904 für Teddy Roosevelt gestimmt?»

«Na also!» sagte Holmes mit wachsender Begeisterung. «Endlich ein Problem, das einer logischen Lösung zugänglich ist.»

Das Dilemma des Landvermessers

Dann zog ich drei Pappstücke aus meiner Arzttasche: ein Dreieck, ein Quadrat, dem ein Viertel fehlte, und ein vollständiges Quadrat. «An einem abgelegenen Ort der amerikanischen

Wüste lebten drei Grundbesitzer. Nennen wir sie Smith, Jones und Robinson. Smith hatte drei Söhne, Jones hatte vier, und Robinson hatte fünf. Da Amerikaner sehr demokratisch sind, teilen sie ihren Grundbesitz gleichmäßig unter ihre Erben auf.

Smiths Grundstück hatte die Form eines gleichseitigen Dreiecks. Er wollte keinen seiner Söhne bevorzugen. Also bat er den staatlichen Landvermesser, den Boden in drei Parzellen von genau der gleichen Größe und Form aufzuteilen. Diesen Auftrag konnte der Landvermesser erfüllen.» Mit einem Federhalter skizzierte ich die Aufteilung auf dem Pappdreieck.

«Jones mit den vier Söhnen hatte dieses L-förmige Grundstück, drei Viertel eines Quadrats. Nach langer Überlegung teilte es der Landvermesser in vier Teile von genau gleicher Größe und Form auf.

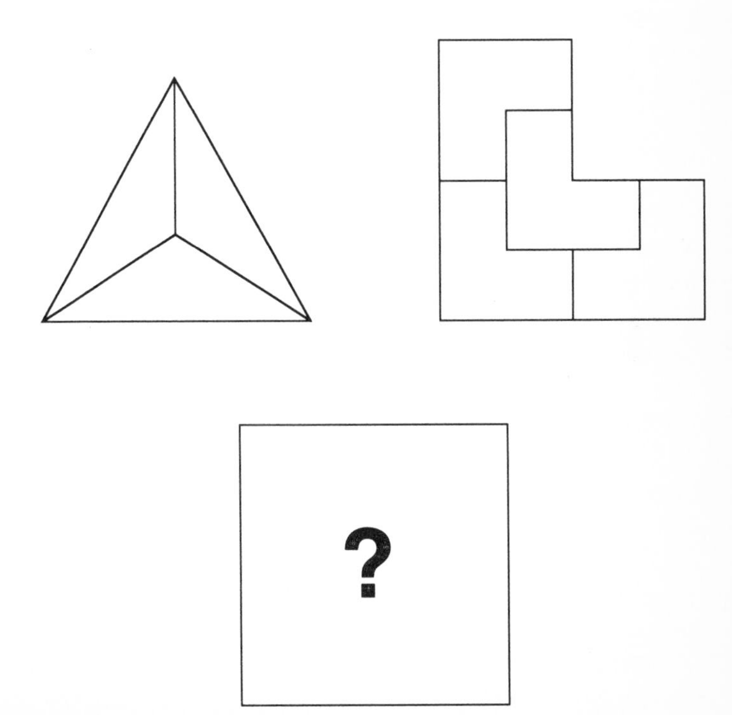

Robinson schließlich, der Vater von fünf Söhnen, hatte ein vollkommen quadratisches Grundstück. Er forderte den Landvermesser auf, es in fünf identische Teile aufzuteilen.

Dem Landvermesser erschien die Aufgabe unlösbar. Er konnte nicht aufhören, darüber nachzudenken, und vernachlässigte seinen Beruf. Am Ende raufte er sich den größten Teil seiner Haare aus und mußte mit dem Löffel gefüttert werden. Ihre letzte Aufgabe ist es, ein Quadrat in fünf Teile von genau der gleichen Größe und Form aufzuteilen. Es ist möglich, aber ich muß Sie darauf hinweisen, daß es nur auf eine einzige Art geht.

Ich hoffe, diese kleinen Spiele werden Ihnen Zerstreuung bieten. Ich gedenke, mich für heute zurückzuziehen. Bitte, bleiben Sie nicht die ganze Nacht auf. Falls Sie es doch tun, wäre ich dankbar, wenn Sie mich nicht wecken, wenn Sie die Antworten finden. Die richtigen Lösungen werden ohnehin so klar wie Kristallglas sein.»

Als ich Holmes verließ, saß er an seinem Massivholzschreibtisch, machte sich Notizen und schenkte mir keinerlei Aufmerksamkeit.

Lösungen

In dieser Nacht träumte ich schlecht. Ich glaube, die wilden Klänge einer Geige, die in die Nachtluft aufstiegen, waren schuld daran. Am nächsten Morgen stand ich um acht Uhr auf. Zuerst warf ich einen Blick in das leere Zimmer neben dem meinen. Die beiden an der Decke befestigten Schnüre hingen jetzt miteinander verknotet gerade über meiner Kopfhöhe.

Ich war erleichtert, daß dem Kätzchen kein Leid geschehen war. Es war unvorsichtig von mir gewesen, es als irreführenden Hinweis zu mißbrauchen. Holmes' Tierliebe war, wie ich mich erinnerte, nicht sehr ausgeprägt.

Holmes lag von einer blauen Wolke von Tabaksqualm umgeben auf dem Sofa im Wohnzimmer. Er trug noch immer die Kleider vom Vorabend. «Alle Aufgaben bis auf eine waren lächerlich leicht», erklärte er.

«Wirklich?» Ich setzte mich an den Tisch. Tausend verrückte Diagramme teilten tausend Quadrate in wirren Mustern auf. Das oberste Blatt eines Papierstapels wies den abenteuerlichen Neologismus UNDACHSHUND auf, der mit dicken Strichen ausgestrichen war. Ich mußte mir Mühe geben, keinen Kommentar dazu abzugeben. Darunter stand die richtige Antwort.

«Welches haben Sie zuerst gelöst?»

«Das UND-Rätsel habe ich zuletzt gelöst.»

«Das habe ich für das leichteste gehalten.»

«Das dachte ich zuerst auch», gestand Holmes ein. «Es ist ein schweres Rätsel, weil es keine systematische Methode gibt, es zu lösen. Wenn die Eingebung einen im Stich läßt, kann man nichts tun, als alle möglichen Buchstabenkombinationen, die mit UND beginnen und enden, durchzuprobieren.»

«Sehen Sie sich das an», sagte Holmes und hielt mir ein mit Buchstaben bedecktes Blatt Papier hin. «Da UND kein englisches Wort ist und UNDUND auch nicht, kommt als nächstes UNDAUND dran, dann UNDBUND, UNDCUND und so weiter bis UNDZUND. Wenn keine dieser 26 Kombinationen aus Buchstaben ein englisches Wort ist (und ich habe schnell herausgefunden, daß dem nicht so ist), muß man die Gruppen von acht Buchstaben überprüfen: UNDAAUND, UNDABUND... UNDZZUND. Diesmal gibt es aber schon 26 mal 26 Kombinationen, also insgesamt 676.»

«Und dann hat man die Antwort immer noch nicht.»

«Nein. Wenn man längere Wörter überprüft, steigt die Zahl der möglichen Kombinationen in geometrischer Folge an. Die richtige Antwort ist, wie Sie bemerkt haben werden, lang genug, daß man Millionen von Buchstabenkombinationen überprüfen müßte, um sie durch Zufall zu finden. Deshalb finde ich die Aufgabe unfair. Niemand könnte sie jemals logisch lösen.»

«Wie sind Sie auf die Antwort gekommen?»

«Ein glücklicher Zufall. Das sogenannte Unbewußte. Beides sind keine zufriedenstellenden Erklärungen. Ich hatte gehofft, logisch auf die Antwort schließen zu können. In einem Augenblick war alles Leere und Finsternis, im nächsten sprang mir das Wort UNDERGROUND vors innere Auge.»

«Hat es vielleicht noch mehr Fälle gegeben, in denen ein glücklicher Zufall mehr Erfolg brachte als logische Schlußverfahren?» fragte ich.

«Die Schnuraufgabe? Bis zu einem gewissen Grade, ja. Mittlerweile erkenne ich eine falsche Spur, wenn ich eine sehe, mein lieber Watson. Sie sollten es sich nicht zu sehr zu Herzen nehmen, wenn ich Ihnen sage, daß ich von Anfang an den Verdacht hatte, die ausgefalleneren unter Ihren Gegenständen würden sich vermutlich als völlig irrelevant entpuppen. Das Raffinierte an Ihrer Aufgabenstellung war, daß die Lösung nicht von einem bestimmten Gegenstand abhängt, sondern von einem beliebigen.»

«Ich habe das Schweizer Taschenmesser benutzt. Die Ätherflasche täte es genausogut, und auch den Knallfrosch oder das Eis könnte man verwenden. Die Katze würde zappeln – ich nehme an, dagegen könnte der Äther helfen. Ich habe das Messer an eine der Schnüre gebunden und sie in Pendelbewegung versetzt. Dann griff ich nach der anderen Schnur, fing das Messer auf und verknotete die Schnüre zu einer eleganten Parabel. Es war so einfach, wie es nur sein konnte – im Rückblick.»

«Zu einer eleganten Kettenlinie», verbesserte ich.

«Ich bin Ihnen dankbar dafür, daß Sie meine Aufmerksamkeit wieder auf das alte Rätsel von Gas, Wasser und Strom gelenkt haben», sagte Holmes. «Ich nehme an, das war es, was Ihnen vorschwebte? Ihre topologische Lösung?» Er legte eine saubere Bleistiftzeichnung des Lösungsdiagramms auf den Tisch.

Holmes erklärte: «Das Rätsel ist als Aufgabe in der Ebene

formuliert. Daß die Erde in Wirklichkeit eine Kugel ist, spielt keine Rolle. Jedes Netz von Punkten und Linien auf einer Kugeloberfläche ist einem Netz in einer Ebene äquivalent, weil man die Kugel an den Polen ‹punktieren› und in eine Ebene umformen kann. Die Wege der Leitungen brauchen sich auf bestimmten anderen topologischen Flächen nicht zu kreuzen. Die Aufgabe ist auf einem Möbiusstreifen oder einer Ringfläche lösbar. Jeder natürliche Tunnel verwandelt die Erde in eine Ringfläche. Felsformationen wie ‹natürliche Brücken› oder ‹Fenster›, Höhlen und Meeresgrotten mit zwei Öffnungen, blasenförmige Gebilde, Maulwurfgänge – sie haben alle die gleiche Wirkung. Der Tunnel ist sozusagen eine Gratiskreuzung. Wenn Sie zwei Leitungen haben, die sich sonst kreuzen müßten, können Sie die eine durch den Tunnel und die andere sozusagen über den Berg verlegen.

Die Öffnung der Ringfläche muß innerhalb des Leitungsnetzes liegen. Es wäre zuviel erwartet, wenn man davon ausgehen wollte, daß es in der Nähe der Häuser und der Versorgungsbetriebe einen Tunnel oder eine Höhle gibt. Das hat mich eine Zeitlang verwirrt. Dann fiel mir ein, daß, wenn der Berg nicht zum Propheten kommt, der Prophet ja immer noch zum Berg gehen kann. Es ist korrekt anzunehmen, daß das Rätsel hier auf der Erde spielt, und es gibt viele natürliche Tunnel in der Erde. Die Versorgungsbetriebe könnten zwei von ihren Leitun-

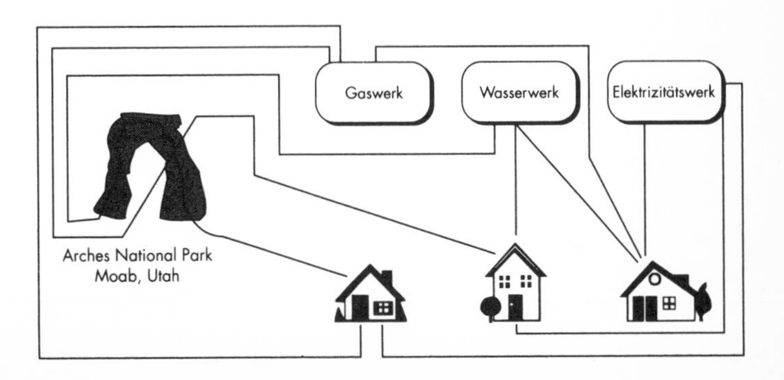

gen bis zum nächsten derartigen Tunnel und dann wieder zurück zu den Häusern verlegen.»

«Ich nehme an, Sie haben die Frage um den Firmenklatsch schnell gelöst», sagte ich. «Hier ging es meines Erachtens um eine rein logische Schlußfolgerung.»

«Es war außerordentlich seltsam. Die Antwort ist reine Schlußfolgerung, und dennoch bin ich nicht sicher, daß ich geschlossen habe. Ich fürchte, ich habe einfach richtig geraten.»

«Geraten?»

«Angeblich besaßen die Medici ein langsam wirkendes Gift, das erst nach so vielen Tagen tödlich wirkte, wie es in der Sonne gereift war. Wollte man einen Miterben oder eine unkluge Mätresse in fünfzehn Tagen sterben lassen, flößte man ihnen einen Trank ein, der fünfzehn Tage in der toskanischen Sonne geschmort hatte. Das Rezept ist leider verlorengegangen...»

«Als Mediziner würde ich das ein Ammenmärchen nennen. Was ist mit dem Rätsel?»

«Ich habe das Gift der Medici nur erwähnt, weil ich (ganz zufällig) auf die Lösung gekommen bin, als ich daran dachte. Jeder in der Firma, der entlassen werden soll, wird am gleichen Tag darauf kommen und kündigen. Der Schlußvorgang wird so viele Tage brauchen, wie Angestellte entlassen werden sollen. Wenn die Firma 79 Arbeitsplätze vernichtet, werden am 79ten Tag nach der Ankündigung alle 79 Betroffenen kündigen.»

«Und wie sind Sie zu diesem Schluß gelangt?» fragte ich.

«Es ist ein wundervolles – ein geradezu monströses – Beispiel angewandter Logik. Ich habe das Rätsel zunächst durch die Annahme vereinfacht, daß nur ein Angestellter entlassen werden sollte. Die anderen erfahren seine Identität, und jedermann in der Firma außer dem Betroffenen weiß über die Sachlage Bescheid. In dieser Nacht dreht und windet sich der Ärmste im Bett. Er weiß, daß irgend jemand entlassen werden soll. Ist es nicht merkwürdig, daß er nicht gehört hat wer? Die

Klatschmühlen mahlen doch so zuverlässig... Die einzig mögliche Schlußfolgerung ist, daß er und nur er allein entlassen werden soll. Wäre er einer von mehreren, die entlassen werden sollen, hätte er die Namen der anderen erfahren. Infolgedessen muß dieser eine Unglückliche am nächsten Morgen kündigen. Das ist die einzig logische Möglichkeit. Wenn wirklich nur ein Angestellter entlassen werden soll, ist das genau das, was geschieht.

Nehmen wir statt dessen an, es sollen zwei Angestellte entlassen werden. Durch den Firmenklatsch erfährt jeder den Namen mindestens einer anderen Person, die entlassen werden soll, und schläft diese Nacht gut. Jeder Angestellte kann annehmen, das Drehbuch für eine Person, das ich gerade skizziert habe, sei Realität. In der zweiten Nacht nach der Ankündigung leiden die beiden zur Entlassung Vorgesehenen unter Schlaflosigkeit. Jeder denkt: «Schade, daß sie den alten Soundso rausschmeißen. Was ich nicht kapiere, ist, warum er nicht heute früh gekündigt hat.» Da alle Angestellten vollkommen logisch denken und reichlich Zeit haben, über das Verhalten der anderen und seine Bedeutung nachzudenken, ist der einzig denkbare Grund dafür, daß Soundso nicht gekündigt hat, daß er den Namen eines weiteren zur Entlassung vorgesehenen Angestellten kennt. Jeder der beiden Angestellten muß zu dem Schluß kommen, daß der zweite niemand anders als er selbst sein kann. Beide müssen am zweiten Morgen nach der Ankündigung kündigen.

Dann wurde mir alles klar. Wenn drei Personen entlassen werden sollen, kann jeder sein Schicksal aus der Tatsache folgern, daß am ersten und am zweiten Morgen niemand gekündigt hat und daß jeder nur von zwei zur Entlassung vorgesehenen Angestellten weiß. Es macht überhaupt keinen Unterschied, wie viele Personen betroffen sind, solange sich alle auf die unfehlbare Logik ihrer Arbeitskollegen verlassen können. Nach 999 Tagen ohne Kündigung werden alle 1000 Angestellten eine schlaflose Nacht verbringen und dann zu dem Schluß kommen, daß das gesamte Personal entlassen werden soll.»

«Und der Mann auf dem Friedhof?»

«Ich habe doch gesagt, daß das die einfachste Frage war, Watson!»

«Vielleicht für Sie. Ich bin nicht sicher, ob man objektiv zwischen leichten und schweren Fragen unterscheiden kann.»

«Vermutlich haben Sie recht. Die Antwort jedenfalls lautet: Nein, der Mann hat nicht für Roosevelt gestimmt. Die Lösung hängt vom Wissen darum ab, daß die erwähnte Mondsichel mitten in der Nacht nicht sichtbar sein kann. Jedenfalls nicht in den meisten Teilen der Welt. Es ist schockierend, wie viele Angehörige der sogenannten gebildeten Stände sich dieser elementaren Tatsache nicht bewußt sind, die jeder Ziegenhirt kennt. Die Ausnahme sind die Polargebiete, wo die Sonne und der nahe bei ihr stehende junge Mond einen ganzen Vierundzwanzigstundentag über sichtbar bleiben können. Also muß der Mann, wenn er überhaupt in den Vereinigten Staaten lebt, in der Nähe oder jenseits des Polarkreises in Alaska leben. Die Bürger des Territoriums Alaska haben kein Stimmrecht bei Präsidentschaftswahlen. Was für politische Überzeugungen der Mann auch gehabt haben mag, für Roosevelt hat er nicht gestimmt.» *

«Meine Glückwünsche, Holmes», sagte ich. «Dann muß es also das Dilemma des Landvermessers gewesen sein, vor dem Sie die Waffen streckten.»

Holmes nickte. «Das war es, was mich die ganze Nacht wachgehalten hat. Ich habe das Gefühl, dieses Rätsel unterscheidet sich qualitativ von den anderen. Bei den anderen ist die Zahl der vorstellbaren Lösungen in einem gewissen Sinne

* Das Rätsel kann für jede Präsidentschaftswahl bis 1956 (Eisenhower gegen Stevenson) auf den neuesten Stand gebracht werden. Alaska wurde 1959 Bundesstaat, so daß seine Bürger in den Wahlen von 1960 das Wahlrecht hatten. Wenn Sie fragen, ob der Mann 1960 für Kennedy oder für Nixon gestimmt hat, reichen die Informationen nicht zur Beantwortung der Frage aus.

begrenzt. Aber ebenso wie es unendlich viele Linien in einer Ebene gibt, sind auch die möglichen Unterteilungen einer ebenen Figur unzählbar. Ich bin nicht nur gescheitert, ich weiß nicht einmal, wo ich hätte anfangen sollen.»

«Gestehen Sie Ihre Niederlage ein?»

«Ja. Zeigen Sie mir, wie es geht.»

«Ich habe darüber nachgedacht, und ich glaube, es ist besser, daß ich sie Ihnen brieflich mitteile, wenn ich wieder sicher zu Hause in London bin.»

«Warum?»

«Sie werden nicht begeistert sein.»

«Watson, sagen Sie es mir sofort!»

Erst als ich am nächsten Tag zu Hause angekommen war, habe ich Holmes das folgende Diagramm geschickt.

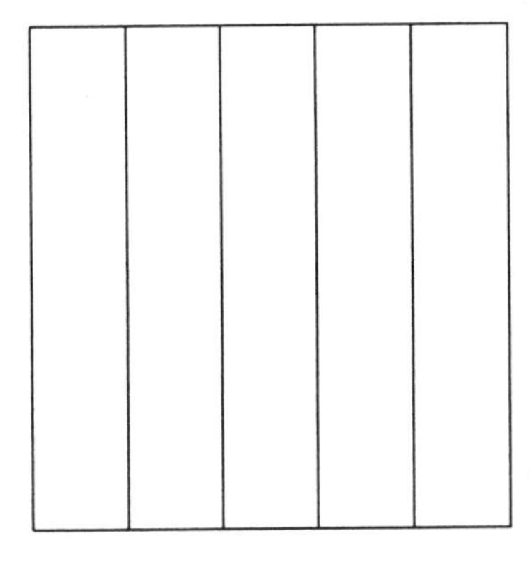

5. DEDUKTION

Das Haufenparadox

Rätselfragen und Paradoxe sind auf subtile Weise miteinander verwandt. In einem Rätsel kann nur eine von zahlreichen denkbaren Hypothesen einen Widerspruch vermeiden; und diese eine Hypothese ist des Rätsels Lösung. In einem Paradox ist überhaupt keine Hypothese haltbar.

Logikaufgaben sind, wie rohe Austern, nicht jedermanns Geschmack. Der eine findet sie amüsant oder sieht eine Herausforderung in ihnen; für den anderen sind sie nur störend. Eine wichtige Frage aber ist, ob es eine allgemein anwendbare Methode zur Lösung von Logikaufgaben gibt. Gibt es eine ein für allemal erprobte Verfahrensweise, einen Trick, ein Rezept, mit dessen Hilfe jeder, der es einmal gelernt hat, jede beliebige Logikaufgabe angehen kann? Wenn es so etwas gäbe, wäre es nicht nur im Bereich der Wissenschaft von unschätzbarem Wert.

In der Praxis ist Logik eine Mischung zwischen Schritt um Schritt voranschreitender Deduktion und der umfassenden Suche nach möglichen Hypothesen. Den ersten Zugang illustriert eine Serie klassischer Paradoxe.

Das Schiff des Theseus

Nachdem Theseus den Minotaurus erschlagen hatte und nach Athen zurückgekehrt war, «erhielten die Athener», wie Plutarch schreibt, «sein Schiff bis auf die Zeiten des Demetrios von Phaleros, indem sie immer das alte Holz wegnahmen und gutes dafür einsetzten. Daher pflegen die Philosophen bei der Untersuchung, ob die Dinge durch Wachstum eine Veränderung erleiden oder nicht, sich von entgegengesetztem Standpunkte aus auf dieses Schiff zu berufen, indem die einen sagen, es bleibe dasselbe, die anderen, es bleibe nicht dasselbe.»

Man ist sich einig, daß der Austausch einer Planke eines Schiffs seine Identität nicht verändert. Es ist auch nach dem Austausch immer noch das gleiche Schiff. Auch der Ersatz einer weiteren Planke an dem einmal reparierten Schiff sollte keinen Unterschied machen. Zu einem bestimmten Zeitpunkt aber enthielt das Schiff des Theseus möglicherweise keine einzige Originalplanke mehr. Spätestens jetzt machten sich doch die Athener wohl selbst etwas vor, wenn sie es immer noch das «Schiff des Theseus» nannten. Wäre das Schiff nicht erhalten worden und hätten die Athener später direkt aus den Ersatzplanken ein Schiff gebaut, wäre niemand auch nur auf den Gedanken gekommen, von irgend etwas anderem zu sprechen als von einer guten Kopie des Schiffs des Theseus.

Kleinere Paradoxe dieses Typs waren im alten Griechenland beliebt. «Ein fallendes Hirsekorn macht kein Geräusch», sagt Zenon. Wie kann dann ein Scheffel Hirsekörner, wenn er fällt, ein Geräusch machen, da er doch nichts als Hirsekörner enthält? Ähnlich konstruiert ist auch das «Haufenparadox»: Wenn man von einem Sandhaufen ein Sandkorn wegnimmt, hat man immer noch einen Sandhaufen. Stellen Sie sich einen Sandhaufen vor, und nehmen Sie ein einzelnes Korn weg. Gibt es aufgrund Ihrer bisherigen Erfahrungen eine denkbare Möglichkeit, daß, nachdem Sie ein Sandkorn weggenommen haben, irgend etwas anderes übrigbleibt als ein Sandhaufen? Natürlich nicht. Also fangen Sie mit einem Sandhaufen an und nehmen Sie die Körner eines nach dem anderen weg. Schließlich schrumpft der Haufen auf ein einziges Korn zusammen. Dennoch muß er immer noch ein Haufen sein! Also nehmen Sie das letzte Korn weg, so daß nichts mehr bleibt. Dieses Nichts muß immer noch ein Haufen sein!

Sicher, ein Ausweg aus dem Dilemma wäre es, eine Mindestgröße für einen Haufen festzulegen: «Ein Haufen enthält mindestens 1000 Körner. Also muß die Regel lauten: ‹Wenn man ein Sandkorn von einem Haufen, der mindestens 1001 Körner enthält, wegnimmt, bleibt ein Haufen.›» Das hinterläßt einen schlechten Nachgeschmack. Geht es nicht am Kern der Sache vorbei? Ein Wort wie «Haufen» muß unscharf definiert sein.

Ein modernes Gegenstück dazu ist das (nach Hao Wang benannte) Wang-Paradox. Wang behauptet, wenn eine Zahl x klein ist, müsse auch $x + 1$ klein sein. Sind wir uns alle einig darüber, daß 0 eine kleine Zahl ist? Gut. Also ist 1 (0 + 1) klein. Und 2 (1 + 1) ist klein. Und 3 (2 + 1) ist klein. Und so weiter... jede Zahl ist klein; und das ist lächerlich.

Sorites

Ein Sorites oder Kettenschluß ist eine Reihe miteinander verbundener Syllogismen: die Argumentationsform, in der das Prädikat jeder Aussage das Subjekt der nächsten ist. In anderen Worten:

> Alle Raben sind Krähenvögel.
> Alle Krähenvögel sind Vögel.
> Alle Vögel sind Tiere.
> Alle Tiere brauchen Sauerstoff.

Die Prämissen eines Sorites verbinden sich miteinander und führen zu einer offensichtlich einleuchtenden Folgerung. (Alle Raben brauchen Sauerstoff.) Einen Sorites erkennen zu können ist der Schlüssel zu vielen Logikaufgaben. Die Lösung des Firmenklatsch-Rätsels im vorigen Kapitel war ein ausführlicher Sorites.

Der Sorites hat seinen Namen vom griechischen Wort für Haufen, weil es sich um die Schlußform handelt, die im Haufenparadox (falsch) angewandt wird:

> Wenn *x* ein Haufen ist, dann ist *x* minus 1 Korn ein Haufen.
> Wenn *x* minus 1 Korn ein Haufen ist, dann ist *x* minus 2 Körner ein Haufen.
> Wenn *x* minus 2 Körner ein Haufen ist, dann ist *x* minus 3 Körner ein Haufen.
> Wenn *x* minus 3 Körner ein Haufen ist, dann ist *x* minus 4 Körner ein Haufen.
> .
> .
> Wenn *x* minus 12882902 Körner ein Haufen ist, dann ist *x* minus 12882903 Körner ein Haufen.

Hier kann es sich um Millionen einzelner logischer Schritte handeln.

Paradoxe von der Art des Sorites sind möglicherweise die einfachsten Paradoxe der Deduktion. Keines davon ist wirklich verblüffend. Sie alle beruhen darauf, daß die leichte Ungenauigkeit einer Prämisse sich kumulativ steigert, wenn die Prämisse immer wieder angewandt wird. Der Reiz der Paradoxe von der Art des Sorites liegt darin, daß sie eine sehr verbreitete und wichtige Form der Folgerung gebrauchen (und mißbrauchen). Das meiste, das wir wissen oder glauben, wissen wir aufgrund eines Sorites.

Eines Tages sehen Sie einen Raben, den weder Sie noch irgendein Ornithologe je zuvor gesehen hat. Trotzdem wissen Sie eine Menge über den Raben. Sie wissen (oder haben gute Gründe anzunehmen), daß er warmblütig ist, daß er unter seinen Federn und der Haut Knochen hat, daß er aus einem Ei gebrütet wurde, daß er Wasser, Sauerstoff und Nahrung braucht, um zu überleben, usw., usw. All das wissen Sie weder aus unmittelbarer Erfahrung, noch weil man es Ihnen ausdrücklich gesagt hätte. Haben Sie jemals einen Raben (geschweige denn gerade diesen Raben) in ein Zimmer voll reinen Stickstoff gesteckt? Haben Sie je in einem Buch die einfache Aussage gelesen: «Alle Raben haben Knochen»? Sie wissen diese Tatsachen über Raben aufgrund von Kettenschlüssen, die Sie nach Bedarf von Fall zu Fall konstruieren.

Wissenschaft baut auf Kettenschlüssen auf. Mit Hilfe von Schlußfolgerungen dieses Typs kann jedermann aus den wenigen allgemeinen Sätzen, an die er sich erinnert, eine große Menge an Informationen produzieren. Der Rückgriff auf den Sorites erlaubt sparsames Experimentieren. Vermutlich hat noch nie jemand experimentell die Frage überprüft, ob Raben Sauerstoff brauchen. Es ist aber experimentell nachgewiesen, daß mehrere Tierarten Sauerstoff brauchen, und wenn es Anlaß zu der Annahme gäbe, Raben seien anaërobe Geschöpfe, wäre diese Möglichkeit überprüft worden. So wie die Dinge stehen, verlassen wir uns lieber auf den oben angeführten Sorites.

Wissenschaftler suchen nach Verallgemeinerungen des Typs «Alle x sind y», weil man sie gut zu schnellen Folgerungen brauchen kann. Die ganze Konzeption des kontrollierten Experiments (bei dem man Ursachen isoliert, um sie Wirkungen zuzuordnen) setzt voraus, daß die wichtigen Fakten in der Welt diesem Schema gehorchen. Daraus folgt aber nicht, *alle* Wahrheiten könnten so einfach formuliert werden. Wenn wir uns unser Stück vom Kuchen der Wahrheit abschneiden, sollten wir daran denken, daß unsere Scheibe Realität vielleicht nicht die gleiche Form hat wie das Ganze.

Komplexität

Holmes' Klage über das UND-Rätsel im vorigen Kapitel, nämlich daß eine «logische» Lösung undurchführbar ist, illustriert den entgegengesetzten Typ logischen Schließens. Hier gilt die stufenweise Ableitung des Sorites nicht.

Das UND-Rätsel ist verwandt mit einem Spezialgebiet der mathematischen Logik, das als *Komplexitätstheorie* bekannt ist. Komplexitätstheorie beschäftigt sich mit der Frage, wie schwierig Probleme im objektiven, abstrakten Sinne sind. Sie entstand aus den Erfahrungen von Computer-Programmierern, die entdeckten, daß man bestimmte Arten von Problemen sehr viel schwerer mit Hilfe von Computern lösen kann als andere.

Komplexitätstheorie wäre nicht so nützlich, wie sie es ist, wenn sie nur auf Computer anwendbar wäre. Sie gilt auch für Menschen, die Probleme lösen. Ein Mensch muß ein Problem mit Hilfe irgendeiner Methode lösen, und diese Methoden (und nicht die Hardware) sind das Thema der Komplexitätstheorie.

Es mag sinnlos erscheinen, nach einem objektiven Maßstab dafür zu suchen, wie schwierig ein Problem ist. Die meisten Probleme, die in der wirklichen Welt auftreten, sind für einige Menschen leicht zu lösen, für andere schwer. Die Lösung vieler Probleme hängt von der Fähigkeit ab, verschiedenartige geistige Verbindungslinien zwischen dem Problem und bestimmten anderen Tatsachen zu ziehen. Entweder sieht man die Zusammenhänge oder nicht.

In einem gewissen Sinne gehören Rätsel, bei denen eine spezifische Wahrnehmung von Zusammenhängen gefordert ist (wie Watsons Landvermesserdilemma) zur schwierigsten Art von Logikaufgaben, weil es nahezu unmöglich ist, geeignete Lösungswege anzugeben. In anderer Hinsicht sind sie die einfachsten. Wenn man den Zusammenhang einmal erkannt hat, ist alles ganz leicht.

Komplexitätstheorie befaßt sich hauptsächlich mit Problemen, die selbst dann noch schwierig sind, wenn es einen methodischen Lösungsweg gibt. Es gibt Probleme von so hohem inhärentem Schwierigkeitsgrad, daß weder der menschliche Geist noch die Computer einer erträumten fernen Zukunft zu ihrer Lösung hinreichen; und dennoch sind es lösbare Probleme, keine Paradoxe oder Fangfragen ohne Lösung.

Ein Zentralbegriff der Komplexitätstheorie ist derjenige des *Algorithmus*. Ein Algorithmus ist eine exakte «mechanische» Vorgehensweise, um etwas zu bewerkstelligen. Es handelt sich um einen Satz von Anweisungen, der so vollständig ist, daß keinerlei Einsicht, Intuition oder Phantasie erforderlich wird. Jedes Computerprogramm ist ein Algorithmus, und Algorithmen sind auch das Rezept für eine Gemüsesuppe, die Bauanweisung für ein Fahrrad und die Spielregeln der meisten einfachen Spiele. Auch die Rechenregeln, die man in der Grundschule lernt, sind ein Algorithmus. Sie können sich darauf verlassen, daß die Regeln immer zum richtigen Ergebnis führen werden, wenn Sie zwei Zahlen addieren, egal wie groß die Zahlen sind. Wenn Sie ein falsches Ergebnis bekommen, wissen Sie, daß Sie die Rechenregeln falsch angewandt haben. Niemand zieht den Algorithmus selbst in Zweifel.

Ein Algorithmus muß genau sein. «Wenn du dich im Wald verirrst, verlier die Nerven nicht, verlaß dich auf deinen gesunden Menschenverstand und laß es drauf ankommen», ist ein Ratschlag, aber kein Algorithmus. Die Pfadfinderregel

– Wenn du dich im Wald verirrt hast, geh bergab, bis du an einen Fluß kommst. Dann geh flußabwärts, und du wirst schließlich zu einer Stadt kommen –

ist ein Algorithmus.

Es ist nicht leicht, wirksame Algorithmen zu finden. Unvorhergesehene Umstände können immer eintreten. Es ist nicht schwer, sich Fälle auszudenken, in denen der Pfadfinder-Algorithmus versagen würde. Sie könnten sich in einem Wüstenbecken befinden, wo der Weg bergab zu einem ausgetrockneten See und nicht an einen Fluß führt. In einigen abgelegenen Weltgegenden gibt es Flüsse, die in einen See oder ins Meer münden, ohne je an einer menschlichen Ansiedlung vorbeizukommen. Und was schlimmer ist, die Anweisungen sagen nichts darüber aus, was man tun soll, wenn man sich auf so ebenem Gelände befindet, daß es kein offensichtliches Bergab gibt. Ein idealer Algorithmus müßte unter allen denkbaren Bedingungen funktionieren.

Wir benützen nicht immer Algorithmen. Es gibt Köche, die sich an Rezepte halten, und es gibt Köche, die so frei improvisieren, daß sie behaupten, sie könnten nicht beschreiben, wie sie das Gericht gekocht haben. Keine von beiden Methoden ist falsch oder richtig. Aber nur der algorithmische Zugang ist analysierbar.

Lügner und Wahrheitssprecher

Logikaufgaben sind ein Mikrokosmos der deduktiven Ableitung, die wir brauchen, um die Welt zu verstehen. Sehen wir uns an, wie man eine Logikaufgabe methodisch lösen kann. Eine der ältesten Denksportaufgaben kreist um eine abgelegene Insel, von deren Einwohnern einige immer die Wahrheit sagen und einige immer lügen. Angehörige des Stammes der Wahrheitssprecher sagen immer die Wahrheit. Die Lügner lügen immer. Sie müssen beachten, daß die Lügner nicht raffiniert sind: Sie versuchen nicht, ihre Lügen zu verheimlichen, indem sie manchmal die Wahrheit sagen. Jede einzelne ihrer Aussagen ist das genaue Gegenteil der Wahrheit. Keine Stammeskostüme oder sonstigen äußeren Anzeichen gestatten es dem Außenseiter festzustellen, zu welchem Stamm ein Eingeborener gehört. Die wohl am häufigsten wiederholte Aufgabe über Lügner und Wahrheitssprecher wurde von Nelson Goodman, dem Autor des Graun-Blün-Paradoxes, erfunden und (ohne Autorenangabe) 1931 in der Rätselecke der *Boston Post* veröffentlicht. (In Deutschland wurden diese Rätsel von «Zweistein» populär gemacht.) Leicht modifiziert lautet sie folgendermaßen:

Auf der Insel der Lügner und der Wahrheitssprecher treffen Sie drei Personen namens Alice, Ben und Charlie.

Sie fragen Alice, ob sie eine Lügnerin oder eine Wahrheitssprecherin ist. Sie antwortet in einer Eingeborenensprache, die Sie nicht verstehen.

Dann fragen Sie Ben, was Alice gesagt hat. Ben, der Deutsch kann, sagt: «Sie hat gesagt, sie sei eine Lügnerin.» Dann fragen Sie Ben nach Charlie. «Charlie ist auch ein Lügner», behauptet Ben.

Schließlich mischt sich Charlie ein und sagt: «Alice ist eine Wahrheitssprecherin.»

Können Sie herausbekommen, zu welchen Stämmen die drei gehören?

Wer lügt?

Wie beim Syllogismus geht die zugrundeliegende Logik einer Geschichte von Lügnern und Wahrheitssprechern über das inhaltliche Thema hinaus. Hätte die Geschichte damit angefangen, daß der Held mit dem Fallschirm aus dem Flugzeug springt und auf der Insel landet, hätte das keinen Unterschied gemacht. Trüge das Trio andere Namen, machte auch das keinen Unterschied, außer, daß diese Namen in der Lösung auftauchten. Das Grundproblem ist eine Folge logischer Zusammenhänge, und nur die sind es, die wirklich zählen.

Sie haben nur ein Interesse: Sie wollen herausfinden, zu welchen Stämmen die Eingeborenen gehören. Wenn wir Rechenaufgaben lösen, schreiben wir oft Formeln hin wie $x = 12 + 5y$. Hier sind x und y Variable, unbekannte Größen mit einem beliebigen Wertespielraum. Die Lösung der Aufgabe besteht darin zu unterscheiden, welche spezifischen Werte *x* und *y* haben müssen. Eine Logikaufgabe kann genauso behandelt werden. In der Aufgabe gibt es drei Unbekannte: ob Alice eine Wahrheitssprecherin ist, ob Ben ein Wahrheitssprecher ist, und ob Charlie ein Wahrheitssprecher ist.

Natürlich kann man genausogut sagen, die Unbekannten seien, ob Alice, Ben und Charlie Lügner sind. Für die Lösung macht das keinen Unterschied, aber drücken wir es höflich aus und sagen, die Frage sei, ob sie Wahrheitssprecher sind. Dann haben wir es mit drei einfachen Aussagen zu tun, die wahr oder falsch sein können.

> Alice ist eine Wahrheitssprecherin.
> Ben ist ein Wahrheitssprecher.
> Charlie ist ein Wahrheitssprecher.

Das sind die einfachsten möglichen Fundamentalaussagen über die Situation. Es sind Atome der Situationslogik; es gibt keine einfacheren Aussagen. Da die Sätze nichts sagen, was wir tatsächlich wissen, sondern Pseudoaussagen sind, die wahr oder falsch sein können, spielen sie hier eine ähnliche Rolle wie Variable in der Algebra. Die «Werte», die diese Sätze annehmen können, sind natürlich *wahr* oder *falsch*. In der Sprache der Logiker nennt man sie nach dem britischen Logiker George Boole (1815–1864) *Boolesche Variable*.

Die erste Frage der Aufgabe richtet sich an Alice. Da ihre Antwort für uns unverständlich ist, können wir nichts daraus folgern.

Die erste echte Information gibt uns Ben. Er sagt, Alice habe gesagt, sie sei eine Lügnerin. Vermutlich ist Ihnen aufgefallen, daß Sie das nicht ohne weiteres ernst nehmen dürfen. Ben könnte über das lügen, was Alice gesagt hat, und Alice könnte über sich selbst gelogen haben. Bens Aussage ist nur unter der Voraussetzung bestimmter Stammeszugehörigkeiten möglich, unter der Voraussetzung gewisser Annahmen darüber, wer ein Lügner und wer ein Wahrheitssprecher ist.

Denken wir nach. Alice und Ben können nicht *beide* Wahrheitssprecher sein. Wenn sie das wären, hätte Alice ehrlicherweise gesagt, daß sie eine Wahrheitssprecherin ist, und Ben hätte ihre Aussage ehrlich und richtig übersetzt. Da Ben gesagt hat, Alice habe gesagt, sie sei eine Lügnerin, wissen wir, daß sie nicht beide Wahrheitssprecher sind.

Können sowohl Alice als auch Ben Lügner sein? Ja. Alice hätte auf die Frage, ob sie eine Lügnerin sei, geantwortet, sie sei *keine* Lügnerin. Dann hätte der Lügner Ben ihre Falschaussage verneint und eine doppelte Verneinung geschaffen. Ben würde sagen, Alice habe gesagt, sie *sei* eine Lügnerin. Das ist genau das, was er gesagt hat.

In der Tat sagt niemals jemand: «Ich bin ein Lügner.» Ein Wahrheitssprecher würde keine derartige Lüge erzählen, und ein Lügner würde diese Wahrheit nicht verraten. Wenn er direkt gefragt wird, sagt jeder, er sei ein Wahrheitssprecher. (Das ist wie im wirklichen Leben.)

Bens Behauptung, Alice habe gesagt, sie sei eine Lügnerin, verrät ihn. Unabhängig davon, zu welchem Stamm Alice gehört, muß sie gesagt haben, sie sei eine Wahrheitssprecherin. Da Ben das Gegenteil gesagt hat, ist er ein Lügner.

(Was wäre, wenn Alice die Frage nicht verstanden hätte? Dann hätte sie wahrscheinlich gesagt: «Ich kann kein Deutsch», oder – falls sie eine Lügnerin ist! – «Ich kann Deutsch». Ben hätte eine dieser Antworten wiedergegeben; sofern er ein Lügner ist, die falsche. Weil der Stamm der Lügner so phantasielos ist, können wir aus Bens tatsächlicher Antwort erkennen, daß Alice die Frage verstanden und mit einer Aussage über ihre Stammeszugehörigkeit beantwortet haben muß.)

Da Ben ein Lügner ist, muß auch seine zweite Aussage («Charlie ist ein Lügner») falsch sein. Charlie ist ein Wahrheitssprecher.

Es bleibt Charlies Aussage. Er hat gesagt, Alice sei eine Wahrheitssprecherin. Wir wissen schon, daß Charlie ein

Wahrheitssprecher ist, also muß das zutreffen. Die Lösung lautet: Alice ist eine Wahrheitssprecherin, Ben ist ein Lügner, und Charlie ist ein Wahrheitssprecher.

Hat diese Lösung eine Methode? Im Prinzip ja. Die Einsicht, daß niemand sagt, er sei ein Lügner, hat geholfen. Daraus ergab sich, daß Ben ein Lügner ist, und dann wurde alles klar.

Aber diese Methode, wenn es denn eine ist, läßt sich nicht auf alle Lügner-und-Wahrheitssprecher-Probleme anwenden. Nehmen wir zum Beispiel eine einfache, aber neue Aufgabe von Raymond Smullyan: Eine Person unbekannter Stammeszugehörigkeit sagt: «Ich bin ein Lügner, oder $2 + 2 = 5$.» Zu welchem Stamm gehört sie?

Zunächst einmal behauptet der Sprecher nicht, er sei ein Lügner. Er verbindet zwei Aussagen mit «oder», und das bedeutet, daß mindestens eine der beiden Aussagen wahr sein muß – falls der Sprecher wirklich die Wahrheit sagt.

Zwei Annahmen über den Sprecher sind möglich: daß er ein Wahrheitssprecher ist oder daß er ein Lügner ist. Wenn er ein Wahrheitssprecher ist, ist das, was er sagt, wahr. Dann können wir uns auf die Aussage verlassen, daß der Sprecher ein Lügner oder $2 + 2 = 5$ ist.

Das kann auf keinen Fall stimmen. Mindestens eine der beiden durch «oder» verbundenen Aussagen muß wahr sein, wenn die zusammengesetzte Aussage wahr sein soll. $2 + 2 = 5$ kann auf keinen Fall wahr sein, also müßte die Aussage, daß der Sprecher ein Lügner ist, wahr sein. Das widerspricht der Annahme, daß der Sprecher die Wahrheit sagt.

Gut, probieren wir es mit der anderen Annahme. Nehmen wir an, der Sprecher sei ein Lügner. Dann ist es *nicht* der Fall, daß der Sprecher ein Lügner oder $2 + 2 = 5$ ist. Damit eine *Oder*-Aussage falsch wird, müssen beide Teilaussagen falsch sein. Wäre nur eine wahr, wäre die *Oder*-Aussage wahr. Deshalb bedeutet «‹A oder B› ist falsch» dasselbe wie «*Sowohl* A *als auch* B sind falsch». Wenn der Sprecher ein Lügner ist, müssen beide Aussagen falsch sein: «Der Sprecher ist ein Lügner» und «2 + 2 = 5». Wieder stoßen wir auf einen Widerspruch. Wenn der Sprecher ein Wahrheitssprecher ist, muß er ein Lügner sein, und wenn er ein Lügner ist, muß er ein Wahrheitssprecher sein.

In Wirklichkeit ist Smullyans Rätsel eine geschickt kaschierte Version des Lügnerparadoxons. Die «Lösung» ist, daß es keine Lösung gibt. (Oder in den Worten Smullyans: Der einzig mögliche Schluß ist, daß der Autor des Rätsels kein Wahrheitssprecher ist.)

Es gibt eine Methode, die für jede Lügner-und-Wahrheitssprecher-Aufgabe funktioniert, selbst für die unlösbaren wie Smullyans Rätsel. Für jeden der erwähnten Eingeborenen gibt es zwei mögliche Stämme: Wahrheitssprecher oder Lügner. Nennen wir jede Annahme über die Stammeszugehörigkeit aller Eingeborenen (etwa: «Alice ist eine Lügnerin, Ben ist ein Lügner, und Charlie ist ein Wahrheitssprecher») eine «vollständige Hypothese». Für jede Aufgabe gibt es eine feste Zahl von vollständigen Hypothesen über die Eingeborenen (in Goodmans Problem sind es 2 × 2 × 2 = 8). Sie brauchen nichts weiter zu tun, als alle Hypothesen aufzuzählen und auszuprobieren, welche davon die Formulierung des Rätsels zuläßt.

In jedem Fall suchen Sie einen Widerspruch, eine *reductio ad absurdum*. In Goodmans Problem beispielsweise würde die Annahme, daß alle drei die Wahrheit sagen, zu dem Schluß führen, daß Ben etwas anderes sagen würde, als er gesagt hat. Das ist falsch, also können Sie diese Hypothese von Ihrer Liste streichen. Nachdem Sie alle acht Hypothesen ausprobiert haben, stellen Sie fest, daß nur eine nicht zu einem Widerspruch führt: Wahrheitssprecher/Lügner/Wahrheitssprecher für Alice/Ben/Charlie. Die Aufgabe ist durch Eliminierung lösbar.

«Wie oft habe ich Ihnen schon gesagt, daß, wenn Sie das Unmögliche ausgeschlossen haben, das, was übrigbleibt, so unwahrscheinlich es auch scheinen mag, die Wahrheit sein muß?» fragt Sherlock Holmes in *Das Zeichen der Vier*. Der

Prozeß der Eliminierung löst Probleme von mancherlei Art. Aber er ist nicht immer praktisch.

Der Kummer ist, daß der Eliminierungsprozeß zeitraubend ist. Er ist zeitraubend, weil die Zahl der möglichen Hypothesen oft überwältigend ist.

Eine Boolesche Variable kann nur die Werte «wahr» oder «falsch» annehmen. Das sind zwei Möglichkeiten je Unbekannte. Jede Unbekannte verdoppelt die Zahl der möglichen Hypothesen. In einer Aufgabe mit drei Booleschen Unbekannten ist die Zahl der möglichen Hypothesen 2^3 oder 8. Allgemein gibt es, wenn es *n* Unbekannte des Typs wahr-oder-falsch gibt, 2^n mögliche vollständige Hypothesen. Für eine Insel mit ein paar Dutzend Lügnern und Wahrheitssprechern würde die Zahl der Hypothesen in die Millionen gehen.

ERFÜLLBARKEIT

Wir kommen nun zum Kernpunkt des deduktiven Denkens. Die anekdotische Struktur logischer Probleme – der «Inhalt» der Erzählung – ist für ihre Lösung irrelevant. Abstrahieren Sie von der Schaufensterauslage, und was bleibt dahinter übrig?

Es geht um ERFÜLLBARKEIT. Vom Standpunkt der Komplexitätstheorie aus ist das der grundlegende, nicht weiter reduzierbare Kernbestand der Logik. ERFÜLLBARKEIT ist das Knochengerüst unter der Oberfläche jedes Problems der Deduktion.

Wir sehen ein, daß die Aufgabe, 273 Äpfel zu 459 Äpfeln zu addieren, in ihrem Kern die gleiche Aufgabe ist wie die, 273 Apfelsinen zu 459 Apfelsinen oder 273 Tennisschläger zu 459 Tennisschlägern zu addieren. Die Einsicht, daß alle diese Aufgaben im Grunde die gleiche Aufgabe sind, ist die Grundlage der Arithmetik.

Komplexitätstheorie geht von der Erkenntnis aus, daß viele andere komplexe Aufgaben in Wirklichkeit die gleiche Aufgabe sind. Die Arithmetik entstand aus den Buchhaltungsproblemen der Antike. Irgendwann einmal erkannte man, daß die Addition und Subtraktion von soundso viel Scheffel Weizen sich in nichts von der Addition und Subtraktion von Maultieren oder Goldmünzen unterschied. Die Komplexitätstheorie geht von den Problemen aus, denen sich Computerprogrammierer in den 60ern und 70ern ausgesetzt sahen. Die Programmierer entdeckten, daß viele scheinbar verschiedenartige Probleme einander äquivalent waren.

Konventionell werden Probleme der ERFÜLLBARKEIT als Ja-oder-Nein-Fragen formuliert: Wenn ein Satz von Prämissen gegeben ist, sind sie miteinander vereinbar? Oder: Beschreiben sie eine mögliche Welt? Oder: Enthalten sie ein nicht auflösbares Paradox?

Ein vollständiges ERFÜLLBARKEITsproblem umfaßt einen Satz von Booleschen Variablen – Grundaussagen, deren Wahrheit oder Falschheit zunächst unbekannt ist – und einen Satz logischer Aussagen über die Booleschen Variablen. Diese Aussagen können die standardisierten logischen Beziehungen wie «oder» ,«und», «nicht» und «wenn... dann» benützen.

Oft beschreibt jede Aussage eine einzige zweifelhafte Beobachtung. Nehmen wir Goodmans Rätsel über Lügner und Wahrheitssprecher. Symbolisieren wir die drei Booleschen Variablen durch die Namen der Personen. Dann lautet die Aufgabe im wesentlichen:

> Boolesche Variable: Alice (i. e. Alice ist eine Wahrheitssprecherin)
> Ben (i. e. Ben ist ein Wahrheitssprecher)
> Charlie (i. e. Charlie ist ein Wahrheitssprecher)
> Aussagen: 1. *Wenn* (Ben *und* Alice) *dann nicht* Alice
> 2. *Wenn* Ben *dann nicht* Charlie
> 3. *Wenn* Charlie *dann* Alice

Die erste und schwierigste Aussage entspricht Bens Behauptung, Alice habe gesagt, sie sei eine Lügnerin. Alice ist keine Wahrheitssprecherin, falls sowohl Ben als auch Alice Wahrheitssprecher sind, man der Aussage also Glauben schenken darf.

Das Schweinekotelett-Problem

Probleme der ERFÜLLBARKEIT können in der Tat recht schwierig werden. Lewis Carroll hat umständliche logische Rätsel konstruiert, bei denen der Löser einen einzigen gültigen Schluß aus einem Dutzend oder mehr unsinniger Prämissen ziehen muß. Mehrere davon finden sich in einem unvollendeten Lehrbuch der Symbolischen Logik. Die Aufgaben sind absurde Parodien auf das naturwissenschaftliche oder mathematische Denken; zugleich sind sie erstaunlich schwer. Die schwierigsten Aufgaben übersteigen die Geduld der meisten Menschen (obwohl sie per Computer gelöst worden sind). Die schwierigste, die erst 1977 in seinem Nachlaß gefunden wurde, umfaßt 50 Prämissen.

Eine Aufgabe, die sowohl von Hand wie per Computer ausführlich analysiert worden ist, ist das berüchtigte «Schweinekotelett-Problem». Die Aufgabe ist es, die «vollständige Konklusion» abzuleiten, eine Hypothese, die mit allen anderen Aussagen vereinbar ist und von ihnen allen gemeinsam verlangt wird.

DAS SCHWEINEKOTELETT-PROBLEM

(1) Ein Logiker, der Schweinekoteletts zum Abendessen ißt, wird wahrscheinlich Geld verlieren.
(2) Ein Spieler, der keinen Wolfshunger hat, wird wahrscheinlich Geld verlieren.

(3) Ein Mann, der deprimiert ist, weil er Geld verloren hat und wahrscheinlich noch mehr verlieren wird, steht immer um 5 Uhr früh auf.

(4) Ein Mann, der weder spielt noch Schweinekoteletts zum Abendessen ißt, hat mit Sicherheit einen Wolfshunger.

(5) Ein lebhafter Mann, der vor 4 Uhr früh ins Bett geht, sollte besser Taxifahrer werden.

(6) Ein Mann mit Wolfshunger, der kein Geld verloren hat und nicht um 5 Uhr früh aufsteht, ißt immer Schweinekoteletts zum Abendessen.

(7) Ein Logiker, der Gefahr läuft, Geld zu verlieren, sollte besser Taxifahrer werden.

(8) Ein ernsthafter Spieler, der deprimiert ist, obgleich er kein Geld verloren hat, läuft keine Gefahr, welches zu verlieren.

(9) Ein Mann, der nicht spielt und keinen Wolfshunger hat, ist immer lebhaft.

(10) Ein lebhafter Logiker, der wirklich ernsthaft ist, läuft keine Gefahr, Geld zu verlieren.

(11) Ein Mann mit Wolfshunger braucht nicht Taxifahrer zu werden, wenn er wirklich ernsthaft ist.

(12) Ein Spieler, der deprimiert ist, obgleich er keine Gefahr läuft, Geld zu verlieren, bleibt bis 4 Uhr früh auf.

(13) Ein Mann, der Geld verloren hat und keine Schweinekoteletts zum Abendessen ißt, sollte besser Taxifahrer werden, wenn er nicht um 5 Uhr früh aufsteht.

(14) Ein Spieler, der vor 4 Uhr früh ins Bett geht, braucht nicht Taxifahrer zu werden, wenn er keinen Wolfshunger hat.

(15) Ein Mann mit Wolfshunger, der deprimiert ist, obgleich er keine Gefahr läuft, Geld zu verlieren, ist ein Spieler.

Wir stellen uns Logik als etwas Natürliches vor. Man erwartet, die Antwort auf logische Fragen zu finden, ohne wirklich darüber nachzudenken, wie man sie findet. In Carrolls Aufgabe sind die Aussagen viel zu zahlreich und zu unlogisch, als daß man sie auf Anhieb überblicken könnte. Man muß auf Algorithmen wie die von Carroll beschriebenen Entscheidungsbäume und Register (oder auf Computerprogramme) zurückgreifen.

Das Schweinekotelett-Problem umfaßt 11 Boolesche Variable (ernsthaft sein; Schweinekoteletts essen; ein Spieler sein; um 5 Uhr früh aufstehen; Geld verloren haben; einen Wolfshunger haben; Gefahr laufen, Geld zu verlieren; lebhaft sein; ein Logiker sein; jemand sein, der besser Taxifahrer werden sollte; bis 4 Uhr früh aufbleiben). Für jedes beliebige Individuum existieren 2^{11} oder 2048 einzelne Hypothesen.

Bei der Suche nach einer Schlußfolgerung ähnelt es einer wissenschaftlichen Untersuchung. Es scheint sich stark von ERFÜLLBARKEIT zu unterscheiden. Daß ERFÜLLBARKEIT eine Ja-oder-Nein-Frage ist, schränkt aber ihre Verallgemeinerbarkeit nicht ein. Wie in Spielen vom Typ *Zwanzig Fragen* kann jede Information durch eine Reihe von Ja-oder-Nein-Fragen übermittelt werden. Eine Logikaufgabe, die eine beliebige Frage stellt, kann als eine oder mehrere Ja-oder-Nein-Aufgaben reformuliert werden.

Sagen wir, Sie wollen den Schluß «Ein Mann, der Schweinekoteletts ißt, ist lebhaft» überprüfen. Der erste Schritt besteht darin, die ursprünglichen 15 Prämissen als ein Problem der ERFÜLLBARKEIT aufzufassen. Sind sie miteinander vereinbar? Die Antwort sollte «ja» sein. Sonst handelt es sich nicht um eine faire Aufgabe. Dann fügen wir die vorgeschlagene Schlußfolgerung als 16. Aussage hinzu. Fragen wir, ob die erweiterte Aussagenliste immer noch vereinbar ist (ein zweites Problem der ERFÜLLBARKEIT). Wenn dem so ist, lassen die ursprünglichen Prämissen die neue Aussage zumindest zu.

Das bedeutet nicht notwendigerweise, daß es sich um einen gültigen Schluß handelt. Sie könnten «Der Mond besteht aus grünem Käse» als 16. Aussage einsetzen, und natürlich wäre dieser Satz von Aussagen erfüllbar. Da die neue Aussage nichts über Logiker, Spieler oder andere Elemente des Carrollschen Unsinns sagt, kann sie auch nicht zu einem Widerspruch führen.

Wir brauchen ein drittes Problem der ERFÜLLBARKEIT, um uns zu vergewissern, daß eine Hypothese von den ursprünglichen Prämissen *verlangt* wird. Ersetzen Sie die Hypothese durch ihre Negation, ihr logisches Gegenteil: «Nicht alle Männer, die Schweinekoteletts essen, sind lebhaft.» Überprüfen Sie, ob diese neue 16. Aussage mit dem ursprünglichen Satz vereinbar ist.

Wenn eine Hypothese *oder* ihre genaue Negation ohne Widerspruch den Prämissen hinzugefügt werden kann, ist die Hypothese offensichtlich irrelevant. Sowohl «Der Mond besteht aus grünem Käse» als auch «Der Mond besteht nicht aus grünem Käse» sind mit dem Schweinekotelett-Problem vereinbar. Also ist keines davon ein gültiger Schluß.

Wenn dagegen eine Hypothese, nicht aber ihre Negation, mit den Prämissen vereinbar ist, handelt es sich um eine gültige Schlußfolgerung. (Wenn eine Hypothese nicht mit den Prämissen vereinbar ist, ihre Negation es aber ist, dann stellt die Negation einen gültigen Schluß dar.)*

Wie alle Probleme von hohem Allgemeinheitsgrad, ist ERFÜLLBARKEIT *manchmal* einfach. Sie kann auch dann einfach sein, wenn die Anzahl der Booleschen Variablen und der Aussagen groß ist.

Man braucht nicht immer alle Möglichkeiten oder auch nur die meisten zu überprüfen. Häufig kann man viele Aussagen zu einem Sorites zusammenfassen. Wenn dies so ist, dann ist das so,

* Falls es Sie interessiert, die Lösung des Schweinekotelett-Problems lautet: «Ein ernsthafter Logiker steht immer vor 5 Uhr früh auf und bleibt bis 4 Uhr früh auf.»

und wenn das so ist, dann ist dies so... Eine derartige Ableitungskette ist sehr dazu geeignet, einer großen Zahl von Aussagen «einen Sinn zu verleihen».

Jedes Glied in einem Kettenschluß kann als *wenn... dann*-Aussage über zwei Boolesche Unbekannte ausgedrückt werden. Wenn die Aussagen eines Problems der ERFÜLLBARKEIT jeweils nur zwei Boolesche Variablen erwähnen, handelt es sich um eine einfache Aufgabe. Es gibt weitaus effektivere Methoden zur Lösung der Aufgabe als die Überprüfung aller möglichen Hypothesen, um die richtige zu finden.

Nicht alle Logikaufgaben sind so einfach. Wenn Aussagen drei oder mehr Boolesche Unbekannte miteinander verbinden, gibt es keinen allgemeinen Lösungsweg, der merklich schneller wäre als der Prozeß der Eliminierung. Carrolls Schweinekotelett-Problem ist auffällig schwierig, weil die Prämissen jeweils drei oder vier Boolesche Variable (wie Logiker, Schweinekotelettesser und Geldverlierer) miteinander verbinden.

Das Fahrstuhlproblem

Die zunehmende Schwierigkeit bei Aussagen, die drei Unbekannte betreffen, wird im «Fahrstuhlproblem» offensichtlich.

Sechs Leute sind in einem Fahrstuhl. Mindestens drei von ihnen sind miteinander bekannt, *oder* mindestens drei sind einander vollkommen fremd. Können Sie beweisen, daß das *immer* so ist?

Es ist wahr, aber es ist schwer, es «logisch» zu beweisen. Normales Nachdenken über Fremde und Bekannte führt zu nichts. Man kann aus der Tatsache, daß B und C Bekannte sind, nicht ableiten, daß A und B Bekannte sind, weil in der Problemstellung nicht von Paaren von Personen, sondern nur von Dreiergruppen die Rede ist.

Es gibt viele Versionen des Fahrstuhlproblems. Die sechs Personen können die sechs schlecht ausgewählten Gäste bei einer Einladung sein, von denen einige aufgrund früherer Streitigkeiten nicht miteinander sprechen. Wenn es keine drei Gäste gibt, die alle miteinander sprechen, beweisen sie, daß es ein Trio gibt, dessen Mitglieder überhaupt nicht miteinander sprechen. In einer schlüpfrigen Version des Problems ist die Rede davon, daß von sechs Mitgliedern einer Wohngemeinschaft mindestens drei miteinander geschlafen haben oder mindestens drei nie miteinander geschlafen haben.

Das Fahrstuhlproblem ist ein Beispiel für einen Zweig der Mathematik, den man *Graphentheorie* nennt. Die Graphentheorie tritt (häufig unerkannt) bei vielen spielerischen oder ernsthaften Aufgaben auf. Eine der bekanntesten ist das von Henry Ernest Dudeney populär gemachte «Gas, Wasser, Strom»-Problem. Die Antwort auf die ursprüngliche Fassung des Problems ist, daß es keine Antwort gibt. Man kann drei Punkte in der Ebene nicht mit drei anderen Punkten verbinden, ohne daß mindestens eine Verbindungslinie eine andere kreuzt. Als derartige Rätsel in Mode waren, machte sich niemand Gedanken darüber, daß harmlose Leser Stunden und Tage mit einem unlösbaren Rätsel verbringen könnten. Natürlich ist Sherlock Holmes' geschickte Lösung im vorigen Kapitel völlig irrelevant.

Graphentheorie hat nichts mit den Graphiken zu tun, in denen man Börsenkurse oder jährliche Niederschlagsmengen darstellen kann. Ein Graph im Sinne der Graphentheorie ist ein Netzwerk von Punkten, die durch Linien miteinander verbunden sind, so etwas Ähnliches wie die Fluglinienkarten, die man auf Flugplätzen sieht. Es spielt keine Rolle, ob die Linien gerade oder gekrümmt sind, ebensowenig wie die Lage der Punkte zueinander. Nur die topologischen Eigenschaften des Netzwerks zählen: *welche* Punkte durch Linien miteinander verbunden sind. Das alles mag wahr sein, aber es sagt nichts darüber aus, warum so etwas wichtig oder nützlich sein sollte. Im weiteren Sinne ist Graphentheorie die Untersuchung von Beziehungen oder Verbindungen zwischen Elementen.

Das Fahrstuhlproblem ist leicht in einen Graph zu übersetzen. Stellen Sie die sechs Personen durch Punkte dar (wie im Diagramm). Zwischen je zwei Punkten kann man eine Linie ziehen, die eine Beziehung darstellt. Eine schwarze Linie soll bedeuten, daß die beiden Bekannte sind, eine graue, daß sie Fremde sind. Ein Trio gemeinsamer Bekannter erscheint als schwarzes Dreieck, ein Trio von Fremden als graues Dreieck. Kann man alle Punkte so durch Linien miteinander verbinden, daß keine ganz schwarzen oder ganz grauen Dreiecke auftreten?

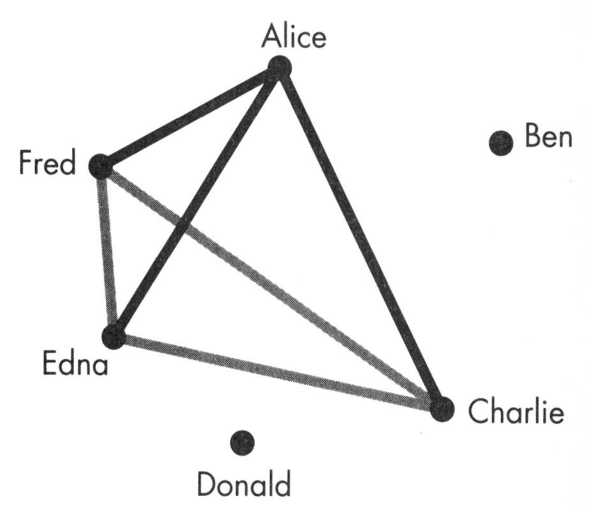

Der Beweis ist leicht verständlich. Fangen wir bei Alice an. Wir werden von Alice aus fünf Linien zeichnen, die darstellen, ob sie die anderen fünf Personen im Fahrstuhl kennt oder nicht kennt. Egal, was wir tun, mindestens drei Linien müssen dieselbe Farbe haben. Das folgt daraus, daß es fünf Linien und nur zwei Farben gibt. Die gleichmäßigste Verteilung besteht aus drei Linien in einer Farbe und zweien in der anderen. Sonst haben wir es mit vier oder sogar fünf Linien der gleichen Farbe zu tun.

Wir wissen nicht, ob Alice mindestens drei Personen kennen

(schwarze Linien) oder nicht kennen (graue Linien) wird. Nehmen wir den ersten Fall. Sagen wir, drei schwarze Linien verbinden Alice mit Charlie, Edna und Fred. Welche Farbe geben wir den Linien, die dieses Trio miteinander verbinden?

Wenn irgendeine dieser drei Linien schwarz ist, entsteht ein schwarzes Dreieck: eine Gruppe von drei Personen, die miteinander bekannt sind. Die einzige Art, ein schwarzes Dreieck zu vermeiden, besteht darin, die Linien zwischen Charlie, Edna und Fred grau zu färben. Das läßt ein graues Dreieck entstehen, und das bedeutet natürlich eine Gruppe von drei Personen, die Fremde sind. Auf jeden Fall ist ein Trio von Bekannten oder Fremden unvermeidbar.

Wenn dagegen Alice drei oder mehr von den anderen *nicht* kennt, folgt aus einer gleichartigen Überlegung der gleiche Schluß. Es muß ein Dreieck mit drei schwarzen Seiten oder ein Dreieck mit drei grauen Seiten geben.

Dies ist nicht der einzige Fall, in dem ein logisches Problem einem geometrischen äquivalent ist. Die Komplexitätstheorie erkennt die Tatsache an, daß viele verschiedene Problemtypen verfahrensmäßig gleich sind.

Wissenschaft und Rätsel

Es gibt viele Metaphern für den Prozeß der Wissenschaft: ein Rätsel, ein Kryptogramm, ein Puzzle. Bestätigung gleicht häufig mehr der Lösung einer Logikaufgabe als den Modellen der Induktion, über die wir in den vorangehenden Kapiteln gesprochen haben. Eine einfache Verallgemeinerung wird durch jede relevante Beobachtung bestätigt oder widerlegt. Die meisten wissenschaftlichen Theorien sind weitaus komplexer und müssen im Lichte einer größeren Zahl von Beobachtungen bewertet werden. Manchmal kann man von einer gegebenen Beobachtung, wird sie isoliert betrachtet, nicht einmal sagen, ob sie bestätigt oder widerlegt.

Nehmen Sie die Hypothese, die Erde sei eine Kugel. Die Bestätigung hatte nichts mit der Sammlung einer großen Anzahl von Beobachtungen der kugelförmigen Erde (durch Astronauten?) und dem Fehlen von Gegenbeispielen zu tun. Daß die Erde eine Kugel ist, wurde vielmehr akzeptiert, weil diese Annahme Erfahrungen miteinander verband und ihnen einen Sinn verlieh, die vorher sinnlos erschienen waren. Dem Mittelalter wären wohl kaum andere Trivialbeobachtungen so zusammenhanglos erschienen wie die folgenden: die Mitternachtssonne im hohen Norden; der runde Kernschatten der Mondfinsternis; die Art, wie Schiffe in den Wellen zu versinken scheinen, wenn sie den Hafen verlassen. Jetzt werden sie alle als logische Konsequenzen der Tatsache betrachtet, daß die Erde eine Kugel ist. Weil die Erdkugeltheorie so viele nicht miteinander verbundene Beobachtungen erklärt, ist sie so überzeugend. Nur durch einen unvorstellbaren Zufall könnten alle diese Beobachtungen so glatt mit der Vorstellung von einer kugelförmigen Erde aufgehen, wenn die Erde nicht wirklich eine Kugel wäre.

In dieser subtileren Art der Bestätigung verbinden sich Deduktion und Induktion. Eine Hypothese hat logische Folgen, die erst frühere Beobachtungen erklären und dann neue Voraussagen ermöglichen müssen. Richtige Voraussagen bestätigen die Hypothese. Das Zusammenspiel von Induktion und Deduktion ist die Quelle weitaus verblüffenderer Paradoxe als derer, von denen wir bisher gesprochen haben.

6. GLAUBEN

Die unerwartete Hinrichtung

Ein Gefangener wird dem Richter vorgeführt, um sein Urteil zu empfangen. «Ich darf keine grausame oder ungewöhnliche Strafe verhängen», leitet der Richter in bedrohlichem Tonfall die Urteilsverkündung ein. «Die härteste Strafe, die ich verhängen darf, ist, daß der Schuldige am Halse aufgehängt werde, bis der Tod eintritt. Also kommt es auf den Galgen heraus. Darüber hinaus bin ich nur noch frei darin, das Hinrichtungsdatum zu bestimmen; und hier schwanke ich.

Ich neige zunächst einmal dazu, die sofortige Hinrichtung anzuordnen und die Angelegenheit vom Tisch zu schaffen. Andererseits könnte das auch unverdiente Milde bedeuten. Der Verbrecher hätte dann keine Zeit, über das Schicksal nachzudenken, das ihm bevorsteht. Deshalb habe ich mich zu einem Kompromiß entschlossen: Ich verurteile ihn zum Tode durch Erhängen bei Sonnenaufgang innerhalb der kommenden Woche. Außerdem ordne ich an, daß der Henker Sorge dafür zu tragen hat, daß der Verurteilte auf keinen Fall erfahren kann, welches der Tag sein wird. Jeden Abend vor dem Einschlafen wird er darüber nachdenken, ob ihn morgen früh der Galgen erwartet; und wenn er seinen letzten Gang antritt, wird er gänzlich unvorbereitet sein.»

Der Gefangene erschrak, als er sah, wie sein Anwalt bei der Verkündung dieses unglaublich grausamen Urteils lächelte. Als sie den Gerichtssaal verließen, sagte der Anwalt: «Sie können dich nicht hängen.» Er erklärte: «Du sollst bei Sonnenaufgang eines der sieben Tage der kommenden Woche gehängt werden. Also können sie dich nicht am Samstag hängen, denn das ist der letzte Tag der Woche, und wenn du Freitag früh noch am Leben bist, kannst du mit völliger Sicherheit wissen, daß Samstag der Tag der Hinrichtung ist. Das würde die Absicht des Richters vereiteln, dich nicht wissen zu lassen, welches der Tag ist.»

Der Gefangene stimmte der Argumentation zu. Der Anwalt fuhr fort: «Also ist der letzte Tag, an dem sie dich hängen können, der Freitag. So weit, so gut. Aber in Wirklichkeit können sie dich auch nicht am Freitag hängen. Wenn nämlich der Samstag tatsächlich nicht in Frage kommt, ist der Freitag der letzte Tag, an dem sie dich hängen können. Wenn du Donnerstag bis zum Frühstück durchhältst, weißt du mit Sicherheit, daß du Freitag sterben wirst. Und das widerspricht dem Urteil des Richters. Verstehst du? Mit der gleichen Logik werden Donnerstag, Mittwoch, Dienstag und jeder andere Tag der Woche unmöglich. Der Richter war eine Nummer zu clever. Er hat ein Urteil gefällt, das nicht vollstreckbar ist.»

Die Freude des Gefangenen hielt bis Dienstag früh an. Dann wurde er aus tiefem Schlaf geweckt und völlig überraschend zum Galgen geführt.

Unangekündigte Tests und versteckte Eier

Das Paradox der «unerwarteten Hinrichtung» arbeitet mit einem doppelten Überraschungseffekt. Man glaubt, das Paradoxe an der Geschichte sei, daß ein scheinbar plausibles Urteil nicht vollstreckt werden kann – und dann wird es doch vollstreckt. Der Philosoph Michael Scriven hat dazu geschrieben: «Was das Paradox für mich faszinierend macht, ist der Beigeschmack von Logik, die von der Welt widerlegt wird. Der Logiker vollführt mit dem Mut der Verzweiflung die Rituale, die bisher noch immer wirksam waren, aber an irgendeinem Punkt hat das Monstrum Realität nicht mehr mitgespielt und ist einfach seinen gewohnten Gang gegangen.»

Das Paradox zeichnet sich auch dadurch aus, daß es eine Vorlage in der Wirklichkeit besitzt. Es geht auf eine Ankündigung des schwedischen Rundfunks während des Zweiten Weltkrieges (1943 oder 1944) zurück:

> Diese Woche findet eine Luftschutzübung statt. Um zu garantieren, daß die Einsatzkommandos hinreichend vorbereitet sind, wird niemand im voraus erfahren, an welchem Tag die Übung stattfindet.

Die inhärente Widersprüchlichkeit fiel dem schwedischen Mathematiker Lennart Ekbom auf, der in einer Vorlesung im Ostermalms Kolleg darauf hinwies. Von da aus hat die Anekdote ihren Lauf um die Welt angetreten und dabei mancherlei Wandlungen durchlaufen. In einer Version ist von einer «Totalverdunklung» die Rede, in einer anderen von einer «überraschenden Reserveübung im Lauf der nächsten Woche», in wieder einer anderen von der Schulklasse, die auf den «nicht angekündigten Test» wartet, den ein Lehrer schreiben lassen will.

Es ist ein Paradox, das in mancherlei Situationen anklingen kann, in denen die handelnde Person nur über unvollkommenes Wissen verfügt. E. V. Milner hat die Ansätze zu einer analogen Situation in der neutestamentlichen Parabel vom reichen Mann und Lazarus entdeckt. Der reiche Mann fährt zur Hölle, und der arme Lazarus, der sein ganzes Leben lang nur Leid erfahren hat, kommt in den Himmel. Der Reiche bittet Erzvater Abraham um Gnade, nur um zu erfahren, daß alles Unrecht, das man im Leben erfährt, im Himmel genau ausgeglichen wird. Wer in diesem Leben glücklich war, muß in jenem leiden. Milners Paradox vom reichen Mann und Lazarus geht von dieser eher seltsamen Vorstellung jenseitiger Gerechtigkeit aus.

> ...nehmen wir einmal als wirklich an, man könne die Lebenden, seien sie nun reich, seien sie Bettler, davon überzeugen, daß ihnen in einem zukünftigen Leben «Gerechtigkeit zuteil werden» wird. Dann nämlich, scheint mir, ergäbe sich ein interessantes Paradox. Denn wenn ich *wüßte*, daß der Lohn des Unglücks, das ich in dieser Welt erleide, Belohnung in einem kommenden Leben wäre, dann wäre ich in *dieser* Welt glücklich. Wenn ich aber in dieser Welt glücklich bin, habe ich mich sozusagen für das Glück der kommenden Welt disqualifiziert. Erwartet mich also eine Belohnung dieser Art, so scheint bereits ihre Existenz zu implizieren, daß ich mindestens nicht absolut von ihrer Existenz überzeugt sein darf. Knapp formuliert bedeutet das: Die Aussage «Dir wird Gerechtigkeit zuteil werden» kann nur für den wahr werden, der sie für falsch hält. Denn dem, der sie für wahr hält, wird bereits jetzt Gerechtigkeit zuteil.

Eine der, allerdings unbedeutenden, Schwächen des Gefangenenparadoxons liegt in der Möglichkeit, daß der Gefangene gar nicht gehängt wird. Für die logischen Schlüsse des Gefangenen ist die Unausweichlichkeit der Hinrichtung eine notwendige Voraussetzung. Um diese Schwäche auszuschalten, hat Michael Scriven es in einem Aufsatz in der britischen Zeitschrift *Mind* als ein Experiment mit einem Ei neu formuliert: Vor Ihnen stehen zehn mit den Zahlen 1 bis 10 beschriftete Schachteln in einer Reihe. Hinter Ihrem Rücken versteckt Ihre Freundin ein Ei in einer der Schachteln. Es besteht kein Zweifel daran, daß das Ei irgendwo ist. Sie sagt: «Öffne die Schachteln der Reihe nach. Ich garantiere dir, daß du ein unerwartetes Ei finden wirst.» Sie kann das Ei natürlich nicht in der Schachtel Nr. 10 verstecken, denn dann wüßten Sie, sobald Sie Schachtel Nr. 9 geöffnet haben, wo das Ei ist. Schlußfolgerung und Gegenschluß folgen in logischer Folge aufeinander, und am Ende sind Sie überrascht, wenn Sie das Ei etwa in der Schachtel Nr. 6 finden.

Hollis' Paradox

Der Reichweite der logischen Kette sind im Gefangenenparadox keine Grenzen gesetzt. Sehen Sie sich als Beispiel einer neueren Variante das (von Martin Hollis formulierte) «Hollis-Paradox» an.

Von zwei Personen in einem Zugabteil, A und B, denkt sich jeder eine Zahl und flüstert sie dem Mitreisenden C ins Ohr. C steht auf und erklärt: «Hier steige ich aus. Jeder von Ihnen beiden hat an eine andere positive ganze Zahl gedacht. Keiner von Ihnen beiden kann herausbekommen, wessen Zahl die größere ist.» Dann steigt C aus.

A und B reisen schweigend weiter. A, dessen Zahl 157 war, denkt: «Offensichtlich hat B nicht 1 gewählt. Hätte er das getan, wüßte er alleine aus Cs Aussage, daß wir verschiedene Zahlen gewählt haben, daß meine Zahl größer ist. Ebenso offensichtlich weiß B, daß ich nicht die 1 gewählt habe. Ja, 1 kommt für keinen von uns beiden in Frage. Die kleinste auch nur denkbare Zahl ist 2. Aber wenn B die 2 gewählt hätte, wüßte er auch, daß ich diese Zahl auch nicht gewählt habe. Also kommt 2 nicht in Frage...»

Wenn As Reise weit genug geht, kann er jede beliebige Zahl ausschließen.

Ein Miniparadox

Im Zweifelsfalle sollte man vereinfachen. Die sieben Tage oder zehn Schachteln (oder Ganzzahlen der Mächtigkeit Aleph-Null!) sind überflüssiges Reisegepäck. Das Paradox würde mit sechs Tagen bzw. Schachteln «funktionieren», ebenso wie mit fünf oder mit vier. Wie weit kann man es «abspecken»? Auf zwei Tage? Auf einen Tag?

Versuchen wir es mit einem Tag. Der Richter verurteilt den Gefangenen zur Hinrichtung am Samstag. (Der Gefangene hört das natürlich.) Außerdem soll der Gefangene den Tag nicht im voraus wissen. Natürlich weiß er ihn. Die einzige Art, auf die der Henker ihn überraschen könnte, wäre, ihn gar nicht zu hängen. Das ist aber von vorneherein ausgeschlossen. Also gibt es keine Überraschung und kein Paradox. Der Richter hat etwas Unmögliches verlangt. Wenn er sagt: «Du wirst am Samstag sterben, und es wird dich überraschen», ist das, als habe er gesagt: «Du wirst am Samstag sterben, und 2 + 2 = 5.» Der zweite Teil des Satzes ist falsch, und sonst ist nichts geschehen.

Stutzen wir das Paradox etwas vorsichtiger zurück. Gehen wir von zwei Tagen aus. Der Richter verurteilt den Gefangenen zur Hinrichtung am kommenden Wochenende, aber der Gefangene soll nicht in der Lage sein herauszubekommen, ob er am Samstag oder am Sonntag sterben wird. Besteht das Paradox weiterhin?

Es gilt wieder als ausgemacht, daß der Gefangene auf alle Fälle an einem der beiden Tage hingerichtet wird. Die Sonne geht am Samstag auf, und es findet keine Hinrichtung statt. Dann weiß der Gefangene samstags beim Frühstück mit Sicherheit, daß er Sonntag gehängt wird.

Das aber bedeutet, daß die Hinrichtung nicht wie vorgeschrieben durchgeführt wird: Es fehlt der Überraschungseffekt. Folgerung: Das Urteil kann nicht vollstreckt werden, indem der Gefangene am Sonntag hingerichtet wird.

Kann die Überraschungsbedingung am Samstag erfüllt werden? Nun, das kommt darauf an, ob der Gefangene eine Hinrichtung am Samstag erwartet. Es gibt zwei Möglichkeiten. Entweder erwartet der Gefangene den Henker am Samstag, oder er erwartet ihn nicht.

Der Gefangene könnte sich sagen: «Also, mit mir ist es auf alle Fälle aus», und sich sonst nichts mehr überlegen. Vielleicht hat er gar keine Meinung darüber, welches der Tag sein wird. In diesem Fall braucht ihn der Henker nur am Samstag zu hängen, wenn er die Anordnungen des Richters befolgen will.

(Sonntag geht immer noch nicht. Selbst ein völlig apathischer Gefangener wird einsehen, daß er am Sonntag sterben muß, wenn er am Samstag nicht gehängt wird.)

Der Haken bei diesem Paradox liegt in der alternativen Möglichkeit verborgen, daß der Gefangene sein Schicksal analysiert und den Henker am Samstag erwartet. Dann kann der Henker die Überraschungsbedingungen nicht erfüllen.

Vergessen Sie für einen Augenblick, daß es sich nur um eine Logikaufgabe handelt. Was würden Sie tun, wenn Sie der Henker wären? Sie müssen den Gefangenen am Samstag oder am Sonntag hinrichten, und Sie müssen die Anordnungen des Richters soweit wie irgend möglich befolgen.

Anscheinend müßte ein vernünftiger Henker, der nach bestem Wissen und Gewissen versucht, seine Befehle auszuführen, nahezu notwendigerweise den Samstag für die Hinrichtung wählen. Es gibt überhaupt keine Aussicht auf eine unerwartete Hinrichtung am Sonntag. Bei einer Hinrichtung am Samstag kann der Henker wenigstens hoffen, daß der Gefangene nicht groß über die Angelegenheit nachgedacht hat.

Also führt der Henker den Gefangenen am Samstag bei Sonnenaufgang zum Galgen. Wie üblich darf der Gefangene ein letztes Wort sprechen. Er spricht den Richter an und sagt: «Ihr Henker hat versagt! Ich habe erwartet, daß ich heute gehängt werde. Nur wenn ich heute hingerichtet wurde, gab es eine Chance, daß ich es nicht vorhersehen würde. Ich habe es aber vorhergesehen.»

Der Intelligenzwettbewerb zwischen Gefangenem und Henker führt zum Unentschieden. Jeder kann jeden Grund voraussehen, den der andere haben könnte, einen bestimmten Tag zu wählen. Man kann dem Paradox die Luft ablassen, wenn man von einem «dummen» Gefangenen ausgeht, der sich keine Gedanken über sein Schicksal macht und nicht versucht, klüger zu sein als der Henker. Aber wenn Henker und Gefangener die vollkommenen Logiker einer Denksportaufgabe sind, handelt es sich in der Tat um ein tiefgreifendes Paradox.

Ein Zeitreiseparadox

Der schottische Mathematiker Thomas H. O'Beirne hat darauf hingewiesen, daß eine Person eine Aussage über zukünftige Ereignisse machen kann, die wahr ist, von der aber andere nicht wissen, daß sie wahr ist, bis die Ereignisse eingetreten sind. Der Richter hat recht, wenn er sagt, der Gefangene werde überrascht sein, obwohl der Gefangene das (noch) nicht weiß.

Das kann man durch eine Neuformulierung des Paradoxons verdeutlichen: Der Richter verurteilt den Gefangenen dazu, irgendwann im Laufe der Woche gehängt zu werden (und überläßt die Festsetzung des Datums dem Henker). Dann besteigt er eine Zeitmaschine und fährt eine Woche oder mehr in die Zukunft. Dort angekommen, steigt er aus, kauft eine Zeitung und erfährt, daß der Gefangene am Dienstag nach der Urteilsverkündung gehängt worden ist. In seinen letzten Worten hat der Gefangene gesagt, das Datum habe ihn überrascht; er habe gedacht, man werde ihn bis Ende der Woche am Leben lassen. Dem Richter geht eine grausame Idee durch den Kopf. «Wenn ich jetzt an den Tag der Urteilsverkündung zurückgehe», denkt er, «und dem Gefangenen sage, er werde den Tag seiner Hinrichtung nicht erraten können, wird das eine wahre Aussage sein, denn hier in der Zukunft weiß ich, daß er überrascht war. Und allein die Tatsache, daß ich es ihm sage, wird ihn in den Wahnsinn treiben!»

Der Richter besteigt wieder seine Zeitmaschine und kehrt an den Tag der Urteilsverkündung zurück. Er steigt aus und sagt dem Gefangenen (wie im ursprünglichen Paradox): «Du wirst nächste Woche gehängt werden, aber du wirst nicht imstande sein, den Hinrichtungstag im voraus zu erraten.» Der Gefangene schließt, daß er nicht gehängt werden kann, und damit hat er unrecht; der Richter hat recht.

Stimmt da etwas nicht? Nun, in Wirklichkeit hat der Richter etwas über die Folgen seines ursprünglichen Urteils erfahren (in dem nicht von einem überraschenden Termin die Rede war). Daß er dem Gefangenen mitteilt, er werde überrascht sein, hat den Stand der Dinge verändert – vielleicht nur minimal, vielleicht in größerem Ausmaß. Die Überraschung des Gefangenen ist nicht mehr gesichert.

Bei seinem Aufenthalt in der Zukunft könnte der Richter auch erfahren haben, daß seine Schwester die Überraschungsparty, die er an ihrem Geburtstag gegeben hat, nicht erwartet hatte. Wenn er in die vorige Woche zurückkehrte und seiner Schwester das erzählte, wäre sie offenbar nicht mehr überrascht. Die Mitteilung gewisser gültiger Informationen über die Zukunft kann diese Informationen ungültig machen.

Wenn der Richter die Zeitmaschine nach Belieben benutzen kann, ist das unter Umständen keine starke Einschränkung. Nachdem er dem Gefangenen gesagt hat, er werde überrascht sein, kann der Richter schnell wieder in die Zukunft fahren und sich vergewissern, daß seine Vorhersage noch stimmt. Tut sie es, ist alles in Ordnung. Tut sie es nicht, kann er zurückkommen und das Urteil so lange abändern, bis Vorhersage und Wirklichkeit übereinstimmen. Das Resultat wäre eine Vorhersage, die wahr ist, von deren Wahrheit der Gefangene aber bis nach dem vorhergesagten Ereignis nichts wissen kann.

Obwohl dies nicht auf den ersten Blick ersichtlich ist, beruht «Berrys Paradox» (es ist nach dem Bibliothekar benannt, der es Bertrand Russell vorlegte) auf ähnlichen Voraussetzungen. Denken Sie an die kleinste Zahl, die man nicht mit weniger als zwanzig Silben nennen kann. Es muß eine Zahl geben, auf die diese Beschreibung genau zutrifft. Aber die Formulierung «die kleinste Zahl, die man nicht mit weniger als zwanzig Silben nennen kann» ist die Beschreibung einer bestimmten Zahl, und diese Beschreibung ist nur neunzehn Silben lang. Das heißt, daß man die kleinste Zahl, die man nicht mit weniger als zwanzig Silben nennen kann, in Wirklichkeit mit neunzehn Silben nennen kann.

Berrys Paradox widerstrebt einer einfachen Lösung. Sofern Sie das Ganze auf uneindeutigen Wortgebrauch abschieben wollen, denken Sie an die Standardfigur in Paradoxen: das allwissende Wesen. Dieses Wesen könnte sich anscheinend jeder möglichen Beschreibung jeder möglichen Zahl oder jedes möglichen Satzes bewußt sein. Für dieses Wesen *ist* eine Zahl die kleinste Zahl, die man nicht mit weniger als zwanzig Silben nennen kann! Das Wesen scheint ebenso wie der Richter etwas zu wissen, das uns verhüllt bleibt.

All dies könnte bedeuten, daß der Richter das wissen kann, was er im Paradox wissen soll. Weitaus interessanter sind aber die Schlußfolgerungen des Gefangenen und des Henkers. Wer von beiden, falls überhaupt einer, hat recht?

Was ist Wissen?

Das Paradox der unerwarteten Hinrichtung führt auf die Frage: Was ist Wissen? Der Gefangene ist in einem Netz von Schlußfolgerungen, Gegen-Schlußfolgerungen und Gegen-Gegen-Schlußfolgerungen gefangen. Er *glaubt* zu wissen, daß er nicht am Samstag gehängt werden kann. Der Henker glaubt zu wissen, daß der Gefangene den Tag seiner Hinrichtung nicht wissen *kann*. Hinter dem Paradox erhebt sich das Doppelgespenst des Rechthabens aus den falschen Gründen oder des Unrechthabens aus den richtigen Gründen. Diese Probleme tauchen in der Wissenschaftsphilosophie häufiger auf. Denn hier «wissen» wir oft (öfter als in der Strafprozeßordnung) etwas auf Grund von Gedankenketten, die ebenso verwickelt sind wie die des Gefangenen.

Wie die meisten Wörter der Umgangssprache besitzt das Wort «wissen» einen hohen eingebauten Flexibilitätsgrad. Wir alle benutzen Sätze wie «Ich weiß, daß der VfL das Pokalspiel gewinnen wird», wenn das in Wirklichkeit alles andere als sicher ist. In der Wissenschaft will man es meist genauer wissen.

Lange Zeit war es in der Philosophie üblich, Wissen durch

einen Satz von Kriterien zu definieren, der als «dreifache Begründung» bezeichnet wurde. Die zugrundeliegende Vorstellung war, daß alle drei Kriterien dann und nur dann erfüllt sind, wenn man etwas tatsächlich weiß.

Nehmen wir ein Beispiel aus dem angeblich sicheren Bereich der Mathematik. Nehmen wir an, Sie wüßten, daß 4294967297 eine Primzahl (also durch keine Zahl außer eins und sich selbst ohne Rest teilbar) ist. Dann müssen folgende drei Bedingungen erfüllt sein:

Erstens müssen Sie *glauben*, daß 4294967297 eine Primzahl ist. Wenn Sie es nicht einmal glauben, können Sie es auch nicht wissen. Von jemand, der glaubt, die Erde sei flach, sagt man nicht, er wisse, daß die Erde eine Kugel ist.

Zweitens muß Ihr Glaube, daß 4294967297 eine Primzahl ist, *gerechtfertigt* sein. Sie müssen einen guten Grund für Ihren Glauben haben. Sie dürfen es nicht einfach auf Grund eines Rechenfehlers glauben. Ihr Glaube darf auch nicht einem spontanen Einfall, der Botschaft aus dem Kaffeesatz oder momentaner Geistesverwirrung entspringen.

Drittens muß 4294967297 *wirklich* eine Primzahl sein. Offensichtlich können Sie die Wahrheit einer Aussage nicht wissen, wenn sie falsch ist.

Auf den ersten Blick scheint die dreifache Begründung fast zu trivial, um von irgendwelcher Bedeutung zu sein. Aber Wissen ist eine kompliziertere Angelegenheit, als es scheint. Das dritte Kriterium ist das schwierigste unter den dreien. Warum überhaupt die Forderung nach «gerechtfertigtem» Glauben? Man könnte annehmen, es genüge, wenn man etwas glaubt und es wahr ist.

Eine auf zwei Kriterien reduzierte Definition würde jeden mit einschließen, der durch einen «Zufallstreffer» aus den falschen Gründen recht hat. Nach der Ermordung Präsident Kennedys (1963) und dem Mordanschlag auf Präsident Reagan (1981) traten eine Anzahl von Hellsehern auf die Bühne und behaupteten, die Ereignisse vorhergesagt zu haben. Mindestens ein paar von ihnen hatten Vorhersagen über eine Gefahr gemacht, der die Präsidenten etwa um diese Zeit herum ausgesetzt sein würden, und diese Voraussagen waren vor den Ereignissen gedruckt oder sonstwie veröffentlicht worden. Die gleichen Hellseher machten auch eine Unzahl anderer Voraussagen, die nicht eintrafen. Die bekannte Washingtoner Hellseherin Jeane Dixon macht jedes Jahr so viele Voraussagen, daß sie einfach ein paarmal recht haben muß. Wenn das «Wissen» ist, ist es kein sehr nützliches Wissen.

Es ist nicht immer leicht feststellbar, was ein «guter Grund» für eine Annahme ist. 1640 glaubte der französische Mathematiker Pierre de Fermat, gute Gründe für die Annahme zu haben, daß 4294967297 eine Primzahl ist. Ihm war aufgefallen, daß man mit Hilfe der Formel

$$2^{2^n} + 1$$

Primzahlen erzeugen kann. Fermats Formel hat einen mehrstufigen Exponenten. Ein normaler Exponentialausdruck wie 2^3 ist eine Anweisung, wie oft (3mal) man die untere Ziffer mit sich selbst malnehmen soll. 2^3 ist 2 mal 2 mal 2 oder 8. In Fermats Formel kann man für *n* jede beliebige Zahl einsetzen, den oberen Ausdruck (2^n) auswerten und die untere 2 *sovielmal* mit sich selbst malnehmen. Dann addiert man 1.

$2^{2^1} + 1$, zum Beispiel, ist 5, und 5 ist eine Primzahl. $2^{2^2} + 1$ ist 17, $2^{2^3} + 1$ ist 257, $2^{2^4} + 1$ ist 65537, und das sind alles Primzahlen. Fermat nahm an, 4294967297 ($2^{2^5} + 1$) und alle späteren Elemente der Reihe müßten Primzahlen sein.

Das glaubten auch viele andere. Es gab empirische Belege dafür und eine Autorität, auf die man sich berufen konnte. Aber 4294967297 ist, wie Sie vermutlich inzwischen ahnen, überhaupt keine Primzahl. Der Schweizer Mathematiker Leonhard Euler hat entdeckt, daß es 641 mal 6700417 ist.*

* Es gibt eine Reihe von Formeln, die eine Zeitlang Primzahlen erzeugen und dann versagen. Eine der bekanntesten ist $n^2 - 97n + 1601$,

Glauben, Rechtfertigung und Wahrheit – in der Wissenschaftsgeschichte tauchen diese drei Bedingungen in allen nur möglichen Permutationen auf. Verwenden wir das Symbol W, um eine Bedingung zu bezeichnen, die erfüllt ist, und F für eine nicht erfüllte Bedingung. Die drei Kriterien werden wir in der oben genannten Reihenfolge aufzählen.

WWW steht für einen Glauben, der zugleich gerechtfertigt und wahr ist, oder das, was als wahres Wissen gilt. Zu dieser Kategorie gehören die meisten wissenschaftlichen Überzeugungen, oder doch wenigstens der Teil davon, der richtig ist.

FWW steht für eine gerechtfertigte Wahrheit, an die man nicht glaubt. Dafür gibt es zahlreiche Beispiele. Eines davon ist der fundamentalistische Schöpfungsglaube, der die Idee der Evolution trotz überwältigender Beweise ablehnt. Die törichte Rechthaberei derjenigen, die neue Entdeckungen ablehnen (die Weigerung der *Académie Française*, Meteoriten zur Kenntnis zu nehmen, die eigensinnige Ablehnung der Relativitätstheorie durch einen Physiker wie Herbert Dingle), ist ein Fall von FWW. Das gleiche gilt für jene Trägheit, über die sich Max Planck 1949 beklagte: «Eine neue wissenschaftliche Wahrheit siegt nicht, indem sie ihre Gegner überzeugt und zum Licht führt, sondern eher weil ihre Gegner sterben und eine neue Generation heranwächst, der sie vertraut ist.» *

WFW ist ein ungerechtfertigter wahrer Glaube, ein Rechthaben aus den falschen Gründen, wie bei den Zufallstreffern der

die für alle Werte bis n = 79 funktioniert und dann bei 80 eine Nicht-Primzahl produziert. Das sind die Gefahren der induktiven Verallgemeinerung in der Mathematik.

* Alan L. MacKay hat dem entgegengehalten: «Wie können wir überhaupt auf neue Ideen oder originelle Ansichten kommen, wenn neunzig Prozent aller Wissenschaftler, die je gelebt haben, noch nicht gestorben sind?»

Hellseher. Auch hierfür gibt es viele Beispiele. Im fünften Jahrhundert v. Chr. vertrat Demokrit die richtige Ansicht, alle Materie bestehe aus winzig kleinen unsichtbaren Teilchen: den Atomen. Obwohl die Werke des Demokrit nicht überliefert sind, ist es sehr unwahrscheinlich, daß er über irgendwelche Beweise verfügt, die wir als gültig ansehen würden. Es handelt sich um eine philosophische Einsicht, die sich als richtig erwiesen hat. (Die glückliche Übereinstimmung wird dadurch etwas weniger auffällig, daß die Atome der Physik des zwanzigsten Jahrhunderts nicht, wie Demokrit annahm, unteilbar sind.)

WWF steht für einen gerechtfertigten Glauben, der dennoch falsch ist. Interessanterweise gehört ein großer Teil der Kosmologien, die einander historisch abgelöst haben, in diese Kategorie. Der Glaube der Antike daran, daß die Sonne sich um die Erde bewege, war durch die Sinneswahrnehmung gerechtfertigt. Auch wenn Generationen von Lehrern diese Ansicht als ein Musterbeispiel falschen Glaubens angeführt haben, war ein gewisses Ausmaß an intellektuellem Wagemut notwendig, um zu behaupten, die Sonne sei ein physikalischer Körper, der die Welt in großer Entfernung umkreist und so Tag und Nacht schafft. Als Kopernikus die Sonne in den Mittelpunkt des Universums setzte, war das gerechtfertigt, aber genauso falsch. Da Meinungen des Typs WWF falsch sind, kann ich keine allgemein akzeptierte zeitgenössische Überzeugung als Beispiel anführen. Es wäre aber nicht überraschend, wenn große Teile unserer gegenwärtigen Kosmologie sich als genauso falsch herausstellten.

Die vier übrigen Permutationen beziehen sich auf Fälle, die wenigstens zwei Kriterien des Wissens nicht genügen. WFF ist ein ungerechtfertigter Glaube, der tatsächlich falsch ist: Ammenmärchen, Aberglaube. FWF ist der sonderbare Fall einer falschen Annahme, die gerechtfertigt ist, aber dennoch nicht geglaubt wird. Das beschreibt in etwa die Leute, die an den oben genannten WWF-Fällen zweifeln. Die kirchliche Hierarchie der Zeit *glaubte nicht* an Kopernikus' *gerechtfertigten*, aber letzten Endes *falschen* Glauben, daß die Sonne der Mittelpunkt des Universums sei.

FFW ist eine Wahrheit, die mangels Rechtfertigung nicht geglaubt wird: die verständliche Skepsis desjenigen, der etwas abstreitet, das sich dennoch als wahr herausstellt. Die Generation der Philosophen, die nicht an Demokrits Atomtheorie glaubten (weil sie keinerlei Grund hatten, daran zu glauben), ist ein Beispiel. An einem bestimmten Punkt jeder wissenschaftlichen Wende verwandelt sich gerechtfertigter Konservatismus (FFW) in reine Reaktion (FWW).

Der letzte Fall, FFF, ist ein ungerechtfertigter falscher Glaube, der abgelehnt wird, der Unglaube derjenigen, die nicht an ein Perpetuum mobile oder an unsinnige Sätze wie «Der Mond besteht aus grünem Käse» glauben.

Buridan-Sätze

Es gibt Überzeugungen, die in keine dieser Kategorien fallen. Die nach den *Sophismata* des mittelalterlichen Philosophen Jean Buridan benannten «Buridan-Sätze» stellen eine Herausforderung für jede Definition des Wissens dar. Einer davon lautet:

Niemand glaubt diesen Satz.

Wenn das wahr ist, glaubt es niemand, und infolgedessen weiß es niemand. Wenn es falsch ist, glaubt es mindestens ein Mensch, aber niemand (weder Gläubige noch Ungläubige) wissen es, weil es falsch ist. Also ist es unmöglich, daß jemand weiß, daß dieser Satz wahr ist!

Würden Sie das glauben?

Sie glauben diesen Satz nicht.

Es wäre töricht, diesen Satz zu glauben, denn dann müßten Sie glauben, daß Sie ihn nicht glauben. Wenn Sie ihn aber nicht glauben, haben Sie gute Gründe, ihn zu glauben, weil er wahr ist. ... Wenn diese Aussage Sie dazu überredet, den Satz zu glauben, geht wieder alles schief. Dann wird es nämlich von neuem absurd, ihn zu glauben. Seltsamerweise können Sie sich nie zu einer haltbaren Position diesem Satz gegenüber durchringen. Und dennoch könnte ein allwissendes Wesen, das jeden Ihrer Gedanken kennt, zu jedem bestimmten Zeitpunkt sagen, ob Sie ihn glauben.

Noch seltsamer ist das «Paradox des Wissenden». Es geht von dem folgenden Satz aus (der dem Urteil des Richters im Paradox der unerwarteten Hinrichtung verwandt ist):

Niemand weiß, was hier steht.

Wenn das wahr ist, weiß es niemand. Wenn es aber nicht wahr ist, liegt ein offensichtlicher Widerspruch vor: Irgend jemand weiß es; aber wie wir wissen, kann niemand etwas Falsches wissen. Also kann das, was da steht, nicht falsch sein. Es handelt sich um eine unbezweifelbare Wahrheit, die niemand wissen kann!

Gettiers Gegenbeispiele

Obgleich die drei Bedingungen der dreifachen Begründung bereits ein Paradox erzeugt haben, reichen sie nicht hin, um wahres Wissen zu garantieren. Es ist möglich, einen gerechtfertigten wahren Glauben zu besitzen und dennoch nicht zu wissen, was man glaubt. Diese verzwickten Fälle nennt man nach dem amerikanischen Philosophen Edmund Gettier, der 1963 einen Aufsatz darüber veröffentlicht hat, «Gettiers Gegenbeispiele».

Wie im Fall der induktiven Verallgemeinerung versteht man auch hier unter einem Gegenbeispiel etwas, was eine Aussage oder einen Beweis widerlegt. Gettiers Gegenbeispiele sind (normalerweise erfundene) Situationen, an denen sich belegen läßt, daß die drei üblichen Kriterien nicht notwendigerweise Wissen bestimmen. Wenn die oben erwähnten Hellseher «aus den falschen Gründen recht haben» können, dann geht es in Gettiers Gegenbeispielen darum, «aus den richtigen Gründen recht zu haben, nur daß die Gründe nicht gelten». Das ist die Art von Irrtümern, die Philosophen (und Schriftsteller) schon immer fasziniert haben. Typisch für Gettiers Gegenbeispiele ist das Element der an den Haaren herbeigezogenen Zufallskonstellation.

Die Grundgedanken Gettiers hat schon Platon in seinem Dialog *Theaitetos* vorweggenommen. Dort ist die Rede von einem so überzeugungsmächtigen Gerichtsredner, daß er die Richter von der Unschuld seines Klienten überzeugen kann, selbst wenn dieser schuldig ist. Nehmen wir nun an, der Klient sei unschuldig. Die Richter glauben an die Unschuld des Klienten und können sich dabei auf die gültigen Beweise berufen, die ihnen soeben vorgetragen worden sind. Aber im Bann überzeugender Rhetorik hätten sie auch einen schuldigen Angeklagten für unschuldig gehalten. Für Platon ist das Wissen, das sie besitzen, von der falschen Art. In Wirklichkeit wissen sie nicht, daß der Angeklagte unschuldig ist.

Eines der von Gettier konstruierten Beispiele war das folgende: Smith und Jones bewerben sich um dieselbe Stelle. Smith hat soeben vom Direktor der Firma erfahren, daß Jones die Stelle bekommen wird, und hat gute Gründe, das zu glauben. Außerdem glaubt Smith, Jones habe zehn Münzen in der Tasche. Er hat soeben gesehen, wie Jones auf der Suche nach Telephongeld seine Tasche ausgeleert und dann zehn Münzen zurückgesteckt hat. Smith hat ihn anschließend die ganze Zeit im Auge behalten und weiß mit Gewißheit, daß er weder zusätzliche Münzen in die Tasche gesteckt noch welche herausgenommen hat.

Smith sagt sich: «Es sieht so aus, als habe derjenige, der die Stelle bekommen wird, zehn Münzen in der Tasche.» Er glaubt das berechtigterweise, denn es folgt logisch aus dem Glauben, daß Jones die Stelle bekommen wird, und dem Glauben, daß Jones zehn Münzen in der Tasche hat.

Gettier folgerte, daß beide Annahmen falsch sein könnten und Smith dennoch recht haben könnte. Nehmen wir an, daß Smith die Stelle bekommt (der Direktor hat es sich anders überlegt) und Jones in Wirklichkeit elf Münzen in der Tasche hat (eine war im Futter hängengeblieben). Weiterhin stellt sich heraus, daß Smith zehn Münzen in der Tasche hat. Also «hat derjenige, der die Stelle bekommen wird, zehn Münzen in der Tasche». Es wäre lächerlich, behaupten zu wollen, Smith habe das gewußt. Es war reiner Zufall, daß es wahr war.

Gettiersche Gegenbeispiele müssen nicht ganz so künstlich konstruiert sein. Ein Kollege kommt von der Mittagspause zurück und fragt, wieviel Uhr es ist. Sie sehen auf die Uhr und sagen: «Zwei Uhr vierzehn.» Ihr Glaube, es sei zwei Uhr vierzehn, ist mit Sicherheit berechtigt: Es ist eine teure Uhr, die sich bisher immer als zuverlässig erwiesen hat, und Sie haben etwas zwanghafte Züge, wo es um die genaue Zeit geht, und stellen die Uhr täglich um Mitternacht nach der astronomischen Zeitansage. In der Tat ist es auch zwei Uhr vierzehn, aber Sie wissen nicht, daß Ihre Uhr letzte Nacht um zwei Uhr vierzehn stehengeblieben ist. Zufälligerweise haben Sie bis zu dem einen Augenblick am Tag, an dem eine stehende Uhr alle zwölf Stunden einmal die richtige Zeit zeigt, nicht auf die Uhr gesehen.

Ein anderes Beispiel: Sie gehen in den Louvre, weil Sie die *Mona Lisa* sehen wollen. Sie kennen das Bild aus Hunderten von Reproduktionen, und Sie bekommen allein bei dem Glauben, im gleichen Raum mit der *Mona Lisa* zu sein, eine Gänsehaut. Später erfahren Sie, daß die Museumsleitung gewarnt worden ist, man wolle das Gemälde stehlen, und es an dem Tag, an dem Sie im Louvre waren, durch eine ausgezeichnete Kopie ersetzt hat. Aber Sie waren tatsächlich im gleichen

Raum mit Leonardos Meisterwerk, denn die echte *Mona Lisa* war hinter einem unbedeutenden Gemälde im gleichen Raum versteckt: da wo kein Dieb sie suchen würde.

Gettiers Gegenbeispiele haben in der Wissenschaftsgeschichte eine Rolle gespielt. Ein Beispiel ist der alchemistische Glaube, andere Metalle könnten in Gold verwandelt werden. Der Glaube stützte sich nicht nur auf eine unbegründete Ahnung. Die Alchemisten, die als erste eine Systematik der materiellen Stoffe aufstellten, waren zu Recht davon beeindruckt, wie sich eine Substanz im Laufe einer chemischen Reaktion in eine vollständig andere verwandeln konnte. Außerdem erkannten sie, daß die Welt nicht unendlich diversifiziert ist, sondern aus verhältnismäßig wenigen Grundsubstanzen besteht. Wenn sich Zinnober in Quecksilber verwandeln läßt, warum sollte man unedle Metalle nicht in Gold verwandeln können? Es ging offensichtlich nur darum, die richtige Kombination zu finden.

Das war auch nach dem heutigen Stand des Wissens noch eine einleuchtende Überlegung. Sie war nur zufällig falsch. Spröder roter Zinnober läßt sich in silberfarbenes flüssiges Quecksilber verwandeln, weil Zinnober eine Verbindung der Elemente Quecksilber und Schwefel ist. Es wäre ohne weiteres möglich, häufig auftretende Substanzen in Gold zu verwandeln, wenn Gold eine Verbindung häufig vorkommender Elemente wäre oder wenn es eine häufig vorkommende Verbindung von Gold und etwas anderem gäbe. In Wirklichkeit ist Gold ein Element, und leider ist keine häufig vorkommende Substanz eine Goldverbindung. Chemiker können Gold beispielsweise aus Goldchlorid herstellen, aber Goldchlorid ist seltener als reines Gold.

Dennoch ist es so, daß man andere Elemente in Gold (oder ein beliebiges anderes Element) verwandeln kann; aber das geht nur durch Kernreaktionen, von denen die Alchemisten nichts wußten. Der Glaube der Alchemisten war gerechtfertigt und wahr, aber es wäre falsch, wenn man sagen wollte, sie hätten «gewußt», daß sich andere Elemente in Gold verwandeln lassen.

Eine mögliche Reaktion auf Gettiers Gegenbeispiele ist die Erklärung, es handele sich nur um Beispiele des Rechthabens aus den falschen Gründen. In keinem Fall war der «gerechtfertigte» Glaube über jeden Zweifel hinaus gerechtfertigt. Hier wurde das Wahrscheinliche mit dem Gewissen verwechselt.

Smiths Unterhaltung mit dem Firmendirektor braucht kein hinreichender Grund für die Überzeugung gewesen zu sein, daß Jones die Stelle bekommen würde. Sie war hinreichend, um der Annahme, Jones werde die Stelle bekommen, eine hohe Wahrscheinlichkeit zuzuschreiben, aber kein Anlaß, mit absoluter Sicherheit davon überzeugt zu sein. Smith hätte sich darüber klar sein können, daß Manager imstande sind, eine Entscheidung zu ändern und einen Stellenbewerber absichtlich über seine Aussichten zu belügen.

Andererseits sind Gettier-Situationen auch für Überzeugungen konstruierbar, die so gewiß sind, wie es Überzeugungen über die Außenwelt nur sein können. Wessen sind Sie sich gerade jetzt, in diesem Augenblick, am gewissesten? Sie können mit großer Sicherheit annehmen, daß dieses Buch sich genau jetzt vor Ihrer Nase befindet. Aber Sie könnten ein körperloses Retortengehirn sein. Der Hausmeister hat beim Saubermachen ein Buch vor Ihrer Retorte liegen lassen, und durch reinen Zufall ist es genau dieses Buch.

Wenn wir nämlich verlangen, daß ein «gerechtfertigter» Glaube eine Überzeugung sein müsse, deren wir völlig gewiß sind, bauen wir in unseren Versuch, Wissen zu definieren, einen Kurzschluß ein. Dann wäre eines der Kriterien für Gewißheit das Vorhandensein von Gründen für Gewißheit. Schlimmer: *Nichts* in der Außenwelt besitzt unbestreitbare Gewißheit. Wenn wir einhundertprozentige Gewißheit über etwas brauchen, um es wissen zu können, dann wissen wir überhaupt nichts (nicht einmal die wahren Dinge, die wir berechtigterweise glauben).

Eine vierte Bedingung

Viel Mühe ist auf den Versuch verwandt worden, eine «vierte Bedingung des Wissens» zu formulieren. Gesucht ist ein zusätzliches Kriterium, das gemeinsam mit den anderen sicheres Wissen garantiert. Es müßte Gettiers sämtliche Gegenbeispiele eliminieren können und dürfte keine anderen, noch extremeren zulassen.

Bisher hat noch niemand eine so einleuchtend brauchbare Bedingung vorgeschlagen, daß sie einhellige Zustimmung erfahren hätte. Der meistdiskutierte Vorschlag ist die Forderung, eine gerechtfertigte und wahre Überzeugung müsse, um Wissen zu garantieren, überdies noch unwiderlegbar sein, das heißt, sie dürfe auch unter der Annahme extremer Randbedingungen nicht außer Kraft gesetzt werden können.

Die Opfer falschen Wissens, wie Gettier sie im Sinn hat, schlagen sich schließlich erstaunt mit der Hand vor die Stirn und rufen: «Wenn ich das gewußt hätte!» Sie hätten Irrtümer vermeiden können, hätten sie bestimmte Informationen (daß das Gemälde versteckt war; daß die Uhr stehengeblieben war) gewußt oder auch nur geglaubt. Die Tatsachen, die ihre Überzeugung wertlos machten, sind «Widerlegungselemente». Hätten Gettiers Opfer die Widerlegungselemente geglaubt, dann hätte es keine Rechtfertigung mehr dafür gegeben, an die paradoxerweise wahren Aussagen zu glauben.

Es ist zwei Uhr vierzehn; Sie glauben, nachdem Sie auf die Uhr gesehen haben, daß es zwei Uhr vierzehn ist; Sie glauben außerdem, daß Ihre Uhr letzte Nacht stehengeblieben und seitdem nicht mehr gegangen ist. Dann ist Ihr Glaube, es sei zwei Uhr vierzehn, irrational. Er ist irrational, weil das Widerlegungselement den ursprünglichen Beweis für die Tageszeit (die Uhrzeiger, die auf zwei Uhr vierzehn weisen) in ein neues Licht rückt. Die Stellung des Uhrzeigers ist jetzt irrelevant. Die Bedingung der Unwiderlegbarkeit verlangt, daß es keine außergewöhnlichen Umstände dieser Art geben darf.

In Wirklichkeit weiß niemand, wann ein Glaube durch ein derartiges Widerlegungselement bedroht ist. Die Bedingung der Unwiderlegbarkeit kann die theoretische Forderung nach einer vierten Bedingung erfüllen, aber sie kann uns keine Hilfe bei dem Versuch geben, falsches Wissen des Gettierschen Typs zu vermeiden.

Der Gefangene und Gettier

Kehren wir noch einmal zu unserem Gefangenen, dem Richter und dem Henker zurück. Aus der dreifachen Begründung läßt sich ableiten, daß das «Wissen» des Gefangenen eine Illusion ist. W. V. O. Quine nahm an, daß alle Schlußfolgerungen des Gefangenen (oder seines Anwalts) falsch seien. Selbst die allererste Schlußfolgerung, nach der der Gefangene nicht am letzten Tag gehängt werden kann, ist ungültig.

Als der Richter sagte, der Gefangene dürfe nicht imstande sein, den Termin seiner Hinrichtung vorauszusagen, meinte er offenbar, ein vollkommen logisch denkender Gefangener werde den Termin nicht mit Gewißheit erschließen können. Ein normaler, nicht ganz so logisch denkender Gefangener genießt einen größeren Spielraum. Er kann ahnen, daß es ein bestimmter Tag sein wird, und er kann sogar recht haben (das wäre ein ungerechtfertigter wahrer Glaube). Kein Hinrichtungsdatum ist gegen einen Zufallstreffer gefeit. Wenn die Anordnungen des Richters irgendeinen Sinn haben sollen, können sie nur ein rationales Erschließen des Datums verbieten.

Gehen wir der Einfachheit halber von der Zwei-Tage-Version des Paradoxons aus. Nehmen wir einmal an, der Gefangene könne logisch feststellen, daß er am Samstag hingerichtet werden muß, wenn die Anordnungen des Richters befolgt werden sollen. Der Henker (der genauso klug ist wie der Gefangene) kann das auch erschließen. Dann hat er keinen Grund mehr, den Gefangenen am Samstag statt am Sonntag zu hängen. Warum das? Nun, der Gefangene erwartet, daß es der Samstag sein wird (denn das ist die Prämisse, von der die *reductio ad absurdum* ausging); aber selbst wenn er wunderbarerweise am Samstag nicht gehängt wird, kann er daraus schließen, daß die Hinrichtung am Sonntag stattfinden wird. Damit hat der Henker keinen Grund mehr, einen Tag dem anderen vorzuziehen. Ob er ihn am Samstag hängt oder am Sonntag, wie er's macht, ist's falsch.

Also steht es dem Henker frei, an welchem der beiden Tage er den Gefangenen hinrichten will. Dann ist es aber falsch, wenn der Gefangene schließt, er werde am Samstag gehängt.

Sie können natürlich auch annehmen, der Gefangene schließe auf den Sonntag als den einzig logischen Hinrichtungstag. Das gibt dem Henker einen genauso guten Grund, ihn am Samstag zu hängen, und der Gefangene hat wieder unrecht.

Das Ergebnis ist eine Gettier-Situation von besonderer Raffinesse. Nehmen wir an, der Gefangene wird wirklich am Samstag gehängt. Auf den ersten Blick scheint er recht behalten zu haben. Der Glaube des Gefangenen war wahr und gerechtfertigt. Der Glaube bringt aber keinen echten Wissensfortschritt. Der Gefangene erkennt das «Widerlegungselement» nicht, das seinen Glauben zunichte macht, nämlich, daß die Annahme, er werde am Sonntag gehängt, genausogut gerechtfertigt werden kann. Wie wir gesehen haben, führt die Annahme, der Gefangene müsse auf jeden Fall am Samstag hingerichtet werden, zu dem Schluß, daß die Hinrichtung an jedem der beiden Tage mit gleicher Berechtigung stattfinden kann. Das «Widerlegungselement» für den Glauben des Gefangenen ist eben dieser Glaube selbst.

Die unerwartete Hinrichtung ist eine warnende Fabel über die Gefahren logischer Schlußfolgerung. Der Gefangene schließt, daß er unmöglich am Sonntag hingerichtet werden kann, so daß ihm nur der Samstag bleibt. Der tödliche Fehler war die Überzeugung, wenn man alles Unmögliche ausgeschlossen habe, müsse etwas Mögliches übrigbleiben. Manchmal führt jeder Weg zum Widerspruch.

Der Anwalt, der zu dem Schluß kam, die Anordnungen des Richters könnten nicht befolgt werden, kam der Wahrheit näher. Aber weder der Anwalt noch der Gefangene haben den entscheidenden letzten Schritt getan: Wenn der Gefangene von der Unmöglichkeit ausgeht, ihn an irgendeinem Tag hinzurichten, kann der Henker ihn an jedem beliebigen Tag, selbst noch am letzten, hinrichten, und die Hinrichtung wird unerwartet sein.

7. UNMÖGLICHKEIT

Das Erwartungsparadox

Als Leiter eines psychologischen Forschungsinstituts führen Sie ein seltsames Experiment an Menschen durch. Versuchsperson A sitzt am Schreibtisch und arbeitet an einem psychologischen Test. Versuchsperson B sitzt ihm gegenüber und beobachtet seine Fortschritte. Vor B befindet sich ein Druckknopf. Man hat B erklärt, der Druck auf den Knopf versetze A einen außerordentlich schmerzhaften elektrischen Schock (könne ihm allerdings keinen bleibenden Schaden zufügen). In regelmäßigen Abständen begibt sich Professor Jones an As Schreibtisch, registriert eine falsche Antwort und weist B an, auf den Knopf zu drücken.

In Wirklichkeit ist A ein Mitarbeiter von Professor Jones. Der Druckknopf ist nicht angeschlossen, und A täuscht auf Knopfdruck Schmerzen vor. Jones' Experiment soll dazu dienen festzustellen, ob B die Anweisungen, A zu «bestrafen», befolgen wird. Jones' Lieblingstheorie läuft darauf hinaus, daß die meisten Menschen bereit sind, Grausamkeit hinzunehmen, wenn sie von einer Autoritätsperson genehmigt ist. Jones hat das Experiment bisher an zehn verschiedenen Versuchspersonen B durchgeführt, und acht davon haben auf den Knopf gedrückt.

Jones selbst weiß nichts von der eines Kafka würdigen Ironie der Situation: In Wirklichkeit dient er als Versuchsperson in Ihrem Experiment. Sie interessieren sich für den «Grauzonenfaktor» oder «Vorurteilseffekt» bei psychologischen Experimenten. Immer dann, wenn der Forscher ein bestimmtes Resultat erwartet, erhöht sich die Wahrscheinlichkeit, daß das erwartete Ereignis auch eintritt. Forschung neigt dazu, die Lieblingstheorien des Forschers zu bestätigen, und daran ist etwas faul!

Auf anderen Forschungsgebieten kann man den Vorurteilseffekt reduzieren oder ausschalten. Neue Medikamente etwa werden im «Doppelblindexperiment» erprobt, bei dem einige Testpersonen das Medikament, andere ein Placebo erhalten, und weder die Versuchspersonen noch der Forscher wissen, bevor die Ergebnisse vorliegen, was was war. Das hindert den Forscher daran, seine Begeisterung für das neue Mittel auf diejenigen zu übertragen, die damit behandelt werden.

Aber bei manchen psychologischen Untersuchungsreihen sind Doppelblindexperimente als Kontrolle so gut wie unmöglich. Der Forscher weiß mit Notwendigkeit, was vor sich geht. Nehmen wir einmal Jones. Er erwartet, daß seine Versuchspersonen «Nazis werden», und deshalb tun es die meisten. Dagegen hat Professor Smith, der die Menschen für im Grunde anständig hält, als er das gleiche Experiment durchführte, berichtet, daß nur einer von zehn auf den Knopf gedrückt hatte. Es geht nicht um absichtlichen Betrug, sondern um unbewußtes Zurechtfrisieren. Smith wie Jones neigen dazu, unklare Resultate zugunsten ihrer erwünschten Schlußfolgerung zu interpretieren. Wenn Jones seine Versuchspersonen anweist, den Knopf zu drücken, ist er strenger, fordernder als Smith. Vielleicht haben auch Smith und Jones ihre «B-Personen» so ausgewählt, daß das gewünschte Resultat eintreten mußte. Keiner der beiden Forscher weiß es, aber sie bauen selbsterfüllende Prophezeiungen auf.

Falls sich herausstellen sollte, daß der Vorurteilseffekt ein weit verbreitetes Phänomen ist, kann das drastische Folgen für die Forschung haben. Sie haben eine große Stiftung überredet, ihr Experiment zu finanzieren. Die Versuchspersonen in Ihrem Experiment sind Psychologen wie Sie selbst, nur daß sie keine

Ahnung haben, was wirklich vor sich geht. Die Stiftung hat Ihnen genug Geld bewilligt, um Jones' Experiment ebenso wie Smiths Experiment und zahlreiche weitere zu finanzieren. Was Jones und Smith und all Ihre anderen Versuchspersonen bei ihren Experimenten herausbekommen, kümmert Sie nicht im geringsten. Sie wollen nur jede möglicherweise verdächtige Korrelation zwischen den Ideen, mit denen ein Forscher an seine Untersuchungen herangeht, und seinen Resultaten messen. Sie haben viele, viele Psychologen verschiedenartigsten Persönlichkeitstyps beobachtet, die jedes nur vorstellbare Experiment mit ahnungslosen Versuchspersonen durchgeführt haben. Das Beweismaterial spricht eine eindeutige Sprache: Der Vorurteilseffekt ist sowohl überwältigend als auch universell verbreitet. In 90 Prozent aller psychologischen Experimente kommt das heraus, was der Forscher erwartet hat.

Und da liegt das Problem. Denn *das* ist das Resultat, das *Sie* erwartet haben. Wenn Ihre Untersuchungsergebnisse richtig sind, sind die Resultate psychologischer Experimente an menschlichen Versuchspersonen ungültig. Auch Ihre Untersuchung ist ein psychologisches Experiment an menschlichen Versuchspersonen. Infolgedessen sind Ihre Untersuchungsergebnisse ungültig. Wenn Ihre Ergebnisse aber ungültig sind, gibt es keinen Grund, an den Vorurteilseffekt zu glauben, und möglicherweise sind Ihre Ergebnisse gültig, was wiederum zur Folge hätte, daß sie ungültig sind...

Der IKS-Haken

«Jede Verallgemeinerung ist gefährlich, selbst diese», lautet ein Bonmot Alexandre Dumas' des Jüngeren, das mehr als zufällige Ähnlichkeit mit dieser Geschichte hat. Das «Erwartungsparadox», wie wir es nennen wollen, erinnert an die paradoxe Situation in Joseph Hellers Roman *Catch-22* (*Der IKS-Haken*):

> «Es gab nur einen Haken dabei, und das war der IKS-Haken, der darauf hinauslief, daß Besorgnis um eigene Gefährdung angesichts gefährlicher Situationen, die real und unmittelbar bevorstanden, das offensichtliche Ergebnis rationaler Denkprozesse war. Orr war verrückt und konnte fluguntauglich erklärt werden. Er brauchte nichts zu tun, als den Antrag zu stellen. Aber sobald er das tat, war er nicht mehr verrückt und mußte weitere Einsätze fliegen. Orr wäre verrückt, wenn er weitere Einsätze flöge, und gesund, wenn er es nicht täte, aber wenn er gesund war, mußte er sie fliegen. Wenn er die Einsätze flog, war er verrückt und brauchte es nicht zu tun; aber wenn er es nicht wollte, war er gesund und mußte es tun.»

Das erinnert an die bekannte, wenn auch vermutlich apokryphe Geschichte über den Sophisten Protagoras (ca. 485 – ca. 415 v. Chr.). Protagoras war der erste griechische Lehrer, der ein festes Honorar für seinen Unterricht forderte. Ein Schüler der Rhetorik vereinbarte mit Protagoras, daß er sein Lehrgeld erst bezahlen werde, wenn er seinen ersten Fall vor Gericht gewonnen habe; sollte er seinen ersten Fall verlieren, brauchte er nichts zu bezahlen. Der Student versuchte, sich um den Vertrag zu drücken, indem er nicht vor Gericht auftrat. Protagoras mußte den Schüler verklagen, um zu seinem Geld zu kommen – und dieser vertrat seinen Fall selbst. Verlor der Schüler, brauchte er nicht zu zahlen, gewann er, brauchte er nicht zu zahlen.

Ein gemeinsames Element all dieser Paradoxe sind Kategorien oder Mengen, die sich selbst enthalten. Der springende Punkt beim Erwartungsparadox ist, daß das Experiment sich auf die Klasse der Experimente an menschlichen Versuchspersonen bezieht und selbst zu dieser Klasse gehört. Das klassische Beispiel für Mengen, die sich selbst enthalten (also Elemente ihrer selbst sind), ist Bertrand Russells Barbierparadox:

In einem Dorf rasiert der Dorfbarbier alle Männer, die sich nicht selbst rasieren. Das heißt: er rasiert nur die Männer, die sich nicht selbst rasieren, und alle Männer, für die dies zutrifft. Rasiert der Barbier sich selbst? Er kann seinem Ruf auf keinen Fall gerecht werden. Wenn er sich nicht selbst rasiert, muß er sich selbst rasieren, und wenn er sich selbst rasiert, darf er sich nicht selbst rasieren.

All das waren als Rätsel verkleidete Paradoxe. Zuerst glaubt man, man könne eine Lösung finden, und wenn man sie einmal gefunden habe, müsse man sagen können: «Also so wird es in Wirklichkeit zugehen.» Dann sieht man ein, daß das Unternehmen hoffnungslos ist. Egal von welchen Annahmen man ausgeht, man kommt immer bei etwas Unmöglichem an.

Kann es so etwas geben?

Eine verbreitete Reaktion auf Paradoxe dieser Art ist es, darüber nachzudenken, ob sie «möglich» sind – also, ob sie in der wirklichen Welt jemals auftreten könnten. Für einige unter ihnen lautet die Antwort sicher Ja. Der Prozeß des Protagoras hätte stattfinden (und die Richter vor eine schwierige Entscheidung stellen) können; Militärverwaltungen haben gelegentlich verwirrende und widersprüchliche Regeln. Ein Dorfbarbier könnte *alle anderen* im Dorf rasieren, die sich nicht selbst rasieren, so daß die Dorfbewohner genau das von ihm behaupten, wovon Russell ausgeht, obwohl er diesem Anspruch immer noch nicht wirklich gerecht würde.

Der Vorurteilseffekt (auch bekannt als *experimenter bias effect* oder kurz EBE) ist in echten Experimenten nachgewiesen worden. 1963 haben Robert Rosenthal und K. Fode einen Bericht über drei Untersuchungsreihen veröffentlicht, in denen ein meßbarer derartiger Effekt sichtbar wurde. Rosenthal und Fode ließen eine Anzahl von Studenten Pseudoexperimente an menschlichen Versuchspersonen durchführen. Den Versuchspersonen wurden Photographien verschiedener Individuen vorgelegt, und sie sollten entscheiden, ob die dargestellten Personen «Erfolgserlebnisse» oder «Mißerfolgserlebnisse» gehabt hatten. Etwa der Hälfte der Studenten, die die Experimente durchführten, wurde suggeriert, ihre Versuchspersonen würden zu «Erfolgs»-Antworten tendieren; der anderen Gruppe sagte man, sie habe «Mißerfolgs»-Antworten zu erwarten. Dann wurden die Berichte über die Resultate der Pseudoexperimente verglichen. Da die Experimente jeweils die gleichen Resultate hätten liefern müssen, ging man von der Annahme aus, daß die auftretenden Abweichungen von den Erwartungen derjenigen abhingen, die das Experiment durchgeführt hatten. Rosenthal hat den Vorurteilseffekt in späteren Untersuchungen weitererforscht. Dabei verstieg er sich zu der Behauptung, in Zukunft müßten Experimente an menschlichen Versuchspersonen möglicherweise mit Hilfe automatisierter Beobachtungsprozesse durchgeführt werden, um eine Verfälschung durch unbewußte Erwartungen auszuschließen.

Andere Forscher konnten Rosenthals Ergebnisse nicht wiederholen. Der Konflikt spitzte sich im Jahre 1969 in einer Nummer der Fachzeitschrift *Journal of Consulting and Clinical Psychology* zu. Sie enthielt hintereinander den Forschungsbericht von Theodore Xenophon Barber und seinen Kollegen, die Rosenthals Experimente sorgfältig wiederholt, aber keinen Hinweis auf den Vorurteilseffekt gefunden hatten, eine verteidigende Antwort von Rosenthal und eine beleidigte Gegendarstellung von Barber. Die gereizte Atmosphäre wissenschaftlicher Haarspalterei äußerte sich in Äußerungen wie der folgenden (einer Antwort Barbers auf den Einwand Rosenthals, Barber habe das Experiment in einer reinen Mädchenschule wiederholt): «Wenn Rosenthal der Meinung ist, der Vorurteilseffekt sei in koedukativen Staatsuniversitäten leichter zu erzielen als in Universitäten und Hochschulen anderen Typs, sollte er Daten vorlegen, die seine Behauptung stützen.»

Spätere Untersuchungen haben die Annahme, es gebe einen

weitverbreiteten Vorurteilseffekt, nicht gestützt. In mindestens 40 zwischen 1968 und 1976 publizierten Untersuchungsberichten ergab sich kein statistisch relevanter Vorurteilseffekt, und sechs weitere brachten nur schwache Indizien für einen solchen Effekt zutage.

Damit das Erwartungsparadox in der wirklichen Welt existieren könnte, müßte feststehen, daß der Erwartungseffekt sowohl universell als auch unvermeidlich ist. Wenn es nur ein paar Psychologen sind, die ihm zum Opfer fallen, ist das kein Problem. Dann könnte der Forscher ein erfahrener sorgfältig arbeitender Psychologe sein, der die menschlichen Schwächen seiner schlampigen Kollegen mißt. Genauso wie es für das Lügnerparadox erforderlich ist, daß ein Kreter den Satz «Alle Kreter sind Lügner» ausspricht, ist erforderlich, daß ein Experiment eines bestimmten Typs die Unzuverlässigkeit *aller* Experimente dieses Typs belegt.

In der Wirklichkeit wäre es eher unwahrscheinlich, daß der Vorurteilseffekt allgemein verbreitet wäre. Aus diesem Grund werden auch die tatsächlich vorliegenden Untersuchungen, die darauf angelegt sind, ihn nachzuweisen, nicht notwendigerweise vom reißenden Strudel des Paradoxons mitgerissen.

So weit, so gut. Aber was würde es bedeuten, wenn man tatsächlich feststellte, daß die Resultate aller Experimente an menschlichen Versuchspersonen, einschließlich desjenigen, durch das diese Tatsache festgestellt wurde, ungültig sind? Könnte so etwas geschehen?

Es gibt einen Unterschied zwischen Falschheit und Ungültigkeit. Wenn die Resultate eines Experiments falsch sind, sind sie falsch; wenn aber das Experiment (wegen schlampiger Durchführung, ungenügender Kontrollen etc.) ungültig ist, können seine Resultate wahr oder falsch sein. Ein ungültiges Experiment kann Beweise für eine Hypothese bringen, die zufällig wahr ist. (Wir können dann von einem «Gettier-Experiment» sprechen.)

Beim Lügnerparadox führt die Annahme der Wahrheit zur

Falschheit und die Annahme der Falschheit zur Wahrheit. Aber sprechen wir hier von der Wahrheit/Falschheit oder der Gültigkeit/Ungültigkeit des Erwartungsexperiments? Das ist nicht ohne weiteres klar. Zählen wir alle Möglichkeiten auf, wie wir das bei einer Logikaufgabe täten.

(a) Nehmen wir an, die Resultate der Untersuchung seien wahr. Sind sie das, dann kann man psychologischen Experimenten an menschlichen Versuchspersonen nicht trauen. (Die Untersuchung will nicht zeigen, daß die Ergebnisse psychologischer Experimente unweigerlich und immer falsch sind, sondern nur, daß man sich nicht auf sie verlassen kann.) Also kann man dieser Untersuchung selbst auch nicht trauen. Die Resultate könnten wahr sein – gemäß unserer Annahme sind sie es auch –, aber die Untersuchung ist kein gültiger Beweis für sie. Die Untersuchung ist ein Gettier-Experiment, und das ist eine denkbare, wenn auch unbefriedigende Situation.

(b) Nehmen wir an, das Resultat der Untersuchung sei falsch. Dann gibt es keinen universellen Vorurteilseffekt. Das Untersuchungsergebnis könnte aus anderen Gründen falsch sein und ist es vermutlich auch. (Wenn das Resultat falsch ist, muß die Untersuchung zugleich ungültig sein.) Auch dies ist eine mögliche Situation.

(c) Nehmen wir an, die Untersuchung sei gültig. Dann ist ihr Ergebnis wahr, und die Untersuchung ist ungültig. Das ist ein Widerspruch.

(d) Nehmen wir an, die Untersuchung sei ungültig. Dann kann ihr Ergebnis wahr oder falsch sein. So tritt kein Widerspruch auf.

Wenn, kurz gesagt, jemand eine Untersuchung vorlegte, durch die bewiesen werden soll, daß der Vorurteilseffekt ein allgemeingültiges und universelles Phänomen ist, wären die folgenden kritischen Einwände haltbar: (a) daß das Ergebnis zwar wahr, aber ein Zufallstreffer ist, der nicht von der – ungültigen – Untersuchung gestützt wird; (b) daß das Ergebnis falsch und die Untersuchung ungültig ist; oder (c) daß die Untersuchung ungültig ist und sonst nichts. Wie auch immer, wir sind zu dem Schluß gezwungen, daß die Untersuchung ungültig ist.

Und was wäre, wenn ein Komitee von Nobelpreisträgern die Experimente überwacht und sorgfältig darauf achtet, ihre Gültigkeit sicherzustellen? Es wird ein System von Überprüfungen, statistischen Kontrollen und Gegenkontrollen eingeführt, wie es sie noch nie auf der Welt gegeben hat. Dann sagt diese unwiderleglich gültige Untersuchung wahrheitsgemäß aus, daß alle psychologischen Experimente an Menschen (eine Menge, zu der die Untersuchung selbst gehört) infolge unbewußter Vorurteile der Forscher ungültig sind.

Dieser eigentliche Kernpunkt des Paradoxons ist eine Form des Lügnerparadoxons, in der Gültigkeit an die Stelle der Wahrheit getreten ist. Eine gültige Untersuchung, die ihre eigene Ungültigkeit nachweist, kann es einfach nicht geben: wir sind im Bereich des Unmöglichen.

Mögliche Welten

Eine bekannte und beliebte Formulierung in der Sprache der Philosophie ist der Ausdruck «mögliche Welten». Es ist naheliegend zu fragen, warum die Welt so ist, wie sie ist. Warum gibt es das Böse? Schon daß wir die Frage stellen, zeigt, daß wir uns eine Welt ohne das Böse vorstellen können, eine Welt, die von der existierenden sehr verschieden ist. Es gibt gute Gründe für die Annahme, die Fähigkeit, sich mögliche Welten vorzustellen, sei ein wichtiger Teil der menschlichen Intelligenz. All die Tausende von Entscheidungen, die wir im Lauf des Lebens treffen, seien sie wichtig, seien sie unbedeutend, sind Vorstellungshandlungen. Sie stellen sich eine Welt vor, in der Sie heute nachmittag Ihr Auto durch die Waschanlage fahren, und eine Welt, in der Sie das nicht tun, und dann entscheiden Sie sich, in welcher Welt Sie lieber leben möchten.

Der erste Autor der westlichen Philosophiegeschichte, der ausgiebigen Gebrauch von der Idee möglicher Welten gemacht hat, war der deutsche Mathematiker und Philosoph Gottfried Wilhelm Leibniz (1646–1716). Leibniz fragte sich, aus welchem Grund wohl Gott von allen möglichen Welten ausgerechnet die unsere geschaffen habe. Seine merkwürdig anmutende Antwort war, daß dies in der Tat die beste aller möglichen Welten ist. Leibniz nahm an, das Leiden und die Schmerzen der Welt seien auf dem absoluten Minimalstand; jede noch so kleine Veränderung, jeder Versuch des Schöpfers, hier oder dort etwas Falsches zu verbessern, würde die Gesamtsituation verschlimmern. Dieser wenig glaubwürdige Standpunkt lieferte den Anlaß zur Erfindung der Figur des Dr. Pangloss in Voltaires Satire *Candide.* Candide konnte nicht einsehen, wieso eine Welt, in der das Erdbeben von Lissabon (das 1755 etwa 40000 Opfer forderte) nicht stattgefunden hätte, nicht besser sein sollte als die unsere.

Die Philosophie der möglichen Welten wurde in den Sechzigern von Denkern wie Saul Kripke, David Lewis und Jaakko Hintikka wieder aufgegriffen. Um jedes Mißverständnis auszuschließen, müssen wir zunächst klarstellen, was eine «mögliche Welt» ist. Es geht nicht um einen anderen Planeten im fernen Weltraum. Eine mögliche Welt ist ein vollständiges in sich geschlossenes Universum mit eigener Vergangenheit, Gegenwart und Zukunft. Man kann von einer möglichen Welt sprechen, in der Deutschland den Zweiten Weltkrieg gewonnen hat, und man kann sogar vom Jahr 10000 n. Chr. in dieser möglichen Welt sprechen. Häufig wird im Singular von etwas gesprochen, das in Wirklichkeit eine Klasse möglicher Welten ist. Es muß Billionen und Aberbillionen von möglichen Welten geben, in denen Deutschland den Zweiten Weltkrieg gewonnen hat, und jede dieser Welten wird sich in irgendeinem Detail von den anderen unterscheiden. Anscheinend gibt es eine unendliche Anzahl davon. Diejenige mögliche Welt, in der wir leben, nennen wir die «wirkliche» Welt.

Selbst eine metaphysische Idee wie diese hat ihre Grenzen. Der Begriff der möglichen Welten wäre nicht besonders nützlich, wenn jede beliebige Leistung der Phantasie eine mögliche Welt darstellte. Die meisten Philosophen gehen davon aus, daß es möglich ist, von Welten zu sprechen, die keine möglichen Welten sind.

Auch wenn wir ihn als Satz (oder eigentlich als Wortfolge) formulieren können, beschreibt der Ausdruck «eine Welt, in der 1 plus 1 nicht 2 ist» keine mögliche Welt. Es kann keine Welt geben, in der 6 eine Primzahl ist, in der ein Fünfeck vier Seiten hat oder in der das Erdbeben von Lissabon gleichzeitig stattfindet und nicht stattfindet. Es kann auch keine Welt geben, in der Abraham Lincoln größer ist als Josef Stalin, Josef Stalin größer als Napoleon, und Napoleon größer als Abraham Lincoln.

(Einige Denker bestreiten das. Auch wenn sich niemand vorstellen kann, wie eine Welt möglich sein sollte, in der 1 plus 1 nicht gleich 2 ist, kann ein eingefleischter Skeptiker Zweifel an unserer Gewißheit hegen, daß keine derartige Welt möglich ist. Aber die meisten philosophischen Erörterungen möglicher Welten gehen von der Grundregel aus, daß zumindest unsere Logik in anderen Welten gilt. Ist das nicht der Fall, können wir keine Schlußfolgerungen über sie ziehen.)

Wie viele Welten sind möglich?

Wenn man sagt, etwas sei unmöglich und nicht bloß falsch, bedeutet das, daß es keine mögliche Welt gibt, in der es wahr sein könnte. Eine der profundesten Fragen der Philosophie ist, wie verschiedenartig die möglichen Welten sind.

Saul Kripke ging davon aus, daß ein Satz wie «Gold hat die Atomzahl 79» in jeder möglichen Welt wahr ist. Das ist nicht für jedermann einleuchtend. Anscheinend ist es ganz einfach, sich eine Welt vorzustellen, in der Gold die Atomzahl 78 oder

80 oder 17 hat. Möglicherweise haben Sie Ihr ganzes Leben lang nicht gewußt, was die Atomzahl von Gold ist, und wahrscheinlich war (und ist) es Ihnen auch ganz egal. Sich eine andere Atomzahl für Gold vorzustellen, scheint kaum anders, als sich eine Welt vorzustellen, in der Sie eine andere Telefonnummer oder ein anderes Autokennzeichen haben. Aber ist es dasselbe?

Die Eigenschaften von Elementen lassen sich auf Grund ihrer Position im Periodensystem vorhersagen. Gold steht im System unter Silber und Kupfer, mit denen es zahlreiche Ähnlichkeiten aufweist. Es ist ein dichtes, weiches, nichtreaktives Metall mit hoher elektrischer Leitfähigkeit. Wenn die Atomzahl von Gold auch nur um eine Stelle höher oder niedriger wäre, stünde es in einer anderen Position, und man müßte andere Eigenschaften erwarten.

Nehmen wir einmal an, Gold hätte die Atomzahl 78. Dann stünde es im System unter Nickel und Palladium und wäre ihnen ähnlich. Es wäre immer noch ein dichtes Metall, aber seine übrigen Eigenschaften müßten eher dem Platin (das in Wirklichkeit die Atomzahl 78 hat) ähneln. Wäre ein «Gold», das in jeder Hinsicht dem Platin gleicht, überhaupt Gold?

Man könnte einwenden, es sei ja möglich, die anderen Elemente im System um eines zu verschieben, so daß Gold weiterhin in der gleichen Position zu ihnen stünde. Gold wäre dann das Element 78, Platin Nummer 77 und so weiter. Aber dann müßte man ein Element am Anfang des Periodensystems ausfallen lassen. Das ausgefallene Element wäre Wasserstoff, aus dem Sterne bestehen und der bei weitem das häufigste Element in unserem Universum ist. Ein Universum ohne Wasserstoff wäre so andersartig, daß wir nicht einmal ahnen können, wie andersartig es wäre.

Für den Chemiker, so Kripkes Argument, haben die Elemente Eigenschaften, die mehr oder weniger unausweichlich aus ihrer Atomzahl folgen. Die Vorstellung einer Welt, in der Helium kein inaktives Gas ist, ist nicht sehr verschieden von der Vorstellung einer Welt, in der 2 nicht 1 plus 1 ist. Herauszufinden, ob eine Welt möglich ist, ist komplizierter, als es scheint!

Vielleicht werden eines Tages unsere physikalischen Kenntnisse so umfassend sein, wie es unser chemisches Wissen heute ist. Es ist vorstellbar, daß die Eigenschaften von Elektronen, Quarks und Photonen den gleichen zugrundeliegenden Bedingungen folgen wie die Eigenschaften der chemischen Elemente. Die sogenannten «Superstring-Theorien» wollen eben diese Gesetze aufspüren. Wenn sie zutreffen, können wir viele seltsame Welten, die möglich erscheinen, ausschließen (etwa eine Welt, in der Protonen eine größere Masse haben als Neutronen; eine Welt, in der Elektronen so groß sind wie Golfbälle). Es gibt sogar physikalische Spekulationen, denen zufolge unsere Welt die einzig mögliche ist. Vielleicht sind die Gesetze der Physik und sogar der Anfangszustand der Welt mit einer Strenge vorherbestimmt, die wir uns kaum vorstellen können.

Paradoxe und mögliche Welten

Wenn wir behaupten, der Satz «Dieser Satz ist falsch» sei paradox, meinen wir damit, daß es keine mögliche Welt gibt, in der er sich selbst richtig beschreibt. Wir können uns auf die Alternative einigen: (1) Wenn der Satz wahr ist, ist er falsch, oder (2) Wenn der Satz falsch ist, ist er wahr. Wir können uns ohne weiteres Welten vorstellen, in denen der Satz wahr oder falsch ist, aber beide Möglichkeiten führen zum Widerspruch.

Jaakko Hintikka hat «Wissen» auf dem Umweg über mögliche Welten definiert. Zunehmendes Wissen ist Verringerung der Zahl der möglichen Welten, die mit dem, was man weiß, vereinbar sind. Alles, was wir wissen, ist beispielsweise mit der Annahme vereinbar, daß es Leben im Sternsystem Alpha Centauri gibt, und alles, was wir wissen, ist mit der Annahme vereinbar, daß es kein Leben im Sternsystem Alpha Centauri gibt.

Unser Unwissen ist so groß, daß wir die wirkliche Welt nicht von einer bloß möglichen Welt unterscheiden können, die in allem identisch mit der unseren ist bis auf die Frage, ob es im Sternsystem Alpha Centauri Leben gibt. Falls und wenn wir herausfinden, ob es im Sternsystem Alpha Centauri Leben gibt, werden wir einen Satz von möglichen Welten ausschließen.

Wissenschaftliche Entdeckungen verringern die Zahl der miteinander vereinbaren möglichen Welten. Die Frage drängt sich auf, wie weit dieser Prozeß gehen kann. Nach Hintikkas Auffassung bedeutet totales Wissen die Elimination aller möglichen Welten, bis nur noch eine übrigbleibt: die wirkliche Welt.

Die Grenze zwischen Allwissenheit und Paradoxie ist schmal. Für einen vollkommen unwissenden Menschen ist die Zahl der mit seinem Wissen vereinbaren Welten unendlich. Für einen Menschen, der die Gabe vollkommenen Wissens besitzt, ist die Zahl der möglichen Welten auf Eins zusammengeschrumpft. Und wenn sie sich auf Null reduziert? Das wäre die mißliche Lage desjenigen, der entdeckt hat, daß keine mögliche Welt mit dem vereinbar ist, was er weiß. Für ihn enthält die Menge der bekannten Tatsachen einen Widerspruch. Die besten Paradoxien scheinen zu beweisen, daß diese Welt keine mögliche Welt ist.

In seinem Essay *Sinnfiguren der Schildkröte* spielt Borges mit dem Gedanken, daß Paradoxien der Schlüssel zur Unwirklichkeit der Welt seien:

> «Geben wir zu, was alle Idealisten zugeben: den halluzinatorischen Charakter der Welt. Tun wir, was bislang kein Idealist getan hat: suchen wir nach Irrealitäten, die diesen Weltcharakter bestätigen. Wir werden sie, glaube ich, in Kants Antinomien und in der Dialektik von Zenon finden. ‹Der größte Zauberer›, schreibt in denkwürdiger Weise Novalis, ‹würde der sein, der sich zugleich so bezaubern könnte, daß ihm seine Zaubereien

wie fremde selbstmächtige Erscheinungen vorkämen. Könnte das nicht mit uns der Fall sein?› Ich glaube, daß es sich so verhält. Wir (die ungeteilte Gottheit, die in uns wirkt) haben die Welt geträumt. Wir haben sie geträumt: widerständig, geheimnisvoll, sichtbar, allgegenwärtig im Raum, feststehend in der Zeit, doch haben wir in ihrem Bau schmale und ewige Zwischenräume von Sinnlosigkeit offengelassen, um dessen eingedenk zu bleiben, daß sie falsch ist.»

Das Vorwortparadox

Wir alle kennen die überbescheidenen Vorworte, in denen der Autor (nachdem er der Ehegattin und der Sekretärin seinen Dank abgestattet hat) die Verantwortung für «unvermeidliche» Fehler übernimmt. Wahrscheinlich haben Sie sich auch schon einmal überlegt, warum der Autor, wenn er so sicher ist, daß er Fehler gemacht hat, sie nicht lieber korrigiert hat, statt die Verantwortung für sie zu übernehmen. Von diesen Bescheidenheitsformeln angeregt hat D. C. Makinson 1965 das «Vorwortparadox» formuliert. Dieses Paradox, das Ähnlichkeiten sowohl mit dem Erwartungsparadox wie mit dem Paradox der unerwarteten Hinrichtung aufweist, liefert den Beweis dafür, daß es keine nicht-fiktive Literatur gibt.

Ein Autor schreibt ein langes Buch, das er für ein Sachbuch hält. Es enthält zahlreiche Aussagen, die er sorgfältig überprüft hat. Ein Freund liest das Buch, zuckt mit den Achseln und sagt: «Jedes Buch dieser Länge enthält mindestens einen Fehler.» «Wo?» fragt der Autor. Der Freund gibt zu, daß er keinen Fehler gefunden hat, beharrt aber darauf, daß praktisch alle längeren Sachbücher einen oder zwei Fehler enthalten. Zögernd gibt der Autor das zu. «Wenn dem so ist», sagt der Freund, «haben deine Leser keinen Grund, irgendeiner Aussage in deinem Buch Glauben zu schenken.»

«Paß auf», sagt der Freund, «such dir eine Aussage aus.» Er öffnet das Buch auf gut Glück und zeigt auf einen Aussagesatz. «Laß diese Aussage für den Augenblick weg. Ich verdecke sie mit dem Finger, so daß du sie nicht sehen kannst. Glaubst du, daß alle anderen Aussagen in dem Buch wahr sind?»

«Natürlich. Ich hätte die Aussagen ja wohl nicht gemacht, wenn ich sie nicht für wahr hielte und gute Gründe für diese hätte.»

«Richtig. Und du hast zugegeben, daß das Buch mindestens einen Fehler enthalten muß, auch wenn weder du noch ich ihn gefunden haben. Wenn du glaubst, daß das Buch mindestens einen Fehler enthält, und darüber hinaus glaubst, daß jede Aussage außer dieser hier wahr ist, dann mußt du glauben, daß die Aussage, die ich mit dem Finger verdecke, falsch ist. Sonst widersprechen sich deine Überzeugungen. Und ich habe gerade diese Aussage nur als Beispiel ausgewählt. Ich hätte jede beliebige Aussage nehmen und dasselbe darüber sagen können. Du hast keinen legitimen Grund für deine Überzeugung, daß irgendeine Aussage in deinem Buch wahr ist», schloß der Freund.

Da der Autor seine Leser nicht in die Irre führen wollte, schrieb er ein Vorwort zu seinem Buch, das die Warnung enthielt: «Mindestens eine Aussage in diesem Buch ist falsch.»

Wenn das Buch einen oder mehrere Fehler enthält, dann trifft die Aussage des Vorworts zu. Wenn das Buch (ohne das Vorwort) keine Fehler enthält, ist die vorangehende Warnung irrig. Dann enthält das Buch aber doch einen Fehler, und die Warnung ist zutreffend. Aber wenn die Warnung zutreffend ist, dann gibt es keinen Fehler, und sie ist unzutreffend... Eine Serie von Verbesserungen, die späteren Auflagen beigelegt wurde, trug auch nicht viel zur Klärung der Angelegenheit bei.

Müssen berechtigte Überzeugungen miteinander vereinbar sein?

Viele echte Vorworte gestehen Irrtümer ein. Kurt Vonnegut hat seinem Roman *Katzenwiege* den Satz vorangestellt: «Nichts in diesem Buch ist wahr.» Das ist nicht Makinsons Vorwortparadox, sondern ein direkterer Widerspruch. Insoweit es sich bei Vonneguts Buch um ein Werk der Belletristik handelt, ist die einleitende Bemerkung korrekt, außer in bezug auf eben diese einleitende Bemerkung selbst. Die Vorbemerkung, die offenbar von dem wirklichen Kurt Vonnegut und nicht von einer seiner Romanfiguren stammt, ist nicht fiktiv gemeint. Wenn sie von sich selbst spricht, entsteht ein Lügnerparadox.

Das Vorwortparadox erinnert auch an das tragisch gescheiterte Lebenswerk des Mathematikers William Shanks, der den Wert von *pi* berechnete und an der 528. Dezimalstelle einen Fehler machte, durch den die ganze folgende Arbeit wertlos wurde. Stellen Sie sich vor, Sie schrieben ein Buch mit dem Titel *Die Ziffern von Pi.* Auf Seite 1 schreiben Sie: «Die erste signifikante Ziffer von *pi* ist 3.» Auf jeder der folgenden Seiten wird eine Aussage über die nächste Ziffer in der Darstellung von *pi* als Dezimalbruch gemacht. Die Ziffern selbst berechnen Sie von Hand. Sie sind ein fähiger Mathematiker und benutzen einen allgemein anerkannten Algorithmus. Sie haben das Recht, jede einzelne Ziffer, die Sie berechnen, für richtig zu halten.

Als Sie bei der 1000. Ziffer angelangt sind, wird Ihnen klar, daß Ihnen höchstwahrscheinlich mindestens ein Rechenfehler unterlaufen ist. Das ist alles viel schlimmer, als es in Makinsons Paradox war. Wie bei normalen Divisionsaufgaben hängt jede Ziffer vom Wert der vorangehenden Ziffern ab. Sie können die 1000. Stelle von *pi* nicht direkt berechnen; davor müssen Sie die 999. Stelle berechnen, davor die 998. und so weiter. Jeder Fehler bei der Berechnung einer Stelle macht alle folgenden Ziffern ungültig. Es ist wie eine Reihe von 1000 Dominosteinen: Wenn der 307. Stein nach rechts kippt, fallen alle Dominosteine dahinter. Wenn Sie mindestens einen Fehler bei der Berechnung der ersten 1000 Stellen gemacht haben, muß die 1000. Ziffer falsch sein.* Sehr wahrscheinlich ist auch die 999., die 998. und eine lange Reihe von Ziffern davor falsch.

Wie das Erwartungsparadox stellt auch das Vorwortparadox die Rolle deduktiver Schlüsse in Situationen in Frage, in denen keine Gewißheiten, sondern induktive Wahrscheinlichkeiten eine Rolle spielen. Da der Wissenschaftler es eher mit Wahrscheinlichkeiten als mit Gewißheiten zu tun hat, ist das Problem einer sorgfältigen Untersuchung wert.

Unser Weltbild besteht aus einem Satz von größtenteils gerechtfertigten und größtenteils wahren Überzeugungen. (Jedenfalls halten wir sie für größtenteils gerechtfertigt und wahr.) Das Vorwortparadox stellt uns vor die Frage, ob man berechtigte Überzeugungen hegen kann, die in sich logisch widersprüchlich sind. Beachten Sie das Paradox im Paradox! Der Verfasser hat einen Satz von Überzeugungen (daß jede Aussage für sich genommen wahr ist, einerseits, und daß das Buch einen Fehler enthält, andererseits), der einen Widerspruch einschließt. Nehmen wir an, das Buch stelle 1001 einzelne Behauptungen auf, die miteinander vereinbar sind. Die Behauptung im Vorwort («Mindestens eine Aussage in diesem Buch ist falsch.») ist die 1001. Behauptung. Das ergibt den raffiniertesten Widerspruch überhaupt, denn jede beliebige Kombination von 1000 der 1001 Behauptungen ist logisch widerspruchsfrei, aber der vollständige Satz von 1001 widerspricht sich selbst.

Die Frage der Wahrscheinlichkeit wird in dem von Henry E. Kyburg Jr. 1961 aufgestellten Lotterieparadox offensichtlicher bedeutsam. Niemand, der ein Lotterielos kauft, kann vernünftigerweise erwarten zu gewinnen; die Wahrscheinlich-

* Die Wahrscheinlichkeit, daß sie richtig ist und es sich um ein Gettiersches Gegenbeispiel handelt, ist 1 zu 10.

keit dagegen ist zu hoch. Aber die Erwartung jedes einzelnen, daß er nicht gewinnen wird, steht im Gegensatz zu der Tatsache, daß irgend jemand gewinnen wird. In der Praxis geht die unangreifbare Argumentationskette einen Schritt weiter. Viele Loskäufer rechtfertigen ihr Risiko mit dem Satz: «Irgend jemand muß ja schließlich gewinnen, warum nicht ich?» Das ist ein Trugschluß, auf den die Lotteriewerbung gerne setzt. Kyburg hatte den Eindruck, sein Paradox demonstriere, daß man durchaus einen Satz gerechtfertigter Überzeugungen haben kann, der logisch nicht schlüssig ist.

Ein Spezialfall der Paradoxe von Makinson und Kyburg ist die seltsame Art und Weise, in der eine große Zahl von Einzelüberzeugungen innere Widersprüche verbergen kann. Eine einzelne Aussage kann unbemerkte Widersprüche in einen Satz von Millionen Aussagen einschmuggeln. Nehmen Sie zum Beispiel den folgenden Kettenschluß:

1	Alice ist eine Logikerin.
2	Alle Logiker essen Schweinekoteletts.
3	Alle, die Schweinekoteletts essen, sind Kreter.
4	Alle Kreter sind Lügner.
5	Alle Lügner sind Taxifahrer.
	...
	...
	...
999 997	Alle Texaner sind reich.
999 998	Alle Reichen sind unglücklich.
999 999	Alle Unglücklichen rauchen Zigaretten.
1 000 000	Alice raucht nicht.

Die Auslassungspunkte deuten an, daß die Prämissen 6 bis 999996 weitere Aussagen des Typs «Alle x sind y» sind, so daß am Ende der Schluß gerechtfertigt ist, alle Logiker seien Zigarettenraucher, und Alice rauche Zigaretten. Das widerspricht der 1000000. Prämisse, und infolgedessen ist der Satz von Aussagen unerfüllbar (selbst-widersprechend).

Das ist nichts Besonderes. Erstaunlich ist, daß die Streichung irgendeiner beliebigen Prämisse den Satz erfüllbar macht. Streichen Sie die Prämisse Nummer 4. Dann können Sie schließen, daß Alice Kreterin ist, daß alle Lügner Zigaretten rauchen und daß Alice nicht raucht (also auch keine Lügnerin ist).

In diesem Beispiel sind die Prämissen säuberlich geordnet, so daß es leicht wird, den Widerspruch zu erkennen. Wenn eine Million Prämissen nach dem Zufallsprinzip durcheinandergewürfelt sind, ist es schwerer zu erkennen, ob der Satz sich selbst widerspricht. Sind einige der Aussagen komplizierter, wird es noch schwieriger. Ein Satz von Überzeugungen gleicht einem Puzzle: Nimmt man ein Stück heraus, fällt alles auseinander. Der Einfluß jeder einzelnen Behauptung kann «Kreise ziehen» und sich auf den ganzen Satz auswirken.

Pollocks Gaskammer

Wenn man sich in ein Paradox verstrickt hat, neigt man dazu, eine oder mehrere der ursprünglichen Annahmen aufzugeben, aus denen sich der Widerspruch ergeben hat. Die Frage ist: Wie entscheidet man, welche Überzeugung man aufgeben sollte? John L. Pollocks Lösung des Vorwortparadoxons beruht auf Bestätigungsregeln, die er in dem folgenden Gedankenexperiment illustriert hat:

Ein Raum füllt sich gelegentlich mit einem giftigen grünen Gas. Um diejenigen zu warnen, die den Raum betreten wollen, ist er mit einem Warnsystem ausgestattet. Das System (das offenbar von einem Komitee ausgearbeitet worden ist) funktioniert folgendermaßen: Durch ein Fenster in der Tür des Raums kann man ein Warnlicht sehen. Das Licht ist grün (für «freie Fahrt»), wenn man den Raum gefahrlos betreten kann. Es ist weiß (die Todesfarbe einiger asiatischer Kulturen), wenn der Raum das tödliche Gas enthält.

Bedauerlicherweise ist das Warnsystem unbrauchbar, weil

das grüne Gas das Warnlicht grün erscheinen läßt, wenn es in Wirklichkeit weiß ist. Das Licht sieht immer grün aus, egal ob im Raum Gas oder kein Gas ist. Das Komitee hat gegen diesen schrecklichen Fehler Abhilfe geschaffen, indem man unmittelbar vor dem Warnlicht eine Videokamera angebracht hat. Das Videosignal wird auf einen Farbfernsehschirm außerhalb des Raums übertragen. Auf dem Schirm ist die Farbe des Warnlichts korrekt erkennbar, unabhängig davon, ob der Raum das Gas enthält oder nicht. Ein Schild an der Tür macht potentielle Besucher darauf aufmerksam, daß sie die scheinbare Lichtfarbe im Fenster ignorieren und sich statt dessen nach dem Bild richten sollen.

Pollocks umständliches Warnsystem ist eine Allegorie unserer unvollkommenen Welterkenntnis. Das Licht ist grün oder weiß, wir wissen nicht, was von beidem. Es sieht im Fenster grün aus. Das ist zunächst einmal ein Grund, es für grün zu halten. Das Licht sieht auf dem Bildschirm weiß aus. Das ist ein Grund, es für weiß zu halten. Aber wenn es grün ist, kann es nicht weiß sein, und umgekehrt. Wir müssen eine der beiden ursprünglich glaubwürdigen Annahmen aufgeben.

Pollock weist darauf hin, daß man einen Glauben auf mehr als eine Art zurückweisen kann. Man könnte sagen: «Das Licht sieht im Fenster grün aus. Aus Erfahrung weiß ich, daß die meisten Fenster aus klarem Glas bestehen, das Farben nicht verzerrt, und daß auch Luft farblos ist. Deshalb ist die Farbe, mit der ich das Licht durch das Glas wahrnehme, eine Rechtfertigung für die Überzeugung, daß es auch wirklich grün ist. Wenn es grün ist, kann es nicht weiß sein. Also ist es nicht weiß.»

Natürlich könnte man genausogut etwa folgendes sagen: «Das Licht auf dem Bildschirm ist weiß. Normalerweise haben Dinge die Farbe, die sie im Farbfernsehen haben; dazu ist Farbfernsehen schließlich da. Also ist die Farbe des Lichts auf dem Bildschirm ein guter Grund zu glauben, daß es weiß ist. Wenn es weiß ist, kann es nicht grün sein. Also ist es nicht grün.»

Wir haben es mit einem Miniparadox zu tun, bei dem die Folgerungen aus einem kleinen Satz von Beobachtungen zu einem Widerspruch führen. Jede der beiden Argumentationsketten scheint die andere auf die stärkste nur denkbare Weise zu widerlegen.

Die Lösung liegt auf der Hand. Das Licht muß in Wirklichkeit weiß sein, wie es auf dem Bildschirm erscheint. Nur daß wir dafür nicht die zweite unserer beiden Argumentationsketten benützen. Das zweite Argument ist nicht stärker als das erste, vielleicht sogar etwas schwächer. (Wenn das, was Sie im Fernsehen sehen, im Widerspruch zu dem steht, was Sie direkt sehen, verlassen Sie sich vermutlich eher auf Ihre eigenen Augen.) Es gibt einen weiteren Grund dafür, daß das Licht weiß sein muß, und diesen Grund stellt das Schild an der Tür symbolisch dar.

Alle empirischen Glaubenssätze sind widerlegbar. Es ist immer möglich, etwas (ein «Widerlegungselement») zu erfahren, durch das eine Überzeugung ungültig wird. Es gibt zwei Arten von Widerlegungen: zurückweisende Widerlegungen und unterminierende Widerlegungen.

Eine zurückweisende Widerlegung sagt einfach aus, daß eine Überzeugung falsch ist. Wenn Sie erfahren, daß es im Kopenhagener Zoo eine Kolonie von weißen Raben gibt, ist das eine zurückweisende Widerlegung der Behauptung, alle Raben seien schwarz. Sie verfügten dann weiterhin über all das Beweismaterial, das Sie je für Ihre Behauptung gehabt haben (d. h. all die Fälle, in denen schwarze Raben gesichtet worden sind), und es wäre immer noch «einschlägiges» Beweismaterial, und dennoch müßten Sie zugeben, daß die Behauptung falsch ist.

Eine unterminierende Widerlegung macht klar, daß die Beweise für die Überzeugung ungültig sind. Sollten Sie entdecken, daß Sie tatsächlich ein Retortengehirn sind, wäre das eine unterminierende Widerlegung all dessen, was Sie über die Außenwelt zu wissen glauben. Eine unterminierende Widerlegung rückt das «Beweismaterial», das einer Überzeugung zugrunde liegt, in ein neues Licht und zeigt, daß man es nicht zur Rechtfertigung der Überzeugung verwenden kann. Die Überzeugung selbst könnte dabei immer noch wahr sein, nur die angeblichen Beweise taugen nichts.

Das klingt, als sei eine zurückweisende Widerlegung die stärkere der beiden Formen. In Wirklichkeit haben aber – zumindest nach Pollock – unterminierende Widerlegungen den Vorrang vor zurückweisenden. Das ist so ähnlich wie der Unterschied zwischen einer langweiligen und einer interessanten Diskussion: Im einen Fall teilen die Gegner einander abwechselnd mit, daß sie unrecht haben, im anderen sagen sie, warum ihr Gegner unrecht hat.

Die empirisch untermauerten Schlußfolgerungen über das Licht (daß es auf Grund seiner Farbe im Fenster grün ist; daß es auf Grund seiner Farbe auf dem Bildschirm weiß ist) widerlegen einander durch Zurückweisung. Die Situation wird erst durch das Schild geklärt, also durch eine unterminierende Widerlegung. Indem das Schild erklärt, daß das Licht, wenn man es durch das grüne Gas sieht, täuschend grün aussehen kann, liefert es uns einen Grund dafür, eine Überzeugung aufzugeben und die andere beizubehalten.

Das Prinzip des Vorrangs unterminierender Widerlegungen läßt die Paradoxe dieses Kapitels (ebenso wie das Paradox der unerwarteten Hinrichtung) verständlicher werden. Das Argument, das der Freund des Schriftstellers im Vorwortparadox vorbringt, ist eine zurückweisende Widerlegung der ausgesuchten Aussage. Er behauptet, die Aussage sei falsch, ohne zu sagen warum. Die Argumentation bleibt vollständig außerhalb der Aussage. In der Tat hat der Inhalt der abgedeckten (und nicht gelesenen) Aussage nichts damit zu tun.

Der Autor könnte eine unterminierende Widerlegung des Arguments seines Freundes anführen. Die Argumentation des Freundes beruht auf der Überzeugung, daß das Buch einen Fehler enthält. Obgleich es ausgezeichnete empirische Indizien für diese Überzeugung geben mag – er mag Irrtümer und Druckfehler in anderen Büchern gefunden haben –, wäre sie gewiß nicht mehr haltbar, wenn mit Sicherheit bekannt wäre, daß alle Aussagen des Buchs außer derjenigen, die der Freund herausgesucht hat, richtig wären. Dann könnte das Buch nur noch dann einen Fehler enthalten, wenn die abgedeckte Aussage falsch wäre, und es gibt keinen Grund für die Annahme, daß sie mit größerer Wahrscheinlichkeit falsch ist als die anderen Aussagen. Wenn es hart auf hart kommt, sollte man sich auf unterminierende Widerlegungen verlassen.

Das Vorwortparadox ist ein unechtes Paradox. Wir haben die ganze Zeit gewußt, daß die Argumentation des Freundes falsch war. Das Rätsel war nur, warum. Das Erwartungsparadox ist schwieriger. Wenn wir Pollocks Prinzip darauf anwenden, ergibt sich die folgende Lösung (die nicht notwendigerweise das letzte Wort in der Sache sein muß):

Das Argument, die Resultate eines Experiments seien falsch, ist eine zurückweisende Widerlegung. Der Nachweis, daß ein Experiment ungültig ist, ist eine unterminierende Widerlegung. Im Konfliktfall würde uns Pollock raten, den Nachweis, daß das Experiment über den Vorurteilseffekt ungültig ist, dem Nachweis, daß es falsch ist, vorzuziehen.

Nehmen wir die starke Version des Paradoxons, in der ein auserlesenes Komitee von berühmten Wissenschaftlern das Experiment überwacht hat und wir deshalb der Gültigkeit des Experiments gewiß sein können. Die zurückweisende Widerlegung lautet folgendermaßen: Wenn die Ergebnisse richtig sind, muß das Experiment ungültig sein. Aber da wir wissen, daß das Experiment gültig ist (es wurde ja von Experten überwacht), können die Resultate (nach dem *modus tollens*) nicht richtig sein.

Die unterminierende Widerlegung lautet: Wenn das Experiment gültig ist und seine Resultate wahr sind, dann haben unsere unbewußten Erwartungen das Experiment beeinflußt. Mit Bedauern schließen wir, daß es ungültig war. (Das klingt wie die vernünftigere unter den zwei möglichen Positionen.)

Was schließlich die unerwartete Hinrichtung angeht (deren

Ähnlichkeit mit dem Vorwortparadox in der Vielzahl der Tage bzw. Aussagen besteht), gilt folgendes: Die Argumentation des Gefangenen weist die Möglichkeit seiner Hinrichtung an jedem der sieben Tage der Woche zurück. Dieser Satz von Überzeugungen erzeugt seine eigene unterminierende Widerlegung, denn der Henker, der die Überzeugungen des Gefangenen kennt, kann ihn an jedem beliebigen Tag hinrichten. Wenn wir die unterminierende Widerlegung vorziehen, kommen wir zu Quines Position, nach der der Gefangene unrecht hat.

Vielleicht fragen Sie sich jetzt, wann Sie eigentlich zu dem Schluß kommen können, daß etwas über allen Zweifel erhaben ist. Die Antwort ist: nie. Das ist das Problem, wenn man Unwiderlegbarkeit als viertes Kriterium des Wissens ansetzt. Keine Überzeugung ist gegen Widerlegung geschützt – nicht einmal eine Überzeugung, die selbst eine Widerlegung ist.

Der Hausmeister kommt und inspiziert den Bildschirm vor Pollocks Gaskammer. «Diese Kinder!» murmelt er vor sich hin. «Die denken, es sei witzig, mit den Knöpfen an dem Ding herumzuspielen. Ich warte ja nur darauf, daß einer dabei stirbt. Dann werden sie endlich etwas unternehmen.» Vor sich hin schimpfend dreht er so lange am Farbregler, bis das Bild der Glühbirne in strahlendem Grün erscheint.

8. UNENDLICHKEIT

Thomsons Lampe

Thomsons Lampe – sie ist nach ihrem Erfinder James F. Thomson benannt – sieht aus wie jede andere Lampe auch und hat einen Kippschalter. Wenn man einmal auf den Knopf drückt, geht die Lampe an; drückt man noch einmal, geht sie wieder aus. Ein überirdisches Wesen hat aus unerfindlichen Gründen Gefallen an einem sinnlosen Spiel gefunden. Es knipst die Lampe ½ Minute lang an, macht sie dann für ¼ Minute aus, macht sie dann wieder für ⅛ Minute an, knipst sie $1/16$ Minute aus und so weiter. Die Summe der unendlichen Reihe, um die es hier geht (½ + ¼ + ⅛ + ...), ist eins. Wenn also eine Minute verstrichen ist, hat unser überirdisches Wesen unendlich oft auf den Schalter gedrückt. Ist die Lampe nach einer Minute an oder aus?

Natürlich weiß jeder, daß es so eine Lampe in der Realität nicht geben kann. Aber die prosaischen Bedingungen physikalischer Realität sollten unserer Vorstellungskraft keine unnötigen Zügel anlegen. Die Beschreibung der Lampe und des Geisterspiels ist logisch vollkommen exakt. Anscheinend besteht kein Zweifel daran, daß wir über alle benötigten Informationen verfügen, um festzustellen, ob die Lampe an oder aus sein wird. Ebenso über jeden Zweifel erhaben scheint auch die Tatsache zu sein, daß sie entweder an oder aus sein muß.

Und dennoch wäre es absurd, das Rätsel von Thomsons Lampe beantworten zu wollen. Das käme dem Versuch gleich, festzustellen, ob die größte ganze Zahl gerade oder ungerade ist!

Die Pi-Maschine

Noch mehr Verwirrung schafft die «Pi-Maschine». Dieser seltsame Mechanismus gleicht einer altmodischen Registrierkasse. Wenn man sie anstellt, berechnet die Maschine flink die Stellenwerte von *pi* (der Länge des Kreisumfangs, wenn der Durchmesser 1 ist). Wie wir seit dem Altertum wissen, wird *pi* durch eine endlose Folge von Ziffern dargestellt: 3,14159265... Die Pi-Maschine «verkürzt» diese Unendlichkeit, indem sie jede Stelle in der Hälfte der Zeit berechnet, die sie für die vorige gebraucht hat. Jedesmal, wenn sie eine Stelle berechnet hat, erscheint die Ziffer in einem Fensterchen. Es ist jeweils nur eine einzige, eben die zuletzt berechnete, Ziffer auf einmal sichtbar.

Wenn sie zur Berechnung der ersten Stelle dreißig Sekunden braucht, wird die Maschine in einer Minute alle Stellen von *pi* berechnet haben.* Was aber viel erstaunlicher ist: Wenn die Minute verstrichen ist, erscheint im Fenster die eindeutig «letzte» Stelle von *pi*! Natürlich ist das reiner Unsinn, denn *pi* hat keine letzte Stelle.

Die dritte im Bunde der unmöglichen Maschinen ist die «Peano-Maschine». Das ist eine Art automatisierte Pfeife mit Kolbenventil. Sie ist eingeteilt wie ein Zollstock. Das eine Ende trägt die Bezeichnung «0», das andere die Bezeichnung «1». Wenn der Ventilkolben an einem Punkt vorbeikommt, dessen Kehrwert eine ganze Zahl ist, verkündet ein mechanisches Lippenpaar diese Zahl. Je weiter der Kolben fährt, desto höher wird die Stimme der Maschine, so daß sie immer schneller und schneller Zahlen ansagen kann.

Ganz am Anfang etwa steht der Kolben bei 1, und $1/1$ ist 1. Die Maschine sagt in vollem Bariton: «Eins». Dreißig Sekun-

* Wenn man die Pi-Maschine in einem abgedunkelten Raum gleichzeitig mit Thomsons Lampe laufen läßt, kann man eine stroboskopische Darstellung der ungeraden Stellen von *pi* genießen.

den später steht der Kolben auf 0,5. Der Kehrwert von 0,5 ist 2, und die mechanische Stimme (nunmehr ein Tenor) sagt: «Zwei». Zehn Sekunden später sagt eine Altstimme: «Drei». Fünf Sekunden später ertönt im Sopran die Ansage «Vier».

Gegen Ende der Minute wird die Ansage immer schneller und hysterischer. Die Tonlage wird zu hoch, als daß das menschliche Ohr sie erfassen könnte. Ein paar Sekunden lang heulen die Hunde unruhig... Dann können auch sie die Maschine nicht mehr hören. Wenn eine Minute vergangen ist, hat die Maschine den Namen jeder einzelnen natürlichen Zahl genannt.

Die Paradoxien des Zenon

Unendlichkeit als Symbol einer überwältigenden und unfaßbaren Welt ist ein beliebtes Motiv der paradoxen Literatur. Oft stößt im Paradox das Unendliche mit der Behaglichkeit der Alltagswelt zusammen und bedroht ihre sichere Ordnung.

Zu den ältesten Auseinandersetzungen mit dem Problem des Unendlichen gehören die – verlorenen – *Paradoxien* des Zenon von Elea (5. Jh. v. Chr.). Wir kennen seine Argumente nur aus oft verkürzten Darstellungen und Zitaten bei anderen Autoren der Antike. Zenon war ein intellektueller Störenfried, dem es Vergnügen bereitete zu beweisen, daß alltägliche Dinge wie Zeit, Bewegung etc. nicht existieren können. Sein bekanntestes Paradox ist das folgende: Der flinke Achilles fordert die Schildkröte zum Wettlauf heraus. Die Schildkröte bekommt einen Vorsprung von beispielsweise einem Meter. Um die Schildkröte zu überholen, muß Achilles den Meter bis zur Startlinie der Schildkröte laufen. In der Zeit, die er dazu braucht, kommt die Schildkröte ein weiteres Stück – zehn Zentimeter – voran. Jetzt muß Achilles zehn Zentimeter laufen, um aufzuholen. Nunmehr ist ihm die Schildkröte einen Zentimeter voraus. Die analytische Beschreibung läßt sich ewig fortsetzen.

Der Vorsprung der Schildkröte wird immer kleiner, aber Achilles überholt sie nie.

Zenon bestritt die Realität unendlicher Reihen und Mengen. Er ging davon aus, die Demonstration, daß in etwas der Begriff der Unendlichkeit enthalten ist, beweise, daß es nicht existieren könne. Für uns Heutige sind einige unter den zenonischen Paradoxen nicht mehr sehr zwingend. Zenon erscheint dann leicht als ein mathematischer Eigenbrötler, der mit unendlichen Reihen nicht zurechtkam. Die Reihe von Zwischenstrecken, die Achilles durchlaufen muß, addiert sich zu einer endlichen Summe von 111,111... (oder 111 und 1/9) Zentimetern. Die «Unendlichkeit» ist eher Zenons Analyse inhärent als der physikalischen Wirklichkeit.

Ein verwirrenderer Einfall Zenons ist das Pfeilparadox: Ein Pfeil fliegt durch die Luft. Zu jedem beliebigen Zeitpunkt verharrt der Pfeil bewegungslos. Der momentane Pfeil gleicht einer unbeweglichen Fotografie oder einem einzelnen Filmbild seiner selbst. Die Zeit besteht aus einer unendlichen Zahl von Augenblicken, und in jedem Augenblick steht der Pfeil still. Wo ist seine Bewegung?

Das Pfeilparadox ist einer gründlichen Untersuchung wert. Formulieren wir es etwas moderner: Wir haben einen Pfeil, der aus Atomen besteht. Er bewegt sich in der Raumzeit der Relativitätstheorie, und die Messung geht in einem Inertialsystem als Bezugssystem vor sich. Selbst in diesem Kontext bleibt dem «Augenblick» etwas von der Unschärfe, die der Begriff für Zenon hatte. Wir glauben (außer auf der Ebene der Quantenphysik) weiterhin an Ursache und Wirkung und daran, daß die Gegenwart die Zukunft bestimmt und selbst von der Vergangenheit bestimmt wird. Was unterscheidet nun in diesem Augenblick gefrorener Zeit einen bewegten Pfeil von einem ruhenden? Es scheint, als müsse ein bewegter Pfeil irgendeine Art von Information mit sich tragen, die ihn als solchen identifiziert. Woher «wüßte» er sonst, daß er sich im nächsten Augenblick wieder vorwärts schleudern muß?

Die zeitgenössischen «Unendlichkeitsmaschinen», die wir oben beschrieben haben, gehören enger zum Thema dieses Buchs. Die von Zenon inspirierten Paradoxe fordern eher die Erkenntnistheorie als die Bewegungslehre in die Schranken. Und der moderne Begriff der unendlichen Reihe trägt nichts zu ihrer Auflösung bei. Die Funktionsweise jeder einzelnen dieser Maschinen ist eine «Superaufgabe», eine Unendlichkeit von Handlungen, die vielleicht unmöglich sind, aber eindeutig beschrieben werden können. Jedesmal verspricht uns die Lösung einen Blick ins Antlitz der Medusa: etwas anscheinend Unerkennbares.

Pragmatiker mögen fragen, wozu Unendlichkeitsmaschinen gut sind. Die philosophische Diskussion erinnert hier an den Arzt, der nach dem Heilmittel für eine Krankheit sucht, die es gar nicht gibt. Aber es gibt Analogien zwischen diesen Gedankenkonstruktionen und bestimmten Prozessen in der wirklichen Welt. Der Sonderstatus von Fragen, die nur durch eine unendliche (oder «praktisch unendliche») Serie von einzelnen Handlungen beantwortet werden können, lohnt die Mühe der Erforschung.

Wir bauen Thomsons Lampe

Ein Teil der Diskussion von Unendlichkeitsmaschinen hat sich auf praktische Fragen der Mechanik bezogen. Obgleich das eher irrelevant erscheinen mag, kann eine etwas detailliertere Untersuchung auch auf logische Schwierigkeiten hinweisen. Adolf Grünbaum hat alle drei Maschinen unter diesem Aspekt analysiert.

Ein Einwand gegen Thomsons Lampe könnte darin bestehen, daß man eine Glühbirne nicht unendlich schnell an- und ausschalten kann. Von einem bestimmten Punkt an hat der Glühfaden nicht mehr genug Zeit, um sich aufzuheizen, wenn der Strom eingeschaltet, und sich abzukühlen, wenn er ausgeschaltet ist. Möglicherweise würde also während der letzten Sekunden der Glühdraht halb aufgeheizt bleiben.

Außerdem weiß jedermann, daß ständiges An- und Ausknipsen eine sichere Methode ist, Glühbirnen zum Durchbrennen zu bringen. Die Birne in Thomsons Lampe müßte mit Sicherheit durchbrennen.

Grünbaum behauptete, diese Fragen seien nicht entscheidend. Das Rätsel bleibt: Wird das Licht nach einer Minute an oder aus sein? Nach einer Minute kann man immer noch die durchgebrannte Birne herausschrauben und eine neue einsetzen. Wird sie brennen?

Das eigentliche Problem ist der Schalter. Der Schaltknopf in Thomsons Lampe legt offensichtlich jedesmal, wenn er bedient wird, einen Weg zurück. Also muß er eine unendliche Entfernung in einem endlichen Zeitraum zurücklegen. Um nur auf einen physikalischen Einwand hinzuweisen: Gegen Ende der Minute muß sich der Knopf mit mehr als Lichtgeschwindigkeit bewegen, und das ist unmöglich.

Nun ist es allerdings nicht wesentlich, daß der Schaltknopf einen unendlichen Hin- und Rückweg zurücklegt; schließlich hat er kein Ziel, an dem er ankommen müßte. Grünbaum und Allen Janis haben ein bißchen herumgebastelt und eine modifizierte Thomsonlampe konstruiert, die etwas einleuchtender gebaut ist.

Stellen Sie sich den Schalter als einen senkrechten Zylinder mit elektrisch leitender Bodenfläche vor. Wenn der Knopf ganz hereingedrückt ist, schließt sein Boden den Stromkreis zwischen zwei offenliegenden Leitungsenden. Der Strom fließt durch den Schalterboden und läßt die Birne aufleuchten.

Wenn die Lampe an sein soll, ruht der Schaltknopf auf dem offenen Stromkreis. Wenn die Lampe aus sein soll, vollführt der Schaltknopf eine Auf- und Abwärtsbewegung mit gleichbleibender Geschwindigkeit. Der Knopf steigt jedesmal nur so weit nach oben, wie es die zur Verfügung stehende Zeit und seine unveränderliche Geschwindigkeit erlauben.

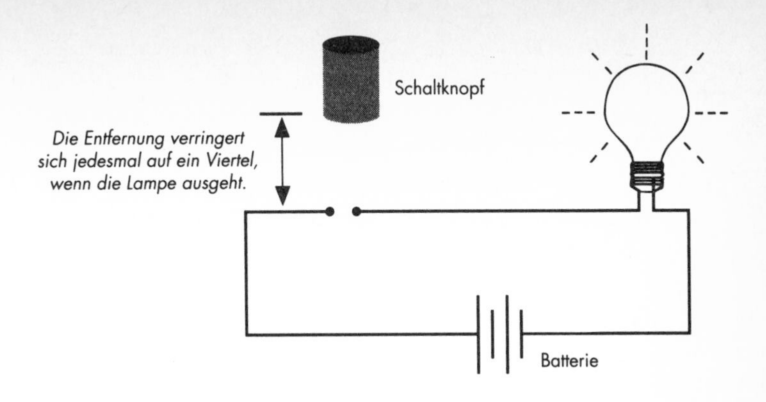

Während der ersten 30 Sekunden liegt der Knopf glatt an den Enden des Stromkreises an, und die Birne brennt. Während der nächsten 15 Sekunden ist die Birne aus. Der Knopf bewegt sich 7,5 Sekunden lang nach oben und 7,5 Sekunden lang nach unten, dann bleibt er weitere 7,5 Sekunden lang unbeweglich, schließt den Stromkreis und läßt die Birne wieder aufleuchten. Dann steigt der Knopf 1,875 Sekunden und senkt sich 1,875 Sekunden, so daß die Birne 3,75 Sekunden dunkel bleibt.

Der Knopf hebt und senkt sich unendlich oft, legt aber jedesmal nur ein Viertel der vorhergehenden Entfernung zurück. Er gleicht einem nicht besonders elastischen Ball. Die Gesamtstrecke, die er zurücklegt, ist genauso säuberlich endlich wie der Gesamtzeitraum des Vorgangs. Die Geschwindigkeit ist konstant und weitaus kleiner als die Lichtgeschwindigkeit.

Leider ist auch Grünbaum und Janis' modifizierte Thomsonlampe noch nicht ganz gezähmt. Die Hinundherbewegung bringt eine willkürlich große Beschleunigung und Bremsung mit sich. Vermutlich ist unendliche Beschleunigung nicht ganz so schlimm wie unendliche Geschwindigkeit. Aber dennoch kann ein physischer Körper nur ein gewisses Ausmaß an Beschleunigung aushalten. An einem bestimmten Punkt würde die Beschleunigung den Schaltknopf genauso sicher zerschmettern wie ein Hammerschlag.

Ein störenderes Problem bietet die modifizierte Lampe aufgrund der Tatsache, daß es überhaupt keine Frage ist, ob sie am Ende der Minute brennt. Der Boden des Schalterknopfs bleibt immer näher an dem offenen Stromkreis und bleibt schließlich genau auf ihm liegen (genauso wie ein springender Ball auf dem Boden liegen bleibt). Die modifizierte Lampe ist am Ende des gesamten Vorgangs einwandfrei eingeschaltet. Das wiederum liegt unbefriedigenderweise an dem modifizierten Schaltsystem. Was für eine Relevanz das Ganze für das ursprüngliche Problem von Thomsons Lampe hat, bleibt fraglich.

Mit anderen, teils ähnlichen, teils andersartigen Problemen muß sich auch der Konstrukteur einer Pi-Maschine oder einer Peano-Maschine herumschlagen. (Letztere wurde übrigens von Grünbaum zu Ehren des italienischen Zahlentheoretikers Giuseppe Peano so getauft.) Bei der Pi-Maschine stellt sich die Frage, wie sie die Stellen von *pi* so schnell berechnen kann. Wie wir noch sehen werden, hat Rechnen genauso starre Grenzen wie Bewegung. Um unendliche Geschwindigkeiten zu vermeiden, müßten die Zahlen über immer kürzere Entfernungen hochspringen. Irgendwann wären wir nicht mehr imstande festzustellen, welche Ziffer gerade «angezeigt» wird. Ein alternatives Modell der Pi-Maschine druckt die Einzelstellen von *pi* in einer surrealistischen Drucktype, bei der jede Ziffer halb so breit ist wie ihr Vorgänger. Der vollständige Ausdruck paßt auf eine Karteikarte, aber selbst das stärkste Elektronenmikroskop kann die letzte Stelle nicht lesbar machen.

Ein Spezialproblem der Peano-Maschine stellen die immer länger werdenden Zahlennamen dar. Man braucht viel Zeit, um eine hundertstellige Zahl auszusprechen. Janis hat vorgeschlagen, daß die Maschine auf natürliche Sprache verzichten und die Zahlen in einem Code «pfeifen» solle, in dem jede Zahl einer bestimmten Schwingungsfrequenz zugeordnet ist.

Die Energie, die benötigt wird, um einen Ton zu erzeugen, hängt von der Frequenz (der Schwingungszahl) und der Amplitude (der Lautstärke) ab. Die Amplitude der Töne muß parallel zur Zunahme der Frequenz abnehmen, um einen unendlichen Energiebedarf zu vermeiden. Gegen Ende der Minute ist der Lautstärkeregler an den mechanischen Lippen auf Null gesunken. Sie könnten den letzten Ton selbst dann nicht hören, wenn Sie Töne von unendlich hoher Tonhöhe hören könnten.

Beachten Sie folgendes: Der Versuch, irgendeine der drei Unendlichkeitsmaschinen physikalisch konstruierbar zu gestalten, führt zu dem Schluß, daß das Ergebnis unsichtbar oder unhörbar sein muß. Viele Philosophen sind der Ansicht, daß an Unendlichkeitsmaschinen, «Superaufgaben» und «Tatsachen», die man nur mit Hilfe von Superaufgaben erfahren kann, etwas faul ist.

Geometrische Reihen

Etwas im wörtlichen Sinne Unendliches ist unvorstellbar, aber etwas, das sich der Unendlichkeit nähert, ist überall zu finden. Eine indische Legende berichtet, wie König Shirim von seinem Großwesir Sissa Ben Dahir, dem Erfinder des Schachspiels, hereingelegt wurde. Der König war so dankbar für das neue Spiel, daß er Sissa ein Goldstück für jedes der 64 Felder des Schachbretts als Belohnung anbot. Der Wesir lehnte höflich ab und bat um eine andere Belohnung. Er forderte den König auf, ein Weizenkorn auf das erste Feld des Schachbretts zu legen, zwei Körner auf das zweite, vier Körner auf das dritte, und so weiter: jeweils doppelt so viele Weizenkörner auf jedem Feld wie auf dem vorangehenden, bis das Schachbrett bedeckt wäre.

Der König war über Sissas Bescheidenheit erstaunt und ließ einen Sack Weizen kommen. Die Körner wurden sorgfältig so abgezählt, wie Sissa das verlangt hatte. Als die Diener des Königs an das zwölfte Feld kamen, wurde es schwierig, die ganzen Weizenkörner auf dem Feld unterzubringen, also häuften sie die dem Wesir zustehenden Körner neben dem Schachbrett auf. Zu seiner Überraschung sah der König, daß der Getreidesack leer war, bevor man an das 20. Feld kam. Er ließ mehr Weizen kommen... und gab schließlich auf. Aller Weizen in seinem Reich, in ganz Indien, ja in der ganzen Welt reichte nicht, um Sissas Forderung zu erfüllen.

Die Moral, die für ein Volksmärchen ein wenig zu mathematisch klingt, ist, daß man geometrische Reihen nicht unterschätzen soll. Das ursprüngliche Angebot des Königs war der Zahl der Felder auf dem Brett direkt proportional. Hätte Sissa ein Schachbrett mit 81 oder mit 49 Feldern entworfen, hätte das für das großzügige Angebot des Königs auch nicht viel ausgemacht. Was machen den Schatzkammern eines Königs schon ein paar Goldstücke mehr oder weniger aus?

Geometrische Reihen aber wachsen weit über die Grenzen des Reichtums in dieser Welt. Die Tatsache, daß die Recheneinheit des Wesirs, ein einziges Weizenkorn, unbedeutend war im Vergleich zu einem Goldstück, machte kaum einen Unterschied.

Versuchen wir herauszubekommen, wie viele Weizenkörner nötig sind, um Sissas Forderung zu erfüllen. Es sind $1 + 2 + 4 + 8 + \ldots$ Das kann man auch folgendermaßen schreiben: $2^0 + 2^1 + 2^2 + 2^3 + \ldots 2^{62} + 2^{63}$. (Die Reihe endet bei 2^{63} und nicht bei 2^{64}, weil auf dem ersten Feld 2^0 oder 1 Korn liegt.)

Die Summe einer Reihe aufeinanderfolgender Potenzen von 2 ist immer 1 weniger als die nächst größere Potenz von 2. Das heißt: $2^0 + 2^1 + 2^2$ $(= 1 + 2 + 4)$ ist 1 weniger als 2^3 $(= 8)$. Die Gesamtzahl der benötigten Weizenkörner beläuft sich also auf $2^{64} - 1$. Das macht 18 446 744 073 709 551 615.

Eine Tonne Weizen macht ungefähr 100 Millionen Körner aus, also brauchen wir etwa 200 Milliarden Tonnen. Die gegenwärtige jährliche Weltproduktion an Weizen beträgt nur ungefähr 515 Millionen Tonnen. Der König schuldet Sissa fast 400 Jahreserträge der gegenwärtigen Weltproduktion an Weizen. Sicher war die damalige Weizenproduktion sehr viel geringer. (Um wieviel geringer, ist unklar, weil das Datum, zu dem das Schachspiel erfunden wurde, unbekannt ist. Wie manche andere Spiele auch, hat es zahlreiche Wiederbelebungen erlebt, und ob es einen historischen Sissa Ben Dahir gegeben hat, ist ebenfalls unbekannt.)

Die Malthusische Katastrophe

Thomas Malthus' berühmte Abhandlung wurde von der Erkenntnis motiviert, daß sich die Weltbevölkerung in geometrischer Progression vermehrt, während die Nahrungsmittelproduktion nur in arithmetischer Progression zunimmt. Malthus hatte Grund zu der Annahme, daß der Umfang des jährlich neu für landwirtschaftliche Zwecke zur Verfügung stehenden Ackerlandes in großen Zügen festlag. Also konnte die Nahrungsmittelproduktion etwa nach dem folgenden Schema zunehmen: 100, 102, 104, 106 ... Andererseits wächst die Steigerungsrate des Bevölkerungszuwachses (die weitgehend von der Zahl der jährlich geborenen Säuglinge abhängt) mit der Bevölkerungszahl selbst. Je mehr Menschen im gebärfähigen Alter es gibt, desto mehr Kinder werden geboren. Die Weltbevölkerung neigt dazu, sich alle paar Jahre zu verdoppeln, wächst also folgendermaßen: 1, 2, 4, 8, 16, 32... Das ist eine geometrische Reihe wie Sissas Belohnung. Sie muß, wie Malthus warnte, die verfügbaren Nahrungsvorräte überholen, so daß eine weltweite Hungersnot entsteht.

«Geometrisch» ist eine ungünstige Bezeichnung für derartige Reihen, denn die Analogie zur Geometrie ist schwach und irreführend. Ein anderer Ausdruck ist der vom Terminus «Exponent» abgeleitete Begriff «Exponentialreihe». Exponentielles Wachstum ist typisch für lebende Organismen. Ob es sich um eine Bakterienkultur handelt oder um die menschliche Gesamtbevölkerung, immer ist die Zahl der neu hinzukommenden Individuen der Gesamtzahl proportional. Sparguthaben mit Zinseszins wachsen exponentiell – und das hat wohl etwas damit zu tun, daß es Lebewesen sind, die borgen und leihen, eine Wirtschaft schaffen, die exponentiell wächst, und in einer Währung rechnen, die exponentieller Inflation unterworfen ist.

Exponentielles Wachstum kann als einfache mathematische Funktion beschrieben werden. Eine Funktion ist ein Vorgang, der eine Zahl in eine andere verwandelt. Man kann sie sich als eine spezielle Taste auf einem Taschenrechner vorstellen. Sie geben eine Zahl ein, drücken auf die Taste und erhalten eine neue Zahl. Die Quadratwurzelfunktion (für die es auf vielen Taschenrechnern eine Taste gibt) erzeugt eine Zahl, die mit sich selbst multipliziert die eingegebene Zahl ergibt. Wenn Sie 36 eingeben und die Quadratwurzeltaste drücken, erhalten Sie 6.

Eine Funktion braucht nicht etwas zu sein, für das es eine Taste auf dem Taschenrechner gibt. Jede klar und exakt definierte Vorgehensweise zur Erzeugung neuer Zahlen aus alten ist eine Funktion. Man kann eine Funktion als 67 mal n plus 381 (für jeden Wert von n) definieren und eine gültige Funktion erhalten. Eine Funktion wird häufig als Gleichung dargestellt:

$$f(n) = 67n + 381$$

«$f(n)$» wird hier gelesen als «Funktion von n».

So wie es eine natürliche Neugier darauf gibt, welches Tier das größte oder das schnellste ist, haben sich Mathematiker Gedanken darüber gemacht, welche Funktion die größte oder die am schnellsten wachsende ist. Manche Funktionen überholen andere Funktionen. Eine Funktion gilt als «größer» oder «schneller wachsend» als eine andere Funktion, wenn ihre Werte *bei groß genügenden Werten von n* immer größer sind. Wenn Funktion A lautet $A(n) = 1\,000\,000\,000\,000\,000$ und Funktion B lautet $B(n) = n$, braucht B sehr lange, um A einzuholen. Aber für jedes n größer als 1 000 000 000 000 000, ist

$B(n)$ größer als $A(n)$. Infolgedessen ist B schneller wachsend als A.

Keine dieser beiden Funktionen ist bedeutsam. Jede konstante Funktion – eine Funktion, bei der $f(n)$ einen festen Wert darstellt – wird irgendwann von jeder Funktion überholt, die n proportional ist. Es ist auch offensichtlich, daß jede Funktion, die n^2 proportional ist, Funktionen beider Typen überholt. Eine n^3 proportionale Funktion wird noch größer werden, und das gleiche gilt für Funktionen des Typs n^4, n^5, n^6 und so weiter.

Ein *Polynom* ist ein Ausdruck wie $n^3+8n^2-17n+3$, in dem verschiedene Potenzen einer Variablen vorkommen. Ein Polynom beschreibt eine Funktion, und die relative Wachstumsrate eines Polynoms ist im großen ganzen von der höchsten auftretenden Potenz abhängig. Eine Funktion wie $n^3+8n^2-17n+3$ wächst viel schneller als eine Funktion, deren höchste Potenz n^2 ist; dafür wird sie von jeder Funktion überholt, die n^4 oder eine höhere Potenz enthält.

Viele Funktionen wachsen noch schneller. Malthus' Pessimismus beruhte auf der Tatsache, daß Exponentialfunktionen schneller wachsen als Polynomialfunktionen irgendwelcher Art. In einer Exponentialfunktion nimmt man eine bestimmte konstante Zahl hoch n (statt n hoch eine Konstante). $f(n)=3^n$ ist eine Exponentialfunktion. Sie bedeutet: 3 wird n-mal mit sich selbst malgenommen. Wenn $n=2$ ist, ist $3^n=3^2$ oder 9. Wenn $n=1$ ist, ist das Ergebnis einfach die Basis (in diesem Falle 3), und wenn $n=0$ ist, ist das Ergebnis unabhängig vom Wert der Basis als 1 definiert. Also sind die Werte von 3^n für 0, 1, 2, 3, 4... 1, 3, 9, 27, 81... jeder neue Wert ist das Dreifache seines Vorgängers. Je größer die Basis, desto schneller wächst die Funktion. Die aufeinander folgenden Werte von 10^n sind zehnmal größer, und die von 1000^n sind tausendmal größer.

In der Komplexitätstheorie wird die Schwierigkeit von Aufgaben meist an der Zeit gemessen, die nötig ist, um sie zu lösen. Selbstverständlich arbeiten nicht alle Menschen mit dem gleichen Tempo. Das tun auch Computer nicht. Und was genauso wichtig ist: Es kann mehr als einen Algorithmus zur Lösung einer Aufgabe geben, und manche Algorithmen sind schneller als andere. Aber die Unterschiede zwischen den benötigten Zeiten für verschiedene Klassen von Aufgaben sind so groß, daß neben ihnen die Unterschiede in der Rechengeschwindigkeit verschiedener Menschen (oder Computer) verschwinden.

Insbesondere unterscheidet man hier zwischen Aufgaben, die in «Polynomialzeit» gelöst werden können, und Aufgaben, zu deren Lösung «Exponentialzeit» erforderlich ist. Das heißt, daß man die Zeit, die für die Lösung einer Aufgabe benötigt wird, als eine polynomiale (oder exponentielle) Funktion der Größe oder Komplexität der Aufgabe ausdrücken kann. Normalerweise lassen sich Aufgaben, die Polynomialzeit brauchen, in der Praxis lösen. Eine Aufgabe, die Exponentialzeit erfordert, ist oft hoffnungslos. Unendlichkeitsmaschinen mögen Hirngespinste der Einbildung sein, aber Aufgaben in Exponentialzeit sind real und tauchen überall auf. Ihre Lösung kann, auch in einem endlichen Universum, von einer praktisch unendlichen Zahl von Lösungsschritten abhängen.

Vom Unterschied zwischen Polynomialzeit-Aufgaben und Exponentialzeit-Aufgaben und von dem, was das mit Paradoxen zu tun hat, soll das nächste Kapitel handeln. Vorher aber wollen wir einen Blick auf zwei Paradoxe werfen, die die Unendlichkeit des Raums und der Zeit in Frage stellen.

Das Olberssche Paradox

1826 machte der deutsche Arzt und Amateurastronom Heinrich Wilhelm Olbers (1758–1840) eine schreckliche Entdekkung: Irgend etwas stimmt nicht mit dem Universum. Die Astronomie als Naturwissenschaft kann nicht so tun, als gebe es das Unendliche nicht. Das physikalische Universum muß entweder unendlich oder endlich sein. Keine der beiden Möglichkeiten ist für den normalen Menschenverstand leicht einzusehen.

«Wenn ich die Kürze meiner Lebensdauer betrachte, wie sie vor der Ewigkeit der Zeit verschwindet, oder den kleinen Teil des Raums, wie ihn die unendliche Größe von Räumen verschlingt, die ich nicht kenne und die mich nicht kennen», schrieb Blaise Pascal, «erfaßt mich Furcht und Erstaunen darüber, daß ich mich selbst hier erblicke und nicht dort.» Vielleicht ist es noch schwerer, sich ein endliches Universum vorzustellen. Der menschliche Geist lehnt sich gegen die Zumutung auf, sich das Ende des Raums vorzustellen.

Das Unbehagen war nicht neu. Der römische Dichter Lukrez (97–55 v. Chr.) wollte die Unendlichkeit des Raums durch folgendes Argument beweisen: Wenn der Raum endlich ist, hat er eine Grenze. Man stelle sich vor, jemand dringt bis zu diesem letzten Punkt der Welt vor und schleudert einen Pfeil gegen die Grenze. Entweder wird der Pfeil über die Grenze hinausfliegen, oder irgend etwas wird ihn aufhalten; etwas, das selbst jenseits der Grenze liegen muß. In jedem Fall befindet sich etwas jenseits der Grenze. Diese Demonstration kann beliebig oft wiederholt und so die angebliche Grenze unendlich weit zurückgeschoben werden.

Die meisten Astronomen zu Olbers' Zeiten sahen die Unendlichkeit des Raums als selbstverständlich an. Olbers' Reaktion darauf war eine faszinierende Phantasievorstellung, die seinen Namen trägt. Nehmen wir an, das Universum sei endlos, und die Sterne (und ebenso die Galaxien, von denen Olbers und seine Zeitgenossen nichts wußten) erstreckten sich unendlich weit in alle Richtungen. Wenn dem so ist, muß eine gerade Linie, die in eine beliebige Richtung verlängert wird, irgendwann auf einen Stern treffen.

Natürlich kann es notwendig werden, die Gerade über Billionen von Lichtjahren zu verlängern. Es geht nur darum, daß sie in einem unendlichen Universum verstreuter Sterne *irgendwann* auf einen Stern treffen muß. Dagegen ist nicht mehr einzuwenden als gegen die Beobachtung, daß jede beliebige Zahl einmal drankommen muß, wenn man ein Rouletterad oft genug dreht.

Die Sonne ist ein Stern und an unserem Himmel der einzige Stern merklicher Ausdehnung. Wäre die Sonne zehnmal so weit entfernt, würde sie nur ein Hundertstel ihrer scheinbaren Ausdehnung haben und wäre ein Hundertstel so hell, wie sie es ist. (Dies entspricht der allgemein anerkannten Formel zur Berechnung der Lichtabnahme.) Wäre die Sonne eine Million mal so weit von uns entfernt, wie sie es ist, wäre sie eine Billion mal dunkler und als Scheibe am Himmel eine Billion mal kleiner sichtbar. Wichtig ist, daß die Lichtstärke *pro Himmelsfläche* die gleiche bliebe. Sie wäre vollkommen unabhängig von der Entfernung zwischen Sonne und Erde. Aus dieser einfachen Tatsache ergibt sich, wie Olbers bemerkte, ein Paradox.

Die anderen Sterne sind zwar nur stecknadelgroße Punkte am dunklen Himmelszelt, aber diese Punkte sind (im Durchschnitt) genauso blendend hell wie die Sonnenoberfläche. Licht pflanzt sich geradlinig fort. Wenn eine gerade Linie, die von der Erde ausgeht, auf einen Stern trifft, sehen wir das Licht dieses Sterns. Und wenn tatsächlich jede von der Erde ausgehende Gerade auf einen Stern träfe, müßte der ganze sichtbare Himmel aus einander überschneidenden Lichtscheiben von der blendenden Helligkeit der Sonne bestehen; das Licht unendlich vieler leuchtender Sterne müßte zu einer Lichtkugel verschmelzen. Für uns müßte es aussehen, als wäre die Sonne eine Hohlkugel und wir lebten in ihrer Mitte. Es dürfte keine Schatten geben, nicht einmal den Schatten, den wir Nacht nennen.

Es gäbe keinen Schutz vor dieser allumfassenden Sonne. Man könnte meinen, dunkle Gegenstände würden einen Teil des Sternenlichts unserem Blick verhüllen. Aber unter diesen Umständen könnte nichts dunkel sein. Jeder Gegenstand muß Licht absorbieren, lichtdurchlässig sein oder Licht reflektieren. (Im Normalfall tritt eine Kombination dieser drei Möglichkeiten auf.) Jeder Gegenstand, der Licht absorbiert (der Mond, kosmische Staubwolken, dieses Buch, Ihre Augenlider), müßte sich so lange aufheizen, bis er die Durchschnittstemperatur der Sterne selbst erreicht. Dann müßte er mit der gleichen Lichtstärke leuchten. Jeder Gegenstand, der vollkommen lichtdurchlässig ist (die ideale Glasscheibe), ist von seiner Definition her durchsichtig und spendet keinen Schatten. Gegenstände, die Licht reflektieren (wie Spiegel), müßten mit der gleichen Lichtstärke strahlen wie ihr Hintergrund und infolgedessen unsichtbar sein.

Dieser – offensichtlich falsche – Gedankengang stellt Olbers' Paradox dar. Es wird üblicherweise Olbers zugeschrieben, obwohl er nicht der erste war, der mit der Idee spielte. Sie lag seit Jahrhunderten in der Luft, und unter anderen waren schon Thomas Digges, Edmund Halley und Edgar Allan Poe auf sie aufmerksam geworden. Genau wie die Unendlichkeitsmaschinen gibt das Paradox scheinbar eine einfache Antwort auf eine rätselhafte kosmische Frage (nämlich die, ob das Universum unendlich ist).

Gegen die Vielheit

Blicken wir durch das andere Ende des Fernrohrs, kommen wir auf ein komplementäres Paradox, auf eine moderne Version von Zenons «Argument gegen die Vielheit». Es heißt, noch der kürzeste Abschnitt einer Linie enthalte unendlich viele Punkte. Dann kann auch eine Nußschale eine räumliche Unendlichkeit enthalten, die so unvorstellbar ist wie die Ausdehnung des intergalaktischen Raums.

«Feste» Materie besteht aus Atomen, die größtenteils aus leerem Raum bestehen. Den Raum, der kein leerer Raum ist, nehmen Protonen, Neutronen und Elektronen ein. Aber auch diese Elementarteilchen bestehen zum größten Teil aus leerem Raum. Wenn der Raum unendlich teilbar ist, kann es eine unendliche Hierarchie von Teilchen, Unterteilchen und Unter-

unterteilchen geben, die alle wiederum zum größten Teil aus leerem Raum bestehen. Also ist alles zu mehr als 99,999 Prozent nichts. Man sollte eigentlich gar nichts sehen können, weil da – wie es in einem Text von Gertrude Stein heißt – gar kein da ist.

Die physikalische Auflösung für dieses Paradox ist einfach. Sichtbares Licht schleudert Elektronen aus Atomen, die sich wie Wellen im Raum verbreiten können. Die Elektronen bewirken in der Realität einen «Unschärfeeffekt», der die Atome zudeckt. Die Tatsache, daß sich Elektronen auch wie unendlich kleine Teilchen verhalten können, spielt hier keine Rolle. Auch der aus Protonen und Neutronen bestehende Atomkern spielt bei der Verbreitung normalen Lichts keine Rolle.

Damit das Paradox funktioniert, müßten Sie über eine Art von Röntgenblick verfügen, mit dessen Hilfe Sie dann und nur dann etwas sehen können, wenn eine geometrisch vollkommene Gerade einen von Materie besetzten Punkt im Raum mit Ihrem Auge verbindet. Dann würden Sie keine Nußschale sehen, sondern die Myriaden von punktgroßen Elektronen und Quarks, aus denen sie besteht (oder vielleicht die letzten Unterteilchen, aus denen Elektronen und Quarks bestehen). Alles wäre fein verteilter Staub. Da man einen unendlich kleinen Einzelpunkt nicht sehen kann, müßte alles unsichtbar sein.

Die Lösung für das Olberssche Paradox

Uns bleibt Olbers' makroskopisches Paradox. Die Lösung kann nur in den Prämissen liegen. Diese lauten: Das Universum ist unendlich; die Sterne sind nach dem Zufallsprinzip verteilt; nichts hindert das Licht ferner Sterne daran, zu uns vorzudringen. In jeder der drei Prämissen hat man die Lösung gesucht.

Eine Lösungsmöglichkeit liegt in der Annahme, die Verteilung der Sterne im Raum sei derjenigen der subatomaren Materie ähnlich, wie wir sie oben beschrieben haben. Dann heben die beiden komplementären Paradoxe einander auf. Der schwedische Mathematiker C. V. L. Charlier suchte eine Lösung für Olbers' Paradox in der Annahme, daß Sterne im Raum nicht nach dem Zufallsprinzip verteilt, sondern hierarchisch zu immer größeren Haufen geballt sind. Wir wissen heute, daß alle nahe gelegenen Sterne Teile einer Galaxis, der Milchstraße, sind und daß die Milchstraße Teil einer Ansammlung von Galaxien ist, die als «lokale Nebelgruppe» bezeichnet wird. Die «lokale Nebelgruppe» selbst ist Teil einer noch größeren Hierarchie namens «lokaler Superhaufen». Der lokale Superhaufen ist Teil des Pisces-Cetus-Superhaufen-Komplexes... Falls und wenn jemand mitteilt, der Pisces-Cetus-Superhaufen-Komplex sei ein Teil von etwas noch Größerem, wird das niemanden mehr überraschen.

Charlier hat nachgewiesen, daß man bei Annahme einer endlosen Kette von Hierarchien dem Paradox selbst dann noch entgehen kann, wenn die Anzahl der Sterne unendlich ist. Es könnte zum Beispiel einen Super-Super-Super-Nebelhaufen geben, der so weit entfernt läge, daß sein Bild an unserem Nachthimmel hinter der winzigen Scheibe des Arkturus oder Beteigeuze verschwände. Es könnte Super-Super-Super-Superhaufen und Super-Super-Super-Super-Superhaufen geben, die so viel weiter entfernt liegen, daß sie noch kleiner erscheinen. In Charliers Modell könnte man in den meisten Richtungen endlos weitergehen, ohne je auf einen Stern zu stoßen. Deshalb ist der Nachthimmel dunkel.

Charliers Erklärung ist geometrisch möglich. Sie ist nur insoweit unbefriedigend, als sie anscheinend nicht die relativen Entfernungen und Größenordnungen der beobachteten kosmischen Hierarchien beschreibt. Nahe gelegene Galaxien erscheinen sehr viel größer als nahe gelegene Sterne. Der Andromedanebel hat, auch wenn sein Licht sehr schwach ist, das Mehrfache des scheinbaren Durchmessers von Sonne oder Vollmond. Die Magellanschen Wolken am südlichen Sternhimmel – die zwei Galaxien, die der unseren am nächsten gelegen sind – haben etwa die Größe von Zitronen am Ende eines ausgestreckten Arms; und es gibt nahe gelegene Galaxienhaufen, die noch größer sind. Der mit bloßem Auge unsichtbare Virgo-Haufen ist über das ganze Sternbild der Jungfrau verteilt.

Die heutigen Spekulationen über das Olberssche Paradox gehen von einer Tatsache aus, die dem vorigen Jahrhundert noch unbekannt war: Das Universum dehnt sich aus. Alle entfernten Galaxien, die wir sehen können, entfernen sich mit großer Geschwindigkeit von unserem Milchstraßensystem. Natürlich können wir diese Bewegung nicht direkt messen, aber sie erzeugt eine verräterische Verschiebung der Wellenlängen des Lichts, das uns aus den Galaxien erreicht, und alle bisherigen Versuche, diese Verschiebung anderweitig zu erklären, sind gescheitert. Die Galaxien in jedem gegebenen Himmelssektor bewegen sich von uns weg; und die Galaxien im gegenüberliegenden Himmelssektor tun das gleiche, nur daß sie sich in der entgegengesetzten Richtung von uns fortbewegen.

Eine Interpretation dieser Beobachtung wäre, daß wir in einer besonderen Galaxis im Mittelpunkt des Universums leben. Eine genau so gute Erklärung der beobachteten Tatsachen ist aber die Annahme, daß das ganze Universum sich ausdehnt. Das ist eine bequeme, aber etwas irreführende Schilderung des Sachverhalts. Es geht nicht um eine gleichförmige Ausdehnung in extrem großer Entfernung. Weder die Erde noch die Milchstraße sind dabei, größer zu werden, wahrscheinlich nicht einmal das lokale System. Es sind nur die Entfernungen zwischen Sternhaufen, die größer werden. Im Prinzip können wir also die ständig wachsenden intergalaktischen Zwischenräume mit unseren irdischen Zollstöcken messen, die nicht mitgewachsen sind.

Von der Hypothese der universalen Expansion ausgehend ist nichts an unserer Milchstraße oder ihrem Ort im Universum einmalig. Die Bewohner jener fernen Galaxien draußen am Weltenrand erleben ihren Ort genauso als «Mittelpunkt» der

Ausdehnung. Da diese Hypothese die Zusatzannahme, unsere Galaxis sei einmalig, nicht erforderlich macht, ist sie die allgemein bevorzugte.

Die entferntesten bekannten Galaxien rasen beinahe mit Lichtgeschwindigkeit von der Erde weg. Das Licht, das ein sich schnell entfernender Gegenstand ausstrahlt, unterliegt der sogenannten Rotverschiebung. Dadurch erhöht sich die Wellenlänge des Lichts, und seine Energie nimmt ab. Energiegeladenes sichtbares Licht wird zu energiearmen Mikrowellen verschoben. Wenn sich ein leuchtender Gegenstand mit einer der Lichtgeschwindigkeit angenäherten Geschwindigkeit fortbewegt, nimmt seine Energie bis nahe zum Verschwinden ab. Deshalb ist das Licht, das uns von sehr entfernten Galaxien erreicht, von so geringer Energie, daß es unsichtbar wird.

Wie wirkt sich das auf Olbers' Gedankengang aus? Stellen Sie sich das Universum als eine Aufeinanderfolge konzentrischer «Hüllen» vor, deren Mittelpunkt die Erde bildet. Da das Licht mit dem Quadrat der Entfernung abnimmt, sollte das Licht, das uns aus jeder «Hülle» erreicht, in etwa gleich stark sein. Alle Sterne innerhalb eines Radius von zehn Lichtjahren um das Sonnensystem sollten genausoviel Licht erzeugen wie die Sterne zwischen zehn und zwanzig Lichtjahren oder natürlich auch zwischen 1 000 000 und 1 000 010 Lichtjahren.

Wenn das Universum unendlich ist, ist die Gesamtlichtmenge, die uns erreicht, die Summe einer unendlichen Reihe etwa der Art: $x + x + x + x + x \ldots$, wobei x das Licht aus jeder einzelnen Hülle bedeutet. Eine unendliche Reihe dieses Typs konvergiert nicht, sondern summiert sich ins Unendliche.

Wird aber das Licht aus den weiter entfernten Hüllen durch Rotverschiebung schwächer, ändert das alles. Je weiter entfernt eine Galaxis ist, desto schneller entfernt sie sich und desto energieärmer ist ihr Licht. Die unendliche Reihe sieht jetzt eher so aus: $x + 0{,}9x + 0{,}81x + 0{,}729x + 0{,}6561x + \ldots$ Eine unendliche Reihe wie diese, in der jeder Ausdruck um einen festen Faktor kleiner ist als der vorangehende, ist konvergent.

Es könnte eine unendliche Zahl von Sternen am irdischen Himmel leuchten, die dennoch nur eine endliche Lichtmenge erzeugen.

Nur wenige Kosmologen zweifeln daran, daß ein sich ausdehnendes Universum eine akzeptable Lösung für das Paradox ist. Aber es gibt eine einfachere Erklärung. 1720 schrieb Edmund Halley, die Dunkelheit des Himmels spräche gegen eine unendliche Anzahl von Sternen. Heute glauben viele Kosmologen (wenn auch nicht aus den gleichen Gründen wie Olbers), daß das Universum tatsächlich *endlich ist.* Die Allgemeine Relativitätstheorie macht es dem Universum möglich, endlich zu sein, ohne je ein störendes «Ende» zu erreichen. Der Raum könnte in sich gekrümmt sein und ein dreidimensionales Analogon zu einer Kugeloberfläche bilden. Könnte man auf der Erde in irgendeiner beliebigen Richtung weit genug gehen, käme man da wieder an, wo man am Anfang war. Auch der Raum selbst könnte so beschaffen sein: Eine Rakete, die weit genug in gerader Richtung fliegt, würde wieder auf der Abschußrampe landen.

Die meisten derzeitigen kosmologischen Modelle gehen von einem endlichen Universum dieser Art aus, sofern angenommen wird, daß die Dichte der Materie im Universum einen bestimmten Grenzwert erreicht oder übersteigt. Die beobachtete Dichte sichtbarer Materie (Sterne) liegt unter dem Grenzwert, aber man geht davon aus, daß es genug unsichtbare Materie (intergalaktischer Wasserstoff, Schwarze Löcher, Neutrinos?) gibt, um ein endliches Universum zu schaffen. Neuere Untersuchungen über den «Gravitationslinsen-Effekt» weit entfernter Galaxien und Quasare stützen den Glauben daran, daß es große Mengen unsichtbarer Materie gibt.

Das Paradox des Tristram Shandy

Unbewußt legen wir einen doppelten Maßstab an: Zeitliche Unendlichkeit scheint etwas anderes zu sein als unendlicher Raum. Es ist eine natürliche (oder vielleicht doch eine kulturell geprägte?) Vorstellung, daß sich der Raum beliebig weit in alle Richtungen erstreckt. Zeit gilt nur in der Richtung der Zukunft als unendlich. Wir fragen, wann die Zeit angefangen hat, aber wir fragen nur selten, wo der Raum anfängt.

Die Unendlichkeit der Vergangenheit ist keine beliebte Vorstellung. Dabei könnte sie Fragen danach, wann oder wie die Welt geschaffen wurde, «beantworten», indem sie sie als sinnlos erklärte. Dagegen scheint die Unendlichkeit der zukünftigen Zeit auf allgemeine Akzeptanz zu stoßen, und dies sogar bei Anhängern der Religionen, die ein Weltende erwarten. Nach dem Jüngsten Gericht genießen die Gerechten das ewige Leben, oder der Zyklus beginnt mit einer neuen Schöpfung von vorne. Kaum irgendeine religiöse Doktrin ist hinreichend nihilistisch, um an ein echtes Ende der Zeit zu glauben, an einen Punkt, an dem alle Dinge in den gleichen Zustand der Nichtexistenz zurückkehren, in dem sie vor dem Anfang der Zeit waren, nur daß sie diesmal endgültig darin verharren würden.

Bertrand Russells «Paradox des Tristram Shandy» spielt mit der Idee einer unendlichen Zukunft. Tristram Shandy ist der Erzähler in Laurence Sternes unvollendetem Roman *Leben und Meinungen des Herrn Tristram Shandy*. Bertrand Russell schrieb: «Wie wir wissen, brauchte Tristram Shandy zwei Jahre, um die Geschichte der ersten zwei Tage seines Lebens zu schreiben, und klagte darüber, daß sich bei diesem Tempo das Material schneller ansammelte, als er es verarbeiten konnte, so daß er nie ein Ende finden würde. Dagegen behaupte ich: Selbst wenn er ewig gelebt und seine Aufgabe ihn nicht hätte müde werden lassen, wäre, auch wenn sein Leben weiterhin so ereignisreich verlaufen wäre, wie es begonnen hatte, kein Teil seiner Autobiographie ungeschrieben geblieben.»

Russell argumentiert folgendermaßen: Nehmen wir an, Shandy sei am 1. Januar 1700 zur Welt gekommen und habe am 1. Januar 1720 zu schreiben begonnen. Im ersten Jahr, in dem er schrieb, hat er den ersten Tag seines Lebens, also den 1. Januar 1700 beschrieben. Die Autobiographie müßte folgendermaßen weitergehen:

Jahr der Abfassung	*Geschilderte Ereignisse*
1720	1. Januar 1700
1721	2. Januar 1700
1722	3. Januar 1700
1723	4. Januar 1700
...	...
...	...
usw.	usw.*

Jedem Tag entspricht ein Jahr und jedem Jahr ein Tag. Würde Tristram Shandy heute, im Jahr 1992, noch schreiben, wäre er bei den Ereignissen des Septembers 1700 angekommen. Dagegen würde dieser unsterbliche Tristram Shandy die Ereignisse des heutigen Tages irgendwann um das Jahr 107 550 herum niederlegen. Man kann keinen Tag nennen, für den es nicht möglich ist, ein Jahr in der Zukunft anzugeben, in dem seine Ereignisse beschrieben werden. Deshalb, so Russell, «wäre kein Teil seiner Biographie ungeschrieben geblieben». Dennoch gerät Shandy mit seiner Chronistenpflicht immer mehr in Rückstand. Mit jedem Jahr, das er schreibt, ist er der Vollendung seines Werks 364 Tage ferner.

Russells Argumentation baut auf Georg Cantors Theorie der unendlichen Zahlen auf. Kann man zwischen den Elemen-

* Allerdings beginnt *Tristram Shandy* bekanntlich nicht mit der Geburt, sondern mit der Zeugung des Helden, der es erst im dritten Buch seiner Aufzeichnungen schafft, das Licht der Welt zu erblikken. Aber das tut Russells scharfsinniger Argumentation keinen Abbruch. (Anm. d. Ü.)

ten zweier unendlicher Mengen eine Eins-zu-Eins-Beziehung herstellen, dann sind sie gleich. Mathematiker behaupten zum Beispiel, daß die Zahl der natürlichen Zahlen (0, 1, 2, 3, 4, 5, ...) der Zahl der geraden Zahlen (0, 2, 4, 6, 8, 10, ...) gleich ist und nicht doppelt so groß, wie man denken könnte. Die beiden sind gleich, weil man jeder natürlichen Zahl n eine gerade Zahl $2n$ zuordnen kann, ohne daß eine natürliche Zahl übrigbliebe.

Verwirrender ist eine Umkehrform des Paradoxons, die W. L. Craig behandelt hat. Nehmen wir an, es gebe unendlich viel *vergangene* Zeit, und Shandy schreibe schon seit Ewigkeiten. Dann – so Craig – muß die gleiche Cantorsche Möglichkeit der Zuordnung von Jahren zu Tagen bestehen. Shandy hätte soeben die letzte Seite seiner Autobiographie vollendet. Aber das ist lächerlich. Wie kann Shandy die Ereignisse des gestrigen Tages bereits aufgeschrieben haben, wenn er dazu doch ein ganzes Jahr brauchen sollte?

Craig und andere haben das Umkehrparadox in nicht sehr überzeugender Form verwendet, um die Unmöglichkeit einer unendlichen Vergangenheit zu demonstrieren. Eine einleuchtende Lösung für das umgekehrte Paradox des Tristram Shandy hat Robin Small vorgelegt. In Wirklichkeit kann man nämlich keine Zuordnung von *spezifischen* Tagen zu *spezifischen* Jahren vornehmen.

Sagen wir, es sei der 31. Dezember 1991 um Mitternacht, und Shandy habe soeben die letzte Seite seines Manuskripts abgeschlossen. Über welchen Tag hat Shandy im vergangenen Jahr geschrieben? Es kann kein Tag dieses Jahres gewesen sein. (Sonst hätte er den Anfang des Jahres damit verbringen müssen, über einen Tag zu schreiben, den er noch nicht erlebt hatte.) Der jüngste Tag, über den er im Dezember 1990 schreiben konnte, ist der 31. Dezember 1990.

Hat Shandy nun das Jahr 1991 wirklich damit verbracht, die Ereignisse des 31. Dezember 1990 zu erzählen, dann muß er das Jahr 1989 mit einem Bericht über den 30. Dezember 1990 verbracht haben. Das ist aber wiederum unmöglich. In Wirklichkeit hätte Shandy im Jahr 1990 nicht über einen früheren Tag schreiben können als den 31. Dezember 1989.

Aber wenn er im Jahre 1990 über den 31. Dezember 1989 geschrieben hätte, dann hätte er 1989 über den 30. Dezember 1989 schreiben müssen... Jede Zuordnung, die wir versuchen, zerbröckelt uns zwischen den Fingern. Der Tag, über den Shandy angeblich schrieb, entschwindet in eine unendliche Vergangenheit. Es ist unmöglich, einen bestimmten Tag zu bestimmen.

Schlußfolgerung: Wenn die Vergangenheit ewig lang ist und Shandy seit dem Anfang der Zeit geschrieben hat, dann hat er jetzt ein unendlich langes *unvollendetes Manuskript*. Die letzte abgeschlossene Seite beschreibt die Ereignisse einer unendlich fernen Vergangenheit.

Letztes Endes unterscheiden sich Russells und Craigs Versionen des Paradoxons nicht allzusehr. Russell behauptet nicht, Shandy werde das Manuskript «jemals» abschließen, sondern nur, daß kein bestimmter Tag, den man erwähnen kann, unbeschrieben bleibt. Tristram Shandys «letzte Seite» bleibt ewig eine Fata Morgana.

9. NP-VOLLSTÄNDIGKEIT

Das Labyrinth des Ts'ui Pên

In seiner Erzählung «Der Garten der Pfade, die sich verzweigen» hat Jorge Luis Borges ein so kompliziertes Labyrinth beschrieben, daß ihm niemand entkommen kann. Der Erzähler, dem man den Weg zu seinem Ziel gewiesen hat, erinnert sich:

> «Der Rat, immer nach links abzubiegen, rief mir ins Gedächtnis, daß man so vorgehen mußte, um den Innenhof gewisser Labyrinthe zu entdecken. Ich verstehe mich ein wenig auf Labyrinthe; nicht umsonst bin ich der Urenkel jenes Ts'ui Pên, des Gouverneurs von Yunnan, der der weltlichen Macht entsagte, um einen Roman zu schreiben, der bevölkerter sein sollte als das *Hung Lu Meng*, und der ein Labyrinth bauen wollte, in dem alle Menschen sich verirren sollten. Dreizehn Jahre widmete er diesen unterschiedlich gearteten Bemühungen; doch er fiel durch die Hand eines Fremden, und sein Roman war unsinnig, und niemand fand das Labyrinth. Unter englischen Bäumen sann ich über dieses verlorene Labyrinth nach: ich sah es unversehrt und vollkommen auf dem geheimen Gipfel eines Berges liegen; ich stellte es mir von Reisfeldern überschwemmt oder unter Wasser vor. Ich stellte es mir unendlich vor, nicht aus achteckigen Kiosken und gewundenen Pfaden bestehend, sondern aus Strömen, aus Provinzen und Reichen... Ich dachte an ein Labyrinth aus Labyrinthen, an ein kurvenförmig an-

wachsendes Labyrinth, das die Vergangenheit umfaßte und die Zukunft und das auch die Sterne irgendwie mit einbezog.»

Das Wort «Labyrinth» ist im Griechischen ein Fremdwort unbekannter Herkunft. Im Altertum verstand man unter einem Labyrinth ein Gebäude, dessen Räume absichtlich verwirrend angeordnet waren. Manche Labyrinthe waren teilweise unterirdisch angelegt. Herodot betrachtete das ägyptische Labyrinth bei Krokodilopolis, das aus dem achtzehnten Jahrhundert vor unserer Zeitrechnung stammt, als ein größeres Wunderwerk als die Pyramiden. Es soll zwölf überdachte Höfe und 3000 Gemächer enthalten haben, die zur Hälfte über, zur Hälfte unter der Erde lagen. Ein Wald von Säulen dehnte sich aus, so weit der Blick reichte. Herodot hat die obere Hälfte besichtigt, durfte aber nicht in den unteren Teil hinabsteigen. Dort, so erzählte man ihm, bewachten heilige Krokodile die Gräber der Pharaonen. Das gewaltige Gebäude, dessen allmählichen Verfall mehrere antike Schriftsteller geschildert haben, blieb über das ganze Altertum hinweg eine beliebte Sehenswürdigkeit, die nie ganz in Vergessenheit geriet. Die 1888 ausgegrabenen Fundamente umfassen eine Fläche von 200 mal 150 Metern.

Das berühmteste Labyrinth der westlichen Überlieferung ist der Irrgarten des Minotauros auf Kreta. Der Mythos erzählt von einem Labyrinth, das Dädalos im Auftrag des kretischen Königs Minos baute, um den Minotauros, ein Ungeheuer mit menschlichem Körper und Stierkopf, vor den Blicken der Welt zu verbergen. Nachdem die Kreter Athen besiegt hatten, befahl Minos, daß die Bürger von Athen alle neun Jahre dem Minotauros sieben Jünglinge und sieben Jungfrauen opfern mußten. Keiner der jungen Männer und Frauen, die das Labyrinth des Minotauros betraten, sah je das Tageslicht wieder. Theseus, Sohn des Königs von Athen, erklärte sich freiwillig bereit, als Opfer nach Kreta zu fahren. Minos' Tochter Ariadne riet ihm, einen Seidenfaden abzuspulen, während er durch das Labyrinth ging, um so den Rückweg zu finden. Theseus erschlug den Minotauros und beendete die Tributpflicht der Athener.

Die Legende mag auf Erinnerungen an attische Reiseberichte aus der Blütezeit der Minoischen Seemacht zurückgehen. Vielleicht sahen die Mitglieder von Tributgesandtschaften in Kreta Dinge, die sie nicht verstanden (den Priester eines Mysterienkultes hinter einer Stiermaske?), und die Berichte wurden im Lauf der Zeit immer mehr entstellt. Man weiß nichts darüber, ob es auf Kreta ein Labyrinth gegeben hat und wie es aussah. In der Sprache der Kreter konnte mit dem Wort Labyrinth ein verwinkeltes Bauwerk, eine Grotte oder eine in der Landschaft Kretas häufig vorkommende gewundene Höhle gemeint sein oder auch ein auswegloses Dilemma innerhalb einer Argumentationskette, eben ein Paradox. Als Macht und Größe der minoischen Zivilisation geschwunden waren, haben spätere griechische Reisende die Ruinen des gewaltigen Palasts von Knossos vielleicht für die Überreste des mythischen Labyrinths gehalten. Auf kretischen Münzen finden sich Darstellungen des Labyrinths, die einen architektonisch angelegten, nicht einen natürlich gewachsenen Irrgarten erkennen lassen. Im Palast von Knossos, wie ihn Sir Arthur Evans zu Beginn unseres Jahrhunderts ausgegraben hat, findet sich allerdings nichts, was an ein Labyrinth erinnert.

Ein legendenumwobener Irrgarten ist auch die Liebeslaube der Schönen Rosamunde in einem Park bei Woodstock in England. Hier soll König Heinrich II. (1154–1189) die schöne Geliebte vor den Blicken seiner eifersüchtigen Ehefrau Eleanore von Aquitanien verborgen haben. Der König fand den Weg zum geheimen Treffpunkt mit Hilfe eines «Schlüssels», der den richtigen Weg verriet. Doch Königin Eleanore spannte einen Faden wie einst Theseus, fand den Mittelpunkt des Labyrinths und zwang Rosamunde, den Giftbecher zu leeren. Es ist eine apokryphe Legende, die nicht vor dem vierzehnten Jahrhundert belegt ist. Man weiß nicht einmal, ob Rosamundes

Liebeslaube wirklich existiert hat, und schon gar nicht, ob es sich um einen Irrgarten im eigentliche Sinne handelte. Weniger romantisch gestimmte Historiker sprechen von einem schlecht gebauten Haus mit verwinkelten Fluren und Gängen.

Das zeitgenössische «Labyrinth» ist fast immer ein Irrgarten mit heckenbestandenen Wegen; in England sind es meist Hainbuchen und Eiben, die die Pfade säumen. Die Blütezeit der britischen Irrgärten war die Herrschaft der Tudor und der Stuart. Die Gartenplaner bauten häufig einen sogenannten Schlüssel ein, eine unauffällig markierte Route zum Ausgang, so daß Eingeweihte das Labyrinth mühelos durchschreiten konnten.

Das Labyrinth bleibt rätselhaft. Das Problem, wie man einen Irrgarten durchwandert, ist NP-vollständig. Es gehört zu einer Gruppe universeller Probleme, die den leistungsfähigsten Computer in Verwirrung stürzen können.

NP-Vollständigkeit

Die Welt ist ein Labyrinth von wild miteinander verknüpften Verbindungen und Beziehungen. Das ist die Erfahrung, die sich hinter der prosaischen Bezeichnung «NP-vollständig» verbirgt. «NP-vollständig» ist übrigens die Abkürzung für «nichtdeterministisch polynomialzeitlich vollständig»; und diese abschreckend geheimnisvollen Worte bezeichnen einen grundlegenden und allgemein verbreiteten Problemtypus, eine Klasse von Aufgaben, die von großer praktischer wie philosophischer Tragweite sind.

Die Gruppe der NP-vollständigen Aufgaben hat Computerprogrammierer seit drei Jahrzehnten verfolgt. Seit ihrer Erfindung sind die Computer immer leistungsfähiger und schneller geworden. Die Computer der späten achtziger Jahre sind ungefähr 30 000mal so schnell wie die Computer der späten Fünfziger. Ein Werbespruch der Computerindustrie lautet: «Wenn sich die Automobiltechnik so schnell entwickelt hätte wie die

Computertechnik, führe ein Rolls Royce heute mit Überschallgeschwindigkeit und kostete weniger als einen Dollar.» Aber schon in den späten Sechzigern begannen die Computerspezialisten einzusehen, daß etwas nicht stimmte. Eine bestimmte Art von häufig auftretenden Problemen ist mit Computertechnik (und überhaupt mit jeder bekannten Technik) außerordentlich schwer lösbar. Der Einsatz von schnelleren Prozessoren oder größerer Speicherkapazität machte bei weitem nicht den Unterschied, auf den man gehofft hatte. Diese Probleme bezeichnet man als «störrisch» oder «in sich schwierig».

Ein Beispiel ist das «Problem des Handlungsreisenden», das in vielen älteren Sammlungen von Denkaufgaben auftaucht. Es geht um ein mathematisches Rätsel, in dem man die kürzeste Reiseroute für einen Handlungsreisenden finden soll, der mehrere Städte besuchen muß. Gegeben sind dabei die Entfernungen zwischen den Städten. Die Aufgabe überfordert die Fähigkeiten der größten Computer. Der Haken liegt auf dem Gebiet der Kombinatorik, der überwältigenden Zahl möglicher Kombinationen innerhalb einer nicht allzu großen Menge. Die effektivsten bekannten Lösungsmethoden sind nicht viel schneller als die Addition der Kilometerzahlen aller möglichen Routen. Die Menge der erforderlichen Rechnerei steigt mit wachsender Anzahl von Städten ins Ungemessene und übertrifft bald die Kapazität jedes nur denkbaren Computers.

Die Klasse der NP-vollständigen Aufgaben hat als erster Richard M. Karp von der University of California, Berkeley, in einem Aufsatz aus dem Jahre 1972 ausführlich besprochen. Seitdem sind Fragen der NP-Vollständigkeit in den unerwartetsten Bereichen aufgetreten. Viele Kinderrätsel, Fragespiele, Denkaufgaben sind Beispiele für NP-vollständige Aufgaben. Anscheinend müssen kurz gefaßte Aufgaben überhaupt NP-vollständig sein, um interessant zu werden. Wegen ihrer großen wirtschaftlichen Bedeutung ist die Erforschung von NP-vollständigen Aufgaben in einem Ausmaß mit Stiftungsgeldern unterstützt worden, das in den theoretischen Wissenschaften ungewöhnlich ist. Die Entdeckung einer effizienten «Lösung» für NP-vollständige Aufgaben – etwas, was die meisten Computerwissenschaftler für unmöglich halten – könnte Milliarden Dollar wert sein. Typisch für unser «Informationszeitalter» ist die Tatsache, daß die militärische Sicherheit der USA, der Sowjetunion und anderer hochtechnisierter Staaten am Seidenfaden der NP-Vollständigkeit hängt. Die Geheimcodes, mit denen die empfindlichen Daten der Supermächte geschützt werden, beruhen auf der praktischen Unlösbarkeit von NP-vollständigen Aufgaben. Ähnliche Zugangscodes sollen die Vertraulichkeit persönlicher Daten in öffentlichen und privaten Datenbanken garantieren. Auch unter philosophischem Aspekt ist die Entdeckung der Äquivalenz so vieler verschiedenartiger Probleme faszinierend. Kein Wunder, daß, wie Michael R. Garey und David S. Johnson 1979 schreiben, «wenige Fachausdrücke so schnell Bekanntheit erreicht haben wie die Bezeichnung NP-vollständig».

NP-Vollständigkeit ist eine so schwer faßbare Abstraktion, daß es sich empfiehlt, sie durch ein konkretes Symbol zu beschreiben. Ein Labyrinth ist nicht nur eine Metapher für unser Erkenntnisstreben. Sieht man es unter hinreichend abstrakter Perspektive, ist es ein methodologisches Äquivalent dessen, was wir Logik nennen. Labyrinthe nehmen das Grundproblem der Schlußfolgerung voraus, die Frage danach, wie man ein Paradox erkennt.

Labyrinthalgorithmen

Gehen wir an das Problem der NP-Vollständigkeit mit einer einfachen Frage heran: Gibt es eine allgemeine Methode, die den Weg durch jedes Labyrinth weist?

Ja. Es gibt sogar mehrere Methoden. Nicht alle Irrgärten sind Rätsel. Ein Einweglabyrinth besitzt nur einen abzweigungsfreien Weg vom Anfang bis zum Ende. Man kann keinen

Irrweg gehen. Viele mittelalterliche Irrgärten waren gewundene, aber kreuzungsfreie Pfade, die zu einem Baum oder einem Schrein führten. Die Irrgärten auf alten englischen Friedhöfen symbolisieren den gewundenen Pfad des Gottesfürchtigen durch die Übel der Welt. Pilger rutschten auf den Knien durch manche Irrgärten. An jeder Windung des Pfades sprach der Fromme ein Vaterunser oder ein Ave-Maria.

Möglicherweise hatte das Labyrinth des Minotauros in Knossos keine Abzweigungen. Die Darstellungen auf kretischen Münzen zeigen einen abzweigungsfreien Weg. Wenn Sie dem Minotauros in so einem Labyrinth begegnen, müssen Sie nur eine Kehrtwendung machen und davonlaufen, so schnell Sie können. Sie werden nie in eine Sackgasse geraten. Vielleicht allerdings zeigt die Münze ein stilisiertes Motiv und keine wörtlich gemeinte Landkarte. Vielleicht zeigt das Münzmotiv auch den richtigen Weg durch ein komplizierteres Netzwerk von Pfaden. Die Verwendung eines Seidenfadens, um den Ausweg zu finden, ist unsinnig, wenn es keine Seitenwege gibt.

Jedes Labyrinth hat mindestens einen Eingang, und die meisten haben ein Ziel, einen Punkt im Inneren, der gefunden werden muß. Meist liegt das Ziel nahe am Zentrum des Labyrinths, es kann aber auch nichts weiter sein als ein Ausgang auf der Außenseite des Irrgartens (wie in den Spiegelkabinetten auf Jahrmärkten). Die Lösung eines derartigen Labyrinths besteht darin, den Weg vom Eingang zum Ziel zu finden. Manchmal gibt es nur einen richtigen Weg, manchmal mehrere. Wenn Eingang und Ziel durch mehr als einen Weg verbunden sind, besteht die eigentliche Aufgabe darin, den kürzesten Weg zu finden.

Manche Labyrinthe haben mehr als einen Eingang. Dennoch unterscheiden sie sich nicht wesentlich von Irrgärten mit nur einem Eingang. Hier ist die erste Entscheidung die, welchen Eingang man benutzt. Daß diese Entscheidung außerhalb der Mauern des Labyrinths fällt, ändert im Grunde nichts an der Aufgabe. Es gibt auch Irrgärten mit mehreren Zielen, in denen der Besucher alle Teile des Labyrinths oder bestimmte, durch Bänke, Statuen oder andere Merkmale bezeichnete Punkte besuchen soll. Ludwig XIV. ließ in Versailles einen berühmten Irrgarten errichten, in dem die Besucher nach 39 Statuen suchten, die die Fabeln des Äsop darstellten. Aus dem Maul jedes sprechenden Tiers sprudelte ein Wasserstrahl. Schließlich gibt es noch unmarkierte Irrgärten, bei denen es darum geht, das Labyrinth zu betreten, umherzuschlendern und wieder herauszufinden.

In der Geographie des Labyrinths bezeichnet *Knoten* eine Gabelung, einen Punkt, an dem Wege aufeinandertreffen und eine Entscheidung gefällt werden muß. Auch der Eingang, das Ziel und Sackgassen gelten als Knoten. Der Wegabschnitt zwischen zwei Knoten heißt *Zweig*. Ein einfaches Labyrinthschema stellt die Knoten als Punkte und die Zweige als Linien dar, die die Punkte verbinden. Mathematisch gesehen ist ein Labyrinth ein Diagramm.

Fast alle realen Labyrinthe sind zweidimensional. Das bedeutet, daß sich Zweige nie kreuzen. In einem dreidimensionalen Labyrinth erlauben es Brücken und Unterführungen den «Zweigen», sich zu kreuzen wie Autobahnauffahrten.

Ein Labyrinth anhand eines Diagramms zu lösen ist nicht das gleiche, wie es von innen zu lösen. Das Auge kann die papiernen Irrgärten in Rätselheften oft auf einen Blick als Gestalt erkennen. Im Inneren eines wirklichen Irrgartens aus Hecken oder Mauerwerk ist es sehr viel schwerer, eine geistige Landkarte zu zeichnen. Geschickte Architekten können eine Weggabelung des Labyrinths der anderen so ähnlich gestalten, daß man glaubt, im Kreis zu laufen, selbst wenn das gar nicht der Fall ist. Und auch die althergebrachte Technik, auf dem Papier am Ziel anzufangen und sich zurückzuarbeiten (das ist manchmal einfacher, manchmal nicht) oder Sackgassen anzukreuzen, um die Durchgangswege besser erkennbar zu machen, versagt hier.

Die Schwierigkeit eines Labyrinths hat viel mit der Zahl der Zweige zu tun, die von jedem Knoten ausgehen. Wird jedem Knoten nur ein Zweig zugestanden, ist ein Einweglabyrinth die einzige Möglichkeit. Stellen Sie sich die Knoten als zwei Perlen vor, die an den beiden Enden einer Schnur sitzen. Wie sehr Sie die Schnur auch verdrehen, sie wird immer von der einen Perle zur anderen führen. Das Labyrinth in der Kathedrale von Chartres ist ein Einweglabyrinth. Es hat keine Wände, sondern ist in blauem und weißem Marmor in den Fußboden eingelegt.

Ein Rätsel entsteht auch dann noch nicht, wenn sich an jedem Knoten zwei Zweige treffen. Stellen Sie sich ein Stück Schnur vor, auf dem eine Anzahl von Perlen aufgezogen sind. Es gibt immer noch keine Entscheidung, die zu treffen wäre. Normalerweise zählt eine «Verbindung» von zwei Zweigen gar nicht wirklich als Knoten. Man kann sie sich einfacher als einen Knick in einem einzigen Zweig vorstellen.

Eine wirkliche Gabelung im Labyrinth entsteht erst, wenn sich drei Zweige (ein «Griff» und zwei «Zinken») in einem Punkt treffen. Je mehr Zweige an den Knoten des Labyrinths zusammentreffen, desto schwieriger ist es.

Üblicherweise haben die meisten neueren Irrgärten einen ungefähr rechteckigen Grundriß, und fast die gesamte Fläche wird von Pfaden und Trennhecken eingenommen. Dann ist es schwierig, mehr als vier Zweige an einem Knoten zusammenzuführen. Der Irrgarten von Versailles ging von einem flexibleren Grundriß aus. Hier liefen die einzelnen Zweige nicht notwendigerweise parallel, so daß sich viele von ihnen an einem Knoten kreuzen konnten. Das Maximum waren fünf Zweige an einem Knoten. Der Architekt des Irrgartens von Versailles, André Le Nôtre, hat in Chantilly ein zweites Labyrinth gebaut, bei dem sich acht Zweige in einem mittleren Knoten trafen (s. S. 256).

Die folgende Tabelle faßt statistische Angaben über ein paar berühmte Labyrinthe zusammen. In einigen Fällen bleibt die Frage offen, um wie viele Knoten und Zweige es sich handelt.

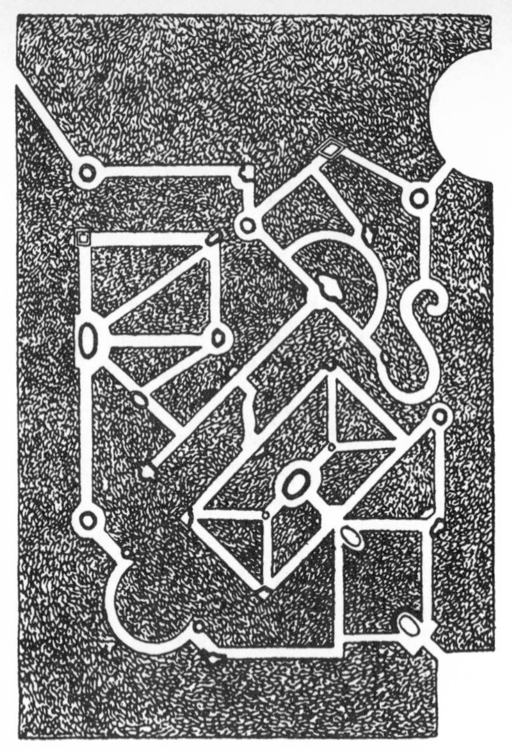

Das Labyrinth von Versailles

Ich habe versucht, jeden Punkt als einen Knoten zu zählen, an dem ein sorgfältiger Wanderer sich vor eine Entscheidung gestellt sähe. Ich habe Eingänge, Ziele und Sackgassen als Knoten gezählt, nicht aber überflüssige Verbindungen, an denen sich nur zwei Zweige treffen. Die Angaben der letzten Spalte, der Durchschnittswert von Zweigen, die sich in einem Knoten treffen, vermittelt einen Eindruck vom Schwierigkeitsgrad des Labyrinths.

Labyrinth	*Knoten*	*Zweige*	Zweige pro Knoten *Maximum*	*Durchschnitt*
La Lieue, Kathedrale von Chartres, Frankreich (1220)	2	1	1	1,00
Irrgarten von Hampton Court, Kingston, England (1690)	16	16	3	2,00
Irrgarten von Chevening, Chevening, England (ca. 1820)	18	22	4	2,44
Irrgarten von Versailles, Versailles, Frankreich (1672; 1775 zerstört)	30	43	5	2,87
Irrgarten im Schloß von Leeds, Maidstone, England (1988)	27	41	4	3,22

Die Rechtsregel

Der bekannte Algorithmus für Irrgärten und Labyrinthe ist die «Rechtsregel»: Wenn immer Sie die Wahl haben, nehmen Sie den am weitesten rechts gelegenen Zweig. Wenn Sie in eine Sackgasse geraten, gehen Sie zurück bis zum letzten Knoten und nehmen den am weitesten rechts gelegenen Zweig, in dem Sie noch nicht waren. Die einfachste Art, sich diese Regel zu merken, ist, die ganze Zeit mit der rechten Hand die Hecken rechts von Ihnen zu berühren. Lassen Sie keinen Zweig auf der rechten Seite aus!

Natürlich hat das nichts mit der rechten Seite zu tun. Die «Linksregel» funktioniert genausogut. Wichtig ist nur, daß Sie konsequent bleiben, wenn Sie sich einmal im Labyrinth befinden.

Warum funktioniert das? Die Regel ist allgemeingültiger als etwa: «Ziehen Sie eine Schraube immer nach rechts an.» Man könnte eine Schraube produzieren, die andersherum funktioniert. Die Rechtsregel dagegen folgt aus der Topologie des Labyrinths.

Stellen Sie sich das Diagramm eines Irrgartens als Zeichnung vor. Die Heckenbereiche sind grün gefärbt. Die weiße Fläche zwischen den Heckenbereichen ist der begehbare Teil des Labyrinths. In vielen Irrgärten bildet der Heckenbereich eine zusammenhängende Fläche. Es gibt also nur eine Hecke, wie verzerrt sie auch immer sein mag. Sie sieht aus wie ein seltsam geformtes Land. Wie jedes Land auf der Landkarte hat der grüne Bereich eine Grenze. Diese Grenze (die der Wand des Labyrinths entspricht) ist eine in sich geschlossene Kurve. Jeder Teil dieser Kurve ist mit jedem anderen verbunden. Also müssen Sie, wenn Sie die Geduld haben, mit einer Hand in Kontakt mit der Heckenwand zu bleiben, an jeden Punkt des Irrgartens gelangen.

Das beruht letzten Endes auf dem gleichen Grundgedanken wie die Pfadfinderregel für den Rückweg in die Zivilisation, indem man einem Flußlauf folgt. Ganz Nordamerika ist ein Kontinent. Die Küste Nordamerikas einschließlich der Einbuchtungen durch Flüsse und Ströme ist eine geschlossene Kurve. Wer den Flußufern oder der Küstenlinie folgt, muß irgendwann nach New Orleans oder in eine andere Stadt an der Küste oder einem Fluß kommen. Ein Labyrinth kann unverbundene Heckeninseln enthalten, aber solange die Hecke um den Eingang und das Ziel zur selben Insel gehören, funktioniert die Regel.

Der größte Vorteil der Rechts- (oder Links-)regel ist, daß sie so einfach ist. Sie hat zwei Nachteile. Zum einen ist sie ineffizient. Sie schickt Sie in jede einzelne Sackgasse auf der rechten (oder linken) Seite hinein. Meistens gibt es einen viel näheren Weg zum Ziel. Und was schlimmer ist, die Rechtsregel funktioniert nicht immer. Anscheinend hätte sie für alle bis zum Jahre 1820 bekannten Irrgärten ausgereicht. Dann entwarf der Earl of Stanhope, ein Mathematiker, ein komplizierteres Labyrinth, das in Chevening in Kent als Irrgarten angepflanzt wurde.

Der Irrgarten von Chevening überwindet die Rechtsregel durch acht getrennte Heckeninseln. Die Rechtsregel führt den Besucher um eine Region herum, aber er kommt nie ans Ziel. (Wer den Flußufern und der Küstenlinie auf Long Island folgt, kommt nie nach New Orleans.) Ein Labyrinth dieses Typs macht einen raffinierteren Algorithmus erforderlich.

Trémaux' Algorithmus

Alle wirksameren Algorithmen zur Lösung von Labyrinthen fordern eine Methode, die Sie davor schützt, im Kreis zu laufen. Sie müssen den zurückgelegten Weg mit einem Faden, Brotkrumen, geknickten Zweigen oder dergleichen markieren, es sei denn, Sie hätten ein außergewöhnlich gutes Gedächtnis für Strauchwerk und könnten mit Sicherheit alle Orte wiedererkennen, an denen Sie schon einmal vorbeigekommen sind.

Eine universell anwendbare Methode, die mit Sicherheit die Lösung jedes Labyrinths garantiert, ist Trémaux' Algorithmus, der an einen gewissen Monsieur Trémaux erinnert, den wiederum der französische Mathematiker Edouard Lucas in seinen 1882 erschienenen *Récréations Mathématiques* als Erfinder nennt. Man kann Trémaux' Algorithmus als eine Weiterentwicklung des Ariadnefadens betrachten.

Der Faden, den Ariadne Theseus gab, bot ihm Gewähr, daß er seinen eigenen Schritten zurück zum Ausgang folgen konnte, ohne sich zu verirren. Der Faden wies ihm nicht den Weg zur Höhle des Minotauros. Theseus könnte an eine Abzweigung im Labyrinth kommen und feststellen, daß er im Kreis gelaufen ist. Vernünftigerweise würde er diese Information verwerten, um beim nächsten Mal eine bessere Entscheidung darüber zu treffen, welchem Zweig er jetzt folgen wollte. Genau das leistet Trémaux' Algorithmus.

Betreten Sie das Labyrinth. Gehen Sie zunächst, welchen Weg Sie wollen, und markieren Sie Ihre Spuren mit einem

Der Irrgarten von Chevening.
Die äußeren «Inseln» sind dunkler dargestellt.

Faden oder was Sie sonst zur Hand haben. Gehen Sie weiter, bis Sie (im günstigsten Fall) ans Ziel, in eine Sackgasse oder an eine Abzweigung kommen, an der Sie (ausweislich Ihrer Spurenmarkierung) schon einmal waren.

Wenn Sie in eine Sackgasse geraten, gehen Sie zurück bis zum letzten Knoten. (Sie haben keine andere Wahl!) Vergessen Sie nicht, auch Ihren Rückweg zu markieren. Eine Sackgasse, in der Sie schon einmal waren und aus der Sie wieder herausgegangen sind, ist mit zwei Spuren von Brotkrumen markiert. Das weist Sie darauf hin, sie zukünftig zu meiden. In Trémaux' Algorithmus durchschreiten Sie keinen Zweig mehr als zweimal.

Wenn Sie an einen Knoten im Labyrinth kommen, den Sie (auch wenn es über einen anderen Zweig geschehen ist) schon einmal besucht haben, tun Sie folgendes:

Wenn Sie über einen neuen Zweig (also einen mit nur einer Brotkrumenspur) gekommen sind, gehen Sie auf dem gleichen Zweig bis zum letzten Knoten zurück.

Ist dies nicht der Fall, gilt:

Wenn ein noch unbetretener Zweig vom Knoten weg führt, nehmen Sie ihn.

Ist dies nicht der Fall, nehmen Sie irgendeinen Zweig, der bisher erst einmal betreten worden ist.

Mehr Regeln sind nicht erforderlich. Wenn Sie Trémaux' Algorithmus befolgen, machen Sie eine vollständige Tour durch das ganze Labyrinth und durchlaufen jeden Zweig zweimal, einmal in jeder Richtung. Natürlich können Sie aufhören, sobald Sie das Ziel gefunden haben. Sie brauchen nicht den ganzen Kreis abzuschreiten.

Ebenso wie die Rechtsregel ist auch Trémaux' Algorithmus äußerst ineffizient. Zwar können Sie Glück haben und den direkten Weg vom Eingang zum Ziel erwischen, aber die Wahrscheinlichkeit spricht dafür, daß Sie vorher einen großen Teil, wenn nicht das ganze Labyrinth, durchlaufen haben.

Es ist nie zu spät, um die Rechtsregel anstelle von Trémaux' Algorithmus anzuwenden. Sie können ein Labyrinth betreten, entlanggehen, wo Sie wollen, und erst auf einen Algorithmus zurückgreifen, wenn Sie sich verirrt haben. Stellen Sie sich den von Ihnen beliebig gewählten Punkt, an dem Sie anfangen einem Algorithmus zu folgen, als eine Art von alternativen Eingang vor. Mit Trémaux' Algorithmus machen Sie von eben diesem Punkt aus eine vollständige Rundreise durch das ganze Labyrinth einschließlich des Ziels und des wirklichen Eingangs. Beide Methoden funktionieren in verwinkelten Gebäuden ebensogut wie in Irrgärten. Wenn Sie sich im Pentagon oder im Louvre verirren, können Sie Trémaux' Algorithmus anwenden, um den Ausgang zu finden.

Ein unendliches Labyrinth

Stellen Sie sich ein Labyrinth unendlicher Ausdehnung vor. Weil das Labyrinth endlos ist und die ganze Welt bedeckt, gibt es weder einen Eingang noch eine Grenze. Sie brechen an einem beliebigen Punkt zu Ihrer Forschungsreise durch das Labyrinth auf und wissen ebensowenig darüber, wo Sie sich im Gesamtplan befinden, wie wir wissen, wo im Universum unsere Galaxis ist.

Das Schema des Labyrinths ist einfach. An jedem Knoten treffen genau drei Zweige aufeinander. Die Knoten sind mit Merkmalen – Statuen, Ruhebänken, Bäumen – markiert, nach denen Sie Ausschau halten können.

Wie alle Labyrinthe ist auch dieses primär durch seine Irrationalität ausgezeichnet. Wenn Sie nach einem gegebenen Ziel suchen, gibt es keinen Grund, einen Weg statt eines anderen zu wählen. Jeder Weg könnte der «richtige» sein. Das hängt davon ab, was der Bauplan des Irrgartens ist. Das Wissen darum, daß das Labyrinth sich – mit Variationen – endlos wiederholt, ist schwindelerregend. Nehmen wir an, ein Reisender habe Jahre damit verbracht, eine bestimmte Region des Labyrinths zu erforschen, und komme nun an eine Abzweigung an der Grenze der bekannten Gebiete. Einer der unerforschten Zweige führt zum angestrebten Ziel: Welcher? Es steht fest, daß sich der erforschte Teil des Labyrinths des öfteren im Labyrinth genau wiederholen muß. In einigen der Wiederholungen sind die bekannten Wege so mit dem Rest des Labyrinths verknüpft, daß der rechte Zweig zum Ziel führt, in anderen tut das der linke. Natürlich kann der Reisende nicht wissen, was von beidem in seinem Falle gilt. Damit wird jede rationale Überlegung darüber, welchen Weg er einschlagen soll, sinnlos.

Nehmen wir an, Sie befinden sich in diesem unendlichen Labyrinth, wandern eine Zeitlang umher und verlaufen sich hoffnungslos. Sie haben keine Spuren ausgelegt und wissen nicht genau, wie weit Sie schon gegangen sind.

In dieser schwierigen Lage würde sich Trémaux' Algorithmus nicht empfehlen. Trémaux' Algorithmus schränkt Ihre Bewegungsfreiheit nicht ein, bevor Sie Ihren eigenen Pfad kreuzen. Sie könnten kilometerweit immer tiefer ins Labyrinth vordringen und sich immer mehr verlaufen. In einem unendlichen Labyrinth ist es sogar möglich, daß Sie Ihre eigenen Spuren nie kreuzen, das Ziel nie erreichen und nie wieder einen bekannten Ort erblicken.

Sowohl Trémaux' Algorithmus als auch die Rechtsregel gehen von der Annahme aus, daß es nichts schaden kann, das ganze Labyrinth oder einen großen Teil davon zu durchwandern, wenn Sie nur am Ende Ihr Ziel erreichen und nicht unendlich lang im Kreis laufen. Trémaux' Methode verführt sogar dazu, die entfernteren Gebiete des Labyrinths zuerst zu erforschen. Sie wählen immer lieber einen unbetretenen als einen bekannten Pfad, und Sie versuchen, Ihren eigenen Weg nicht zu kreuzen, wenn es nicht unbedingt notwendig ist. In einem endlich geschlossenen Irrgarten ist das ein vernünftiger Ratschlag, weil das Ziel fast immer verhältnismäßig weit vom Eingang entfernt liegt. Es ist nicht sehr sinnreich, wertvollen Baugrund zu verschwenden und viel Geld fürs Heckenscheren auszugeben, wenn dabei ein Irrgarten entsteht, der größer ist als sein eigenes Geheimnis.

In einem unendlichen Labyrinth können Sie es sich nicht leisten, ziellos durch unbekannte Gegenden zu streifen. Wenn Sie sich verlaufen haben, aber wissen, daß ein Ziel (im Verhältnis zu den Gesamtabmessungen des Labyrinths) einigermaßen nahe liegt, sollten Sie zuerst die unmittelbare Nachbarschaft erforschen und sich erst dann nach außen bewegen, wenn es nötig wird. Oystein Ore von der Universität Yale hat 1959 einen Algorithmus beschrieben, der genau das leistet.

Das Modell läßt sich am leichtesten darstellen, wenn man an einem Knoten anfängt. Wenn Sie sich nicht an einem Knoten befinden, begeben Sie sich zum nächstgelegenen Knoten. Wenn Sie nicht wissen, in welcher Richtung der nächste Knoten liegt, gehen Sie in irgendeiner Richtung, bis Sie an einen Knoten kommen. Dann markieren Sie diesen Knoten auf irgendeine Weise; er wird Ihre Expeditionsbasis sein.

Vom Basisknoten ausgehend müssen Sie jetzt alle Zweige erforschen, die von ihm ausgehen. Legen Sie jeweils beim Hineingehen einen Kieselstein in jeden Zweiganfang. Erforschen Sie jeden Zweig immer nur bis zum nächsten Knoten. Legen Sie dann einen Kiesel am anderen Ende des Zweigs nieder, und kehren Sie zum Basisknoten zurück.

Kennzeichnen Sie alle Sackgassen, damit Sie sie in Zukunft ignorieren können. Markieren Sie Sackgassen, indem Sie sie mit einer Schnur versperren oder mit einem Kieselmäuerchen blockieren.

Falls ein Pfad im Bogen direkt zur Expeditionsbasis zurückführt, kennzeichnen Sie ihn ebenfalls als Sackgasse. Er ist genauso nutzlos.

Sie suchen nach den Zweigen, die zu neuen Knoten mit neuen Zweigen führen. Bei Abschluß der ersten Projektphase ist jede mögliche Route zum Ziel mit einem Kieselstein an jedem Ende markiert, und Sie sind wieder am Ausgangspunkt.

Als nächstes sollten Sie Ihre Forschungen auf einen Umkreis von zwei Knoten ausdehnen. Gehen Sie jeden Zweig, der keine Sackgasse ist, bis zum neuen Knoten entlang, und erforschen Sie alle Zweige, die von ihm ausgehen, nach dem gleichen Muster. Legen Sie an jedem Ende der ursprünglichen Zweige einen zusätzlichen Kieselstein nieder, so daß diese Zweige jetzt mit zwei Kieseln markiert sind, und legen Sie je einen Kiesel an jedem Ende der neuen Zweige zweiter Ordnung nieder. Das sichert Sie davor, den Weg zum Basisknoten nicht mehr finden zu können: Der Zweig, der zu ihm führt, hat einen Kiesel mehr als jeder andere. Versperren Sie wie schon vorhin die Zugangswege zu Sackgassen oder geschlossenen Bögen. Wenn ein Pfad zu einem bereits erforschten Knoten führt (also einem, an dem mindestens ein Kiesel liegt), markieren Sie ihn auch an beiden Enden als Sackgasse.

In der dritten Phase des Forschungsprojekts entfernen Sie sich drei Knoten weit vom Basisknoten und legen einen weiteren Kieselstein an jedem Ende der erforschten Zweige nieder. Machen Sie so, sich immer weiter vom Basisknoten entfernend, weiter, bis Sie das Ziel, den Eingang oder nach was immer sonst Sie suchen, gefunden haben.

Ores Algorithmus bestimmt den kürzesten Weg zum Ziel. (Maßstab ist die Zahl von Zweigen, nicht absolute Entfernung in der Luftlinie.) Natürlich wird Ihr Forschungsweg nicht der kürzeste sein, aber wenn der kürzeste Weg über fünf Knoten führt, werden Sie ihn im fünften Stadium der Suche finden und wissen, daß er der kürzeste ist.

Auch Ores Algorithmus ist betrüblich ineffizient. Statt automatisch zum richtigen Weg zu führen, überprüft er alle möglichen Wege zum Ziel. Er muß das tun, weil jeder Weg der richtige sein könnte.

Die NP-Vollständigkeit des Labyrinths

Betrachten wir die ewige Frage des Labyrinths. Sie befinden sich am Punkt E. (E steht für «Eingang», obwohl er in Wirklichkeit genauso unlokalisierbar in der Grenzenlosigkeit des unendlichen Labyrinths ist wie jeder andere Punkt.) Sie suchen einen Punkt Z, ein Ziel, das auch nur ein willkürlicher Punkt im Labyrinth ist. Sie wissen nicht, wo Z ist, das heißt, Sie können es nicht auf einer Landkarte (die es nicht gibt) lokalisieren. Sie sind sicher, Ihr Ziel erkennen zu können, falls Sie es je erreichen, weil es am Punkt Z einen unverwechselbaren

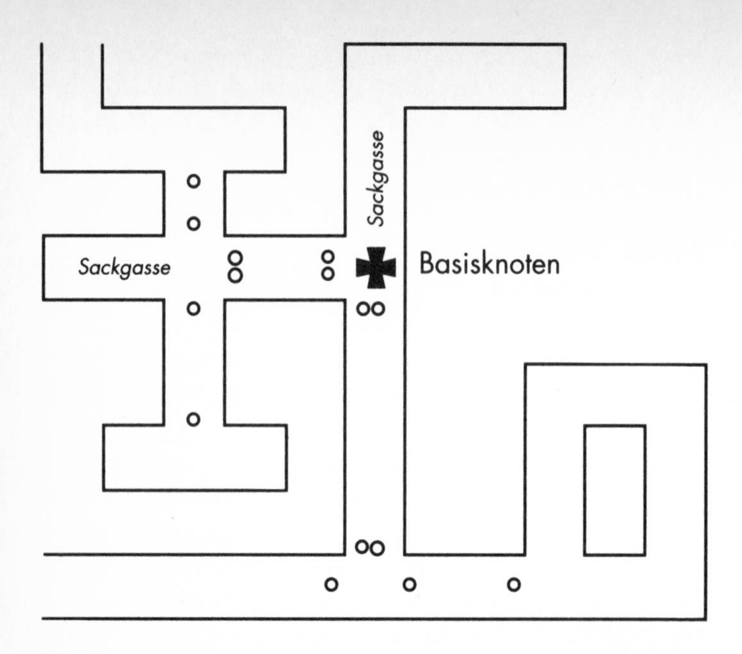

Markstein gibt. Die ständig sich aufdrängende Frage, die allein schon durch die Existenz des Labyrinths selbst gestellt wird, lautet: «Welcher einfache Weg oder welche einfachen Wege verbinden E mit Z?»

Ein einfacher Weg ist einer, der sich nicht selbst kreuzt und nicht im Kreis herum führt. Im Kreis zu gehen ist nie notwendig, also ist ein einfacher Weg immer nützlich. Es kann mehr als einen einfachen Weg geben. Ist das der Fall, würden Sie den kürzesten Weg vorziehen, aber derartige Kleinigkeiten beschäftigen Sie nicht allzusehr. Angesichts des gewaltigen Problems, das darin besteht, das unendliche Labyrinth zu erforschen, sind Sie mit nahezu jedem Weg zufrieden, der zum Punkt Z führt.

Der ewigen Frage des Labyrinths eng verwandt ist eine einfachere Frage, sozusagen die Existenzfrage des Labyrinths. Sie lautet: «Gibt es überhaupt einen einfachen Weg von E nach Z?»

Warum ist das eine einfachere Frage? Immer dann, wenn man die ewige Frage beantworten kann (indem man einen Weg angibt), ist nichts einfacher als die Antwort auf die Existenzfrage: Sie lautet ja. Selbst wenn keine Möglichkeit besteht, einen bestimmten Weg anzugeben, kann es unter Umständen möglich sein nachzuweisen, daß es einen einfachen Weg gibt. Es ist letzten Endes auch nicht überraschend, daß eine Ja-oder-Nein-Frage einfacher ist als eine Frage, deren Antwort möglicherweise aus einer umständlichen Wegbeschreibung über Milliarden von Zweigen hinweg besteht.

Nur Skeptiker stellen die Existenzfrage. Für die meisten Erforscher des Labyrinths gilt der unerschütterliche Glaubenssatz, daß alle Punkte irgendwie miteinander verknüpft sind, daß man immer von einem Punkt zum anderen gelangen kann. Der Weg mag lang und mühsam sein, aber es gibt ihn. Das braucht nicht wahr zu sein. Das Labyrinth kann unfair sein; es kann Fragen stellen, auf die es keine Antwort gibt. Es könnte zwei miteinander verschränkte, aber getrennte Wegenetze ohne Übergangsmöglichkeit vom einen zum anderen geben. Es könnte Trillionen von getrennten Wegenetzen geben. Selbst wenn das Labyrinth ein einziges in sich geschlossenes Netzwerk sein sollte, kann dies aus örtlich beschränkter Kenntnis des Labyrinths nie bewiesen werden. Daß es keinen Weg zu dem gewünschten Zielpunkt gibt, bleibt so lange vorstellbar, bis ein genau angebbarer Weg gefunden und überprüft worden ist.

Die «Existenzfrage» ist in der Tat ein NP-vollständiges Problem, das als Problem des LÄNGSTEN WEGES bezeichnet wird. NP-vollständige Probleme sind für ihre Schwierigkeit berüchtigt, aber manchmal ist die Existenzfrage leicht zu beantworten. Wenn etwa Z zufälligerweise nur einen Zweig von E entfernt liegt, führt die oberflächlichste Erforschung des Labyrinths nahezu sofort nach Z, und dann sind die ewige Frage und die Existenzfrage auf einmal beantwortet.

Das ist ganz in Ordnung so. Spezifische Einzelfälle eines allgemeinen Problems können ganz einfach sein. Was wir aber suchen, ist eine allgemeingültige systematische Methode zur Beantwortung der Existenzfrage, die im kleinsten Irrgarten genausogut funktioniert wie in einem unendlichen Labyrinth.

Es gibt keine schnelle Lösungsmethode für ein unbekanntes Labyrinth, keine Möglichkeit, im voraus zu wissen, welchen Weg man bevorzugen sollte. Man kann nicht mehr tun, als fast alle Wege zu untersuchen, bis man das Ziel gefunden hat. Die verschiedenen Labyrinthalgorithmen bewahren uns nur davor, dieselben Zweige zu wiederholen, ohne es zu merken, oder zusätzliche Zeit an bekannte Sackgassen und geschlossene Kurven zu verschwenden. Die Algorithmen können Sie nicht «intelligent» durch unbetretene Gebiete des Labyrinths leiten.

Nehmen wir zum Beispiel den Oreschen Algorithmus, der gewiß zu den leistungsfähigsten gehört. Sie fangen beim Basisknoten an. Drei Zweige führen von ihm weg. Jeder benachbarte Knoten ist mit zwei anderen Knoten verbunden. (Einer der drei Zweige ist der, der vom Basisknoten zum Nachbarknoten führt, der also als bereits erforscht gilt.) Jeder der sechs Knoten der nächsten Generation ist wieder mit zwei weiteren Knoten verbunden. Das Labyrinth führt ins Unendliche. Zweige, die Sie erforschen, führen zu neuen Knoten, an denen wieder neue Zweige entspringen. Sie mögen einen Teil dieser Zweige schon früher erforscht haben (das sagen Ihnen ihre alten Markierungen). Aber meistens wächst die Zahl der noch zu erforschenden Zweige exponentiell. Je mehr Sie über das Labyrinth wissen, desto mehr müssen Sie einsehen, daß Sie es nicht kennen.

Wenn Sie einen Zweig pro Minute erforschen können, sieht der Fortschrittsbericht für den Oreschen Algorithmus folgendermaßen aus:

In jedem endlichen Labyrinth nimmt der Prozeß der Entdekkung neuer Zweige einmal ein Ende. Nach einem gewissen Forschungsstadium führen die meisten neuen Zweige zurück

Projekt-stufe	*Wege*	*Auf dieser Stufe erforschte Zweige*	*Erforschte Zweige insgesamt*	*Erforderliche Zeit*
1	3	6	6	6 Minuten
2	6	24	30	30 Minuten
3	12	72	102	1,7 Stunden
4	24	192	294	4,9 Stunden
5	48	480	774	12,9 Stunden
10	1536	30720	55302	38,4 Tage
15	49152	1474560	2752518	5,23 Jahre
20	1572864	62914560	119537670	227 Jahre
30	1610612736	$9{,}66 \times 10^{10}$	$1{,}87 \times 10^{11}$	355000 Jahre
45	$5{,}28 \times 10^{13}$	$4{,}75 \times 10^{15}$	$9{,}29 \times 10^{15}$	17,7 Mrd. Jahre

zu bekannten Knoten. Schließlich sind Sie einmal durch jeden Zweig gegangen und haben das Ziel entdeckt. Im unendlichen Labyrinth führt die Exponentialspirale ins Unendliche. Selbst wenn das Ziel verhältnismäßig nahe gelegen ist, kann es viel zu lange dauern, es zu finden. Es könnte einen ganzen Tag erfordern, ein fünf Knoten entferntes Ziel zu finden, auch wenn man den Weg, ist er einmal bekannt, in fünf Minuten zurücklegen kann. Die Suche nach einem fünfzehn Knoten entfernten Ziel kann Jahre währen, und alle Zeit der Welt würde nicht ausreichen, um ein Ziel zu finden, das nur fünfundvierzig Knoten entfernt liegt.

Betrachten wir das Problem des «längsten Weges» vom Standpunkt eines Computerprogrammierers aus. Sie wollen einen Computer dazu bringen festzustellen, ob es einen Weg gibt, der zwei Punkte in einem großen Labyrinth miteinander verbindet. Dazu müssen Sie den Computer mit einer «Landkarte» des Labyrinths ausstatten. Die Landkarte besteht aus einer Liste aller Knoten im Labyrinth und einer Liste aller Zweige. Die Knoten sind numeriert oder tragen Namen, die Zweige werden bestimmt, indem man angibt, welche Knoten sie verbinden. Zusätzlich wird (in einem beliebigen Maßsystem) angegeben, was die Entfernung zwischen den Knoten ist. Ein Zweig könnte «Knoten 16, Knoten 49; 24 Meter» heißen. Die Entfernungsangabe bezieht sich auf den Weg, den ein Wanderer tatsächlich zurücklegen würde, nicht auf den Abstand in der Luftlinie. Die beiden Knoten, die Eingang und Ziel darstellen, sind als solche ausgewiesen.

Das Problem des LÄNGSTEN WEGS umfaßt ein weiteres Element: eine vorgegebene Entfernung n. Die Frage ist, ob es einen direkten Weg vom Eingang zum Ziel gibt, der *länger* als n Entfernungseinheiten ist. Natürlich können Sie n beliebig klein oder gleich Null ansetzen. In diesem Fall fragt das Problem des längsten Weges danach, ob es einen Weg von mehr als Nulllänge – also überhaupt einen Weg – vom Eingang zum Ziel gibt.

Da die Existenzfrage NP-vollständig ist, muß die schwierigere ewige Frage mindestens so schwer sein wie eine NP-vollständige Aufgabe. Wenn es praktisch unmöglich ist, auch nur zu sagen, ob es überhaupt einen Weg nach Z gibt, dann ist es erst recht nicht möglich, diesen Weg zu beschreiben.

Das Orakel und das Labyrinth

Zu den überraschenden Eigenschaften NP-vollständiger Probleme gehört, daß ihre Antworten leicht überprüfbar sind. Sie lernen ein Orakel kennen, das die Fähigkeit besitzt, die Antwort auf jede beliebige Frage sofort intuitiv zu erkennen. Diejenigen, die an die Allwissenheit des Orakels glauben, legen ihm Fragen vor, die so schwierig sind, daß niemand anders sie lösen kann, und das Orakel gibt sofort und ohne Zögern eine Antwort.

Aber das Orakel ist frustriert, denn es möchte allen Menschen seine Fähigkeiten beweisen. Es gibt aber Skeptiker, die an ihm zweifeln. Das Orakel möchte seine Allwissenheit beweisen, indem es zeigt, daß seine Antworten richtig sind. Das ist nicht immer möglich.

Es werden ihm zwei Arten von Fragen vorgelegt. Die häufigste Art sind die extrem schwierigen Fragen, die niemand sonst beantworten kann: Warum gibt es das Böse? Existiert Gott? Was ist die soundsovielte Stelle nach dem Komma in der Dezimaldarstellung von *pi*? Nun sind die Antworten des Orakels auf diese Fragen in jeder Hinsicht genau und richtig. Aber das kann es nicht beweisen! Die Skeptiker werfen ihm höhnisch vor, es könne diese Fragen praktisch beliebig beantworten, und niemand könnte das feststellen. Selbst relativ prosaische Fragen (wie die nach der soundsovielten Dezimalstelle von *pi*) können so schwierig sein, daß der mächtigste Computer der Welt die Antworten des Orakels nicht bestätigen kann.

Um seine Fähigkeiten zu beweisen, muß das Orakel Fragen beantworten, deren Antworten überprüfbar sind. Auch solche Fragen werden ihm häufig vorgelegt, manchmal von Zweiflern, die das Orakel hereinlegen wollen: Wie heißt die Hauptstadt von Kiribati? Was ist die Quadratwurzel aus 622521? Wie hieß Frankenstein mit Vornamen? Vor Ihnen steht eine versiegelte Schachtel: Was ist drin?

Das Orakel beantwortet all diese Fragen richtig, und der Fragesteller weiß, daß die Antworten richtig sind. Das weiß er, weil er die Antworten schon vorher gekannt hat. Und das ist das Problem. Die Fragen sind zu leicht, als daß sie die Fähigkeiten des Orakels endgültig und zweifelsfrei beweisen könnten. Wenn der Fragesteller die Antworten bereits auf ganz gewöhnlichem Wege herausbekommen hat, dann könnte sie möglicherweise das Orakel auch auf ganz gewöhnlichem Wege erfahren oder gefunden haben. Dann – sagen die Skeptiker – wäre seine Hellseherei nur ein Taschenspielertrick, und das Orakel selbst wäre vielleicht nur ein Rechenkünstler, der über einen wohlsortierten Schatz an Trivialwissen verfügt und sich im übrigen auf die billigen Tricks eines Gedankenlesers im Zirkus verläßt.

Wie immer man es nimmt, das Orakel hat keine Chance. Beantwortet es eine Frage, die niemand sonst beantworten kann, wirft man ihm vor, es habe sich die Antwort ausgedacht; beantwortet es eine Frage, deren Antwort bekannt oder erkennbar ist, wirft man ihm Betrug vor. Um seine Allwissenheit zu beweisen, braucht das Orakel eine Frage der dritten Art: eine *schwierige* Frage, deren Antwort *leicht* überprüfbar ist. Gibt es Fragen, die diesen Anforderungen gerecht werden?

Fragen über das unendliche Labyrinth erfüllen beide Bedingungen. Lassen Sie die Zweifler zwei beliebige Punkte im Labyrinth aussuchen, und fordern Sie das Orakel auf, einen Weg vom einen zum anderen zu finden. Jedermann kann sich selbst leicht davon überzeugen, ob die Antwort richtig oder falsch ist. Man muß nichts weiter tun, als der beschriebenen Route zu folgen und festzustellen, ob sie zum Ziel führt.

Ist das nicht wieder eine «leichte» Frage? Man muß sich vergewissern, daß die beiden gewählten Punkte so weit voneinander entfernt sind, daß niemand einen Weg, der sie miteinander verbindet, kennt oder einen derartigen Weg mit normalen Mitteln auch nur finden könnte. Die geringe Effizienz selbst eines hochentwickelten Instruments wie des Oreschen Algorithmus bietet Gewähr dafür, daß derartige Punktpaare häufig sind. Wenn die Punkte zwanzig Knoten voneinander entfernt liegen, würde es auf normalem Wege Jahrhunderte dauern, einen Weg zu finden. Ist es dann nicht wieder eine «schwere» Frage? Nein, denn man bräuchte, wenn man einen Zweig pro Minute zurücklegt, nicht mehr als zwanzig Minuten, um die Antwort des Orakels zu überprüfen. Die Lösung eines Labyrinths ist viel, viel einfacher als das Labyrinth selbst.

Diese dritte Art von Fragen ist dem eng verwandt, was Komplexitätstheoretiker die «Klasse NP» nennen.

Ein Problem in seiner allgemeinsten Form sollte nicht mit Einzelfällen des gleichen Problems verwechselt werden. Ein Puzzle etwa ist die allgemeine Form eines Problems oder einer Aufgabe; ein bestimmtes Puzzle von 1500 Teilen, die zusammengefügt das Bild einer holländischen Windmühle ergeben, ist ein Einzelfall dieses Problems.

In der Theorie der NP-Vollständigkeit wird die Schwierigkeit eines Problems nicht an irgendeinem bestimmten Einzelfall gemessen, sondern an der Zunahme des Schwierigkeitsgrades als Funktion der Größe des Problems. Beim Puzzle stellt die Zahl der Einzelteile diese «Größe» der Aufgabe dar. Je mehr Teile es gibt, desto schwieriger ist das Puzzle. Wie «schwierig» ein Puzzle ist, kann man am besten an der zu seiner Lösung erforderlichen Zeit messen. Das hängt natürlich auch davon ab, wie schnell Sie daran arbeiten, aber offensichtlich hat es eine Menge damit zu tun, wie viele Teile mit anderen Teilen verglichen werden müssen, um ein passendes Stück zu finden.

Im Puzzle der schlimmsten Art – etwa einem der neuerdings modischen monochromen Puzzles – muß man die Teile auf gut Glück darauf überprüfen, ob sie zusammenpassen. Zu Beginn des Vorgangs vergleichen Sie letzten Endes jedes Stück mit einem großen Teil der anderen Stücke. Die Gesamtzahl der Vergleichsoperationen ist dem Quadrat der Anzahl der Einzelteile proportional. Infolgedessen kann der Zeitaufwand als eine Polynomialfunktion ausgedrückt werden, die den Wert n^2 enthält, wobei n die Anzahl der Teile ist.

Das ist ein verhältnismäßig bescheidener Zeitaufwand. In einem Labyrinth liegt die Zeit, die man braucht, um mit Hilfe des Oreschen Algorithmus das Ziel zu finden, näher an 2^n, wenn n die Anzahl der Knoten zwischen Start und Ziel ist. Wenn n eine kleine Zahl ist, ist der Unterschied zwischen n^2 und 2^n nicht sehr groß. Mit wachsendem n tut sich zwischen Polynomialfunktion und Exponentialfunktion ein Abgrund auf. Ein Puzzle mit 5000 Teilen ist lösbar. Ein nicht-triviales Labyrinth, bei dem 5000 korrekte Entscheidungen nötig sind, um das Ziel zu finden, ist nicht lösbar.

Die «leichten» Aufgaben der Komplexitätstheorie sind die allgemeinen Probleme, die in Polynomialzeit gelöst werden können. Diese Probleme bilden die Klasse P (für polynomial). Sie können sich die Klasse P als ein weites Land irgendwo auf dem Globus vorstellen, das kartographisch schlecht erfaßt ist, aber klar umrissene Grenzen hat. Jeder einzelne Punkt liegt entweder innerhalb der Fläche P oder außerhalb der Fläche P, auch wenn unsere Landkarten so unzuverlässig sind, daß man nicht immer sagen kann, was von beidem gilt. Puzzles sind ein Punkt innerhalb der Klasse P. Das gleiche gilt für einfache Rechenaufgaben.

Es gibt eine andere Klasse, die Klasse NP, die alle Aufgaben umfaßt, deren *Lösungen* leicht (das heißt in Polynomialzeit) *überprüft* werden können. Wenn eine Aufgabe leicht ist, ist es auch leicht, das Ergebnis zu überprüfen. Wenn Ihnen sonst nichts einfällt, können Sie das Ergebnis überprüfen, indem Sie die Aufgabe noch einmal lösen und sich vergewissern, daß Sie das gleiche Resultat erhalten. Also gehören alle leichten Aufgaben (Klasse P) zur Klasse der Aufgaben, deren Antworten leicht überprüfbar sind (Klasse NP). NP umfaßt auch zahlreiche Aufgaben, die nicht zur Klasse P gehören, wie etwa das Erforschen von Labyrinthen. Also ist P eine Provinz des größeren Landes NP. Eine Landkarte würde wie die Abbildung S. 275 aussehen.

Das äußere Rechteck stellt alle möglichen Aufgaben dar. Die Klasse NP umfaßt also nicht alle Aufgaben. Es gibt besonders schwierige Aufgaben, bei denen nicht einmal die Antworten leicht überprüfbar sind. Sie werden durch das Rechteck außerhalb des Kreises NP dargestellt.

Gehen wir noch einmal auf die Fragen des Orakels ein. Die erste Art von Fragen, die «schwierigen» Fragen, deren Antworten nicht überprüfbar sind, entsprechen der Klasse der

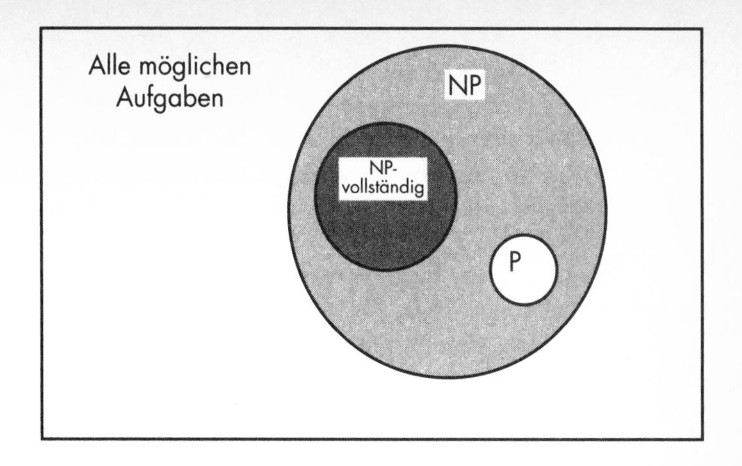

Aufgaben außerhalb von NP. Die zweite Art von Fragen entspricht der Klasse P. Die dritte Art – schwere Fragen mit leicht überprüfbaren Antworten – entspricht den Aufgaben, die innerhalb von NP, aber außerhalb von P liegen.

Der Ausdruck NP (nichtdeterministisch polynomialzeitlich) bezieht sich auf einen sogenannten nichtdeterministischen Computer, insbesondere denjenigen Idealcomputer, der nach seinem Erfinder Alan Turing als Turingmaschine bekannt ist. Ein nichtdeterministischer Computer ist nicht genau das, was man sich bei seinem Namen vorstellen könnte. Der Ausdruck klingt nach einem Computer, der nach dem Zufallsprinzip arbeitet oder einen weniger exakten Algorithmus benützt (oder gar nach einem Computer, der über freien Willen verfügt)!

Man kann sich die Arbeitsmethode eines nichtdeterministischen Computers so vorstellen: Statt eines einzigen Computers haben wir es mit einer großen, potentiell unendlichen, Zahl von Computern zu tun. Jedem Computer wird eine der möglichen Lösungen einer Aufgabe zugeteilt, und er ist darauf programmiert, diese Lösung zu überprüfen.

Wenn die Aufgabe beispielsweise darin besteht, den Weg

durch ein Labyrinth zu finden, fängt die Computergruppe (in diesem Fall eine Mannschaft von Robotern) am Eingang an. Jedesmal wenn die Roboterarmee an eine Weggabelung im Labyrinth kommt, teilt sie sich in so viele Gruppen auf, wie es Wege gibt. Die Suchmannschaften teilen sich an jeder neuen Gabelung wieder auf, und irgendwann sind alle möglichen Routen erforscht.

Mindestens einer der Roboter wird also wirklich vom Eingang zum Ziel marschieren. Beschäftigen wir uns mit dieser Maschine. Wie lange hat sie gebraucht? Wahrscheinlich hat es gar nicht lange gedauert. Die Lösungen für Labyrinthe sind meist kurz; schwierig sind sie ja nur, weil man so oft eine falsche Abzweigung nimmt und dann wieder zurückgehen muß. Die Zeit, die ein nichtdeterministischer Computer brauchte, um eine Aufgabe zu «lösen», ist genau die Zeit, die man braucht, um eine frei erratene Lösung zu überprüfen.

Die Aufgaben der Klasse NP entsprechen der Menge der wissenschaftlich untersuchbaren Fragen. Der Wissenschaftler, der einer neuen Wahrheit zum Durchbruch verhelfen will, befindet sich in einer sehr ähnlichen Lage wie unser Orakel. Wissenschaft beschäftigt sich hauptsächlich mit Hypothesen, die den Antworten auf NP-Aufgaben gleichen: Hypothesen, die leicht zu bestätigen oder zu widerlegen sind.

Es gibt noch eine auffälligere Verbindung zwischen NP-Problemen und Wissenschaft: Der Prozeß der logischen Schlußfolgerung selbst ist ein NP-Problem.

Die schwierigste Aufgabe

Was ist die schwierigste Aufgabe der Klasse NP? 1971 hat Stephen Cook bewiesen, daß ERFÜLLBARKEIT mindestens genauso schwierig ist wie jede andere Aufgabe innerhalb von NP. Sein Beweis hat nachgewiesen, daß kein Problem innerhalb der Klasse NP schwieriger sein kann als ERFÜLLBARKEIT, weil alle NP-Aufgaben in ERFÜLLBARKEITS-Aufgaben transformiert werden können.

1972 entdeckte dann Richard Karp, daß viele «störrische» Aufgaben diese Eigenschaft mit ERFÜLLBARKEIT gemeinsam haben. Eine Anzahl von Problemen der Graphentheorie, der Logik, der Spieltheorie, der Zahlentheorie, der Kryptographie und der Computerprogrammierung sind genauso schwierig wie ERFÜLLBARKEIT. Die Klasse der schwierigsten Aufgaben heißt «NP-vollständig». Im Venn-Diagramm wird die Klasse NP-vollständig durch einen Kreis innerhalb von NP, aber außerhalb von P dargestellt.

Genaugenommen ist «NP-vollständig» ein Schattenreich, das vielleicht nicht einmal existiert. Es gibt bisher keinen Beweis dafür, daß NP-vollständige Probleme nicht in Polynomialzeit lösbar sind. Es gibt nur empirische Belege dafür! Seit Jahren versuchen Theoretiker und Computerprogrammierer, polynomialzeitliche Lösungen für NP-vollständige Aufgaben zu finden, und noch nie ist es ihnen gelungen. In der Praxis gilt der Beweis dafür, daß eine Aufgabe NP-vollständig ist, als ein starker Hinweis darauf, daß sie nicht effizient lösbar ist.

Es ist allerdings gerade noch vorstellbar, daß jede Aufgabe im Bereich NP mit Hilfe eines bisher unbekannten Superalgorithmus in Polynomialzeit lösbar wäre. Wenn das der Fall sein sollte, wären P, NP und NP-vollständig miteinander identisch und könnten als ein einziger geschlossener Kreis dargestellt werden.

Wenn es einen magischen Schlüssel, einen effizienten Lösungsweg gibt, dann gibt es in der Tat keine Grenzen für das, was wir wie Sherlock Holmes aus logischen Prämissen erschließen können. Wenn es aber keinen effizienten Lösungsweg für die Frage der ERFÜLLBARKEIT und für NP-vollständige Probleme gibt, existiert ein Universum von Wahrheiten, die nicht erkennbar sind. Vieles spricht dafür, daß es den magischen Schlüssel nicht gibt: Wir gleichen Dr. Watson, der die Bedeutung dessen, was er sieht, nicht erkennen kann.

Das bedeutet, daß es eine verhältnismäßig exakt definierte Grenze für den Umfang eines logisch lösbaren Problems geben muß. Genauso wie ein Labyrinth, das eine gewisse Größe übersteigt, praktisch unlösbar wird, so muß dies auch für eine logische Frage oberhalb eines bestimmten Grades an Komplexität gelten. Daraus folgt offensichtlich, daß auch unsere Schlußfolgerungen über die wirkliche Welt begrenzt sind.

Ein Erfahrungskatalog

Paradoxie ist ein bedeutsamerer und weitreichenderer Begriff, als es auf den ersten Blick scheinen mag. Wenn man Überzeugungen für widersprüchlich hält, müssen mindestens einige dieser Überzeugungen unzureichend begründet sein. Ohne rechtfertigende Begründung gibt es kein Wissen. Also kann man einen Satz von Überzeugungen nicht verstehen, wenn man nicht imstande ist, ihre eventuelle Widersprüchlichkeit zu entdecken. Deshalb ist die Frage der ERFÜLLBARKEIT, also die Frage, wie man Paradoxe entdeckt, ein Grenzwert für das Wissen. Die Schwierigkeiten der ERFÜLLBARKEIT wirken sich auf jeden Versuch aus, die Implikationen von Aussagen ganz zu verstehen.

Newtons Gravitationsgesetz stützte sich auf nichts, was nicht schon die alten Griechen gewußt hätten. Die Theorie, daß ansteckende Krankheiten durch Bakterien übertragen werden, hätte Jahrhunderte früher aufgestellt und bestätigt werden können, wenn jemand die richtigen Schlüsse gezogen hätte. Daraus folgt, daß es auch jetzt unentdeckte Allgemeinaussagen geben muß, die «überfällig» sind. Es ist durchaus möglich, daß wir über das notwendige Faktenwissen verfügen, um ein Mittel gegen Krebs oder die Position eines zehnten Planeten zu finden, nur daß niemand die Einzelfakten in die richtige Reihenfolge bringt. Und was schlimmer ist: Vielleicht gibt es zahllose logisch mögliche Schlußfolgerungen über die

Welt, die uns entgehen. Sie könnten implizit in allem enthalten sein, was wir sehen und hören, und nur ein wenig zu komplex sein, als daß wir sie erfassen würden.

«Das große Ziel jeder Wissenschaft», schrieb Albert Einstein, «ist es, die größtmögliche Zahl von empirischen Tatsachen durch logische Ableitung aus der kleinsten möglichen Zahl von Hypothesen oder Deduktionen zu erfassen.» Stellen Sie sich die Gesamtsumme der menschlichen Erfahrung vor: alles, was irgend jemand von der Eiszeit bis zu diesem Augenblick jemals gesehen, gefühlt, gehört, geschmeckt oder gerochen hat. Das ist der Ausgangspunkt für eine Kodifizierung des menschlichen Wissens. Prinzipiell könnte diese Informationsmenge in einem gewaltigen Katalog zusammengestellt werden. Der Katalog soll eine einfache Liste von Erfahrungen ohne Interpretationen irgendwelcher Art sein. Träume, Wahnvorstellungen, Halluzinationen, Sinnestäuschungen und optische Illusionen sind Punkt für Punkt neben «realen» Erfahrungen aufgeführt. Dem Leser des Katalogs bleibt die Entscheidung darüber überlassen, was die wirklichen Erfahrungen sind, sofern es solche überhaupt gibt.

Der Erfahrungskatalog muß alle die Beobachtungen enthalten, auf die sich die Naturwissenschaften gründen. Irgendwo im Katalog könnte man eine Beschreibung jedes Vogels, jedes Sterns, jedes Farnkrauts, jedes Minerals und jedes Pantoffeltierchens finden, das je beobachtet wurde. Er würde (und zwar getrennt) Michelsons und Morleys Eindrücke davon enthalten, wie sich die späte Nachmittagssonne an bestimmten Tagen des Jahres 1887 in ihren Instrumenten spiegelte. Er berichtete über Farbe, Größe, Form, Geschwindigkeit und Beschleunigung jedes einzelnen Apfels, den Newton jemals fallen sah.

Wissenschaft ist etwas anderes als ein Katalog von Erfahrungen. Einmal kann kein menschlicher Verstand die Totalität der menschlichen Erfahrungen erfassen. Der Katalog muß alles enthalten, was Sie jemals erfahren haben, also etwas, für das Sie in Ihrem bisherigen Leben 100 % all Ihrer Aufmerksamkeit gebraucht haben, und dann noch unendlich viel mehr! Wissenschaft komprimiert die menschliche Erfahrung (oder gewisse Aspekte menschlicher Erfahrung) in Formen, mit denen wir umgehen können. Wonach wir in Wirklichkeit streben, ist, die Welt, die der Katalog beschreibt, zu verstehen. Das bedeutet die Fähigkeit, das Allgemeingültige auch dann zu sehen, wenn wir gelegentlich die Einzelheiten vergessen. Eine quälende Frage der Wissenschaftsphilosophie ist es, bis zu welchem Ausmaß das möglich ist.

Jede Erfahrung enthält wie in einer Logikaufgabe die Wahrheitswerte einiger unbekannter Tatsachen der Welt. Die Beziehungen zwischen den Unbekannten können natürlich sehr subtil sein, und alles wäre nur als eine Serie von Wenn-Sätzen zu formulieren. Vielleicht gehört es zu Ihren Erfahrungen, daß Sie gehört haben, wie Ihr Freund Fred erzählte, er habe letzten Dienstag das Ungeheuer von Loch Ness gesehen. Der tatsächliche Aussagewert dieser Erfahrung wäre etwa der folgende:

Wenn Fred sich nicht geirrt hat und *wenn* Fred nicht gelogen hat und *wenn* die Außenwelt keine Illusion ist, *dann* hat das Ungeheuer von Loch Ness letzten Dienstag existiert.

Die Wenn-Sätze sind die unerläßlichen Zusatzannahmen, die die Bestätigung so erschweren.

Füttern Sie einen Supercomputer mit dem Erfahrungskatalog, und programmieren Sie ihn darauf, nach Schlußfolgerungen zu suchen. Das ist eine Aufgabe, für die man nichts als Logik braucht, und Logik ist das einzige, was Computer wirklich hervorragend beherrschen. Wenn er fertig ist, könnte der Computer die Liste der Schlußfolgerungen sogar nach ihrer Wichtigkeit ordnen, wobei Wichtigkeit daran gemessen würde, wie viele Einzelerfahrungen sie erklären. Die Schlußfolgerung auf Platz eins der Liste wäre das Wichtigste, was Menschen wissen können.

So ausgefallen diese Idee auch sein mag, sie liefert den Hintergrund, vor dem wir einige der drängendsten Fragen der Wissenschaftstheorie schildern können. Der Kettenschluß, die eigentliche Grundlage unseres Wissens, kann in Polynomialzeit erkannt und auf Widerspruchsfreiheit überprüft werden. Derartige einfache Logikaufgaben entsprechen einem Einweglabyrinth (einem Irrgarten, der an jedem Knoten nur einen oder zwei Wege zusammenführt), also einem Labyrinth, das den Vergleich mit einem «normalen» Labyrinth mit wenigstens einigen Knoten mit drei oder mehr Zweigen nicht bestehen kann. Komplexere Ableitungen aus Prämissen mit drei oder mehr Unbekannten machen (praktisch nicht vorhandene) Exponentialzeit erforderlich. Es kann eine ganze Welt von logischen Schlüssen – von Interpretationen unserer Sinneserfahrung – geben, die uns auf ewig verschlossen bleibt.

Stellen Sie sich unsere Erfahrungen als ein Labyrinth und logisch wahre Aussagen über diese Erfahrungen als Wege durch das Labyrinth vor. Die NP-Vollständigkeit des Problems der ERFÜLLBARKEIT läßt uns ahnen, daß wir niemals alle möglichen Wege gehen werden.

Ein Computer so groß wie das Universum

Die Computerwissenschaftler Larry J. Stockmeyer und Albert R. Meyer haben in der Phantasievorstellung eines Computers, der so groß ist wie das Universum, die praktische Unlösbarkeit von NP-Problemen anschaulich dargestellt. Sie haben nachgewiesen, daß das Universum nicht groß genug ist, als daß wir alle Fragen über das Universum beantworten könnten.

Versuchen wir, eine Liste allgemein anerkannter Glaubenssätze aufzustellen. Fangen wir wie Descartes bei Null an und gehen bei der Aufnahme von neuen Aussagen in die Liste sehr vorsichtig vor. Bevor ein Satz aufgenommen wird, wird er zunächst mit den Aussagen verglichen, die unsere Liste bereits enthält, um sicherzugehen, daß er keinen Widerspruch ins System einführt. Diese Überprüfung selbst ist ein ERFÜLLBARKEITS-Problem.

Man könnte glauben, Widersprüche würden sofort auffallen, wenn man die Liste durchgeht und sich vergewissert, daß ein neuer Glaubenssatz nicht in direktem Widerspruch zu einem der alten steht. Aber so einfach ist das Ganze nicht.

Gewiß könnte ein neuer Glaubenssatz einem alten widersprechen. Wenn der neue Satz lautet: «Alle Raben sind schwarz» und unter den alten bereits der Satz steht «Kein Rabe ist schwarz», haben wir es mit einem offensichtlichen Widerspruch zu tun. Weitaus tückischer ist aber die Art von Widerspruch, die sich zwischen drei oder mehr für sich durchaus vertretbaren Aussagen ergeben kann. Üblicherweise verwenden wir den Ausdruck «Paradox» für eben diese Fälle, in denen der Widerspruch nicht unmittelbar und sofort auf der Hand liegt.

Nehmen wir an, der neue Glaubenssatz sei: «Alles Gras ist grün.» Die Liste könnte bereits das folgende Aussagenpaar enthalten:

Alles Heu ist braun.
Heu ist Gras.

Mit der neuen Aussage kombiniert ergibt sich ein Widerspruch. Er hätte Ihnen entgehen können, wenn Sie die Aussagen nur paarweise überprüft hätten. Jede beliebigen zwei der drei widersprüchlichen Aussagen sind miteinander vereinbar. Um derartige Fälle auszuschließen, muß man jeden neuen Glaubenssatz gegen jedes andere Aussagenpaar auf der Liste überprüfen. Das erhöht die Überprüfungsarbeit immens. Und das ist noch nicht alles. Es kann subtilere Paradoxe geben, die erst auftreten, wenn man Gruppen von vier, fünf oder noch mehr Aussagen gemeinsam untersucht. Die Erweiterung einer Gruppe von einer Million Aussagen um eine weitere Aussage kann einen Widerspruch selbst dann noch erzeugen, wenn die neue Aussage mit jedem einzelnen Satz von 999999 Aussagen vereinbar ist.

Es müssen viele Tatsachen überprüft werden, also erscheint

der Einsatz eines Computers angezeigt. Wir fangen mit Glaubenssatz Nr. 1 *(Cogito ergo sum?)* an. Für den Computer wird er als logische Aussage über Boolesche Variable programmiert. Dann können wir Glaubenssatz Nr. 2 eingeben. Wir befehlen dem Computer zunächst, ihn mit Glaubenssatz Nr. 1 auf einen möglichen Widerspruch hin zu vergleichen. In diesem Fall ist nur eine logische Überprüfung (Nr. 2 gegen Nr. 1) erforderlich.

Jetzt enthält die Liste zwei Glaubenssätze, und wir wollen einen dritten hinzufügen. Der dritte Glaubenssatz muß dreimal überprüft werden: gegen Nr. 1, gegen Nr. 2 und gegen Nr. 1 und Nr. 2 gemeinsam.

Der vierte Glaubenssatz muß bereits gegen sieben Aussagengruppen überprüft werden: gegen Nr. 1, 2 und 3 gemeinsam, gegen Nr. 1 und 2, gegen Nr. 1 und 3, gegen Nr. 2 und 3 und gegen jeden der drei Glaubenssätze einzeln.

Praktisch heißt das, daß jeder neue Glaubenssatz gegen jede mögliche Teilmenge der Liste in ihrer jeweils vorliegenden Form überprüft werden muß. Die Formel für die Zahl der Teilmengen einer Menge der Größe n ist eine Exponentialfunktion: 2^n. In dieser Formel ist die Nullmenge mitgezählt, die uns hier nicht zu interessieren braucht. Die Zahl der nichtleeren Teilmengen ist $2^n - 1$.

Nehmen wir an, die Glaubenssätze oder einige von ihnen seien logisch so komplex, daß wir einen Algorithmus in Exponentialzeit nicht vermeiden können. Dann läßt sich die Zahl der erforderlichen Vergleichsvorgänge in der folgenden Tabelle ablesen (s. S. 284).

Selbst eine bescheidene Liste von vielleicht 100 Aussagen hat eine astronomisch große Zahl von Teilmengen. Um eine 101. Aussage aufnehmen zu können, muß sie gegen mehr als 10^{30} einzelne Teilmengen der Liste überprüft werden.

Wie kommt es dazu? Ist es denn nicht offensichtlich, daß Sie 101 Aussagen aufschreiben und sich rasch davon überzeugen können, daß es kein Paradox gibt?

Das ist tatsächlich so. Sie könnten 100 beliebige Behauptun-

Umfang der Liste	Teilmengen
1	1
2	3
3	7
4	15
5	31
10	1023
100	$1{,}27 \times 10^{30}$
1000	10^{301}
10000	10^{3010}

gen aus dem Konversationslexikon abschreiben, solange Sie darauf aufpassen, daß in jedem Satz von etwas anderem die Rede ist. Wir sprechen hier von dem allgemeineren Fall, in dem viele Glaubenssätze auf der Liste die gleichen Variablen betreffen und logisch komplex sind. Die Glaubenssätze können miteinander verknüpft sein wie die Prämissen in Carrolls Schweinekotelett-Problem. Dann müssen wir uns auf einen Algorithmus verlassen; und es wird ein langsamer Algorithmus sein.

Wie schnell könnte ein Computer die Liste von Glaubenssätzen erweitern?

In Stockmeyers und Meyers Analyse überprüfte ein «Ideal-Computer» den Wahrheitsgehalt bestimmter mathematischer Aussagen mit Hilfe eines Exponentialzeit-Algorithmus. Im wesentlichen ist die gleiche Vorgehensweise auch für ERFÜLLBARKEITS-Probleme anwendbar. Letzten Endes hängt die Kapazität eines Computers von der Anzahl der Bausteine ab, aus denen er zusammengesetzt ist. Je kleiner die Bausteine sind, desto mehr Verarbeitungskapazität kann auf einem gegebenen Raum untergebracht werden.

Die Schaltstellen der ersten Digitalrechner waren Vakuumröhren, die durch Kabel verbunden waren. Später wurden die Vakuumröhren durch Transistoren ersetzt. Heute kann man leistungsfähige Prozessoren auf einem einzigen Chip unterbringen. Die meisten Verbindungen bestehen aus gedruckten Stromkreisen auf dünnen Metallplatten.

Niemand weiß, wie klein ein Prozessor wirklich werden kann. Es gibt bereits Versuchsmodelle aus Metallstreifen, die nur wenige Atome dick sind. Vielversprechende Technologien befinden sich noch im experimentellen Stadium. Stockmeyer und Meyer gingen in ihrem Gedankenexperiment von einem extrem optimistischen Modell aus. Sie gingen von der Annahme aus, man könne Computerbausteine von der Größe von Protonen bauen. Beim gegenwärtigen Stand der Dinge sind Protonen und Neutronen die kleinsten meßbaren Objekte. Wie klein die Bausteine des endgültigen Computers also auch sein mögen, sie können keinen geringeren Durchmesser als 10^{-15} Meter haben. (Negative Exponenten bezeichnen Brüche: also 1 geteilt durch 10^{15} oder ein Billionstel Millimeter.)

Nehmen wir an, man könnte unsere hypothetischen Bausteine von Protonengröße so eng wie Sardinen in der Dose aneinander packen. Dann kann man in einem gegebenen Raum so viele Bausteine unterbringen, wie Idealkugeln mit einem Durchmesser von 10^{-15} Meter hineinpassen. Ein Computer von der Größe eines normalen PC mit einem Volumen von etwa einem Zehntel Kubikmeter könnte etwa 10^{44} Einzelteile enthalten. Ein Minicomputer einer Größe von einem Kubikmeter bestände aus 10^{45} Bausteinen.

Ein weiterer entscheidender Faktor der Computertechnologie ist Geschwindigkeit. Einen Engpaß stellt die Zeit dar, die an einer Schaltstelle gebraucht wird, um von einem Zustand auf einen anderen umzuschalten. Die Lichtgeschwindigkeit ist die höchste Geschwindigkeit, mit der irgendeine Form von Information übermittelt werden kann. Im günstigsten Fall kann also ein Baustein nicht schneller umschalten als in dem Zeitraum, den Licht braucht, um ihn zu durchqueren. Wäre es anders, «wüßte» eine Seite des Bausteins schneller, was anderswo geschieht, als dies die Relativitätstheorie zuläßt.

Um den Durchmesser eines Protons zu durchlaufen, braucht

das Licht 3×10^{-24} Sekunden. Stockmeyer und Meyer setzten das als die Umschaltgeschwindigkeit der Bausteine eines idealen Computers an.

In der Realität hängt die Geschwindigkeit eines Computers auch davon ab, wie die Bausteine miteinander verbunden sind und wie gut die vorhandenen Kapazitäten für die jeweilige Aufgabenstellung genützt werden. Die meisten heutigen Computer sind seriell geschaltet; sie führen also einen Arbeitsschritt nach dem anderen aus. Zu jedem beliebigen Zeitpunkt befindet sich der Computer an einer Stelle des Algorithmus. Eine potentiell wesentlich höhere Geschwindigkeit können parallelgeschaltete Computer erreichen. Parallelcomputer enthalten zahlreiche Prozessoren, auf die sie die Arbeitsschritte aufteilen. Ein Parallelcomputer tut also den größten Teil der Zeit mehrere Dinge gleichzeitig.

Da wir die günstigstmöglichen Bedingungen ansetzen wollen, gehen wir davon aus, daß der ideale Computer mit einem extrem ausgeklügelten Schema von Parallelschaltungen arbeitet. Jeder Baustein von Protonengröße ist ein eigener Prozessor, und alle sind so miteinander verknüpft, daß selbst bei einer astronomischen Anzahl von Prozessoren noch verhältnismäßig direkte Verbindungswege garantiert sind.

Der Computer verteilt die Aufgabe auf seine einzelnen Prozessoren, indem er jedem eine eigene Teilmenge der momentan gültigen Liste von Glaubenssätzen zuordnet. Nehmen wir an, jeder Prozessor könne einen neuen Glaubenssatz ohne Zeitaufwand mit der vorhandenen Teilmenge vergleichen: Er kann also mit einer Umschaltgeschwindigkeit von 3×10^{-24} (oder sagen wir der Einfachheit halber 10^{-23}) Sekunden feststellen, ob ein Widerspruch vorliegt, und auf eine neue Teilmenge übergehen. Dann kann jeder Prozessor pro Sekunde 10^{23} logische Überprüfungen vornehmen. Und ein Computer von einem Kubikmeter hat 10^{45} Prozessoren. Also sollte der Computer 10^{68} Tests pro Sekunde schaffen.

Das ist sehr schnell. Die Geschwindigkeit reicht hin, daß der

Computer in der ersten Arbeitssekunde alle notwendigen Vergleiche durchführen könnte, um die Liste auf 225 Glaubenssätze zu bringen.

Und dann würde plötzlich alles langsamer werden. Um den 226. Glaubenssatz hinzuzufügen, würde er eine Sekunde brauchen, zwei Sekunden für den 227. und fast eine Minute, um den 232. zu überprüfen. Der Computer würde mit unverminderter Geschwindigkeit weiterarbeiten, aber mit jedem neuen Satz verdoppelt sich die Zahl der notwendigen Überprüfungen. Um den 250. Glaubenssatz in die Liste aufzunehmen, würde er mehr als einen Monat brauchen. Erst nach 38 Millionen Jahren könnte die Liste 300 Sätze umfassen.

Schön, aber das Ganze ist ein Gedankenexperiment, und wir haben beliebig viel Zeit. Das Alter des Universums wird auf etwa 10 Milliarden Jahre geschätzt, das heißt zwischen 10^{17} und 10^{18} Sekunden. Gehen wir ein oder zwei Größenordnungen höher (also 10^{19}), und wir haben einen vernünftigen Näherungswert für den Begriff «immer und ewig». Bis das Universum zehnmal so alt ist wie heute, werden praktisch alle Sterne erloschen und alles Leben ausgestorben sein. Also ist 10^{19} Sekunden in etwa der längste Zeitraum, über den man vernünftigerweise sprechen kann. Daraus folgt, daß ein idealer Computer mit 10^{45} Prozessoren, der vom Anfang der Zeit bis zu ihrem Ende arbeitete, die überwältigende Zahl von 10^{19} mal 10^{68} Teilmengen gegen neue Glaubenssätze überprüfen könnte. Das ergibt 10^{87} und genügt, unsere Liste auf 289 Aussagen zu bringen.

Wir brauchen einen leistungsfähigeren Computer. Sind die Einzelteile einmal so klein geworden, wie es nur geht, müssen die Computer größer werden, um mehr Kapazität zu erreichen. Lassen wir unseren Phantasiecomputer über die Größe eines Zimmers, eines Hauses, ja jedes Landes oder Erdteils hinauswachsen. Wie groß wir ihn uns auch vorstellen, die äußerste Grenze ist die Größe des Universums.

Der weitestentfernte derzeit bekannte Quasar hat eine

Distanz von 12 bis 14 Milliarden Lichtjahren. Wenn das Universum endlich ist, können wir seinen «Durchmesser» großzügig auf etwa 100 Milliarden Lichtjahre schätzen. Ein Lichtjahr ist ein klein bißchen weniger als 10^{13} Kilometer oder 10^{16} Meter. Dann hat das Universum einen Durchmesser von etwa 10^{27} Metern und ein Volumen von ungefähr 10^{81} Kubikmetern.

Dementsprechend könnte ein Computer von der Größe des Universums 10^{45} mal 10^{81} Bausteine von der Größe eines Protons enthalten. Das macht 10^{126} Bausteine. Natürlich ist das eine absurde Vorstellung. Aber es geht um etwas anderes: Mit absoluter Sicherheit wird nie ein Computer mit mehr als 10^{126} Teilen gebaut werden. Kein menschliches Gehirn, kein physikalischer Gegenstand kann mehr Teile haben. Das ist die eine Grenze aller Möglichkeiten, mit der wir uns abfinden müssen. Und wenn dieser Computer vom Anfang der Zeit bis zu ihrem Ende arbeitet, kann er höchstens 10^{126} mal 10^{42} einzelne Rechenschritte durchführen. Das sind insgesamt 10^{168}.

Die Zahl 10^{168} ist die absolute Obergrenze dafür, wie oft man irgend etwas tun kann. Nichts anderes kommt einer Superaufgabe näher. Es gibt weder genug Zeit noch genug Raum, um mehr als 10^{168} von irgend etwas möglich zu machen. Und bedauerlicherweise sind wir nicht sehr weit gediehen, wenn wir 10^{168} logische Überprüfungen vorgenommen haben. Der Computer würde an dem Punkt den Geist aufgeben, an dem er die Liste bis auf 558 Glaubenssätze gebracht hätte.

Können wir also höchstens 558 Dinge wissen? Natürlich nicht. Wir wissen vieles auf Grund einfacher Schlußfolgerungen, Syllogismen und Kettenschlüsse. Die Zahl 558 ist in etwa die Obergrenze für Sätze, die logisch komplex genug sind, daß zu ihrer Überprüfung ein Exponentialzeit-Algorithmus nötig wird. Eine Menge von 558 so «schwer behandelbaren» Aussagen wie diejenigen in Carrolls Schweinekotelett-Problem würde vermutlich die Rechenkapazität eines Computers übersteigen, der so groß ist wie das Universum. Deshalb werden ständig neue Paradoxe erfunden.

Logisch komplexe Glaubenssätze sind weder selten noch unnatürlich. Selbst die Überzeugungen, die wir uns als einfach vorstellen («Alle Raben sind schwarz»), werden in Wirklichkeit durch einen ganzen Satz von zusätzlichen Hypothesen modifiziert. Die Schwierigkeiten der ERFÜLLBARKEIT haben nicht nur mit logischen Problemen zu tun.

Wenn wir nicht einmal feststellen können, ob unsere komplexeren Überzeugungen einen Widerspruch enthalten, verstehen wir sie nicht in vollem Sinne. Auf keinen Fall können wir alles erschließen, was möglicherweise aus diesen Sätzen folgt. Wenn logische Schlußfolgerung das Fenster ist, durch das wir die Welt sehen, ist unser Gesichtskreis beschränkt. Wir blicken in ferne Nebel hinaus. Unser Blick für komplexere Schlußfolgerungen ist äußerst kurzsichtig. Wir sehen nicht alles; wir sehen nicht einmal alles, was aus unseren Erfahrungen folgt. Irgendwo da draußen in der Welt gehen Dinge vor, von denen wir nie etwas ahnen werden.

Es geht nicht einmal darum, daß unser Verstand zu schwach wäre, um all das zu verstehen, was uns entgeht. Wenn wir das allwissende Wesen träfen, das immer wieder durch unsere Paradoxe geistert, könnte es uns das zeigen, was uns entgeht, und wir könnten uns von seiner Wahrheit überzeugen. Die Antwort auf ein Rätsel ist immer einfach, wenn man sie einmal gefunden hat.

«Wir» bedeutet hier Menschen, Computer, Außerirdische und jedes physikalische Objekt. NP-Probleme fallen jedermann schwer. Stockmeyers und Meyers Gedankenexperiment ist ein dem Informations-Zeitalter angepaßtes Gegenstück zu Olbers' Paradox. Aus der Tatsache, daß wir Sterne am Himmel sehen – aus der Tatsache, daß das ganze Universum kein Computer ist –, können wir mit Sicherheit schließen, daß niemand im Universum alles weiß.

Dritter Teil

10. BEDEUTUNG

Die Zwillingserde

Das sogenannte Voynich-Manuskript, ein 232 Seiten umfassendes illustriertes Buch, ist vollständig in einer Geheimschrift geschrieben, die noch nie entziffert worden ist. Sein Verfasser, sein Gegenstand und seine Bedeutung sind ungelöste Geheimnisse. Niemand weiß auch nur, in welcher Sprache der Text verfaßt wäre, sollte man ihn einmal entziffern. Den Leser, der sich um die Entzifferung bemüht, spannen phantastische Bilder nackter Frauen, seltsamer Erfindungen und nicht existenter Pflanzen und Tiere auf die Folter. Farbige Skizzen im anspruchsvollen Stil mittelalterlicher Herbarien zeigen Blüten und Gewürze, die niemals auf der Erde wuchsen, und Sternbilder, die der Himmel nicht kennt. Pläne für außerirdisch seltsame Rohrleitungen zeigen Nymphen in Sitzbadewannen, die durch verzweigte Leitungen im Makkaronistil miteinander verknüpft sind. Das Buch wirkt auf unheimliche Weise wie ein vollkommen vernünftiger Text aus einem anderen Universum. Illustrieren die Bilder Gegenstände, die der Text behandelt, oder dienen sie einer unverständlichen Camouflage? Niemand weiß es.

In einem 1666 verfaßten Brief wird behauptet, der deutsche Kaiser Rudolf II. (1552–1612) habe das Manuskript für 600 Golddukaten gekauft. Vielleicht hat er es von Dr. John Dee gekauft, einem redegewandten Astrologen und Mathematiker, der sein Glück an einem königlichen Hof nach dem anderen probierte. Rudolf nahm an, das Manuskript stamme von dem englischen Mönch und Philosophen Roger Bacon (ca. 1220–1292).

Bacon kommt genausogut als Autor in Frage wie jeder andere. Einige Generationen nach seinem Tod war er als «Doctor Mirabilis» zu einer fast schon legendären Gestalt geworden, galt halb als Gelehrter, halb als Magier. Bacon sammelte arkane Literatur. Er hatte von Schießpulver gehört und hat in seinen Schriften angedeutet, daß er um andere Dinge wisse, die er der Öffentlichkeit nicht zugänglich machen wolle. Zur Zeit seines Todes galten seine Werke als so gefährlich, daß sie angeblich an die Wand der Bibliothek von Oxford genagelt Wind und Wetter ausgesetzt wurden. Das Voynich-Manuskript soll sich lange Zeit im Jesuitenkolleg von Mondragone in Frascati befunden haben. 1927 hat es Wilfried M. Voynich, ein Wissenschaftler und Bibliophile polnischer Abstammung, erstanden. Voynich war der Schwiegersohn des Logikers George Boole und der Ehemann von Ethel Lilian Voynich, die in der Sowjetunion und China zu den bekanntesten englischen Schriftstellern gehört, auch wenn ihr epochemachender Roman *The Gadfly* im Westen längst in Vergessenheit geraten ist. Da das Manuskript keinen verständlichen Titel hatte, wurde es unter Voynichs Namen bekannt. Voynich brachte das Manuskript mit nach Amerika, wo es ausführlich erforscht wurde. In den letzten 75 Jahren ist das Voynich-Manuskript immer wieder von Gelehrten wie von eigenwilligen Spinnern interpretiert worden. Das Manuskript befindet sich jetzt in der Beinecke Rare Book and Manuscript Library der Universität Yale.

Die Geheimschrift des Manuskripts ist keine einfache Chiffre. Wäre dem so, wäre es seit langem dechiffriert. Das Manuskript verwendet keine lateinischen oder sonstwie üblichen Buchstaben oder Zeichen. Es handelt sich auch nicht um eine spiegelbildliche Darstellung oder einfach die verzerrte Form bekannter Buchstaben. Der Code besteht aus etwa 21 verschlungenen Symbolen, die vage an einige Schriften des Na-

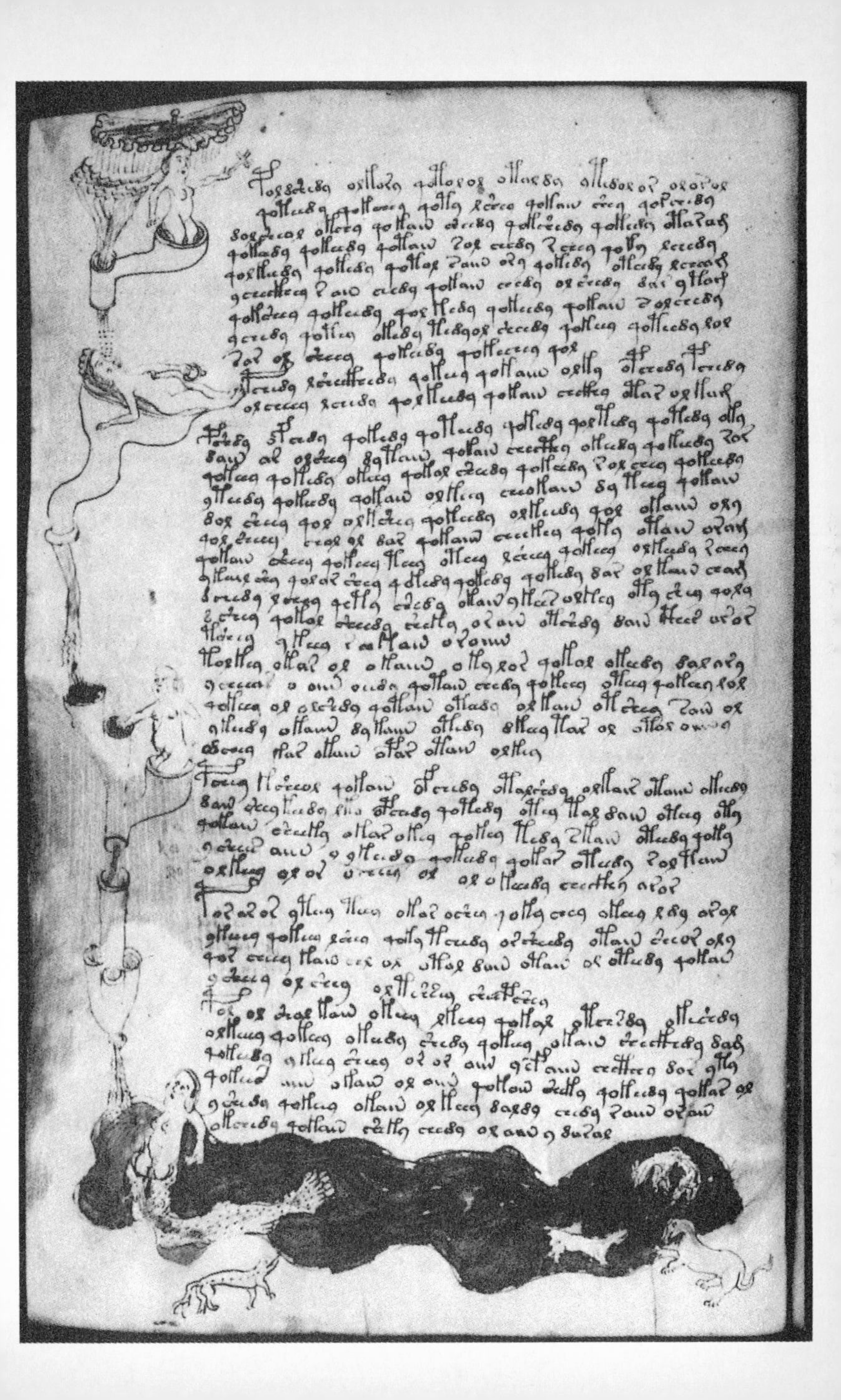

hen Ostens erinnern. Natürlich entstammen die Zeichen keiner nahöstlichen Schrift. Manche Zeichen treten miteinander verbunden auf. Einige Zeichen erscheinen nur selten, es sei denn, es handele sich um unscharf geschriebene Formen anderer Zeichen. Die Schrift bildet durch Abstände voneinander getrennte «Wörter».

Das folgende Diagramm gibt die häufigsten Voynich-Symbole mit den Bezeichnungen wieder, die ihnen der Physiker William Ralph Bennett jr. zum Zweck einer Computeranalyse des Manuskripts gegeben hat. Die von Bennett verwendeten Buchstaben (die hier unter jedem Voynich-Symbol angegeben werden) sind willkürlich gewählt und dienen nur zur Bezeichnung der Symbole, um sie eingabefähig für Computer zu machen. Einige Zeichen (etwa A, I, L, M, N und O) ähneln den

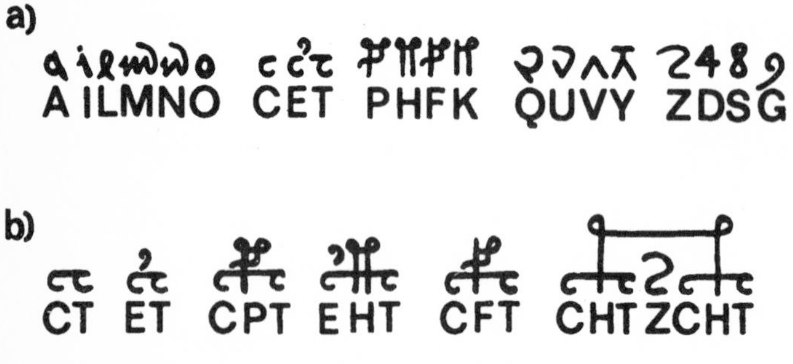

a)

A ILMNO CET PHFK QUVY ZDSG

b)

CT ET CPT EHT CFT CHTZCHT

a) Die häufigsten Zeichen des Voynich-Manuskripts und ihre Bezeichnung nach William Ralph Bennett jr.
b) Häufige Zeichenverbindungen und Bennetts Umschrift

klein geschriebenen Formen der entsprechenden lateinischen Buchstaben. Laut Bennett sehen andere Zeichen Buchstaben des kyrillischen, des glagolitischen (altbulgarischen) und des äthiopischen Alphabets ähnlich. Das Symbol mit der Bezeichnung Y wirkt chinesisch.

Um die Verwirrung vollkommen zu machen, enthält Blatt 17 eine Anmerkung auf Mittelhochdeutsch, die nicht notwendigerweise vom ursprünglichen Autor stammt und von der Pflege von Levkojen handelt. Die Monatsbezeichnungen einiger astrologischer Darstellungen des Manuskripts sind spanisch. Etwas auf der ersten Seite, das einem Chiffrenschlüssel ähnelt, ist seit langem verblaßt und unlesbar.

Etwa 40 Seiten des Manuskripts fehlen. Ursprünglich muß es 17 Bogen zu je 16 Seiten enthalten haben. Die letzten Seiten zeigen am Rand Sternbilder, enthalten aber keinen Text. Das legt den Gedanken nahe, daß die Buchmalerei zuerst ausgeführt und die Beschriftung später hinzugefügt wurde. Vielleicht haben die Bilder rein dekorativen Wert. Dennoch ist oft versucht worden, den Illustrationen einen Sinn zu entnehmen. Es ist auch schon vorgeschlagen worden, die Zahl der Sterne, Frauen oder Blumen auf jeder Seite enthalte eine verschlüsselte Botschaft. Die Pflanzendarstellungen könnten darauf hinweisen, daß der Text von der medizinischen oder magischen Verwendung von Kräutern, vielleicht von einem Lebenselixier, handelt. Botaniker haben beim Versuch, die abgebildeten Pflanzen zu identifizieren, nur begrenzten Erfolg gehabt. Die Abbildung auf Blatt 93 könnte eine Sonnenblume darstellen. Eine Frucht auf Blatt 101 sieht Spanischem Pfeffer ähnlich. Beide Pflanzen stammen aus Amerika und waren in Europa unbekannt, bis Columbus 1493 von seiner ersten Reise zurückkehrte. Das war zweihundert Jahre nach Roger Bacons Tod.

Man hat alle möglichen ausgefallenen Erklärungen vorgeschlagen. Das Manuskript sei in einer längst vergessenen toten Sprache abgefaßt; um eine Entzifferung zu erschweren, vermeide es absichtlich die häufigsten Buchstaben der Ursprache; es handele sich um eine zu kommerziellen Zwecken (von John Dee? den Jesuiten? Voynich?) geschaffene, sinnlose Fälschung; es sei das literarische Werk eines mittelalterlichen James Joyce, der seine eigene Sprache erfunden habe; es handele sich um

Fieberphantasien eines längst vergessenen Irren. Das Voynich-Manuskript erinnert an Borges' Kurzgeschichte *Tlön, Uqbar, Orbis Tertius* (die vielleicht sogar von ihm inspiriert ist). In der Kurzgeschichte finanziert ein exzentrischer Millionär eine Verschwörung von Gelehrten, die die Enzyklopädie der imaginären Welt «Tlön» schreiben. Die ersten Rohfassungen waren englisch, aber es bestand die Absicht, die Enzyklopädie in die (ebenfalls imaginäre) Sprache und Schrift von Tlön zu übersetzen, so daß ein vollkommen unverständliches Werk entstanden wäre.

Der Voynich-Code ist für Kryptographen zum mystischen Schwert im Stein geworden. Viele der begabtesten Dechiffreure unseres Jahrhunderts haben versucht, ihn als eine Art von endgültiger Meisterleistung zu entschlüsseln. Der amerikanische Experte Herbert Yardley, der im Ersten Weltkrieg den deutschen Militärcode dechiffriert und einen japanischen diplomatischen Code entschlüsselt hat, ohne Japanisch zu können, ist am Voynich-Manuskript gescheitert. Gescheitert sind auch John Manly, der Entzifferer des Waberski-Codes, und William Friedman, der den «Lila Code» der Japaner in den Vierzigern entschlüsselt hat. In den letzten Jahren sind verstärkt, wenn auch erfolglos, Computer eingesetzt worden.

Die Tatsache, daß Computer nicht imstande waren, das Voynich-Manuskript zu entschlüsseln, mag überraschend wirken. In der Praxis beruht die Entschlüsselung eines Codes im wesentlichen auf dem Auffinden von «schwachen Punkten». So wie man Diamanten an vorgezeichneten Adern im Mineral schneidet, kann man einen Code knacken, indem man verräterische Regelmäßigkeiten ausnützt. Das Voynich-Manuskript scheint einen unlösbaren Code darzustellen, eine Reihe von Symbolen, die keines der üblichen statistischen Merkmale einer Sprache aufweist. Lösungsversuche sind so erfolglos geblieben, wie es der Versuch wäre, einen Meißel durch den geometrisch vollkommenen Teil eines Diamanten zu bohren.

Sofern es sich nicht um eine Fälschung handelt (wir werden

später darauf kommen, warum dem mit an Sicherheit grenzender Wahrscheinlichkeit nicht so ist), hat der Text des Voynich-Manuskripts für seinen Autor irgendeine Bedeutung gehabt. Diese Bedeutung hatte er teilweise aufgrund dessen, was der Verfasser (oder die Verfasserin) dachten, als sie ihn schrieben. Aber wohnt diese Bedeutung auch dem Muster der Zeichen inne? Liegt sie in einem verlorenen Schlüssel zum Code? Oder in einer Kombination von beidem? Unsere Möglichkeit zur Dechiffrierung beruht darauf, daß die Bedeutung sowohl im Muster der Symbole wie in den heute nicht mehr erkennbaren geistigen Prozessen des Autors «enthalten» ist.

Es ist kaum wahrscheinlich, daß Roger Bacon oder irgendein mittelalterlicher Autor allein imstande gewesen sein sollte, einen besser abgesicherten Code als die Unmengen von militärischen Geheimcodes zu schaffen, die in späteren Jahrhunderten geknackt worden sind. Für einige Forscher ist das ein starkes Indiz dafür, daß es sich beim Voynich-Manuskript um Unsinn handelt. Eine Ansammlung von Zeichen muß nicht unbedingt etwas bedeuten. Gibt es einen Weg festzustellen, ob eine Sammlung von Zeichen eine Botschaft enthält? Das ist eine der schwierigsten Fragen bei der Untersuchung der menschlichen Erkenntnisfähigkeit.

Stellen Sie sich jemanden vor, der in fernster Zukunft eine Zeitkapsel ausgräbt und darin eine Zeitung aus unserer Epoche findet. Inzwischen ist Deutsch eine vergessene Sprache, und selbst das lateinische Alphabet ist unbekannt. Ein Archäologe betrachtet die Zeitung und schließt, es müsse sich um eine Art von Schrift handeln. Er hofft, sie zu entziffern und so etwas über das Leben der Menschen in Erfahrung zu bringen, die die Zeitkapsel vergraben haben. Ein zweiter Archäologe sagt: «Du verschwendest deine Zeit! Das ist eine Tapete. Man hat das früher an Hauswände geklebt. Die kleinen schwarzen Häkchen sind ein Dekorationsmuster, das damals in Mode war.»

Man könnte meinen, es müsse dem ersten Archäologen

leichtfallen nachzuweisen, daß die Drucktypen eine Schrift und kein Tapetenmuster darstellen. Der Druckspiegel müßte Regelmäßigkeiten – häufig vorkommende Buchstaben, häufige Worte, Punkte am Satzende – enthalten, die ihn als Schrift ausweisen. Der Haken ist, daß auch Dekorationsmotive regelmäßig sind.

Es ist schwer zu sagen, worin sich die Regelmäßigkeiten eines unbekannten Musters notwendigerweise von den Regelmäßigkeiten einer unbekannten Schrift unterscheiden müßten. Je fremdartiger die Schrift oder die Dekoration ist, desto weniger gewiß könnte man sich einer derartigen Entscheidung sein.

Der Archäologe könnte auch nicht mit Sicherheit erwarten, die Zeitung zu entziffern und seine Behauptung so zu beweisen. Es ist nie gelungen, die ägyptischen Hieroglyphen auf Grund interner Hinweise zu entziffern. Nur der glückliche Zufall des Rosettasteins hat sie der heutigen Welt erschlossen.

Das Rätsel des Voynich-Manuskripts übt einen ambivalenten Reiz aus. Es geht nicht allein um die Entdeckung eines mittelalterlichen Tagebuchs, eines magischen Textes oder eines verbotenen erotischen Bestsellers. In seiner Undurchdringlichkeit selbst sagt das Voynich-Manuskript etwas über die Grenzen unserer Erkenntnisfähigkeit aus.

Roger Bacon

Zwei Männer namens Bacon wurden zu Pionieren der modernen Naturwissenschaft: der Franziskanermönch Roger Bacon im dreizehnten Jahrhundert und der elisabethanische Staatsmann Sir Francis Bacon (1561–1626) dreihundert Jahre später. Von den beiden ist Roger Bacon die weitaus geheimnisvollere Gestalt. Über sein Leben ist außer dem, was man seinen Schriften entnehmen kann, wenig bekannt. Wir wissen, daß er in Oxford und Paris unterrichtet hat. Irgendwann im Laufe seines Lebens hat er das Armutsgelübde abgelegt und ist in den Franziskanerorden eingetreten.

Um 1247 wuchs Bacons Unzufriedenheit mit dem Glauben seiner Zeitgenossen an die aristotelische Naturwissenschaft. Er war der Meinung, Experimente und unmittelbare Beobachtung seien dem Vertrauen auf anerkannte Autoritäten überlegen. Seine Betonung der experimentellen Methode führte er auf den französischen dominikanischen Philosophen Durand de Saint-Pourçain zurück, über den sonst wenig bekannt ist. 1267 notierte Bacon, daß er im Lauf der Jahre mehr als 2000 Livres für Experimente und «geheime Bücher» ausgegeben habe. Aus einem dieser seltenen Bücher erfuhr er die Zusammensetzung des Schießpulvers. Er hat die Herstellung von Sprengstoffen in verschlüsselter Form beschrieben.

Bacons origineller Denkansatz führte zu Spannungen mit der franziskanischen Ordenshierarchie. Glücklicherweise war Bacon mit dem Mann befreundet, der als Clemens IV. den Papstthron bestieg. Als Papst Clemens von Bacons Entwurf einer philosophischen Enzyklopädie hörte, befahl er seinem Freund, ihm ein Exemplar zu schicken. Der Papst glaubte, das Werk existiere bereits. In Wirklichkeit handelte es sich nur um einen Plan, den Bacon in Briefen an Freunde geschildert hatte. Statt langwieriger Erklärungen machte sich Bacon lieber an die Arbeit. Er hielt den Plan vor seinen Mitbrüdern geheim und arbeitete ohne Kopisten. Anderthalb Jahre später lag seine Trilogie vor, das *Opus maius*, das *Opus minus* und das *Opus tertium*.

Auf diesen Werken beruht Bacons Ruf als Prophet zukünftiger technologischer Entwicklungen. Er beschrieb ein Fernrohr (verfügte aber nicht über ein praktisches Modell). Er hat Automobile und – etwas weniger genau – Flugzeuge vorausgeahnt. Bacon dachte an Flugversuche mit menschlicher Muskelkraft, bei denen menschliche Armbewegungen künstliche Flügel antreiben sollten. Er kam auch zu dem Schluß, man könne Ballons zum Fliegen bringen, wenn man sie mit einem Gas füllt, das leichter ist als Luft.

Bacon glaubte an die Kugelgestalt der Erde. Im *Opus maius* findet sich die Beschreibung einer Seereise von Spanien in westlicher Richtung nach Indien. Diesen Abschnitt hat Kardinal Pierre d'Ailly in seine 1480 veröffentlichte *Imago mundi* übernommen, wo Columbus sie gelesen und in einem Brief an Ferdinand und Isabella von Spanien zitiert hat.

Am Ende war Bacon seinem eigenen Ruf als Wundertäter nicht mehr gewachsen. Die Franziskaner warfen ihn 1278 wegen des «Verdachts von Neuerungen» ins Gefängnis. Dagegen scheint die Behauptung, Bacons Feinde hätten nach seinem Tod seine Werke vernichtet, falsch zu sein. Soweit wir das wissen, sind alle seine wichtigeren Schriften überliefert.

Falsche Entschlüsselungen

Das Voynich-Manuskript hat manchen Forscher wenn nicht in den Wahnsinn, so doch auf außerordentliche Höhen der Selbsttäuschung getrieben. Mehr als einer ging in dem Glauben in den Tod, das Voynich-Manuskript entziffert zu haben.

1921 teilte Professor William Romaine Newbold von der Universität Pennsylvanien mit, er habe das Voynich-Manuskript entziffert und werde seine Ergebnisse auf einer Tagung der American Philosophical Society vorlegen. Wie viele andere auch hielt Newbold das Manuskript für ein Werk Roger Bacons. Seiner Meinung nach liefert es den Beweis dafür, daß Bacon lange vor Galilei und Leeuwenhoek sowohl ein Mikroskop als auch ein Teleskop gebaut habe. Die Illustration auf Blatt 68 stellt nach seiner Meinung den Andromedanebel dar, wie ihn Bacon in seinem geheimen Fernrohr gesehen hat. Newbold weiß sogar zu berichten, daß die Spiegel des Teleskops Roger Bacon den Gegenwert von 1500 Dollar gekostet haben. Andere Illustrationen zeigen angeblich Spermatozoen und Eizellen. Newbolds Enthüllungen hatten eine Zeitlang sensationelle Wirkung bei Presse und Publikum. Eine Frau war sich so gewiß, daß Newbold Bacons geheime Beschwörungsformel entdeckt haben mußte, daß sie meilenweit anreiste, um ihre Dämonen austreiben zu lassen.

Inzwischen stellte sich immer deutlicher heraus, daß Newbold selbst, wenn irgend jemand, von Dämonen besessen war. Zunächst verriet er seine Entdeckungen nur sehr zögernd. Je mehr er veröffentlichte, desto klarer wurde, daß er seine eigenen Ideen in einen noch ungelösten Code hineinlas. Laut Newbold sollte Bacon die Spiralform des Andromedanebels mit Hilfe eines Spiegelteleskops beobachtet haben. Astronomen wiesen darauf hin, daß sich die Spiralform des Nebels in überhaupt keinem Fernrohr, sondern nur auf Fotos in Zeitaufnahme beobachten läßt. Selbst Newbold hatte nicht behauptet, Bacon habe den Fotoapparat erfunden. Von der Erde aus ist der Andromedanebel fast genau in Kantenaufsicht sichtbar. Was immer die Illustration auf Blatt 68 darstellen mag, die Umrisse präsentieren sich kreisförmig.

Newbolds Entzifferung der Geheimschrift des Manuskripts war ein Meisterwerk der Phantasie. Er hatte den kaum lesbaren «Schlüssel» auf der letzten Seite des Manuskripts entdeckt. (Er war nicht der erste Forscher, der annahm, die Inschrift könne ein Chiffrenschlüssel sein. Einige meinen allerdings, die Handschrift des «Schlüssels» weiche vom Rest des Textes ab und sei später von einem anderen Schreiber hinzugefügt worden.) Newbold behauptete, die Zeichen ließen sich in den lateinischen Satz *A mihi dabas multas portas* («Du hast mir viele Tore gegeben») übersetzen. Das bedeutete nach seiner Meinung, daß mehrere Verschlüsselungen verwendet wurden.

Nach Newbold verschlüsselte Bacon einen lateinischen Originaltext mit Hilfe eines «biliteralen» Schlüssels. In einer biliteralen Geheimschrift steht ein Buchstabenpaar der sichtbaren Schrift für einen Buchstaben der Botschaft. Am kryptographischen Entwicklungsstand des dreizehnten Jahrhunderts gemessen war das raffiniert und hätte die Geheimhaltung des Textes ohne weiteres gewährleisten können.

Aber das war, wie Newbold im Brustton der Überzeugung behauptete, nur der erste Schritt in einem kryptographischen Spiel von Puppen in der Puppe. In einer normalen biliteralen Geheimschrift ist die verschlüsselte Botschaft («Geheimtext») doppelt so lang wie die ursprüngliche Botschaft («Klartext»). Um den Geheimtext knapper zu gestalten, wählte Bacon nach Newbolds Meinung die Buchstabenpaare so, daß der letzte Buchstabe des einen Paares immer identisch mit dem ersten des nächsten war. Wenn Bacon das lateinische Wort *unius* verschlüsseln wollte, würde etwa *or* für *u* stehen, *ri* für *n* und so weiter.

U	N	I	U	S
OR	RI	IT	TU	UR

Dann strich er angeblich die Wiederholungsbuchstaben und erhielt *oritur*. Um die Geheimschrift noch schwieriger zu gestalten, konnte mehr als ein Buchstabenpaar für denselben Buchstaben stehen, und ähnlich gesprochene Laute – etwa *b, f, p* oder *ph* – konnten durch das gleiche Buchstabenpaar ersetzt werden. Sie finden das verwirrend? Newbolds Publikum auch. Diejenigen Kryptographiespezialisten, die Newbold überhaupt noch zuhörten, stellten fest, daß eine derartige Geheimschrift hoffnungslos unpraktisch sein mußte.

Aber das war noch nicht alles. Wenn irgendein Buchstabenpaar einen der Buchstaben des Wortes *conmuta* («vertausche!») enthielt, wurde es einem weiteren Kodierungsprozeß unterworfen, den Newbold «Kommutation» nannte, aber nie ganz erklärte. Dann wurde die ganze Botschaft zu einem Anagramm (!) des vorigen Stadiums durcheinandergewirbelt.

Dann kam der eigentliche Clou: Die sichtbaren Zeichen im Manuskript, sagte Newbold, waren nur Tarnung. Sie bedeuteten nichts. Newbold glaubte, wenn man die Zeichen mit einem Vergrößerungsglas untersuche, könne man sehen, daß sie aus je zehn winzigen Einzelstrichen bestünden. Er nahm an, Bacon habe sein neu erfundenes Mikroskop benützt, um diese winzigen Zeichen zu malen. Die winzigen Striche waren Lettern der griechischen Stenographie. Um das Manuskript zu entziffern, mußte man also die mikroskopischen Zeichen in Buchstaben verwandeln und dann erst den verworrenen Vorgang der Anagrammbildung, Kommutation und Zuordnung von Buchstabenpaaren rückgängig machen.

Newbolds mikroskopische Zeichen waren so flüchtig wie die Marskanäle; eigentlich flüchtiger, denn er war der einzige, der sie je gesehen hat. Soweit sie überhaupt außerhalb Newbolds Kopf Realität besaßen, handelte es sich um Unregelmäßigkeiten des Tintenflusses auf rauhem Papier.

Hätte der Autor Newbolds Methode anwenden wollen, müßte ihn der Versuch, irgend etwas zu verschlüsseln, zum Wahnsinn getrieben haben. Und was einmal verschlüsselt war, hätte nicht mehr zuverlässig entschlüsselt werden können. Was herauskam, konnte immer ein Anagramm von Buchstaben sein, die ähnlich gesprochen werden wie diejenigen der wahren Botschaft, usw., usw.

Newbolds Kommentare zu den von ihm «entdeckten» mikroskopischen Zeichen sind ein trauriges Denkmal der Verblendung. Er schrieb:

> «Aber die Schwierigkeit beim Lesen der Geheimzeichen ist überaus groß. Als die Buchstaben ursprünglich geschrieben wurden, waren sie wohl bei hinreichender Vergrößerung deutlich sichtbar, aber nachdem nun mehr als sechshundert Jahre vergangen sind, ist die Schrift auf vielen Seiten durch Verbleichen, Schuppung und Abrieb so beschädigt, daß man die Zeichen kaum noch sehen kann. Darüber hinaus hängt vieles von dem Vergrößerungsgrad ab, den Bacon zur Zeit der Niederschrift benützte. Ein Strich, der dem unbewaffneten Auge ganz einfach erscheint, erweist sich, wird er auf den drei-, vier- oder fünffachen Durchmesser vergrößert, als aus Einzelelementen zusammengesetzt, und wenn man

> ihn noch stärker vergrößert, lösen sich einige dieser Elemente in wiederum weitere Elemente auf, von denen man viele als Zeichen auffassen kann... Eine weitere sehr große Schwierigkeit bietet die Unbestimmtheit der Zeichen selbst. Die Unterschiede zwischen ihnen sind sehr gering; wurden sie unter dem Mikroskop geschrieben, so verleiht auch Bacons eigene Handschrift den Unterschieden nur schwachen und uneindeutigen Ausdruck. Außerdem sind die Zeichen so miteinander verwoben, daß es häufig fast unmöglich ist, sie voneinander zu trennen... So wird es mir beispielsweise oft unmöglich, denselben Text zweimal genau gleich zu lesen.»

Noch seltsamer ist die angebliche Entschlüsselung des Voynich-Manuskripts, die der amerikanische Arzt Leo Levitov kürzlich vorgelegt hat. 1987 stellte Levitov die Behauptung auf, das Manuskript sei in einer unbekannten europäischen Sprache verfaßt, die eine Gruppe von Isisverehrern des zwölften Jahrhunderts als Kultsprache benützte. Levitov nahm an, alle sonstigen Zeugnisse des Kults seien von der spanischen Inquisition vernichtet worden. Seine Interpretation der Illustrationen ist die abstoßendste unter den bisher vorgetragenen. Zum Ritual des Kults gehörte der freiwillige Tod der Gläubigen, die sich in warmem Wasser die Venen öffneten, und die geheimnisvollen Sitzbadewannen dienten der Blutabfuhr.

Levitovs geheime Sprache besteht aus vierundzwanzig Verben und vier Pronomen wechselnder Schreibung. Seine wirren und durchgehend morbiden Übersetzungen (Blatt 1 beginnt: «die einen behandeln die Sterbenden jeder den Mann der tödlich krank darniederliegt die eine Person die Schmerzen fühlt Isis jeder der stirbt behandelt die Person») flößen wenig Vertrauen ein.

Diese «Entschlüsselungen» haben etwas Rührendes an sich. Wir alle interpretieren Sprache wie Erfahrung in einem Prozeß, der sowohl kompliziert als auch schwer zu beschreiben ist. Es geht nicht darum, daß Newbold und Levitov unbestreitbar Unrecht hätten. Man könnte sich zumindest vorstellen, daß die angeblichen Verfasser genau das geschrieben hätten, was die Entzifferer meinten, und es so verschlüsselt hätten, wie sie es verstanden.

Die meisten vernünftigen Menschen denken nicht lange über die Argumente eines Newbold oder Levitov nach, bevor sie sie ablehnen. Aber es ist eine andere Frage, ob wir genau sagen können, warum wir sie ablehnen. Susan Sontag hat Intelligenz einmal als «guten Geschmack, wo es um Ideen geht» definiert. Es ist nicht leicht, die Regeln dieses Geschmacks zu kodifizieren.

Sinn und Unsinn

Es ist schon viel über den Zusammenhang zwischen Problemen der Kryptographie und der experimentiellen Methode gesagt worden. John Chadwick, der Entzifferer der mykenischen Schrift «Linear B», hat dazu geschrieben:

> «Kryptographie ist eine Wissenschaft der logischen Schlußfolgerungen und der kontrollierten Experimente. Man formuliert Hypothesen, überprüft sie und gibt sie wieder auf. Aber das Residuum, das allen Überprüfungen standhält, wächst, bis man schließlich an einem Punkt ist, an dem der Forscher festen Boden unter den Füßen spürt: Seine Hypothesen erweisen sich als zusammenhängend, und Bruchstücke von Sinn treten hinter der Tarnung hervor. Die Chiffre ‹offenbart sich›. Das kann man möglicherweise am besten als den Punkt definieren, an dem vielversprechende Spuren schneller auftauchen, als man ihnen folgen kann. Es ist, als habe man in der Atomphysik eine Kettenreaktion ausgelöst. Ist die kritische Schwelle einmal überschritten, pflanzt sich die Reaktion von selbst fort.»

Nehmen wir einmal an, das Voynich-Manuskript stamme von einem geschickten Betrüger und habe keinerlei Bedeutung. Anscheinend gäbe es dann eine einfache Methode festzustellen, ob es vollkommener Unsinn ist, noch bevor wir es entziffert haben.

Die Arbeit des Kryptographen beruht auf den statistischen Gesetzmäßigkeiten der Sprache. Nicht alle Buchstaben sind gleich häufig. Bei vielen Arten von Geheimschriften heißt das, daß die sichtbaren Zeichen mit verschiedener Häufigkeit auftreten.

Der häufigste Buchstabe im Deutschen (wie im Englischen) ist *e*. Das ist nicht in allen Sprachen so (im Russischen etwa ist es *o*), aber jede natürliche Sprache bevorzugt einige Buchstaben vor den anderen.

Nun könnte man annehmen, ein Fälscher, der sinnlose Zeichen nach dem Zufallsprinzip auswählt, würde keine bestimmten Zeichen bevorzugen. Das braucht aber nicht zu stimmen. Versuchen Sie einmal, eine Serie von Zufallsziffern oder -buchstaben zu schreiben. Es ist ausgesprochen schwierig, nicht bestimmte Buchstaben oder Zahlen unbewußt zu bevorzugen. Der menschliche Geist ist nicht dazu begabt, Zufälligkeiten zu schaffen. Ein Fälscher könnte sehr wohl dazu neigen, bestimmte Zeichen in einer Art zu bevorzugen, die den Buchstabenhäufigkeiten seiner Muttersprache oder einer anderen natürlichen Sprache nahekäme.

Das heißt nicht, daß die statistische Methode hier nutzlos wäre. Es gibt subtilere Hinweise. In einer echten Geheimschrift, die auf Buchstaben-für-Buchstaben-Ersetzung beruht, sollten bestimmte Buchstabenpaare häufiger auftreten als andere. Im Englischen sind, zum Beispiel, im Gegensatz zum Deutschen, die Buchstabenfolgen *th* und *is* sehr häufig, und in beiden Sprachen folgt auf *q* nahezu immer ein *u*.

Das gilt auch umgekehrt. Bestimmte Buchstabenpaare sind verhältnismäßig selten. Die Buchstaben *c* und *d* sind häufig, aber die Kombination *cd* taucht höchst selten in einem englischen Text auf. Das gleiche Prinzip gilt für Dreiergruppen und längere Kombinationen von Buchstaben. Alle Vokale sind häufig, und das gleiche gilt für manche Vokalpaare, aber Beispiele für die meisten Gruppen von drei aufeinanderfolgenden Vokalen sind selten, sofern sie überhaupt auftreten.

Den Beleg dafür, daß man so eine wirkliche Geheimschrift von einer unsinnigen Zeichenfolge unterscheiden kann, liefert der unechte Geheimtext in Balzacs *Physiologie der Ehe*. In dem 1829 veröffentlichten Text, einem satirischen Handbuch der Ehe und des Ehebruchs, folgt auf die Worte «L'auteur pense que Bruyère s'est trompé. En effet, ...» unvermittelt ein zwei Seiten langer Text in einer Geheimschrift, die nie entziffert worden ist. Der Verdacht, die Textstelle sei so skandalös, daß der Verleger es nicht gewagt habe, sie im Originaltext zu drukken, hat zahlreiche Leser zu Entzifferungsversuchen angeregt. Balzac selbst ließ noch Jahre nach dem Erscheinen des Buches geheimnisvolle Andeutungen dazu fallen.

Die Geheimschrift umfaßt Groß- und Kleinbuchstaben, von denen viele Akzente tragen und einige auf dem Kopf stehen. Es gibt Ziffern und Satzzeichen, aber nur wenige Wortabstände. Einige hielten es für bedeutungsvoll, daß der Geheimtext mit den Buchstaben «end» endet und den Ausruf «sin!» enthält – allerdings nicht auf französisch, sondern auf englisch.

Die statistische Verteilung der Zeichen im Balzacschen Geheimtext weicht auffällig von derjenigen des Französischen oder irgendeiner anderen europäischen Sprache ab. In diesem Fall besteht so gut wie kein Zweifel daran, daß die Zeichen – möglicherweise vom Setzer – auf gut Glück ausgewählt wurden. Einige spätere Ausgaben des Buchs weisen sogar andere «Geheimtexte» auf.

Das Voynich-Manuskript ist den gleichen Analysen unterzogen worden. Im Gegensatz zu Balzacs Geheimschrift weisen die Voynich-Zeichen ein statistisches Verteilungsmuster auf, das demjenigen wirklicher Sprachen ähnelt. Es gibt Zeichenpaare, die häufig gemeinsam auftreten (AM, AN, QA und QC nach den Bennettschen Benennungen). Es gibt häufige Zeichen, die selten gemeinsam auftreten. Dieses Muster ist sogar ausgeprägter als im Englischen. Der Voynich-Text ist weniger «zufallsbestimmt» als irgendeine bekannte europäische Sprache.

Die sogenannte «statistische Entropie» ist ein Maßstab für das Ausmaß, in dem Buchstaben oder andere Zeichen im Text wiederkehrende Muster bilden. Durch einen seltsamen Zufall ist die Entropierate pro Zeichen im Voynich-Manuskript in etwa diejenige der polynesischen Sprachen. Aber keine der zahlreichen Theorien über das Manuskript geht davon aus, daß es aus dem Hawaiianischen oder Tahitischen verschlüsselt worden sei.

Die polynesischen Sprachen sind für ihre Lautarmut bekannt. Das hawaiianische Alphabet kommt mit zwölf Buchstaben und einem viel gebrauchten Apostroph aus. Das Voynich-Manuskript verwendet einundzwanzig häufige Zeichen plus ein paar seltenere. Die Entropie des Manuskripts weist darauf hin, daß sein Urtext erheblich wohlgeordneter war als die meisten natürlichen Sprachen.

Das ist ein starker Beleg dafür, daß das Voynich-Manuskript eine echte Geheimschrift und nicht einfach Unsinn ist. Man kann sich schwer vorstellen, daß ein Fälscher es geschafft haben sollte, die statistischen Merkmale natürlicher Sprachen nachzuahmen.

Zugleich bedeutet das, daß es sich bei dem Text nicht einfach um die Chiffrierung einer europäischen Sprache handelt. Das Manuskript scheint in einer «Sprache» verfaßt zu sein, die weniger häufig auftretende Buchstaben umfaßt als die europäischen Sprachen. Vielleicht hat der Verfasser natürlich, wie Newbold annahm, ähnlich klingende Buchstaben in einem Zeichen zusammengefaßt. Oder der unverschlüsselte Text könnte in einer vom Autor erfundenen Kunstsprache (einer Art von Esperanto) geschrieben sein. Die Mehrheitsmeinung der zeitgenössischen Wissenschaft geht dahin, daß das Manuskript nach der Rückkehr des Columbus (und demnach offensichtlich nicht von Bacon) geschrieben wurde.

Das Höhlengleichnis

Viele Fragen der Kryptographie sind alles andere als alltäglich. Wir interpretieren unsere Erfahrung sehr ähnlich, wie der Kryptograph eine Geheimschrift entschlüsselt. Ist unser geistiges Bild der Welt dem Strom unserer Sinneserfahrungen inhärent, oder hängt es weitgehend von einem Schlüssel ab, davon, wie unser Gehirn diese Erfahrungen übersetzt?

Ein klassischer Vorläufer der Gedankenexperimente, mit denen wir uns hier beschäftigen, ist das Höhlengleichnis in Platons *Staat*. Das siebte Buch des Werks beginnt mit einem Gespräch zwischen Sokrates (dem Ich-Erzähler) und Glaukon:

> «Hierauf vergleiche nun, fuhr ich fort, unsere Natur in bezug auf Bildung und Unbildung mit folgendem Erlebnis. Stelle dir Menschen vor in einer unterirdischen, höhlenartigen Behausung; diese hat einen Zugang, der zum Tageslicht hinführt, so groß wie die ganze Höhle. In dieser Höhle sind sie von Kind auf, gefesselt an Schenkeln und Nacken, so daß sie an Ort und Stelle bleiben und immer nur geradeaus schauen; ihrer Fesseln wegen können sie den Kopf nicht herumdrehen. Licht aber erhalten sie von einem Feuer, das hinter ihnen und weit oben in der Ferne brennt. Zwischen dem Feuer und den Gefesselten aber führt oben ein Weg hin; dem entlang denke dir eine kleine Mauer errichtet, wie die Schranken, die die Gaukler vor den Zuschauern aufbauen und über die hinweg sie ihre Kunststücke zeigen.
>
> ‹Ich sehe es vor mir›, sagte er.
>
> Stelle dir nun längs der kleinen Mauer Menschen vor,

die allerhand Geräte vorübertragen, so, daß diese über die Mauer hinausragen, Statuen von Menschen und anderen Lebewesen aus Stein und aus Holz und in mannigfacher Ausführung. Wie natürlich, redet ein Teil dieser Träger, ein anderer schweigt still.

‹Ein seltsames Bild führst du da vor, und seltsame Gefesselte›, sagte er.

Sie sind uns ähnlich, erwiderte ich. Denn erstens: glaubst du, diese Menschen hätten von sich selbst und voneinander je etwas anderes zu sehen bekommen als die Schatten, die das Feuer auf die ihnen gegenüberliegende Seite der Höhle wirft?

‹Wie sollten sie›, sagte er, ‹wenn sie zeitlebens gezwungen sind, den Kopf unbeweglich zu halten?›

Was sehen sie aber von den Dingen, die vorübergetragen werden? Doch eben dasselbe?

‹Zweifellos.›

Wenn sie nun miteinander reden könnten, glaubst du nicht, sie würden das als das Seiende bezeichnen, was sie sehen?

‹Notwendig.›

Und wenn das Gefängnis von der gegenüberliegenden Wand her auch ein Echo hätte und wenn dann einer der Vorübergehenden spräche – glaubst du, sie würden etwas anderes für den Sprechenden halten als den vorbeiziehenden Schatten?

‹Nein, beim Zeus›, sagte er.

Auf keinen Fall, fuhr ich fort, könnten solche Menschen irgend etwas anderes für das Wahre halten als die Schatten jener künstlichen Gegenstände.»

Die Beziehung zwischen unserem geistigen Abbild der Welt und der äußeren Realität bleibt weiterhin faszinierend und beunruhigend. Mehrere moderne Paradoxe versuchen, diese Beziehung bis zur Bruchstelle zu verformen.

Die elektronische Höhle

Man kann die verschiedenartigsten technologischen Versionen der platonischen Höhle entwerfen. Stellen Sie sich einen Gefangenen der Höhle vor, der die Außenwelt über den Bildschirm einer Videoanlage betrachtet. Wie in Platons Gleichnis war der Gefangene von Geburt an an die Höhlenwand geschmiedet. Eine Kamera außerhalb der Höhle überträgt ständig Bilder auf den Bildschirm vor dem Gefangenen. Darüber hinaus ist sein Kopf in einem Drehgestell festgezurrt. Wenn er den Kopf nach rechts dreht, rollt der Fernsehapparat auf lautlos ausbalancierten Kugellagern nach rechts, so daß der Bildschirm immer sein Gesichtsfeld ausfüllt. Draußen schwenkt die Kamera im gleichen Winkel mit, so daß sich der Blickwinkel auf dem Bildschirm so verändert, wie es dem Gefangenen vollkommen natürlich scheinen muß.

Bei diesem Arrangement können die Wärter des Höhlenbewohners noch weitaus seltsamere Streiche auf Kosten seiner Wahrnehmungsfähigkeit spielen. Was wäre, wenn die Kamera, ohne daß der Gefangene es wüßte, immer im Winkel von 45 Grad auf einen Spiegel ausgerichtet wäre? Alles, was der Gefangene sähe, wäre rechts-links-verkehrt. Dem Höhlenbewohner würde nicht bewußt, daß er ein Spiegelbild der Wirklichkeit sieht. Lernte er, vor der Kamera aufgestellte Bücher zu lesen, so müßte er rückwärts lesen lernen.

Das Fernsehbild könnte auch ständig auf dem Kopf stehen. Wieder müßte der Höhlenbewohner glauben, die Welt sei so, wie er sie sieht. Die Tatsache, daß sein Fernsehbild auf dem Kopf steht, hätte nicht mehr Bedeutung als die Tatsache, daß die Bilder auf unserer Netzhaut im physikalischen Sinne kopfstehen. Solange der Gefangene sein ganzes Leben lang ein umgekehrtes Bild (also ein richtig herum stehendes Netzhautbild) sähe, könnte er sich der Umkehrung so wenig bewußt werden, wie ein Fisch das Wasser spürt.*

Die schwerste Benachteiligung des Höhlenbewohners (in den modernen Varianten wie in Platons ursprünglichem Gleichnis) wäre die fehlende Rückkoppelung. Der Höhlenbewohner könnte keinen Gegenstand wegstoßen und seine Bewegung beobachten. Er könnte keine der Tausende von anderen Weisen beobachten, in denen der eigene Wille die Umgebung verändern kann.

Unter Zuhilfenahme moderner Robottechnik können wir dem Höhlenbewohner eine aktivere Rolle zuteilen. Seine Arme und Beine könnten mit Sensoren ausgerüstet sein. Die Bewegungen der echten Glieder würden dann auf einen Roboterkörper draußen im Freien in der Nähe der Videokamera übertragen. Wenn der Höhlenbewohner den Finger hebt, bewegt sich der Robotfinger so ähnlich wie in einem Isotopenlabor. Mit hinreichend raffinierter Robottechnik könnten wir so die Situation des Retortengehirns herstellen. Der Höhlenbewohner müßte glauben, er bewohne den Robotkörper in der Außenwelt. Er könnte nicht feststellen, daß er sich in Wirklichkeit in einer Höhle befindet, und würde derartigen Behauptungen keinen Glauben schenken.

Eine der Fragen, die derartige Spekulationen aufwerfen, ist die, wieviel «Information» nötig ist, um ein geistiges Bild der Welt zu schaffen. Gehen wir von einer extremeren Situation

* 1928 ließ Theodor Erismann an der Universität Innsbruck das Gesichtsfeld freiwilliger Versuchspersonen durch Spezialbrillen grotesk verzerren. Im Verlauf mehrerer Wochen gewöhnten sich die Versuchspersonen an Brillengläser, die das Gesichtsfeld von oben nach unten oder von links nach rechts umkehrten, und an eine Spiegelanordnung, durch die der Träger nur das sehen konnte, was hinter seinem Kopf lag. Eine der Testpersonen fuhr mit dem Motorrad durch die Stadt und trug dabei eine Brille, die rechts und links vertauschte. Alle brauchten eine neue Eingewöhnungsperiode, als sie die Brillen nicht mehr trugen.

aus. Nehmen wir an, der Gefangene sitze nicht vor einem Fernsehschirm, sondern vor dem Monitor einer Bildschirmtextanlage. Anstelle von Bildern zeigt der Schirm zu jedem Zeitpunkt einen fortlaufenden Kommentar (in schriftlichem Deutsch) zu dem, was außerhalb der Höhle geschieht. Der Gefangene sieht nie in seinem Leben einen Vogel oder auch nur ein Fernsehbild eines Vogels. Statt dessen ist auf dem Bildschirm etwa die folgende Nachricht zu lesen: AUF DEM BAUM VOR DEM HÖHLENEINGANG HAT SICH SOEBEN EIN ROTKEHLCHEN NIEDERGELASSEN.

Jetzt ähnelt die Situation derjenigen des Forschers, der eine vergessene Sprache entziffern will. Auch diesmal verfügt der Höhlenbewohner über keinerlei unmittelbare Erfahrungen der Außenwelt. Er ist seit seiner Geburt an die Höhlenwand geschmiedet. Er wird auch nicht lesen können, es sei denn, er sei imstande, die Bedeutung der seltsamen Zeichen zu ergründen, die sein Blickfeld erfüllen. Ist das möglich?

Der Gefangene würde wahrscheinlich einiges über die Strukturen der deutschen Schriftsprache lernen. Er würde die Form jedes Buchstabens und jedes Satzzeichens auswendig kennen. Er würde häufige kurze Wörter erkennen. Er hat sonst in seiner Höhle nicht viel zu tun; also könnte er einen großen Teil seiner Aufmerksamkeit und Vorstellungskraft den Hieroglyphen auf dem Bildschirm widmen. Vielleicht würde er ohne besondere Anstrengung alle häufigen Wörter lernen, so wie ein Landwirt oft die Namen Dutzender von wilden Pflanzen kennt, ohne die Pflanzen zu kennen.

Eine ganz andere Sache ist es, die Bedeutung von Wörtern zu verstehen. Sprache beruht auf gemeinsamen Erfahrungen. Dem Menschen, der von Geburt an blind ist, kann man die Farbe Rot nicht beschreiben. Die Armut, die das Leben des Höhlenbewohners bestimmt, bietet wenig gemeinsame Bezugspunkte.

Man kann sich vorstellen, irgendwann werde dem Gefangenen auffallen, daß der Satz DIE SONNE GEHT AUF in regelmäßigen Abständen auf dem Bildschirm erscheint. Mit viel Geduld könnte er auch feststellen, daß bestimmte Wörter (etwa MORGEN, EULE, VOLLMOND oder SCHNEE) nur zu bestimmten Zeiten erscheinen, zu bestimmten anderen niemals. Diese Hinweise auf zeitliche Gebundenheit könnten den Ausgangspunkt für eine logische Entschlüsselung des Textes bilden, aber es ist fraglich, ob der Gefangene sehr weit kommen würde.

Die binäre Höhle

Das absolute Minimum an Information, das über irgendeinen Gegenstand vermittelt werden kann, ist ein einfaches Ja oder Nein: das «Bit» oder die Binärziffer der Computersprache. Konstruieren wir eine endgültige Version der Parabel. Wie in den anderen Versionen, ist auch hier vor der Höhle eine Videokamera montiert. Sie verwandelt Bilder der Landschaft in elektrische Impulse. Informationen über Helligkeit, Schattierung, Farbsättigung, über alle die strahlenden Farben des Regenbogens, werden als eine Folge der Ziffern 0 und 1 kodiert, derjenigen Informationen also, die einer digitalen Videoanlage etwas bedeuten: 010110100110001010110111001101111... Diese Informationen werden über ein Kabel in die Höhle geleitet. In diesem Fall befindet sich allerdings in der Höhle kein Bildschirm. Statt dessen werden die ankommenden Bits in einem sehr viel primitiveren Monitor sichtbar gemacht. Wenn die Anlage auf der Inputseite eine 1 empfängt, projiziert sie einen weißen Lichtpunkt auf die Wand vor dem Gefangenen. Empfängt sie eine 0, bleibt die Wand dunkel. Das Ergebnis ist ein flackernder Lichtpunkt auf der Höhlenwand. Der Gefangene verbringt sein ganzes Leben ausschließlich damit, den Lichtpunkt zu beobachten.

Man kann behaupten, daß wir alle uns in der Situation des Gefangenen der Höhle befinden. Unsere gesamte Erfahrung der Welt ist eine Folge von Nervenreizen, die man als eine Reihe der Ziffern 0 und 1 ausdrücken kann. Erstaunlich ist nur, daß wir aus so ärmlichem Material überhaupt Schlußfolgerungen ziehen können. Alles, von der Tatsache, daß der Raum dreidimensional ist, bis zu Bundesligavorhersagen, ist aus dem gleichen abstrakten Input abgeleitet. Das Rätsel der Erkenntnis liegt in der Frage, wie wir Symbolen Bedeutung abgewinnen können, die unfähig scheinen, auch nur einen Teil der Vielfalt der Welt auszudrücken.

Neben unserem Höhlenbewohner sitzt ein zweiter Gefangener. Scheinbar befindet er sich in der gleichen Situation. Auch er verbringt sein ganzes Leben damit, einen flackernden Punkt zu beobachten, der eine Serie der Ziffern 0 und 1 darstellt. Das gleiche Wunder der Vorstellungskraft hat es ihm ermöglicht, ein reiches und detailliertes Bild der Außenwelt aufzubauen, sich ihre Geometrie, die Äonen ihrer vergangenen Geschichte, ihre ferne Zukunft vorzustellen. Aber aufgrund eines technischen Fehlers in der Anlage ist sein Punkt nach dem reinen Zufallsprinzip an- und ausgegangen. Deshalb ist das ganze wunderbare Bild vollkommen falsch.

Kann ein Retortengehirn wissen, daß es ein Retortengehirn ist?

Das ist anscheinend unmöglich. In einem etwas abweichenden Zusammenhang gesehen könnten wir davon ausgehen, daß wir es mit zwei Retortengehirnen zu tun haben. Gehirn A empfängt einen Strom von Nervenreizen, der sorgfältig so moduliert ist, daß die Illusion einer Welt entsteht. Gehirn B empfängt infolge eines Materialfehlers eine Serie von Zufallsreizen. Offenbar muß es in As Input etwas «Weltähnliches» geben, das in Bs Input fehlt. Gehirn B sollte seinem Input überhaupt keinen Sinn zuschreiben können. Die Bedeutung ist, so müssen wir annehmen, As Input inhärent.

Zahlreiche Philosophen haben sich des Gedankenexperiments der Retortengehirne bedient, um die Frage der Bedeutung zu erforschen. In seinem 1981 erschienenen Buch *Reason, Truth and History* vertritt Hilary Putnam den umstrittenen Standpunkt, nicht nur seien wir keine Retortengehirne, sondern wir könnten das auch wissen. Die Behauptung löste in der akademischen Philosophie einen Proteststurm aus. Hilarys Argumentation ist intelligent, führt aber nicht ganz dahin, wohin sie zu führen scheint.

Nehmen wir als Ausgangspunkt für eine *reductio ad absurdum* an, wir seien Retortengehirne. Wenn wir also «Kegelkugel» sagen (natürlich sagen wir es nicht wirklich, denn wir haben ja keine Lippen), sprechen wir nicht von einem physischen runden Gegenstand, den es vielleicht gar nicht gibt. (Vielleicht gibt es in der «wirklichen» Welt außerhalb unseres Labors keine Kegelbahnen.) Dennoch bezieht sich das Wort «Kegelkugel» auf irgend etwas. Es bezeichnet ein bestimmtes Muster elektrischer Stimulierung, mit dessen Hilfe die verrückten Wissenschaftler im Laboratorium die Illusion von Kegelkugeln erzeugen. Das ist das physikalische Gegenstück zum Gedanken, das Bezugsobjekt des Begriffs.

Wir können annehmen, es gebe zwei Sprachen: Retortensprache und Laborsprache. In der Laborsprache bezeichnet das Wort «Kegelkugel» einen runden hölzernen Gegenstand. In der Retortensprache bedeutet es einen elektrischen Impuls, der das Bild eines runden Gegenstandes erzeugt.

Wenn «Kegelkugel» in Retortensprache elektrische Impulse bedeutet, was bedeutet «Gehirn»? Offenbar nicht eine graue Neutronenmasse, sondern eine andere Folge elektrischer Impulse, die die Illusion eines physischen Gehirns erzeugt. Auch «Retorte» bezieht sich auf elektrische Stimulierung. Wenn wir also Retortengehirne sind, bezieht sich der Ausdruck «Retortengehirn» nicht auf echte Gehirne in echten Retorten, sondern auf einen Typ elektrischer Nervenreizung «in» einem zweiten Typ elektrischer Nervenreizung. Die Aussage «Ja, ich bin ein Retortengehirn» ist falsch, weil wir keine elektrischen Impulse sind, sondern echte Gehirne in echten Retorten.

Für Putnam ist deshalb die Aussage «Ich bin ein Retortengehirn» notwendigerweise falsch. Man kann sie vielleicht mit der Aussage «Das Universum ruht auf dem Rücken einer großen Schildkröte» vergleichen. Auch dies ist eine notwendigerweise falsche Aussage, weil das Wort «Universum» alles einschließlich der Schildkröte bedeutet, sofern es diese Schildkröte gibt. Das Universum kann auf nichts anderem ruhen, weil es definitionsgemäß nichts anderes, außerhalb des Universums Gelegenes gibt.

Das ist ein vertretbarer Standpunkt, aber er nimmt keine Rücksicht auf die Flexibilität der Sprache. Normalerweise würde man den Satz «Das Universum ruht auf dem Rücken einer großen Schildkröte» so verstehen, als wolle er sagen, das bekannte Universum der Sterne und Galaxien ruhe auf dem Rücken einer unbekannten Schildkröte. Wir bestimmen den Bedeutungsgehalt des Wortes «Universum» automatisch so, daß er in den Kontext des Satzes paßt; und das gleiche würden wir mit einer Aussage wie «Wir sind Retortengehirne» tun.

Ein Retortengehirn wäre vielleicht imstande, die «wirkliche» Lage der Dinge auszudrücken, ohne das Mißfallen sprachlicher Puristen zu erregen. Es müßte den Unterschied zwischen Retortensprache und Laborsprache kennen und dann etwa folgendes sagen: «Ich bin das, was ‹Retortengehirn› in Laborsprache bedeutet». Denkbarerweise (?) kommt man so um das Problem des falschen Bezugs herum, denn innerhalb der Retortensprache ist «Laborsprache» ein metaphysischer Ausdruck ohne physikalisches Äquivalent.

Die Zwillingserde

Putnams bekanntestes Gedankenexperiment wendet sich gegen die Vorstellung, Bedeutungen lägen «im Kopf», seien nichts weiter als geistige Zustände. Stellen Sie sich vor, irgendwo in der Galaxis gebe es einen Planeten namens Zwillingserde. Zwillingserde gleicht unserer Erde in fast jeder Hinsicht aufs genaueste. Die Bewohner von Zwillingserde sehen aus wie normale Menschen und sprechen (wie im Fernsehen) sogar Deutsch. Zwillingserde sieht der richtigen Erde so unglaublich ähnlich, daß ihre Bewohner den Planeten «Erde» nennen. (Es wäre auch töricht zu erwarten, daß sie ihn «Zwillingserde» nennen!)

Es gibt aber einen wichtigen Unterschied zwischen der Erde und Zwillingserde: Die Meere, Flüsse, Seen, Regentropfen und Tränen auf Zwillingserde bestehen aus einer durchsichtigen Flüssigkeit, die genau wie Wasser aussieht, aber kein Wasser ist, genauer gesagt: im chemischen Sinne kein Wasser ist. Anstelle von H_2O lautet ihre chemische Formel anders, sagen wir: XYZ. Aber die Entwicklungsparallelen zwischen unserer Erde und der Zwillingserde sind so exakt, daß die Einwohner auch diese Flüssigkeit «Wasser» nennen. Wenn ein Zwillingserdler sich beschwert, der Wein sei gewässert, meint er, daß jemand XYZ hineingepanscht hat. Wäre es H_2O gewesen, hätte er vergiftet sein können.

Es gibt auf Zwillingserde auch ein paar sorgfältig verkorkte Flaschen H_2O, die in einem Laboratorium aufbewahrt werden, aber man nennt es nicht «Wasser», sondern irgendwie anders. Auf der Erde gibt es XYZ, und die Chemiker beider Planeten können die beiden Verbindungen mit einem einfachen Testverfahren unterscheiden.

Jetzt stellen Sie sich vor, was passieren würde, wenn wir in ein paar Jahrhunderten ein Raumschiff nach Zwillingserde schickten. Unsere Astronauten würden aus dem Raumschiff steigen, ihre Helme abnehmen und sich den Einheimischen auf deutsch vorstellen. Irgendwann wäre eine der Astronautinnen durstig und bäte um ein Glas Wasser. Einer der Zwillingserdler ginge zum Wasserhahn und ließe ein schönes, kühles Glas «Wasser» einlaufen. Die Astronautin führte das Glas zum Mund, nähme einen Schluck und spuckte das «Wasser» aus! Die Erdbewohner würden das «Wasser» analysieren und feststellen, daß es aus giftigem XYZ besteht.

Drehen wir jetzt die Uhr auf das Jahr 1750 zurück, das Jahr, das auf beiden Planeten «1750» heißt, weil beide den gleichen Kalender benutzen. An so etwas wie Raumfahrt ist überhaupt nicht zu denken, die primitiven Fernrohre unserer Astronomen haben den Stern noch nicht entdeckt, um den Zwillingserde kreist, und umgekehrt. Auch die Chemie steckt noch in den Kinderschuhen. Unsere Chemiker haben noch nicht entdeckt, daß Wasser aus Wasserstoff- und Sauerstoffatomen besteht. Die Chemiker der Zwillingserde haben noch nicht entdeckt, daß ihr «Wasser» aus X, Y und Z besteht.

Auf der Erde von 1750 gibt es einen Menschen namens Oskar. Auf der Zwillingserde gibt es einen Menschen, der ihm extrem ähnlich sieht und ebenfalls Oskar heißt. Die beiden Oskars sind einander so ähnlich, daß sie sogar zu jedem Zeitpunkt ihres Lebens dieselben Gedanken haben. Wenn der Oskar auf der Erde das Wort «Wasser» gebraucht, verbindet er damit genau die gleichen Erinnerungen und Assoziationen wie der Oskar auf der Zwillingserde, wenn er das Wort gebraucht. Beide erinnern sich an einen bestimmten Brunnen auf dem Schulhof, an das erste Mal, als sie die Nordsee gesehen haben (die es auf beiden Planeten gibt), an das Wasser, das nach einem Gewitter durch die Zimmerdecke tropfte. Forderte man den Oskar auf der Erde auf zu erklären, was Wasser ist, würde er das gleiche erzählen wie der Oskar der Zwillingserde. Nichts im Bewußtsein des einen Oskar unterscheidet seine Vorstellung von Wasser von der des anderen Oskar. Und dennoch sind die beiden Wasser bei weitem nicht das gleiche. So folgert Putnam:

«Man kann es drehen und wenden, wie man will, ‹Bedeutungen› sind nun einmal nicht im Kopf!»

Wenn aber Bedeutungen nicht im Kopf sind, wo sind sie dann?

Die Chemie der Zwillingserde

Viele Philosophen glauben, Bedeutungen lägen weitgehend doch «im Kopf». Ein Wort wie «Wasser» kann an und für sich irgend etwas Beliebiges bedeuten. Es bedeutet das, was es nun einmal bedeutet, das, woran wir denken, wenn wir «Wasser» sagen, und nicht etwas, das von der Form der Buchstaben oder dem Klang der Laute abhängig ist. Wenn wir ein ganz kurzes Manuskript in einer vergessenen Sprache fänden, das nichts als das Wort «Wasser» enthielte, gäbe es keine Aussicht, es zu übersetzen.

Wir alle haben eine Zeit erlebt, zu der wir nicht sicher waren, was «Wasser» heißt. Unsere Eltern und sonstige Erwachsene sagten in bestimmten Situationen «Wasser», und wir mußten herausfinden, was das Gemeinsame an diesen Situationen war. Jetzt, wo wir erwachsen sind, glauben wir erfahren genug zu sein, um eine derartige Ungewißheit ausschließen zu können. Könnte heutzutage «Wasser» noch irgend etwas anderes sein als das, was wir uns unter Wasser vorstellen?

Es gibt zwei naheliegende Einwände gegen Putnams Gedankenexperiment. Richtig, wenn auch nicht unbedingt relevant, ist, daß die Biochemie der Zwillingserde eher unwahrscheinlich ist. Um diese Bedenken auszuschalten, erscheinen ein paar Worte über die mutmaßliche Chemie der Zwillingserde angezeigt. In seinem 1975 erschienenen Artikel beschreibt Putnam das hypothetische XYZ als eine Flüssigkeit, «deren chemische Formel sehr lang und kompliziert ist». Die Verbindung ist innerhalb der gleichen Temperatur- und Druckspanne flüssig wie H_2O, stillt natürlich den Durst der Zwillingserdler und spielt auch sonst die gleiche ökologische und biochemische Rolle wie Wasser auf der Erde.

Es gibt keinen bekannten Stoff, der Wasser so ähnlich ist und dennoch kein Wasser ist. Es ist zweifelhaft, ob irgendeine komplizierte Verbindung diese Rolle spielen könnte. Die beherrschende Stellung des Wassers in der Biochemie der Erde beruht auf seiner geringen Molekülgröße. Flüssigkeiten mit langen komplizierten Formeln sind meist ölig, zähflüssig und auch sonst wenig wasserähnlich.

Die einzige andere Verbindung von Wasserstoff und Sauerstoff, Wasserstoffperoxyd (H_2O_2), ist extrem instabil und könnte keinen Ozean bilden. (Das «Wasserstoffsuperoxyd», das Drogerien verkaufen, ist eine sehr schwache wässerige Lösung der eigentlichen Substanz.) Schwefelwasserstoff (H_2S) ist dem Wasser chemisch ähnlich, ist aber ein Gas. Entferntere Ähnlichkeit mit Wasser haben gasförmiges Ammoniak (NH_3) und Fluorwasserstoff (HF), eine stark ätzende Säure, deren Siedepunkt knapp unter (irdischer) Zimmertemperatur bei 19,5 °C liegt.

In Science-fiction-Romanen kommen gelegentlich Planeten vor, in deren Biochemie Ammoniak an die Stelle von Wasser tritt. Diese Planeten müßten viel kälter sein als die Erde, denn Ammoniak ist nur bei Temperaturen unter −33,4 °C flüssig. (Salmiakgeist, wiederum, wie man ihn zum Fensterputzen verwendet, ist in Wasser gelöstes Ammoniakgas.)

Wahrscheinlich gibt es zahlreiche Planeten oder Monde in Erdgröße, deren Temperaturskala flüssige Ammoniakvorkommen zuläßt. Im Gegensatz zu den anderen erwähnten Stoffen ist Ammoniak eine häufig auftretende Verbindung (auf dem Jupiter gibt es Ammoniak-Wolken), die durchaus Seen, Meere und Flüsse bilden könnte. Überdies sind zahlreiche Substanzen in Ammoniak löslich, und das scheint für jede vorstellbare Biochemie eine grundlegende Eigenschaft zu sein.

Dennoch könnte Ammoniak nicht Putnams XYZ sein, jedenfalls nicht, wenn die Zwillingserde unserer Erde wirklich ähnlich sein soll. Um nur ein paar kleinere Einwände vorzutragen: Mit was sollten die Zwillingserdler ihre Fenster putzen? Sie könnten nicht einfach NH_3 verwenden, denn das ist ihr «Wasser», und wenn die Zwillingserde der Erde ähnlich sein soll, müßte es einen flüssigen Fensterreiniger geben, der etwas anderes enthält als «Wasser». Bei den Temperaturen, bei denen Ammoniak flüssig ist, ist Quecksilber fest. Also könnte es keine Quecksilberthermometer oder Barometer geben, und auch Zahnfüllungen aus Amalgam wären unmöglich. Sie könnten auch nicht einfach ein anderes flüssiges Metall «Quecksilber» nennen, weil bei diesen Temperaturen einfach alle Metalle fest sind. Und das sind erst die kleineren Schwierigkeiten. Man braucht den Gedanken nicht weit auszuspinnen, um zu erkennen, daß tausenderlei Unterschiede auftreten müßten. Eine Biochemie auf Ammoniakbasis würde, selbst wenn wir die Möglichkeit intelligenten Lebens auf der Grundlage von Ammoniak zugestehen, wahrscheinlich die Entwicklung einer Intelligenzform, die der menschlichen Rasse auch nur entfernt ähnelt, unmöglich machen.

Andere Einwände richten sich gegen Putnams Metapher: «Bedeutungen sind nicht im Kopf». Der menschliche Körper besteht zum größten Teil aus Wasser. Wir sagen und denken nicht nur «Wasser», sondern wir haben dabei auch Wasser im Kopf. Wenn die Chemie der Zwillingserde also wirklich auf XYZ-Grundlage aufbaut, hat jeder Bewohner der Zwillingserde XYZ-«Wasser» im Kopf. Die Bedeutung ist also doch im Kopf!

Auch wenn man sich darüber streiten kann, glaube ich eigentlich nicht, daß die obengenannten Einwände Putnams Argumentation wesentlich schaden. In seinem eigenen Artikel finden sich weniger drastische Beispiele, an denen sich dieser Punkt genausogut illustrieren läßt. Was hätte es etwa zu bedeuten, wenn die «Aluminium»-Kochtöpfe der Zwillingserde in Wirklichkeit aus Molybdän wären und «Molybdän» in Wirklichkeit Aluminium wäre?

Dem Chemiker leuchtet dieses Beispiel weniger ein als dem Laien, denn Molybdän ist sehr viel schwerer als Aluminium und unterscheidet sich auch sonst in wichtigen Eigenschaften von ihm. Aber es gibt Elemente mit sehr ähnlichen chemischen und physikalischen Eigenschaften. Viele der sogenannten seltenen Erden (oder seltenen Zwillingserden?) sind nur durch ausgeklügelte Testverfahren voneinander zu unterscheiden. Überdies spielen sie keinerlei Rolle für die menschliche Ernährung. Man könnte sich, wenn man will, ein menschliches Gehirn oder das Gehirn eines Zwillingserdlers vorstellen, das keine Spur von einem dieser Elemente enthält.

Keine der seltenen Erden ist verbreitet genug, daß der Nichtchemiker sie kennen würde. Ein bekannteres Beispiel von Elementen, die beinahe Zwillinge sind, bilden Nickel und Kobalt. Nickel und Kobalt sind vom Aussehen her ununterscheidbar und haben fast die gleiche Dichte und den gleichen Schmelzpunkt. Beide gehören zur kleinen Gruppe der magnetisierbaren Metalle, und ihre chemischen Eigenschaften sind ähnlich.

Nehmen wir also an, das, was man auf der Zwillingserde «Nickel» nennt, sei Kobalt und umgekehrt. Auf der Zwillingserde gibt es zwei Länder namens «Kanada» und «Vereinigte Staaten von Amerika», in denen kleine Münzen namens «Nikkel» zirkulieren. Sie heißen so, weil sie «Nickel», also Kobalt, enthalten. Dennoch sehen die «Nickels» der Zwillingserde genauso aus wie unsere Nickels. Weder Nickel noch Kobalt spielen eine bedeutsame Rolle in der menschlichen Ernährung, so daß die Astronauten auf der Zwillingserde keine Mangelerscheinungen entwickeln würden. Es könnte lang dauern, bis irgend jemand den Unterschied bemerkt.

Irgendwann einmal würde sich vielleicht ein Astronaut, der Chemie studiert hat, eine Tabelle des periodischen Systems der Elemente auf der Zwillingserde ansehen und feststellen, daß die Symbole *Ni* und *Co* anscheinend vertauscht sind. (Ich kann mir allerdings vorstellen, daß auch jemand, der in der Schule gute Chemienoten hatte, den Unterschied leicht übersehen könnte.) Ein weiterer Hinweis: In der Alltagssprache bezeichnet auf der Erde das Wort «Kobalt» häufiger einen bestimmten Blauton als das Element. Kobaltblau als Künstlerfarbe wird aus Kobaltoxyd hergestellt. Auf der Zwillingserde könnte es kein Kobaltblau geben. Dieses besondere farbintensive, leicht grüngetönte blaue Pigment müßte «Nickelblau» heißen.

Putnams Gedankenexperiment weist darauf hin, daß jede Erfahrung mehrdeutig ist. Die beiden Oskars haben genau die gleichen Erfahrungen mit Wasser gemacht. Wahrscheinlich schmeckt für den Oskar der Zwillingserde sogar XYZ-Wasser genau wie für den irdischen Oskar H_2O-Wasser. Selbst die Neuronenströme in den Gehirnen der beiden Oskars könnten identisch sein, und dennoch gibt es mehr als eine äußere Realität, die zu beiden paßt.

Atlantische Bibliotheken

Stellen wir uns vor, es gebe noch einen weiteren kleinen Unterschied zwischen unserer Erde und Zwillingserde: Auf Zwillingserde gibt es einen zusätzlichen Kontinent namens Atlantis. Atlantis hat eine eigene Sprache, die mit den anderen Sprachen von Zwillingserde nicht verwandt ist. (Diese wiederum sind, von ein paar schwierigen Wörtern wie «Wasser» und «Molybdän» abgesehen, identisch mit den Sprachen der Erde.)

Ein irdischer Astronaut besucht, von einem Übersetzer begleitet, der Deutsch und Atlantisch spricht, eine Bibliothek in Atlantis. Erstaunt entdeckt er in einem der Regale ein Buch mit dem Titel *Urfaust* von Johann Wolfgang von Goethe. Jedenfalls scheint es sich um das gleiche Werk zu handeln. Der Titel ist auf dem Buchrücken in deutscher Sprache und in Lateinschrift angegeben, und beim Durchblättern erkennt der Astronaut die vertraute Handlung wieder. Ein weiteres Beispiel für die Wunder paralleler Entwicklung!

Er erzählt dem Dolmetscher, daß es auf der Erde das gleiche Buch vom gleichen Verfasser gibt. «Tatsächlich?» sagt der Dolmetscher, «dann wissen Sie ja wohl, daß es auf ein historisches Ereignis zurückgeht.»

«Sie wollen mir doch nicht erzählen, daß es auf der Zwillingserde wirklich einen Doktor Faustus gegeben hat, der ein unschuldiges Bürgermädchen verführte und dennoch zum Himmel aufgefahren ist?»

«Wie? Ach so! Nein, das Buch, das Sie in der Hand halten, ist eine atlantische Ausgabe eines Dramas, *Die Jungfrau von Orleans*, von einem Dichter namens Schiller. Das führt ständig zu Verwechslungen. Wenn man *Die Jungfrau von Orleans* ins Atlantische übersetzt, sieht sie auf den ersten Blick wie der *Urfaust* auf Deutsch aus.»

Weiterhin stellt sich heraus, daß der richtige *Urfaust* auf Atlantisch aussieht wie die *Blechtrommel* auf Deutsch und die atlantische Version der *Blechtrommel* aussieht wie das Dortmunder Telefonbuch von 1982. Laut Aussage des Dolmetschers können ein Deutscher und ein Atlantier das gleiche Buch lesen, und für den einen wird es *Willy Millowitschs schönste Witze* sein und für den anderen ein Kommentar zum Koran. Daher gibt es auf Zwillingserde das Sprichwort: «Bedeutungen sind nun einmal nicht im Buch.»

Macht sich der Übersetzer über den Astronauten lustig?

Natürlich ist es äußerst unwahrscheinlich, daß zwei Sprachen in der hier beschriebenen Beziehung zueinander stehen sollten. In allen erwähnten Büchern, außer vielleicht im Telefonbuch, werden häufige Wörter wie «der», «ein», «und» oft vorkommen. So wäre es beispielsweise möglich, daß die atlantische Übersetzung des deutschen «der» «und» ist. Vielleicht wird jedes atlantische Wort genau so geschrieben wie ein (anderes) deutsches Wort. Dann würde die Übersetzung aus dem Deutschen ins Atlantische tatsächlich eine Ansammlung «deutscher» Wörter ergeben. Aber sie würden mit Sicherheit keine sinnreichen Sätze bilden, und außerdem ist das Verteilungsmuster wiederholter Wörter im *Urfaust* nicht dasselbe wie in der *Jungfrau von Orleans.* Eine Übersetzung der *Jungfrau von Orleans* aus dem Deutschen in welche Sprache auch immer würde nie auf den *Urfaust* herauskommen.

Jedenfalls nicht, wenn es sich um eine Wort-für-Wort-Übersetzung handelt. Aber so genau wissen wir gar nicht, daß das, was im atlantischen Text wie Wörter aussieht, auch Wörter sind. Vielleicht ist der Zwischenraum zwischen zwei «Wörtern» in Wirklichkeit ein Buchstabe des atlantischen Alphabets. Und möglicherweise ist irgendein «Buchstabe» in Wirklichkeit ein Nullzeichen, das zur Worttrennung dient.

Hauptsächlich aber sind die meisten Übersetzungen keine wörtlichen Wiedergaben. In einigen Fällen (etwa bei der Übersetzung aus dem Englischen ins Deutsche) ist das wegen der abweichenden Wortstellung im Satz unmöglich. Es könnte Sprachen geben, die so weit vom Deutschen verschieden sind, daß man jeweils einen ganzen Absatz oder mehr auf einmal übersetzen muß. Dann wäre es vorstellbar (wenn auch unglaublich unwahrscheinlich), daß jedes Buch irgendein anderes Buch in irgendeiner fremden Sprache sein könnte.

Die Variationsbreite von Geheimschriften ist noch größer als die der natürlichen Sprachen. Um ein ausgefallenes Beispiel anzuführen: Das Voynich-Manuskript könnte eine verschlüsselte Version von Abraham Lincolns *Ansprache in Gettysburg* sein. Wie dies? Man könnte einer Verschlüsselungsanweisung folgen, die lautet: «Wenn Sie den Text der *Ansprache in Gettysburg* verschlüsseln wollen, malen Sie die folgenden Zeichen: (folgt das Voynich-Manuskript). Wenn Sie irgend etwas anderes verschlüsseln wollen, schreiben Sie es einfach auf Esperanto.» Es gibt keinen Beweis dafür, daß das nicht das Chiffriersystem war, aus dem das Voynich-Manuskript entstanden ist.

Edgar Allan Poe, der ein begeisterter Amateur-Kryptograph war, forderte einmal in einem Zeitschriftenwettbewerb seine Leser auf, Geheimtexte zur Entzifferung einzusenden. In einem abschließenden Artikel zum Wettbewerb ging er auf die Möglichkeit ein, in einer Geheimschrift die folgende Buchstabenfolge zu finden: *iiiiiiiii*. Wie würden Sie das von der Tatsache ausgehend entziffern, daß kein Wort einer europäischen Sprache einen Buchstaben so oft wiederholt?

Eine Reihe von zehn *i* ist möglich, sie könnte nur nicht in einer einfachen Geheimschrift entstehen, in der ein Buchstabe durchgehend für den gleichen anderen Buchstaben steht. Man kann sich sogar ein Chiffriersystem vorstellen, in dem die gesamte Nachricht als ununterbrochene Folge des gleichen Buchstabens auftritt.

Aber das wäre eine absolut mehrdeutige Geheimschrift, in der der Buchstabe *i* für alle 26 Buchstaben des Alphabets steht und bei der der Verfasser sich auf seine Fähigkeit verläßt, den unverschlüsselten Klartext später auf anderem Wege zu rekonstruieren. Oder es könnte sich um eine Chiffre handeln, bei der für jeden Buchstaben des Klartexts eine andere Ersetzungsregel gilt.

In einer derartigen Geheimschrift enthält der verschlüsselte Text selbst keinerlei Bedeutung mehr. Um das klarzumachen, brauchen Sie sich nur vorzustellen, jemand habe ein verschlüsseltes Manuskript gefunden, das nichts außer dem Buchstaben *i* enthält. Der Finder behauptet, es lasse sich in den Text der *Ansprache in Gettysburg* dechiffrieren. Das wäre eine sinnlose Behauptung. Man kann genausogut behaupten, es habe irgendeine andere beliebige Bedeutung. Die «Bedeutung», wenn es überhaupt eine gibt, liegt im Chiffriersystem oder im Kopf dessen, der den Text geschrieben hat. Da der chiffrierte Text selbst keine Bedeutung enthält, ist er nicht dechiffrierbar.

Die meisten sogenannten «Codes» sind in Wirklichkeit

Chiffren. Das gilt für den Telegraphenschlüssel wie für die meisten militärischen Geheimcodes. In einem echten Code stehen die Symbole für Begriffe. Die durchgestrichene Zigarette im roten Kreis als Nichtraucherzeichen ist ein Beispiel für einen Code. Das gleiche gilt für die diversen international üblichen Piktogramme, die man auf Flugplätzen und an anderen Orten sieht. In einem Code wird einem Einzelsymbol eine Bedeutung zugeschrieben.

Man kann sich schwer in einem Code ausdrücken. Ein Code verfügt nur über Symbole für die Wörter und Informationen, die bei der Schaffung des Codes vorgesehen waren. Codes sind zur Vermittlung von etwas Unerwartetem schlecht geeignet, oft sogar ungeeignet. Deshalb sind die wichtigen «Codes» im Militärwesen, der Spionage und der Diplomatie in Wirklichkeit Chiffren.

Die Symbole einer Chiffre stehen für Buchstaben. Mit Hilfe eines «Schlüssels» kann man die Nachricht, die man übermitteln will, zunächst in normalem Deutsch (oder irgendeiner anderen Sprache) formulieren und sie dann in Symbole umsetzen. Der Empfänger entschlüsselt die Symbole und stellt so den genauen ursprünglichen Text wieder her.

In einer Chiffre wird ein Buchstabe oder ein sonstiges Druckzeichen durch ein anderes ersetzt. Manche Chiffrierregeln sind einfach; andere sind komplizierter. Jedes System der Ersetzung vom Typ Buchstabe-für-Buchstabe kann dargestellt werden, indem man das Alphabet in der üblichen Reihenfolge aufschreibt und darunter die Buchstaben setzt, die eingesetzt werden sollen. (Unter Alphabet werden hier alle zulässigen Symbole einschließlich Satzzeichen und Ziffern verstanden, soweit sie in der Chiffre vorkommen.) Ein einfaches Einsetzschema ist:

A B C D E F G H I J K L M N O P Q R S T U V W X Y Z
B C D E F G H I J K L M N O P Q R S T U V W X Y Z A

A wird zu B, B wird zu C, C wird zu D und so weiter. Jeder Buchstabe wird durch seinen Nachfolger in einem kreisförmig angeordneten Alphabet verschlüsselt. Das englische Wort MESSAGE (die «Nachricht», die übermittelt werden soll) wird zu NFTTBHF. Der Empfänger kann den Vorgang leicht rückgängig machen.

Geheimschriften, die durchgängig auf diesem Typ von Ersetzung beruhen, bezeichnet man nach den römischen Kaisern, die sie verwendet haben sollen, als cäsarische Chiffren. Augustus hat den oben geschilderten Schlüssel verwendet, Julius Caesar einen ähnlichen, in dem A durch D, B durch E und so weiter ersetzt werden.

Es gibt 26 cäsarische Chiffriersysteme. Die untere Buchstabenreihe kann um zwei Buchstaben, um drei Buchstaben usw. verschoben sein. (Im 26. System wird jeder Buchstabe einfach durch sich selbst ersetzt.) Man kann jeder cäsarischen Chiffre einen Buchstaben oder eine Zahl zuordnen. Man kann die Geheimschrift zum Beispiel mit dem verschlüsselten Äquivalent des unverschlüsselten Buchstabens A bezeichnen. Dann ist das System des Augustus die Chiffre B, und Julius Caesars System wird zur Chiffre D.

Cäsarische Chiffren sind leicht zu entschlüsseln. E beispielsweise würde unter Umständen durchgehend als U verschlüsselt. Da E in vielen Sprachen der häufigste Buchstabe ist, wird im chiffrierten Text meist U der häufigste Buchstabe sein. Das ist ein sicherer Hinweis. Der Dechiffreur kann die wenigen wirklich häufigen Buchstaben identifizieren, sie dazu benützen, häufig vorkommende kurze Wörter zu erkennen und dann die Nachricht zu entschlüsseln.

Seit den Tagen der römischen Kaiser hat die Kryptographie gewaltige Fortschritte gemacht. Heutzutage würde niemand mehr eine so einfache Chiffre verwenden. Man kann aber einfache cäsarische Chiffriersysteme benutzen, um eine unentschlüsselbare Chiffre zu konstruieren, wie sie heute die Großmächte verwenden.

Der Trick besteht darin, für jeden Buchstaben eine andere cäsarische Chiffre zu verwenden. Man benützt einen der 26 cäsarischen Schlüssel für den ersten Buchstaben, einen anderen für den zweiten und noch einen anderen für den dritten usw.

In einer Hinsicht macht das alles viel komplizierter. Man braucht einen «Schlüssel», der angibt, welche cäsarische Chiffre bei welchem Buchstaben verwendet werden soll. Der Schlüssel muß mindestens so lang sein wie die Nachricht. Der Vorteil liegt darin, daß es sich um eine sichere Geheimschrift handelt. Jeder Buchstabe des verschlüsselten Textes kann für irgend etwas anderes stehen. Bei Anwendung eines bestimmten Schlüssels würde die *Ansprache in Gettysburg* als eine lange Reihe von *i* verschlüsselt; in einem anderen Schlüssel erschiene sie als Textauszug aus *Gullivers Reisen*. Bei Verwendung wieder eines anderen Schlüssels (wahrscheinlicher: einer Reihe von Schlüsseln) erhalten wir eine scheinbar nach dem Zufallsprinzip entstandene Folge von Buchstaben.

Diese Art von Verschlüsselungssystem nennt man einen «Einmal-Block». Der Schlüssel ist auf die Blätter eines Notizblocks aufgedruckt. Jedes Blatt des Blocks ist ein Schlüssel, der nur einmal verwendet und dann vernichtet werden soll. Der Schlüssel gibt (beispielsweise) an, welche cäsarische Chiffre für die aufeinanderfolgenden Buchstaben der Nachricht verwendet werden soll. Wenn die cäsarischen Chiffren wie oben durch Buchstaben bezeichnet werden, sieht der Schlüssel aus wie eine Zufallsreihe von Buchstaben.

Verwenden wir die cäsarischen Chiffren «C», «R», «F», «B», «Z», noch einmal «F» und «D», um die Buchstaben des Wortes MESSAGE zu verschlüsseln: In der Chiffre «C» wird M zu O. Chiffre «R» sieht folgendermaßen aus:

A B C D E F G H I J K L M N O P Q R S T U V W X Y Z
R S T U V W X Y Z A B C D E F G H I J K L M N O P Q

Hier wird E zu V. MESSAGE wird zu OVXTZLH.

OVXTZLH ist eine weitaus bessere Verschlüsselung von MESSAGE als NFTTBHF. Wird nur ein einziger Ersetzungsschlüssel verwendet, bleiben leicht verräterische Spuren, die längere Textabschnitte entschlüsselbar machen. Aus der Textentropie sind Schlüsse auf den ursprünglichen Klartext möglich. Aus dem Geheimtext NFTTBHF ist zu erkennen, daß das ursprüngliche Wort in der Mitte einen Doppelbuchstaben hat und daß der zweite und der letzte Buchstabe gleich sind. Selbst von diesem einen Wort ausgehend, könnten Sie (richtig) raten, daß F für E, den häufigsten englischen Buchstaben, steht. Nichts in OVXTZLH bietet irgendeine Hilfe. Aus dem Doppel-S sind zwei verschiedene Buchstaben geworden. Da für jeden Buchstaben ein anderes, nach dem Zufallsprinzip ausgewähltes Chiffriersystem verwendet worden ist, könnte OVXTZLH für jedes beliebige Wort mit sieben Buchstaben stehen. Die absolute Mehrdeutigkeit des Einmal-Block-Systems garantiert die Fruchtlosigkeit jedes Dechiffrierversuchs.

Die Schwierigkeit beim Einmal-Block-System besteht darin, den Absender wie den Empfänger ausreichend mit Schlüsseln zu versorgen. Die Schlüssel können nicht mit der Nachricht zusammen verschickt werden. Täte man das, könnte jeder, der die Nachricht in die Hände bekommt, sie auch dechiffrieren. Als der sowjetische Spion Rudolf Abel 1957 in New York verhaftet wurde, fand man bei ihm einen Einmal-Block in Briefmarkengröße. Jede Seite war in Kleinstdruck beschriftet. Ein brauchbarer Block muß Hunderte von Ziffern oder Buchstaben pro Seite enthalten, um Nachrichten in vernünftiger Länge verschlüsseln zu können. Das sind die Probleme, die den Gebrauch von Einmal-Blocks auf sehr wichtige, nicht allzu lange Nachrichten beschränken.

Mit dem richtigen Schlüssel kann ein Einmal-Block-System jeden Text in die Reihe *iiiiiii*... verwandeln. Dazu muß aber der Schlüssel an eine bereits vorhandene Nachricht angepaßt werden. Dann ist das System aber nicht für den normalen

Zweck einer Chiffre verwendbar, der darin besteht, noch unbekannte zukünftige Nachrichten zu übermitteln. Wenn der verschlüsselte Text auf jeden Fall *iiiiiii*... lauten wird, kann im System nichts Neues oder Unerwartetes übermittelt werden. Der Geheimtext gibt dann höchstens noch an, einen wie langen Abschnitt der Nachricht man lesen soll.

Die Entropie des Geheimtips *iiiiiii*... ist die kleinstmögliche und damit viel geringer als die irgendeiner natürlichen Sprache. Normalerweise ist die Entropie eines verschlüsselten Textes genauso groß wie oder größer als die des Klartextes. Ist die Entropie kleiner – wie dies beim Voynich-Manuskript der Fall sein muß, sofern die Ursprache nicht Tahitisch war –, heißt das, daß ein Teil des Informationsgehalts der Nachricht ins Verschlüsselungssystem umgeleitet worden ist. Der Geheimtext ist mehrdeutig. Die Entschlüsselung hängt von Informationen ab, die nicht im chiffrierten Text enthalten sind: von einem Schlüssel oder von der Fähigkeit des ursprünglichen Verfassers, die Nachricht aus einem mehrdeutigen Text zu rekonstruieren.

Rohe Gewalt

Nehmen wir an, der unverschlüsselte Originaltext des Voynich-Manuskripts sei in einer europäischen Sprache und im lateinischen Alphabet geschrieben, und jedes Zeichen des Manuskripts stelle genau einen Buchstaben in einem nicht entschlüsselbaren, aber eindeutigen Code nach dem Modell des Einmal-Blocks dar. Ordnen wir jedem der Voynich-Symbole, wie das schon Bennett getan hat, einen Buchstaben zu. Nehmen wir an, es gebe insgesamt 26 verschiedene sinntragende Zeichen. Für jede einzelne «alphabetische» Anordnung der Zeichen gibt es 26 cäsarische Chiffren, die lateinische Buchstaben in Voynich-Symbole verwandeln.

Wir kennen die alphabetische Reihenfolge der Voynich-

Symbole, falls es überhaupt eine gibt, nicht. Wir wissen auch nicht, daß das Chiffriersystem ausschließlich cäsarische Chiffren benützt. Man kann Buchstaben auf viele andere Weisen Symbolen zuordnen. Nehmen wir aber der Einfachheit halber an, die alphabetische Reihenfolge sei bekannt, und im System spielten nur cäsarische Chiffren eine Rolle.

Dann müßte ein Schlüssel angeben, welche der 26 cäsarischen Chiffren für jedes Zeichen im Manuskript verwendet wurde. Wenn man einen angeblichen Schlüssel zur Geheimschrift des Manuskripts in der Hand hätte, könnte man ihn auf ein paar Dutzend Zeichen anwenden und sehen, ob verständliche Worte in einer europäischen Sprache herauskommen. Wäre das der Fall, könnte man den Schlüssel auf das ganze Manuskript anwenden. Entstünde eine verständliche Nachricht, wäre das Geheimnis der Chiffre gelöst.

Wir haben aber keinen Schlüssel. Vielleicht können wir die Chiffre aber dennoch mit roher Gewalt entschlüsseln. Wir könnten ja jede mögliche Entzifferung des Voynich-Textes überprüfen.

Das ist aus zwei Gründen unmöglich. Wir müßten dazu alle 26 Schlüssel für den ersten Buchstaben überprüfen, dann alle 26 Schlüssel für den zweiten, alle 26 Schlüssel für den dritten... (Dabei sind noch weder die Zahl der möglichen alphabetischen Anordnungen der Voynich-Zeichen noch die Möglichkeit berücksichtigt, daß es sich um nicht-cäsarische Chiffren handelt.) Das ergibt 26^n, wobei n die Zahl der Zeichen im analysierten Teil des Geheimtextes ist. Nehmen wir einen Abschnitt von 100 Zeichen Länge, haben wir es mit 26^{100} möglichen Schlüsseln zu tun. Das kommt auf etwa 10^{141} Schlüssel heraus; und das sind viel mehr, als man überprüfen kann, egal, wieviel Zeit man hat.

Gut, aber man könnte sich die mehr als herkulische Aufgabe, 10^{141} Schlüssel zu überprüfen, doch wenigstens vorstellen. Sie wäre prinzipiell, wenn auch nicht in der Praxis, erfüllbar. Dennoch ist es eine sinnlose Aufgabe. Da wir uns vorgenommen haben, jeden möglichen Schlüssel zu überprüfen, werden wir mit Sicherheit unter anderem auch einen Schlüssel finden, der, wenn man ihn rückläufig anwendet, das Voynich-Manuskript in den *Urfaust* verwandelt. Nehmen wir nur den ersten Buchstaben des *Urfaust*. Eine der 26 cäsarischen Chiffren wird diesen Buchstaben in das erste Zeichen des Voynich-Manuskripts transformieren. Eine weitere cäsarische Chiffre verwandelt den zweiten Buchstaben in das zweite Voynich-Zeichen, und so weiter. (Am Ende des längeren der beiden Werke bleiben Zeichen übrig.)

Ein anderer Schlüssel setzt das Voynich-Manuskript in die *Ansprache in Gettysburg* um. Wieder andere Schlüssel dechiffrieren den Text in jeden denkbaren Text mit gleicher Zeichenlänge. Selbst wenn sie überhaupt möglich wäre, wäre eine erschöpfende Überprüfung sinnlos, weil sie nach und nach zu jeder möglichen Nachricht führen müßte. Jede Entschlüsselung ist dem Geheimtext in gleicher Weise inhärent.

Wie rechtfertigt man eine Entschlüsselung?

Wie, wenn überhaupt, dechiffriert man also etwas und überzeugt sich und andere davon, daß die Entschlüsselung richtig war? Gehen wir von folgendem aus:

Es ist eine aus der Erfahrung verifizierbare Tatsache, daß die Zufallswahl von Schlüsseln niemals eine vernünftige Entschlüsselung erzeugt. Die Wahrscheinlichkeit ist einfach zu gering. Die Überprüfung eines beliebigen Schlüssels am Voynich-Manuskript resultiert jedesmal nur in einer sinnlosen Buchstabenfolge.

Infolgedessen ist die Wahrscheinlichkeit, daß eine absichtlich falsch gewählte Chiffre eine vernünftige Dechiffrierung erzeugt, unvorstellbar klein. Ein Schlüssel, der einen vernünftigen Klartext erzeugt, muß mit nahezu absoluter Sicherheit der richtige sein, es sei denn, der Dechiffreur habe den Schlüssel absichtlich so manipuliert, daß die gewünschte Nachricht entstehen mußte.

Der überzeugende Nachweis, daß eine Dechiffrierung richtig war, umfaßt vier Schritte:

Erstens muß man das Chiffriersystem und den Schlüssel angeben. «Schlüssel» bedeutet hier diejenige Informationsmenge, die man besitzen muß, um die Chiffre anzuwenden, gleichgültig, ob es sich um einen schriftlich niedergelegten Schlüssel handelt oder nicht.

Zweitens wendet man das Chiffriersystem in umgekehrter Richtung an und erzeugt auf der Grundlage des Geheimtextes etwas, das beansprucht, ein Klartext zu sein.

Drittens muß der Klartext, der so entsteht, eine vernünftige Nachricht, nicht eine unsinnige Buchstabenfolge sein.

Viertens kann der Schlüssel exakt und eindeutig angegeben werden. Exakte Beschreibungen von Schlüsseln sind etwa: «Benütze durchgehend die cäsarische Chiffre ‹J›»; «Der Schlüssel ist die Buchstabengruppe, die auf einem Zettel im Nachlaß Roger Bacons gefunden wurde»; «Der Schlüssel besteht aus den Buchstaben der ersten Seite der Erstausgabe des *Urfaust*».

Die vierte Bedeutung ist notwendig, sollen die Dechiffreure daran gehindert werden, von einem erhofften Klartext her rückwärts zu arbeiten. Es muß sich um einen «Spezialschlüssel» handeln. Er muß in sich einfach sein, oder es muß historische Belege für ihn geben. Die meisten denkbaren Chiffrierschlüssel sind bisher noch von keinem menschlichen Gehirn explizit entworfen worden. Die Chiffren, die angewandt oder auch nur im Detail entworfen worden sind, stellen eine winzig kleine Auswahl aus der Menge aller möglichen Chiffren dar. Der Dechiffreur muß überzeugende Argumente dafür angeben können, daß der Schlüssel existiert hat, bevor er anfing, am Geheimtext zu arbeiten.

Die einfachste Chiffre ist diejenige, die den Klartext unverändert läßt. Am nächsten kommen ihr, wo es um Einfachheit geht, die Chiffren, in denen durchgehend das gleiche Ersetzungsverfahren angewandt wird. Die Kryptogramme, die man in Rätselmagazinen, in Edgar Allan Poes *Goldkäfer* oder Arthur Conan Doyles *Abenteuer der tanzenden Männer* findet, sind von dieser Art. All diese Chiffren stellen eine kleine Auswahl aus den möglichen dar, und der Nachweis, daß ein Geheimtext durch Anwendung eines derartigen Schlüssels in einen vernünftigen Klartext transformierbar ist, ist ein überzeugender Beweis dafür, daß diese Chiffre benützt worden und die Nachricht echt ist.

Schwierigere Chiffren benützen einen variablen Schlüssel, der in einer Reihe von willkürlichen Buchstaben (oder Ziffern) angegeben werden kann. Wenn die Verwendung der *Ansprache in Gettysburg* als Schlüssel einen Geheimtext in eine verständliche Nachricht verwandelt, ist auch dies ein überzeugender Beweis dafür, daß die Nachricht echt ist. (Schlüssel, die Büchern oder anderen Texten entstammen, sind in der Kryptographie recht üblich.) Obwohl sehr, sehr viele Schlüssel einen gegebenen Geheimtext in eine verständliche Nachricht verwandeln werden, ist die Wahrscheinlichkeit, daß ein derartiger Schlüssel selbst eine verständliche Nachricht ist, verschwindend gering.

Das heißt nicht, daß die einzig gültigen komplizierteren Schlüssel diejenigen sind, die man als Auszüge aus der Weltliteratur transliterieren kann. Beim Einmal-Block ist der Schlüssel eine Zufallsfolge (sonst würde man den Block nicht benötigen). Der Zufallsschlüssel auf dem Einmal-Block ist im historischen Sinne einmalig. Unter der unvorstellbar großen Menge denkbarer Schlüssel ist dieser eine ausgewählt und auf einen Block gedruckt worden. Eine Seite aus einem Einmal-Block zu finden und nachzuweisen, daß sie einen Geheimtext in eine verständliche Nachricht transformiert, ist ein überzeugender Beleg für die Gültigkeit der Entschlüsselung.

Wo also ist die Bedeutung: in der Nachricht, im Schlüssel oder im Bewußtsein derer, die die Nachricht verstehen? Nur wenige würden bestreiten, daß die Bedeutung letzten Endes im Bewußtsein, also im Geist liegt. Sie liegt genauso im wahrnehmenden Bewußtsein wie Farbe oder Ton. Die subtilere Frage ist die, ob das objektive Äquivalent der Bedeutung eher in der Nachricht, in der Sprache oder im Chiffriersystem zu suchen ist.

Die Antwort ist: Das kommt drauf an. Eine Geheimschrift, die ausschließlich aus Wiederholungen des Buchstabens *i* besteht, ist ein Beispiel für ein System, bei dem die gesamte Bedeutung im Schlüssel liegt. Häufiger ist die Bedeutung zwischen Nachricht und Schlüssel aufgeteilt. Man kann sich aber nur sehr mühsam einen Fall vorstellen, in dem alle Bedeutung in der Nachricht und keine im Schlüssel liegt. Im Idealfall träfe das für eine Sprache zu, deren Bedeutung für jedermann offensichtlich einsichtig ist (Piktogramme im Flughafen, Esperanto oder die künstlichen Sprachen, die den Kontakt mit außerirdischen Wesen ermöglichen sollen). Keiner dieser Versuche kommt allerdings dem Ziel besonders nahe.

Wissenschaftliche Theorien sollen die Welt in ähnlichem Sinne verständlich machen, wie dies der Schlüssel zu einer Geheimschrift tut. Manche Theorien stecken viel Information in die Theorie selbst, andere beziehen sich nur auf Informationen in der Welt.

Das eine Extrem, das Gegenstück zu Poes *iii*...-Chiffre, entspricht den Retortengehirnen. Die Retortengehirn-Hypothese hängt von einmaligen Annahmen für alles ab. Gestern hat es wegen eines bestimmten Musters elektrischer Reize geregnet. Rosen sind infolge eines Stromstoßes rot. Gerald Ford ist wegen eines wieder anderen Neuronenstroms Präsident geworden. Stimmungen, das Wetter, Tiere, Menschen, Zufälle und alles, was es sonst noch gibt, wird durch elektrische Reize erklärt. Die Theorie der Retortengehirne besitzt keinerlei Vorhersagekraft. Genauso wie die *iii*...-Chiffre nicht mit unbekannten zukünftigen Nachrichten umgehen kann.

Wenn wir Retortengehirne sind, kann der nächste Apfel, den Sie sehen, genausogut nach oben wie nach unten fallen. Alles kann geschehen. Schließlich wissen wir nie, was unserem verrückten Wissenschaftler als nächstes einfallen wird.

Das andere Extrem wird durch eine Theorie wie Newtons Gravitationstheorie dargestellt, die sich auf die inhärente Regelmäßigkeit der Welt beruft. Daß Äpfel nicht nach oben fallen, ist ein Teil der Weltordnung und nicht von einer Reihe jeweils neuer Annahmen abhängig. Diese Theorie ist einfach und besitzt Vorhersagekraft.

Hier wie überall kann man nicht sagen, die eine Theorie sei unbezweifelbar wahr und die andere falsch. Es läuft auf eine Frage der Bequemlichkeit hinaus. Die einfachere Hypothese ist leichter im Gedächtnis zu behalten und leichter anzuwenden.

11. BEWUSSTSEIN

Das chinesische Zimmer

Keines unter den vielen Geheimnissen, die die Welt birgt, ist so beunruhigend wie das des menschlichen Geistes oder Bewußtseins. Das Gehirn ist im Vergleich damit ein einfacher Gegenstand. Man kann leicht sagen, eine durch natürliche Auslese entstandene gallertartige Masse sei imstande, eine große Anzahl komplizierter Funktionen zu erfüllen. Aber was hat das mit Bewußtsein oder Geist zu tun?

Die Biologie hat in ihren Versuchen zu verstehen, wie das menschliche Gehirn arbeitet, große Fortschritte gemacht. Doch nicht wenige Wissenschaftler behaupten, über das, was Bewußtsein ist, wüßten wir genausowenig wie zuvor. Die Frage nach dem Bewußtsein – lange Zeit ein Steckenpferd der Philosophen – ist neuerdings in den Brennpunkt des Interesses der Neurologie und der Kognitionspsychologie gerückt und bildet ein zentrales Thema der Diskussion über künstliche Intelligenz. Einige der faszinierenderen Paradoxe in diesem Zusammenhang mögen als Beispiel dafür dienen, an welchem Punkt die derzeitige Spekulation darüber angelangt ist, was Bewußtsein ist.

Der Gefangene der binären Höhle, mit dem wir uns im vorigen Kapitel beschäftigt haben, war der Sinneserfahrung in ihrer abstraktesten Form ausgesetzt. Das eigentlich Ironische an der Parabel aber liegt in der Tatsache, daß es unserem eigenen Gehirn nicht anders geht als dem Gefangenen: Unser Schädel ist die Höhle. Offenbar kann niemand das Verfahren nachahmen, mit dem das Gehirn Sinneserfahrungen verarbeitet. Das ist der Ausgangspunkt für die Gedankenexperimente dieses Kapitels.

Das einfachste Bild des Bewußtseins ist überhaupt kein Bild. Der Wellensittich im Käfig, der sein Spiegelbild für einen Artgenossen hält, braucht kein «Bewußtsein», um sich ein Bild von der Welt zu machen. Das heißt nicht, daß der Wellensittich dumm ist, sondern nur, daß er kein Bewußtsein seiner selbst besitzt. Der Wellensittich ist sich des Glöckchens, des Wetzsteins und der anderen Gegenstände bewußt, die seine Welt ausmachen. Sein Weltbewußtsein mag hinreichen, um das Verhalten belebter Objekte vorauszusagen, etwa dasjenige des Besitzers, der jeden Morgen das Futternäpfchen füllt. Gibt es aber irgend etwas, das der Besitzer tun könnte, um dem Wellensittich zu beweisen, daß er ein bewußtes Wesen ist? Nein! Der Wellensittich (jedenfalls ein hochintelligenter Wellensittich) könnte alles beobachtete Verhalten bekannten oder unbekannten Ursachen zuschreiben und hätte keinerlei Veranlassung, an so etwas wie Bewußtsein zu glauben.

Bemerkenswert ist, daß die Skeptiker unter den Philosophen sich nahezu der gleichen Ansicht verschrieben haben. (Denken Sie an Humes skeptische Einstellung seinem eigenen Bewußtsein gegenüber.) Was also bringt uns auf die Idee, andere Menschen hätten ein Bewußtsein so wie wir? Ein großer Teil der Antwort liegt in der Sprache. Je mehr wir mit anderen kommunizieren, desto mehr kommen wir zu der Überzeugung, daß sie so etwas wie Bewußtsein, Geist oder Verstand besitzen.

Eine andere Auffassung vom Bewußtsein ist die dualistische:

der Glaube daran, daß Bewußtsein, Geist oder Verstand etwas anderes sei als Materie. Ob wir nun vom Dualismus überzeugt sind oder nicht, wir alle sprechen, als wären wir es: Menschen sind geistreich; sie geben den Geist auf; die haben eine schöne Seele; Essen und Trinken hält Leib und Seele zusammen. Der Dualismus geht auf die Erkenntnis zurück, daß es andere «Geister» gibt als den eigenen und daß sie meist irgendwie mit Körpern verknüpft sind.

Je mehr die Biologen über den menschlichen Körper herausgefunden haben, desto beeindruckter waren sie von der Tatsache, daß er aus Substanzen besteht, die sich nicht allzusehr von lebloser Materie unterscheiden. Der Körper besteht zum größten Teil aus Wasser. Sogenannte «organische» Verbindungen können synthetisch hergestellt werden. Physikalische Kräfte wie etwa osmotischer Druck und elektrische Leitfähigkeit arbeiten in menschlichen Zellen und bestimmen einen großen Teil ihrer Funktionen. Mechanistische Modelle des Körpers und des Gehirns haben sich in begrenzten Gebieten so erfolgreich gezeigt, daß der Gedanke reizvoll ist, sie könnten all die Myriaden Funktionen des Gehirns erklären. Diese dritte mögliche Auffassung vom Bewußtsein geht davon aus, daß das Gehirn eine «Maschine» oder ein «Computer» irgendeiner Art sei und daß Bewußtsein irgendwie aus der Funktion dieser Maschine entstehe.

Der modernen Einkleidung zum Trotz sind mechanistische Erklärungen des Bewußtseins – und skeptische Auseinandersetzungen mit diesen Erklärungen – nichts Neues. Die «denkende Maschine», über die Gottfried Wilhelm Leibniz schon 1714 spekulierte, hat nichts von ihrer Aktualität verloren:

> «Darüber hinaus muß man sagen, daß *Wahrnehmung* und das, was von ihr abhängig ist, *unmöglich durch mechanische Gründe wie Form und Bewegung erklärt werden können*. Nehmen wir an, es gebe eine Maschine, deren Struktur Denken, Fühlen und Wahrnehmen erzeugt;

> stellen Sie sich diese Maschine unter Beibehaltung der Proportionen so vergrößert vor, daß Sie in sie hineingehen können wie in eine Mühle. Nehmen wir das an, so könnten Sie hineingehen; aber was würden Sie im Inneren beobachten? Nichts als Teile, die einander anstoßen und bewegen, aber nichts, das geeignet wäre, die Wahrnehmung zu erklären.»

Leibniz' Beispiel ist nicht wirklich zwingend, aber es gibt das Unbehagen wieder, das die meisten von uns beim Gedanken an mechanistische Modelle befällt. Gut, die Denkmaschine denkt, aber wenn wir in sie hineinblicken, ist sie so leer wie das Spiegelkabinett des Magiers. Was dachten Sie denn, daß es da zu sehen gibt?

David Cole hat ein knapp gefaßtes Gegenargument zu Leibniz' Argumentation entworfen. Vergrößern Sie einen Wassertropfen auf die Größe von Leibniz' Mühle. Jetzt sind die H_2O-Moleküle so groß wie die Plastikmodelle von H_2O-Molekülen, die Sie aus der Chemiestunde kennen. Sie können in dem Wassertropfen spazierengehen und sehen nirgends etwas Nasses.

Das Paradox des Funktionalismus

Andere Gedankenexperimente, die sich gegen das mechanistische Modell wenden, sind schwerer widerlegbar. Von Lawrence Davis stammt das «Paradox des Funktionalismus».

Ein Axiom des Funktionalismus ist die Behauptung, ein Computerprogramm, das dasselbe leisten kann wie das menschliche Gehirn, müsse diesem praktisch in jeder Hinsicht gleichen, also auch Bewußtsein besitzen. Das menschliche Gehirn kann in vereinfachter Darstellung als Blackbox gedacht werden, als ein «schwarzer», für uns undurchsichtiger Kasten, der von den Nervenzellen Sinneseingaben erhält, diese Informationen in vorherbestimmter Weise verarbeitet und Impulse an die Muskeln weitergibt. (Jede Retorte im Laboratorium der Retortengehirne ist an zwei Kabel angeschlossen. Auf dem einen steht «Input», auf dem anderen «Output».) Was wäre, wenn es einen Computer gäbe, der bei gleichem Input immer den gleichen Output produzierte wie das menschliche Gehirn? Hätte dieser Computer Bewußtsein? Wir stehen vor dem gleichen Problem wie bei der geschlossenen Taschenuhr in Einsteins und Infelds Beispiel: Wir wissen es nicht. Der Funktionalismus geht in diesem Fall davon aus, daß es vernünftig sei anzunehmen, soweit der Begriff Bewußtsein überhaupt objektive Bedeutung habe, besitze der Computer Bewußtsein. Das müsse man aus dem gleichen Grund annehmen, aus dem man auch annimmt, daß andere Menschen Bewußtsein besitzen: auf Grund ihres Verhaltens.

Davis legte das Paradox in einem Vortrag vor, den er 1974 auf einer Fachtagung hielt. Es hat mehr Interesse verdient, als ihm bis heute zuteil geworden ist. Nehmen wir einmal an, heißt es hier, wir wüßten alles wirklich Wichtige über das Schmerzempfinden. Dann könnten wir (wenn die Funktionalisten recht haben) einen riesigen Roboter bauen, der Schmerz empfindet. Ähnlich wie bei Leibniz' denkender Maschine handelt es sich um einen gewaltigen begehbaren Roboter. Von innen sieht der Kopf des Roboters wie ein großes Bürohaus aus. An der Stelle von integrierten Schaltkreisen sitzen Männer im grauen Flanellanzug hinter ihren Schreibtischen. Auf jedem Schreibtisch steht ein Telephon mit mehreren Anschlüssen: das Telephonnetz entspricht den Neuronenverbindungen in einem schmerzempfindlichen Gehirn. Jede Person hinter dem Schreibtisch ist darauf trainiert, die Funktion eines Neurons zu erfüllen. Es ist eine langweilige Aufgabe, aber sie beziehen ein anständiges Gehalt und erhalten Sonderzulagen und Sozialleistungen.

Nehmen wir an, gerade jetzt, in diesem Moment entspräche die Serie von Telephongesprächen zwischen den Angestellten dem, was wir als unerträglichen Schmerz kennen. Nach den Lehren des Funktionalismus befände sich der Roboter in einem

Zustand extremen Leidens. Aber wo steckt der Schmerz? So gründlich wir das Büro auch durchsuchen, dort finden wir ihn nicht. Man sieht überhaupt nur ein geruhsames Angestelltenkorps des gehobenen Dienstes, das Kaffee trinkt und Telephongespräche führt.

Und wenn der Roboter das nächste Mal unerträgliche Schmerzen empfindet, stellen Sie bei Ihrem Besuch fest, daß im Büro eine Weihnachtsfeier stattfindet. Alles amüsiert sich wie Bolle.

Der Turing-Test

Ich werde zunächst nicht weiter auf Davis' Paradox eingehen und statt dessen ein eng verwandtes Gedankenexperiment, John Searles «Chinesisches Zimmer», vorstellen. Zu seinem vollen Verständnis aber brauchen wir noch in einem Punkt zusätzliches Hintergrundwissen.

Es geht um den sogenannten «Turing-Test», den Alan Turing in einem 1950 erschienenen Aufsatz dargestellt hat. Die Frage war, ob Computer denken können. Turing ging davon aus, daß dies eine sinnlose Frage sei, solange man nicht etwas Bestimmtes benennen kann, das ein denkendes Subjekt tun kann und ein nicht-denkendes nicht. Worin könnte dieser Unterschied bestehen?

Computer führten, als Turing schrieb, bereits Berechnungen aus, für die bis dahin fleißige und intelligente Menschen benötigt worden waren. Es war ihm klar, daß es sich um ein subtileres Kriterium handeln mußte als beispielsweise die Fähigkeit, einigermaßen anständig Schach zu spielen. Das würden Computer bald können, lange bevor man davon sprechen würde, daß sie «dächten». Turings Test bestand in etwas, das er das «Imitationsspiel» nannte.

Ein Mensch sitzt vor einem Computerterminal und richtet Fragen an zwei andere Personen, A und B, die für ihn unsichtbar in anderen Zimmern sitzen. Eine der beiden «Personen» ist ein Mensch und die andere ein hochdifferenziertes Computerprogramm, von dem behauptet wird, es könne denken. Der Fragesteller soll herausbekommen, wer der Mensch und wer der Computer ist. Beide, der Mensch und der Computer, bemühen sich, den Fragesteller davon zu überzeugen, daß sie der Mensch sind. Es ist dieselbe Situation wie bei einem Fernsehquiz, bei dem es darum geht, einen Prominenten von seinem Double zu unterscheiden.

Die Tatsache, daß der Fragesteller nur auf dem Umweg über ein Computerterminal mit den Befragten in Verbindung steht, hindert ihn daran, irgend etwas anderes als den reinen Text der Antworten auszuwerten. Er kann sich nicht auf die Möglichkeit verlassen, den mechanischen Klang synthetischer Sprache oder andere irrelevante Indizien zu erkennen. Der verborgene Mensch darf Äußerungen von sich geben wie «Hallo, ich bin der Mensch!» Aber das nützt wenig, denn der Computer darf das auch. Der Computer braucht selbst auf direkte Befragung nicht zuzugeben, daß er der Computer ist. Beide Parteien dürfen lügen, wenn sie das für angebracht halten. Wenn der Fragesteller nach «persönlichen Daten» wie dem Mädchennamen von As Mutter oder nach Bs Schuhgröße fragt, darf der Computer seine Antwort frei erfinden.

Um diesen Test zu «bestehen», müßte ein Computerprogramm in der Lage sein, in etwa der Hälfte aller Fälle für den Menschen gehalten zu werden. Wenn ein Computer den Test bestünde – so Turings Argument –, würde er in der Tat Intelligenz beweisen, soweit Intelligenz anhand äußerer Handlungen und Reaktionen erkennbar ist. Das ist eine schwerwiegende Behauptung.

Wenn dem so ist, bleibt die Frage: Kann ein Computer denken? Turings Antwort war, die ursprüngliche Frage, ob Computer denken können, sei «zu sinnlos, um der Erörterung wert zu sein. Dennoch glaube ich, daß sich bis zur Jahrhundertwende der allgemeine Sprachgebrauch und die öffentliche

Meinung so weit entwickelt haben werden, daß man, ohne Widerspruch befürchten zu müssen, von denkenden Maschinen sprechen kann».

In der Zeit, die seit Turings Aufsatz verstrichen ist, ist es in der Kognitionswissenschaft üblich geworden, geistige Prozesse mit Algorithmen in Verbindung zu bringen. Wenn Sie einen bestimmten Algorithmus anwenden, um die einzelnen Stellen von *pi* zu berechnen, dann ist ein kleiner Teil Ihres Denkens unmittelbar mit dem Funktionieren eines Computers vergleichbar, der *pi* mit Hilfe des gleichen Algorithmus berechnet. Es ist eine weit verbreitete und beliebte Annahme, daß Intelligenz und sogar Bewußtsein so etwas Ähnliches wie Computerprogramme seien, die mit verschiedenen Typen von «Hardware», einschließlich der biologischen Hardware des menschlichen Gehirns, kompatibel sind. Im Prinzip könnten die Funktionen der Neuronen im menschlichen Gehirn und ihre Zustände und Verbindungen in einem außerordentlich komplexen Computerprogramm genau nachgebildet werden. Liefe dieses Programm auf einem Computer, der aus Mikrochips und Drähten besteht, würde es vielleicht die gleiche Intelligenz und sogar das gleiche Bewußtsein zeigen wie ein menschliches Gehirn.

Man hat den menschlichen Geist lange Zeit als die Seele, den *élan vital*, als die eine Hälfte des kartesianischen Dualismus betrachtet. Inzwischen haben viele Intellektuelle diese Anschauung zugunsten eines mechanistischen Bewußtseinsmodells aufgegeben. John Searles Gedankenexperiment aus dem Jahre 1980 stellt die immer kleiner werdende Heimat des Geistes in einem karikierenden Versteckspiel dar. Wenn das Bewußtsein nichts weiter ist als ein Algorithmus, wo ist dann der Geist? Searle lüftet den Vorhang vor dem letzten Versteck und zeigt, daß nichts dahintersteckt.

Das chinesische Zimmer

Stellen Sie sich vor, Sie seien in einem verschlossenen Zimmer eingesperrt. Im Zimmer liegt ein dickes Buch mit dem wenig attraktiven Titel *Was Sie tun sollten, wenn man einen chinesischen Text unter der Tür durchschiebt.*

Eines Tages wird ein chinesischer Text unter der Tür durchgeschoben. Für jemanden wie Sie, der kein Chinesisch kann, besteht er aus nichts als sinnlosen Schriftzeichen. Inzwischen wissen Sie überhaupt nicht mehr, mit was Sie sich die Zeit vertreiben sollen. Also schlagen Sie in *Was Sie tun sollten, wenn man einen chinesischen Text unter der Tür durchschiebt* nach. Es handelt sich um die Beschreibung eines umständlichen und langweiligen Patiencespiels, das man mit chinesischen Zeichen «spielen» kann. Sie sollen den Text auf bestimmte chinesische Zeichen hin durchsehen und ihre Verteilung nach einem Regelsystem notieren, das im Buch ausführlich dargestellt ist. Das Ganze wirkt völlig sinnlos, aber weil Sie nichts Besseres zu tun haben, befolgen Sie die Anweisungen.

Am nächsten Tag schickt man Ihnen ein neues Blatt, das ebenfalls auf Chinesisch beschriftet ist. Auch dieses Ereignis ist in dem Buch vorgesehen. Es enthält weitere Anweisungen für die Korrelation und Manipulation der chinesischen Zeichen auf dem zweiten Blatt und erläutert, wie Sie die neuen Informationen mit den Ergebnissen Ihrer Arbeit am ersten Blatt kombinieren sollen. Zum Schluß werden Sie aufgefordert, bestimmte Schriftzeichen (teils aus dem Buch, teils aus den Texten) auf ein leeres Blatt Papier zu übertragen. Welche Zeichen Sie übertragen müssen, hängt auf sehr komplizierte Art von den Ergebnissen Ihrer bisherigen Bemühungen ab. Dann sollen Sie das neu beschriebene Blatt unter der Tür durchschieben. Das tun Sie denn auch.

Was Sie nicht wissen, ist, daß das erste Blatt Papier der Text einer chinesischen Kurzgeschichte war, Beim zweiten Blatt handelte es sich um eine Reihe von Fragen zum Text, wie man sie bei Examensarbeiten stellt. Das Blatt voll Zeichen, die Sie abgeschrieben haben, stellte – und auch das wissen Sie nicht – die Antworten auf die Fragen dar. Sie haben die chinesischen Schriftzeichen nach einem sehr komplizierten, deutsch formulierten Algorithmus manipuliert. Der Algorithmus ahmt die Art und Weise nach, in der ein Chinese denkt, oder jedenfalls die Art und Weise, in der er etwas liest, es versteht und Fragen dazu beantwortet. Der Algorithmus ist so vollkommen, daß Ihre «Antworten» nicht von denen zu unterscheiden sind, die ein Leser mit Chinesisch als Muttersprache geben würde, wenn er die gleiche Geschichte gelesen hätte und man ihm die gleichen Fragen gestellt hätte.

Die Leute, die das Zimmer gebaut haben, behaupten, sie hätten da drinnen ein Schwein eingesperrt, das Chinesisch kann. Sie ziehen damit auf Jahrmärkten umher und lassen das Publikum chinesische Kurzgeschichten und Fragen über die Geschichten vorlegen. Nicht alle Zuschauer glauben die Schweinegeschichte. Die Antworten sind so gleichmäßig und überzeugend «menschlich», daß alle annehmen, in Wirklichkeit sei in dem Zimmer ein Mensch, der Chinesisch könne. Solange das Zimmer verschlossen bleibt, kann sie nichts von dieser Überzeugung abbringen.

Worauf läuft Searles Geschichte hinaus? Können Sie Chinesisch? Natürlich nicht! Die Fähigkeit, komplizierte deutsche Anweisungen zu befolgen, hat nichts mit Chinesischkenntnissen zu tun. Sie kennen die Bedeutung keines einzigen chinesischen Schriftzeichens und haben auch nichts darüber gelernt. Das Handbuch, nach dem Sie arbeiten, ist einwandfrei kein Chinesisch-Lehrgang. Sie haben nichts daraus gelernt. Es enthält reine Routine-Anweisungen und verrät an keiner einzigen Stelle, warum Sie etwas tun sollen oder was ein bestimmtes Zeichen bedeutet.

Für Sie ist das Ganze der reine Zeitvertreib. Sie entnehmen den chinesischen Texten Zeichen und übertragen sie nach feststehenden Regeln auf leere Blätter. Es ist genau dasselbe, wie wenn Sie Patience spielen und den Spielregeln getreu einen roten Buben auf eine schwarze Dame legen. Wenn Sie gefragt würden, was eine Patiencekarte «bedeutet», würden Sie sagen: nichts. Natürlich hat das Kartenbild irgendwann einmal eine symbolische Bedeutung gehabt, aber Sie können zu Recht darauf bestehen, daß diese Symbolik nichts mit dem Spiel zu tun hat. Eine Karte heißt Karo Sieben, damit man sie von den anderen Karten unterscheiden und die Spielregeln leichter einhalten kann.

Wenn Sie als menschliches Wesen den chinesischen Algorithmus ablaufen lassen können, ohne Chinesisch zu können (geschweige denn etwas vom Bewußtsein eines Menschen zu erfahren, der Chinesisch kann), erscheint der Gedanke einfach lächerlich, eine Maschine könne einem Algorithmus folgen und deshalb bewußt sein. Also, so Searles Schlußfolgerung, ist das Bewußtsein kein Algorithmus.

Gehirne und Milch

Bei aller Skepsis geht Searle in seinem Gedankenexperiment noch von durchaus großzügigen Annahmen aus, wenn es um die Frage geht, ob Computer denken können. Er setzt voraus, daß es einen funktionierenden Algorithmus für künstliche Intelligenz gibt: die Vorschriften für die Manipulation chinesischer Zeichen. Offenbar muß der Algorithmus sehr viel mehr enthalten als die reinen Regeln der chinesischen Grammatik. Es geht um nicht viel weniger als eine vollständige Simulation menschlichen Denkens, und darüber hinaus muß der Algorithmus das Allgemeinwissen umfassen, das man von jedem Menschen erwarten kann.

Es kann sich um irgendeine beliebige Kurzgeschichte handeln, und die Fragen können sich auf jede beliebige Interpretation, Spekulation oder Meinungsäußerung beziehen. Wir sind nicht auf Fragen vom Multiple-Choice-Typ oder die Aufforderung beschränkt, vollständige Zeilen aus dem Text zu zitieren. Als Beispiel gab Searle die folgende Minikurzgeschichte: «Ein Mann ging in ein Lokal und bestellte einen Hamburger. Als der Hamburger serviert wurde, war er angebrannt, und der Mann verließ wütend das Lokal, ohne den Hamburger zu bezahlen oder ein Trinkgeld zu geben.» Eine mögliche Frage lautet: «Hat der Mann den Hamburger gegessen?» In der Geschichte wird das nicht erwähnt, und das chinesische Zeichen für «essen» wird nicht einmal im Text auftauchen. Aber jeder, der die Geschichte verstanden hat, kann aus ihr erschließen, daß der Mann den Hamburger nicht gegessen hat.

Es könnte gefragt werden, ob ein BigMac ein Hamburger ist (das geht nicht aus dem Text hervor: man muß es einfach wissen) oder ob Sie die Geschichte traurig finden. (Das Wort bzw. Zeichen «traurig» käme dabei nicht vor.) Man könnte Sie auffordern, Sätze zu nennen, bei denen Sie lachen mußten, oder aus den gleichen Zeichen eine neue Geschichte zu konstruieren. Das Zusammenspiel zwischen Algorithmus und Geschichte muß dem eines Menschen mit der Geschichte sehr ähnlich sein. Wäre dieser Algorithmus nun in einer der üblichen Computersprachen geschrieben, würde er den Anforderungen des Turing-Tests genügen. Das Problem der geheimnisvollen Blackbox, des Computers, auf dem ein überaus kompliziertes Programm abläuft, vermeidet Searle, indem er seine Funktionen einem Menschen in den Schoß legt.

Searle ging von der Annahme aus, daß der Turing-Test nicht so aussagekräftig sei, wie man allgemein annahm. Ein Computer, der sich genau wie ein menschliches Wesen verhalten kann, wäre eine Sensation, ob er nun «Bewußtsein» besäße oder nicht. Wir stehen erneut, wenn auch in verschärfter Form, vor dem Problem des Fremdbewußtseins. Auch ein eingefleischter Skeptiker zweifelt zumindest im Alltagsleben nicht daran, daß andere Menschen Bewußtsein besitzen. Aber wir alle hegen Zweifel daran, daß eine Maschine ähnlich denken kann wie wir.

Searles Position in der ganzen Angelegenheit ist überraschend. Er war davon überzeugt, daß das menschliche Gehirn in der Tat so etwas wie eine Maschine sei, daß aber das Bewußtsein etwas mit der biochemischen und neurologischen Beschaffenheit des Gehirns zu tun habe. Ein Computer, der aus Drähten und integrierten Schaltkreisen besteht, würde, selbst wenn er die Funktion aller Neuronen im menschlichen Gehirn exakt wiedergäbe, keine Erfahrung eigenen Bewußtseins machen. (Er würde allerdings genau wie das menschliche Gehirn funktionieren und könnte den Turing-Test bestehen.) Eine Art von Frankenstein-Gehirn, das künstlich aus den gleichen Chemikalien wie ein «richtiges» Gehirn zusammengesetzt wäre, könnte zu bewußtem Denken fähig sein.

Searle verglich künstliche Intelligenz mit einer computergesteuerten Simulation photosynthetischer Prozesse. Ein Computerprogramm könnte ohne weiteres eine detaillierte Wiedergabe der Photosynthese schaffen (indem es beispielsweise eine realistische Darstellung von Chlorophyllmolekülen und Photonen auf den Bildschirm projizierte). Obgleich das Programm alle relevanten Informationen enthielte, würde es im Gegensatz zu lebenden Pflanzen niemals wirklichen Zucker produzieren. Für Searle war Bewußtsein ein biologisches Abfallprodukt wie Zucker oder Milch.

Wenige Philosophen sind in diesem Punkt einer Meinung mit Searle, aber sein Gedankenexperiment hat eine lebhafte Diskussion ausgelöst. Sehen wir uns einige der Reaktionen auf Searles chinesisches Zimmer an.

Reaktionen

Eine denkbare Reaktion ist die Behauptung, das Experiment sei rundheraus undurchführbar. Ein Buch wie *Was Sie tun sollten, wenn man einen chinesischen Text unter der Tür durchschiebt* kann es nicht geben. Unsere Interpretation von Sprache und unser Denken kann nicht eindeutig dargestellt werden; es handelt sich um etwas, das wir nie genau genug erfassen können, um es in einem Buch wiederzugeben. (Das ist eine Einstellung, die an Glaubwürdigkeit gewinnt, wenn Sie an Berrys Paradox und Putnams Zwillingserde denken.) Also kann der Algorithmus auch nicht funktionieren. Die «Antworten» werden entweder unsinnig sein oder aus den mechanisch wiederholten Phrasen eines chinesisch sprechenden Teddybären bestehen. Niemand wird darauf hereinfallen.

Das ist eine in sich konsistente Reaktion, die so lange unwiderlegbar bleibt, bis wir einen funktionierenden Algorithmus haben – falls das je geschehen sollte. Wichtig ist aber, daß Searle selbst bereit war, die Möglichkeit des Algorithmus zuzugestehen. Und wir müssen auch nicht unbedingt annehmen, daß wir jemals wissen werden, wie das Gehirn als Ganzes funktioniert, um das Gedankenexperiment vorstellbar zu machen. Man könnte von Davis' Büro-Simulation ausgehen. Das menschliche Gehirn enthält ungefähr 100 Milliarden Neuronen. Soweit wir wissen, ist die Funktion jedes einzelnen Neurons verhältnismäßig einfach. Das Neuron wartet auf einen Auslöser (einen elektrischen Impuls) an seinen Synapsen, und wenn dieser Auslöser bestimmten logischen Kriterien genügt, gibt es einen Impuls weiter. Nehmen wir an, wir hätten eine exakte Zustandsaufnahme des Gehirns einer Person gemacht: den gegenwärtigen Status aller Neuronen, die Verbindungen zwischen ihnen und die Funktionsweise jedes einzelnen Neurons. Dann könnte die gesamte Weltbevölkerung an einem Experiment zur Simulation dieses Gehirns teilnehmen. Jeder der 5 Milliarden Menschen auf der Welt hätte das Funktionieren von etwa 20 Neuronen zu kontrollieren. Jede Neuronenverbindung würde durch eine Schnur zwischen den beiden Personen wiedergegeben, die die beiden Neuronen darstellen. Ein Ruck an der Schnur bedeutete die Weitergabe eines Impulses. Alle Teilnehmer würden die Schnüre genau so manipulieren, wie die von ihnen dargestellten Neuronen auf einen Auslöser reagieren. Und wieder hätte, unabhängig von der Exaktheit der Simulation, niemand eine Ahnung, welche «Gedanken» dargestellt würden.

Eine zweite denkbare Reaktion ist Übereinstimmung mit Searle in dem Sinne, daß der Algorithmus funktionieren würde, ohne daß sich das Bewußtsein eines chinesischsprachigen Menschen einstellte. Searles Anhänger berufen sich auf die Unterscheidung zwischen syntaktischem und semantischem Verstehen. Genaugenommen vermitteln die Regeln dem Menschen ein syntaktisches, nicht aber ein semantisches Verständnis des Chinesischen. Er würde nicht wissen, daß ein bestimmtes Zeichen «Haus» bedeutet und ein anderes «Wasser». Anscheinend ist aber semantisches Verstehen eine unabdingbare Voraussetzung der Bewußtheit, und hier handelt es sich um etwas, das Computer nicht haben können.

Die meisten von Searles Gegnern behaupten, irgendeine Art von Bewußtsein schwirre im chinesischen Zimmer umher; ein potentielles, ein knospendes, ein verlangsamtes, ein behindertes, aber auf alle Fälle ein vorhandenes Bewußtsein.

Eine schwierige Methode, Chinesisch zu lernen

Unter den Überzeugungen, die vom Vorhandensein eines chinesischen Sprachbewußtseins ausgehen, ist die einfachste die Behauptung, die Versuchsperson werde letzten Endes (entgegen Searles Annahmen) Chinesisch lernen. Der Übergang von syntaktischem zu semantischem Verstehen sei kontinuierlich. Vielleicht könnten die Regeln, wenn man sie lange genug geübt habe, zur zweiten Natur werden. Vielleicht würde die Versuchsperson die Bedeutung der Zeichen aus der Art erschließen, wie sie zu manipulieren sind.

Die Grundfrage ist die, ob jemals eine Erklärung dafür nötig war, daß «Wasser» dies hier und «Haus» jenes da bedeutet. Oder können wir die Bedeutung aller Wörter aus ihrem Gebrauch erschließen? Selbst wenn Sie noch nie in Ihrem Leben ein Zebra gesehen haben sollten, hindert Sie das nicht an einem semantischen Verständnis des Wortes «Zebra». Mit Sicherheit haben Sie noch nie ein Einhorn gesehen, aber Ihr semantisches Verständnis des Begriffs ist vollkommen.

Könnten Sie dieses semantische Verständnis auch erreichen, wenn Sie noch nie ein Pferd gesehen hätten? Wenn Sie noch nie irgendein Tier (vielleicht nicht einmal ein menschliches Wesen) gesehen hätten? Es gibt ein Ausmaß der Isolation vom Gegenstand, das die Frage aufwirft, ob hier noch etwas verstanden wird.

Sie waren am ersten Schultag krank und haben die Stunde verpaßt, in der der Rechenlehrer erklärt hat, was Zahlen sind. Als Sie wieder in die Schule gingen, trauten Sie sich nicht zu fragen, was Zahlen sind, weil es anscheinend alle anderen schon wußten. Sie gaben sich besondere Mühe, den ganzen folgenden Lernstoff, Addition, Brüche etc. zu lernen. Sie gaben sich so viel Mühe, daß Sie am Ende Klassenbester in Mathematik waren. Aber im tiefsten Herzen wissen Sie, daß Sie ein Hochstapler sind: Sie wissen immer noch nicht, was Zahlen sind. Sie wissen zwar, wie Zahlen funktionieren, wie sie miteinander und mit allen anderen Gegenständen der Welt verknüpft sind, aber nicht, was sie sind.

Vielleicht ist das allerdings sowieso alles, was man über Zahlen wissen kann. (Vielleicht unterscheiden sich Zahlen in dieser Beziehung von Zebras.) Die euklidische Geometrie ist ein weiteres Beispiel. Der Geometrieunterricht beginnt meist mit dem Hinweis darauf, daß Begriffe wie «Punkt» und «Linie» nicht in sich definiert werden und ihre Bedeutung nur diejenige ist, die aus den Axiomen und Theoremen über sie erschlossen werden kann.

Ein Einwand gegen diese Position ist, daß der Mensch im Zimmer sofort anfängt, chinesische Antworten zu produzieren, also keine Zeit gehabt hat, die Regeln auswendig zu lernen oder sich Gedanken über die Bedeutung der Zeichen zu machen. Die Fragesteller draußen vor der Tür können über einen langen Zeitraum hinweg Fragen stellen, deren Antworten aus neuen Wörtern bestehen, die die Versuchsperson noch nie benützt hat. («Was ist die rote süßliche Soße, die manche Leute zu Pommes frites essen?» Wird Searles Versuchsperson imstande sein, das chinesische Schriftzeichen für «Ketchup» zu entdecken?)

Dr. Jekyll und Mr. Hyde

Es wird auch behauptet, daß in diesem Falle der menschliche Hochstapler Chinesisch könne, ohne es zu wissen. David Cole hat Searles Versuchsperson mit einem zweisprachigen Menschen verglichen, der infolge eines sehr spezialisierten Hirnschadens nicht übersetzen kann. Man könnte ihn auch (das dürfen Sie sich aussuchen) unter die Rubriken «Persönlichkeitsspaltung», «generelle Amnesie» oder «neurologische Funktionsstörung» einordnen.

Dr. Jekyll aus Stevensons berühmter Geschichte betritt das Zimmer und spricht nur Deutsch. Bei der Anwendung des Algorithmus entsteht ein Mr. Hyde, der Chinesisch kann. Jekyll weiß nichts von Hyde und umgekehrt. Infolgedessen kann die Versuchsperson nicht vom Englischen ins Chinesische übersetzen. Sie weiß nichts von ihren Chinesischkenntnissen und bestreitet sogar, sie zu besitzen.

Wir besitzen zahlreiche geistige Fähigkeiten, von denen wir nichts wissen. Genau in diesem Augenblick, gerade jetzt, reguliert Ihr Kleinhirn Ihre Atemtätigkeit, den Lidschlag Ihrer Augen und eine Anzahl weiterer automatischer Tätigkeiten. Diese Funktionen laufen normalerweise vollautomatisch ab. Sie können sie aber, wenn Sie es wollen, bewußt steuern. Andere Körperfunktionen, wie etwa der Pulsschlag, sind in höherem Maße automatisch gesteuert und können nur teilweise bei Anwendung von Spezialtechniken bewußt gesteuert werden.

Noch stärker automatisierte Funktionen sind unter Umständen überhaupt nicht intentional kontrollierbar. Aber sie alle werden von einem einzigen Gehirn gesteuert.

Die System-Antwort

In seinem Artikel hat Searle verschiedene mögliche Reaktionen auf sein Gedankenexperiment vorausgesehen. Eine davon bezeichnete er als die «System-Antwort». Sie besagt, daß die Versuchsperson in der Tat kein Chinesisch können würde, aber der Prozeß – dessen Teil die Versuchsperson ist – könnte es im Prinzip können. Die Person in Searles chinesischem Zimmer entspricht nicht unserem Geist oder Bewußtsein; sie entspricht einem kleinen, aber wichtigen Teil eines Gehirns.

Die System-Antwort ist keine beliebige Konstruktion. Man kann sagen, daß es sich um die beliebteste Antwort der Kognitionsforscher auf das Paradox handelt. Auch der dogmatischste Anhänger eines mechanistischen Weltbilds nimmt nicht an, daß einzelne Neuronen bewußte Erfahrungen haben. Das Bewußtsein liegt in dem Prozeß, dessen Agenten die Neuronen sind. Die Person im verschlossenen Zimmer, die Gebrauchsanweisung, die Papierblätter, die unter der Tür durchgeschoben werden, der Federhalter, mit dem die Versuchsperson schreibt, sind nichts weiter als Agenten.

Searles Gegenargument gegen die System-Antwort lautet folgendermaßen: Also gut, nehmen wir an, das System, das aus der Versuchsperson, dem Zimmer, der Gebrauchsanweisung, dem Notizpapier, den Bleistiften und allen sonstigen Hilfsmitteln besteht, besitze Bewußtsein. Reißen wir die Wände des Zimmers ein und lassen die Versuchsperson im Freien arbeiten. Lassen wir sie den Text von *Was Sie tun sollten, wenn man einen chinesischen Text unter der Tür durchschiebt* auswendig lernen, und lassen Sie sie von jetzt an alle weiteren Textmanipulationen im Kopf vornehmen. Wenn Ihnen die Bleistifte verdächtig vorkommen, lassen Sie die Versuchsperson die Antworten mit den Fingernägeln in den Fußboden kratzen. Das System ist nunmehr auf einen Menschen reduziert. Kann er Chinesisch?

Das Gefährliche an Gedankenexperimenten ist ihre Bequemlichkeit, die uns in die Irre führen kann. Man muß sich vergewissern, daß der Grund dafür, daß man sich das Experiment nur vorgestellt hat, statt es durchzuführen, nicht etwas ist, das das Experiment ungültig machen würde. Die meisten Philosophen und Wissenschaftler, die sich der System-Antwort verschrieben haben, halten das für den entscheidenden Fehler an Searles chinesischem Zimmer.

Eine Seite aus den Anweisungen

Es könnte uns weiterhelfen, wenn wir die Situation etwas detaillierter analysieren. Kehren wir die Geschichte so um, daß die Versuchsperson Chinesisch zur Muttersprache hat und weder Deutsch kann noch das lateinische Alphabet kennt. (Das ist einfacher, wenn wir im folgenden davon sprechen, was Deutschkönnen bedeutet.) Nehmen wir an, die Kurzgeschichte sei eine deutsche Version der Äsop-Fabel vom Fuchs und dem Storch, und der kommende Fragebogen enthalte Fragen über die beiden Tiere. Überlegen wir, wie der Text eines (chinesischen) Handbuchs mit dem Titel *Was Sie tun sollten, wenn man einen deutschen Text unter der Tür durchschiebt* aussehen müßte.

Zunächst einmal müssen Sie lernen, das Wort «Fuchs» zu erkennen. Wir wissen, daß in einem deutschen Text nur die Worte, nicht die Buchstaben eine Bedeutung haben. Also muß ein Algorithmus, der das Nachdenken über die Personen und die Handlung einer Geschichte nachahmt, die Worte, die sie bezeichnen, isolieren und erkennen. Der deutschsprachige Leser erkennt das Wort «Fuchs» auf den ersten Blick. Das gilt nicht für den chinesischen Leser. Er muß einem umständlichen Algorithmus folgen, der in etwa so verläuft:

1. *Suchen Sie im Text nach einem Zeichen, das wie eines der folgenden Zeichen aussieht:*

F f

Haben Sie ein derartiges Zeichen entdeckt, fahren Sie mit Schritt 2 fort. Enthält der Text kein derartiges Zeichen, blättern Sie weiter auf Seite 30.761.070.711.

2. *Folgt unmittelbar rechts auf das Zeichen eine Leerstelle, gehen Sie zurück zu Schritt 1. Folgt ein weiteres Zeichen, vergleichen Sie es mit den folgenden Zeichen:*

U u

Stimmen die Zeichen überein, fahren Sie mit Schritt 3 fort. Wenn nicht, gehen Sie zurück zu Schritt 1.

3. *Folgt unmittelbar rechts auf das Zeichen aus Schritt2 eine Leerstelle, gehen Sie zurück zu Schritt 1. Wenn nicht, vergleichen Sie das nächste Zeichen mit den folgenden Zeichen:*

C c

Stimmen die Zeichen überein, fahren Sie mit Schritt 4 fort. Wenn nicht, gehen Sie zurück zu Schritt 1.

4. *Folgt unmittelbar rechts auf das Zeichen aus Schritt 3 eine Leerstelle, gehen Sie zurück zu Schritt 1. Wenn nicht, vergleichen Sie das nächste Zeichen mit den folgenden Zeichen:*

H h

Stimmen die Zeichen überein, fahren Sie mit Schritt 5 fort. Wenn nicht, gehen Sie zurück zu Schritt 1.

5. Folgt unmittelbar rechts auf das Zeichen aus Schritt 4 eine Leerstelle, gehen Sie zurück zu Schritt 1. Wenn nicht, vergleichen Sie das nächste Zeichen mit den folgenden Zeichen:

S s

Stimmen die Zeichen überein, fahren Sie mit Schritt 6 fort. Wenn nicht, gehen Sie zurück zu Schritt 1.

6. Folgt unmittelbar rechts auf das Zeichen aus Schritt 5 eine Leerstelle oder eines der folgenden Zeichen, blättern Sie weiter auf Seite 84.387.299.277. Folgt ein anderes Zeichen, gehen Sie zurück zu Schritt 1:

. , ; : ' ! ?

Diese Anweisungen haben uns nicht sehr weit gebracht, und wer weiß, wieviel komplizierter der Teil der Anweisungen sein muß, der uns beibringt, wie man sich einen Fuchs vorstellt.

Über Searles Algorithmus zum Verständnis des Chinesischen verfügen wir nicht, aber wir kennen einfachere. Ein sehr naiver Mensch, der noch nie in seinem Leben einen Taschenrechner gesehen hat, könnte auf die völlig abwegige Idee kommen, der Apparat könne denken. Man könnte ihn mit einem Searle-Experiment vom Gegenteil überzeugen. Geben Sie ihm den Schaltplan des Mikroprozessors im Rechner, und geben Sie die elektrischen Impulse an, die entstehen, wenn man mit Hilfe der Tastatur eine Rechenaufgabe eingibt. Lassen Sie ihn den Funktionen des Mikroprozessors bei einer Berechnung folgen. Der Mensch, der hier die Funktion eines Mikroprozessors nachahmt, wird das richtige Ergebnis erzielen, ohne auch nur eine Ahnung von den mathematischen Operationen zu haben, die er durchführt. Er wüßte nicht, ob er 2 plus 2 addiert oder den Hyperbelkosinus von 14,881 Grad berechnet. Die Versuchsperson wäre sich keiner abstrakten mathematischen Operation bewußt, und das gleiche gilt für den Taschenrechner. Führt jemand die System-Antwort ins Gefecht, können Sie die Versuchsperson auffordern, die Daten auswendig zu lernen und die Operation auswendig durchzuführen. Oder etwa nicht?

Seien Sie sich da nicht allzu sicher! Ein Taschenrechner kann Tausende von mechanischen Schritten durchlaufen, um eine einfache Berechnung durchzuführen. Das Experiment würde wahrscheinlich Stunden dauern. Wenn die Versuchsperson kein absolut phänomenales Gedächtnis besitzt, kann sie die Simulation des Mikroprozessors nicht auswendig durchführen. Mit an Sicherheit grenzender Wahrscheinlichkeit wird sie ein paar Zwischenresultate vergessen und alles ruinieren.

Denken Sie jetzt an die Aufgabe, vor der Searles Versuchsperson steht. Das Handbuch muß in der Tat sehr umfangreich sein. Es muß viel, viel größer sein als irgendeine Bibliothek der Welt.

Da noch niemand einen Algorithmus ausgearbeitet hat, der chinesische Zeichen so manipuliert, daß intelligente Antworten auf Fragen entstehen, wissen wir nicht, wie umfangreich und wie komplex der Algorithmus sein müßte. Wenn wir aber davon ausgehen, daß der Algorithmus menschliche Intelligenz simulieren soll, ist der Gedanke naheliegend, daß er nicht wesentlich weniger komplex sein kann als das menschliche Gehirn.

Möglicherweise spielt jedes einzelne der 100 Milliarden Neuronen eine Rolle bei tatsächlichen oder möglichen geistigen Prozessen. Wir dürfen also erwarten, daß das Handbuch zur Manipulation chinesischer Zeichen, das so funktionieren soll wie ein menschliches Gehirn, mindestens 100 Milliarden Einzelanweisungen enthalten muß. Wenn es pro Seite eine Anweisung enthält, muß es 100 Milliarden Seiten lang sein. Also sollte man sich das «Handbuch» *Was Sie tun sollten, wenn man einen chinesischen Text unter der Tür durchschiebt* realistischerweise in etwa 100 Millionen Bänden von je 1000 Seiten vorstellen. Das ist etwa zehnmal soviel wie die Bestände einer größeren Universitätsbibliothek. Offensichtlich könnte niemand so viel Material auswendig lernen. Das Ganze ginge nicht ohne Notizen und ein wohlorganisiertes Ablagesystem.

Es geht auch nicht darum, daß der Algorithmus nun einmal zufälligerweise zu umfangreich wäre. Der chinesische Algorithmus umfaßt einen großen Teil der menschlichen Denkvorgänge zusammen mit einem Grundvorrat an Allgemeinwissen (etwa: wie sich Gäste in einem Restaurant verhalten). Kann das menschliche Gehirn etwas auswendig lernen, das genau so komplex ist wie das menschliche Gehirn? Natürlich nicht! Das können Sie genausowenig schaffen, wie Sie etwas aufessen können, das größer ist als Sie selbst.

Wahrscheinlich kennen Sie Statistiken vom Typ: «Der Durchschnittsamerikaner ißt alle sechs Monate eine ganze Kuh.» Eine Kuh ist größer als ein Mensch, aber der statistische Rindfleischkonsument verzehrt immer nur ein kleines Stück von einer Kuh auf einmal. Zu keinem gegebenen Zeitpunkt ist mehr als ein kleines bißchen Kuh in Ihrem Körper. Das gleiche gilt für Searles Versuchsperson.

Da das Gehirn aus Materie besteht und Erinnerungen als chemische und elektrische Zustände dieser Materie speichert, ist seine Gedächtniskapazität begrenzt. Wir wissen nicht ganz genau, ein wie großer Teil des Gehirns für die Gedächtnisspeicherung zur Verfügung steht, aber es ist sicher nicht das ganze Gehirn und vielleicht sogar nur ein kleiner Teil davon. Andere Teile des Gehirns werden gebraucht, um mit Erinnerungen zu arbeiten, neue Sinneseindrücke aufzunehmen usw.

Offenbar sind alle diejenigen Variationen des Gedankenexperiments (ob sie nun von Searle selbst oder von seinen Kritikern stammen), in denen die Versuchsperson die Regeln auswendig lernen muß, irreführend. Sie kann nicht mehr als einen winzigen Teil des vollständigen Algorithmus auswendig lernen. Sie muß ständig auf die Anweisungen, auf ihre Notizen und auf ihr Ablagesystem zurückgreifen. Die Anweisungen werden häufig auf eine bestimmte Notiz verweisen, und wenn sie sie anschaut, wird sie kopfschüttelnd sagen: «Donnerwetter, ich kann mich überhaupt nicht daran erinnern, daß ich das geschrieben habe.» Ein andermal wird sie Kaffeeflecken auf einer Seite der Anweisungen entdecken und so wissen, daß sie das schon einmal nachgeschlagen hat, ohne sich daran zu erinnern.

Der Mensch ist letzten Endes nur ein kleiner Teil des Gesamtprozesses. Er ähnelt dem Fräulein bei der Fernsprechauskunft, die täglich Tausende von Telefonnummern nachschlägt, sich aber Sekunden später an keine mehr erinnern kann. In der Praxis liegt die gesamte Information über Telefonnummern in den Telefonbüchern; und in Searles Experiment existiert der Algorithmus hauptsächlich in den Anweisungen und Notizzetteln und nur zu einem minimalen Teil in dem Menschen selbst oder in dem winzigen Teil der Anweisungen, an die er sich in einem bestimmten Augenblick erinnern kann.

Daß der Mensch im Zimmer ein bewußtes Lebewesen ist, ist irrelevant und irreführend. Man könnte ihn durch einen Roboter ersetzen, und das brauchte nicht einmal ein raffinierter Science-fiction-Roboter zu sein. So etwas Ähnliches wie der Wahrsageautomat auf dem Jahrmarkt würde genügen. Die Tatsache, daß der Mensch kein zweites (sprachlich getrenntes) Bewußtsein erfährt, hat nicht mehr Bedeutung als die Aussage, daß dies auch für Band 441095 des Handbuchs gilt.

Das erklärt, warum der Mensch abstreitet, Chinesisch zu können. Es sagt weniger darüber aus, wie und wo Bewußtsein überhaupt im Gesamtprozeß auftaucht. Wir würden gerne auf den Notizzettel, die Anweisungen oder was auch immer zeigen und sagen können: «Das Bewußtsein ist genau da drüben, neben dem Aktenschrank.» Wir können allenfalls davon ausgehen, daß wir den Wald vor lauter Bäumen nicht sehen. Wir gleichen dem Menschen in Coles riesigem Wassertropfen, der nichts Nasses sehen kann.

Das chinesische Zimmer ist nicht nur räumlich, sondern auch und erst recht zeitlich ins Übergroße verzerrt. Stellen wir uns eine Zeitmaschine vor, die das chinesische Zimmer billionenfach beschleunigt. Dann schwirren die Seiten des Handbuchs ununterscheidbar vor dem Auge vorbei. Die Stapel von Notizzetteln scheinen organisch zu wachsen. Der Mensch in der Maschine bewegt sich schneller, als das Auge ihm folgen kann, wird zu einer Geistergestalt. Vielleicht hängt unsere Vorstellung von Geist oder Bewußtsein teilweise davon ab, daß die Ereignisse sich schneller abspielen müssen, als wir ihnen folgen können.

Eine Unterhaltung mit Einsteins Gehirn

Douglas Hofstadter hat 1981 ein Gedankenexperiment entworfen, in dem der Zustand von Einsteins Gehirn zum Zeitpunkt seines Todes und Anweisungen zur Simulation seiner Funktionen in einem Buch genau aufgezeichnet sind. Wenn man die Anweisungen genau befolgt, kann man sich auf ein (sehr langsames) postumes Gespräch mit Albert Einstein einlassen. Die Antworten, die man so bekommt, sind genau das, was Einstein gesagt hätte. Sie müssen das Buch als «Albert Einstein» und nicht als ein Buch anreden, denn es «glaubt», es sei Einstein!

In Hofstadters Gedankenexperiment wird das angeblich vorhandene Bewußtsein sauber in die zwei Komponenten Information (das Buch) und Prozeß (die Person, die den Anweisungen des Buchs folgt) aufgeteilt. Alles, was das Buch zu Einstein macht, ist im Buch. Aber offensichtlich hat das Buch, wie es da im Regal steht, kein bißchen mehr Bewußtsein als irgendein anderes Buch. Daraus ergeben sich einige spitzfindige Fragen zur «Sterblichkeit» der Searleschen Simulationen.

Nehmen wir an, jemand folge den Regeln des Buchs geduldig mit einem Tempo von soundso vielen Anweisungen pro Tag. Nach einiger Zeit stellt der Mensch das Buch zurück ins Regal und fährt für zwei Wochen in Urlaub. Ist das Buch namens «Einstein» tot?

Das Buch könnte die Unterbrechung genausowenig « bemerken », wie wir es feststellen könnten, wenn die Zeit aufhörte. Für das Buch namens Einstein spielt der Mensch der Geschichte eine analoge Rolle zu den physikalischen Gesetzen, die unsere Gehirne weiterarbeiten lassen.

Was wäre, wenn der Mensch, der die Anweisungen befolgt, das Arbeitstempo auf eine Anweisung pro Jahr senkte? Genügt das, um das Buch « am Leben » zu halten? Wie wäre es bei einer Anweisung pro Jahrhundert? Und was geschähe, wenn sich die Pause zwischen zwei Anweisungen jedesmal verdoppelte?

12. ALLWISSENHEIT

Newcombs Paradox

Es gibt kaum einen Begriff, der so viel Paradoxes in sich birgt wie derjenige der Allwissenheit. Die meisten Kulturen kennen den Glauben an ein oder mehrere höhere Wesen, die mit der Gabe allumfassenden Wissens ausgestattet sind. Aber Allwissenheit führt leicht zum Widerspruch. Das mag zum Teil daran liegen, daß jede Vorstellung von absoluter Vollkommenheit einen seltsamen Beigeschmack des Widernatürlichen hat. Allwissenheit aber, wenn anders es sie denn geben sollte, hat einige unerwartete Konsequenzen.

Das verblüffendste Allwissenheitsparadox in der neueren Diskussion hat der Physiker William A. Newcomb 1960 veröffentlicht und damit einen Gelehrtenstreit entfesselt, von dem das *Journal of Philosophy* als «Newcombmanie» sprach. Newcombs Paradox befaßt sich nicht nur mit den Standardfragen von Erkenntnis und Vorhersagbarkeit, sondern eröffnet zugleich einen neuen Zugang zum Problem der Willensfreiheit.

Bevor wir auf Newcombs Paradox selbst eingehen, wollen wir uns mit zwei verwandten, aber einfacher strukturierten Themen beschäftigen, die der Spieltheorie, der abstrakten Untersuchung von Konfliktsituationen, entstammen.

Das Paradox der Allwissenheit

Das Paradox der Allwissenheit beruht auf der überraschenden Tatsache, daß es nicht immer vorteilhaft ist, allwissend zu sein. Es läßt sich anhand eines jener lebensgefährlichen Spiele beschreiben, mit denen sich amerikanische Jugendliche der fünfziger Jahre in der Praxis und amerikanische Spieltheoretiker der gleichen Generation in der Theorie beschäftigt haben. Die Teenager sprachen vom «chicken game». Es geht um jene jugendliche Herausforderung, bei der zwei Konkurrenten in Autos des gleichen Typs auf dem Mittelstreifen einer verlassenen Landstraße aufeinander zurasen. Weicht keiner aus, kommt es zum Zusammenstoß, und beide sterben. Das will keiner von beiden. Es geht darum, die eigene Männlichkeit zu beweisen, indem man den Gegner zum Ausweichen zwingt, ohne selbst auszuweichen. Denn die wirkliche Katastrophe ist natürlich unerwünscht. Gelingt dies nicht, gibt es zwei alternative Lösungen. Wenn Sie und Ihr Gegner gleichzeitig den Mut verlören, wäre das nicht das Schlimmste, was passieren könnte. Auf alle Fälle würden Sie überleben und müßten nicht einmal mit der Schande leben, als einziger Feigheit vor dem Feind gezeigt zu haben. Natürlich wäre selbst diese zweite und extreme Lösung immer noch besser als der Tod auf der Landstraße.

Ein Spiel wie «chicken» ist für den Spieltheoretiker deshalb interessant, weil es in die kleine Gruppe fundamentaler Situationen gehört, in denen die beste Strategie nicht unmittelbar auf der Hand liegt. Sind beide Teilnehmer am Spiel normale Sterbliche, befinden sie sich in völlig gleichartiger Lage. Langfristig gesehen ist die intelligenteste Lösung für jeden von beiden, auszuweichen und darauf zu hoffen, daß der Gegner klug genug ist, das gleiche zu tun. Weigert sich einer der beiden Fahrer auszuweichen, wird sein Gegner möglicherweise aus Rachedurst in der nächsten Runde das gleiche tun, was zu unerfreulichen Folgen für beide führt. Einfacher ausgedrückt: Niemand, der Mut zeigt, wird die Pubertät überleben.

Stellen Sie sich nunmehr vor, Ihr Gegner bei der Mutprobe sei allwissend. Er kann aufgrund seiner hellseherischen Begabung jede Ihrer Handlungen mit absoluter Sicherheit vorhersagen. (Sie sind natürlich weiterhin ein normaler Sterblicher.) «O weh!» denken Sie, «jetzt sitze ich in der Tinte. Schließlich geht es ja bei dem ganzen Spiel nur darum zu erraten, was der andere tun wird.»

Dann wälzen Sie Ihr Problem ein wenig in Gedanken, und plötzlich fällt Ihnen auf, daß Sie einen unschlagbaren Vorteil haben. Wenn Ihr Gegner allwissend ist, ist Ausweichen töricht. Er wird vorhersehen, daß Sie ausweichen, wird deshalb nicht ausweichen, und Sie werden verlieren.

Für Sie ist es strategisch günstiger, nicht auszuweichen. Herr Allwissend, der das voraussieht, hat nur zwei Möglichkeiten: Er kann ausweichen und (beschämt) überleben oder nicht ausweichen und sterben. Ist er voll bei Verstand und wird nicht von Selbstmordgedanken geplagt, kann er nur ausweichen. Erstaunlicherweise befindet sich hier der allwissende Teilnehmer am Spiel im Nachteil.

Das Allwissenheitsparadox belegt nur die Binsenwahrheit, daß der gesunde Menschenverstand nicht immer recht hat. Die Schlußfolgerung mag überraschend sein, aber sie ist logisch unangreifbar und den Einwänden nicht ausgesetzt, die man gegen die Gedankengänge des Gefangenen im Paradox der unerwarteten Hinrichtung geltend machen kann. Der allwissende Fahrer kann seinen Nachteil auch nicht durch Verhandlungen ausgleichen. Stellen wir uns vor, die beiden Fahrer versuchten, sich vor der tödlichen Partie zu verständigen. Dann stehen ihm zwei Verhandlungspositionen offen:

1. «Tu mir einen Gefallen!» Er kann es darauf ankommen lassen und drohen, er werde nur ausweichen, wenn auch Sie ausweichen.

2. «Denken wir an die Zukunft!» Er kann sich auf Ihre Vernunft (oder Grundkenntnisse der Spieltheorie) verlassen und

sagen: «Also gut, wenn du nicht ausweichst, könntest du diesmal damit durchkommen. Aber du solltest an die Zukunft denken. Das einzige, womit wir auf die Dauer beide Erfolg haben können, ist, daß wir beide ausweichen.»

Die erste der beiden Drohgebärden hat keinen Biß. Der allwissende Fahrer kann sich aufspielen, soviel er will. Wenn er wirklich im voraus weiß, daß Sie nicht ausweichen werden, wird er dann wirklich nicht ausweichen und sich selbst umbringen? Wohl kaum, es sei denn, er sei ein Selbstmörder.* Die zweite strategische Möglichkeit, anscheinend das genaue Gegenteil der ersten, ist genauso fehlbar wie die erste. Sie brauchen sich nur zu entschließen, auf keinen Fall auszuweichen, und schon steht der allwissende Gegner wieder vor der Entscheidung, auszuweichen oder zu sterben.

Ähnliche Situationen, in denen sich Allwissenheitsparadoxe ergeben, werden mehrfach im Alten Testament geschildert. Adam, Eva, Kain, Saul und Moses fordern einen allwissenden Gott heraus, der ihnen verkündet hat, daß Ungehorsam zwar kurzfristige Freuden verspricht, langfristig aber zur Katastrophe führen muß. Das Paradox wird durch die Tatsache abgeschwächt, daß die allwissende Gottheit zugleich allmächtig und daher wohl auch imstande ist, alle Nachteile zu überwinden, die sich aus ihrer Allwissenheit ergeben.

Ein Herausforderungsspiel wie «chicken» wird auch heute noch ständig gespielt. Spieltheoretiker haben die Kubakrise von 1962, in der die USA und die Sowjetunion einander einer Mutprobe unterzogen, auf die gleichen Regeln zurückgeführt.

* Daraus ließe sich eine dritte Strategie entwickeln, die in der Vorspiegelung von Suizidneurosen besteht. Wenn der allwissende Gegenspieler Sie davon überzeugen kann, daß er sterben will, müssen Sie ausweichen, um Ihr eigenes Leben zu retten. Das ist ein eleganter Ausweg, aber er verstößt gegen die Regeln. Nach der spieltheoretischen Definition von «chicken» sind die tatsächlichen Prioritäten beider Mitspieler bekannt.

In geopolitischem Kontext läßt das Allwissenheitsparadox den Wert von Spionageorganisationen fragwürdig erscheinen. Ein allwissender Staat könnte in bestimmten Situationen im Nachteil sein (wohlgemerkt, das Paradox behauptet nicht, Allwissenheit sei immer nachteilig). Damit ein Paradox entsteht, muß ein Staat A über ein so ausgedehntes Spionagenetz verfügen, daß er von jeder wichtigen Entscheidung im Staat B erfährt. Der Staat B muß wissen, daß er hoffnungslos unterwandert ist und nichts vor Staat A geheimhalten kann. (Der nicht-allwissende Partner muß immer wissen, daß sein Gegner allwissend ist, wenn das Paradox eintreten soll.) Gerade das aber läßt seltsamerweise das Paradox in der Realität nur selten auftreten: Wenige Regierungen werden bereit sein, öffentlich zuzugeben, daß ihre Spionageabwehr nichts taugt.

Das Gefangenendilemma

Newcombs Paradox entstand aus seinen Überlegungen zu einer anderen bekannten Situation der Spieltheorie, dem sogenannten «Gefangenendilemma», auf das wir hier kurz eingehen wollen.

Im Gefangenendilemma werden zwei Übeltäter wegen eines Verbrechens verhaftet. Die Polizei verhört die Gefangenen getrennt, so daß sie kein gemeinsames Alibi ausarbeiten können. Jedem der beiden Gefangenen wird ein Geschäft vorgeschlagen. Der korrupte Polizeipräsident sucht nach einem Sündenbock. Wenn der Gefangene ein Geständnis ablegt, wird man ihn laufen lassen. (Es sei denn, sein Komplize lege ebenfalls ein Geständnis ab.) Jeder Gefangene muß seine Entscheidung ohne Rücksprache mit seinem Komplizen treffen, weiß aber, daß diesem das gleiche Geschäft angeboten wird. Was ist die günstigste Entscheidung, die der Gefangene treffen kann?

Individuell gesehen ergibt sich für jeden der beiden Gefangenen das günstigste Resultat, wenn er gesteht und sein Komplize nicht gesteht. Dann hat er mit der ganzen Affäre nichts mehr zu tun. Am schlimmsten ist dagegen, derjenige zu sein, der kein Geständnis ablegt. Wenn er sich auf das Geständnis des Komplizen stützen kann, wird der Richter die gesetzliche Höchststrafe gegen den verstockten Lügner verhängen.

Fast genau so schlimm ist es, wenn beide gestehen. Dann werden beide verurteilt. Dennoch ist keiner von beiden ganz so übel dran, wie wenn sein Komplize ganz unbeschadet davonkäme. Der Zorn des Gesetzes teilt sich auf zwei Schuldige auf. Relativ günstig läßt sich die Sache auch dann für beide an, wenn keiner von ihnen gesteht. Die Polizei wird die beiden weiterhin verdächtigen, aber vielleicht werden die Beweise nicht für eine Verurteilung ausreichen.

Das Gefangenendilemma befaßt sich mit dem Konflikt zwischen dem Wohl des einzelnen und dem Gemeinwohl. Eigentlich sollten die Gefangenen kein Geständnis ablegen, weil das für beide gemeinsam das Beste ist. Aber wenn er annimmt, daß der andere nicht gestehen wird, steht jeder von ihnen vor der Versuchung, seine eigene Lage zu verbessern und sich als Kronzeugen zur Verfügung zu stellen. Die Fälle, in denen dies Dilemma im wirklichen Leben auftritt, sind so zahlreich und offensichtlich, daß wir sie nicht aufzuzählen brauchen.

Offenbar sind das Gefangenendilemma und das Allwissenheitsparadox eng verwandt. Beide Male stehen die Teilnehmer vor der Versuchung, etwas zu tun, das katastrophale Folgen haben muß, wenn es beide tun (Nichtausweichen, Kronzeuge werden). Nennen wir das «abtrünnig werden». Bei «chicken» ergibt sich das schlimmstmögliche Ergebnis, wenn beide Teilnehmer abtrünnig werden. Im Gefangenendilemma erwartet Sie das schlechteste Resultat, wenn der andere abtrünnig wird und Sie nicht. Die Versuchung, abtrünnig zu werden, ist also im Gefangenendilemma größer. Wenn Sie bei «chicken» wissen, daß Ihr (allwissender) Gegner abtrünnig werden wird, können Sie nichts tun, als die Zähne zusammenzubeißen und nicht abtrünnig zu werden. Beim Gefangenendilemma ist das Wissen darum, daß der Komplize abtrünnig werden wird, ein zusätzlicher Grund, selber abtrünnig zu werden.

Newcombs Paradox

Newcombs Paradox geht folgendermaßen: Ein Hellseher behauptet, Ihre Gedanken und Handlungen Tage im voraus vorhersehen zu können. Wie die meisten Hellseher erhebt er keinen Anspruch auf vollkommene Zuverlässigkeit. Er behält in etwa 90% aller Fälle recht. Sie haben sich bereit erklärt, an einem ungewöhnlichen Experiment teilzunehmen. Ein Fernsehprogramm gibt Ihnen die Gelegenheit dazu und setzt eine hohe Summe als Gewinn aus. Sie brauchen nichts zu tun, als sich an die Versuchsregeln zu halten.

Auf einem Tisch vor Ihnen stehen zwei Kästen: A und B.

Im Kasten A ist ein Tausendmarkschein. Kasten B enthält entweder eine Million Mark, oder er ist leer. Sie können nicht hineinsehen. Sie müssen aus eigenem freiem Willen (falls es so etwas gibt) entscheiden, ob Sie nur den Kasten B oder beide Kästen nehmen wollen. Andere Alternativen sind nicht gegeben.

Der Haken ist, daß der Hellseher vor vierundzwanzig Stunden vorhergesagt hat, was Sie tun werden. Er hatte zu entscheiden, ob die Million im Kasten B ist. Wenn er vorhergesehen hat, daß Sie nur den Kasten B nehmen werden, hat er die Million in den Kasten gelegt. Wenn er vorhergesehen hat, daß Sie beide Kästen nehmen werden, hat er den Kasten B leer gelassen.

Ihnen persönlich ist es vollkommen egal, ob seine hellseherischen Fähigkeiten bestätigt oder widerlegt werden. Sie wollen nichts weiter, als mit so viel Geld wie möglich aus dem Experiment herauskommen. Sie sind weder so reich noch so bedürfnislos, daß Ihnen Geld nichts bedeutet. Die tausend Mark im

Kasten A sind viel Geld für Sie. Die Million stellt ein Vermögen dar.

Die Testbedingungen werden sorgfältig eingehalten und gründlich überprüft. Sie brauchen nicht daran zu zweifeln, daß in Kasten A tausend Mark sind. Kasten B kann, je nach der Voraussage des Hellsehers, entweder eine Million Mark oder gar nichts enthalten. Niemand versucht, Sie zu betrügen. Als der Hellseher seine Voraussage machte, geschah dies in Gegenwart eines zuverlässigen Zeugen, der sich davon überzeugt hat, daß die Regeln eingehalten wurden.

Mit derselben Sicherheit wird man auch Sie daran hindern, die Spielregeln zu umgehen. Bewaffnete Wächter werden dafür sorgen, daß Sie sich nicht irrational verhalten und, zum Beispiel, keinen der beiden Kästen nehmen. Sie können den Hellseher auch nicht dadurch betrügen, daß Sie Ihre Wahl auf irgend etwas anderes stützen als Ihre eigenen Schlußfolgerungen. Sie dürfen nicht einfach eine Münze werfen oder Ihre Entscheidung davon abhängig machen, ob das Datum gerade oder ungerade ist. Sie müssen die Situation analysieren und die günstigere, weil erfolgversprechendere Alternative wählen. Natürlich hat der Hellseher Ihre Überlegungen vorhergesehen. Was sollten Sie tun: Sollten Sie beide Kästen oder nur den Kasten B nehmen?

Reaktionen

Eine mögliche Reaktion auf das Paradox ist die folgende: Hellsehen! Wer glaubt schon an so einen Käse? Also ist das ganze Getue um die «Vorhersage» vollkommen irrelevant. Worauf es herausläuft, ist ganz einfach: Es gibt zwei Kästen, sie könnten Geld enthalten, und es steht Ihnen frei, sie zu nehmen.

Es wäre dumm, nur den Kasten B zu nehmen, wenn im Kasten A unter Garantie tausend Mark sind. Das wäre, als wollte man einen Tausendmarkschein, der auf der Straße liegt, nicht aufheben. Der Inhalt von Kasten B (falls es einen gibt) wird nicht verschwinden, wenn Sie beide Kästen nehmen. Niemand, nicht einmal der Hellseher, hat von Telekinese oder dergleichen geredet. Die Kästen sind vor vierundzwanzig Stunden versiegelt worden. Sie sollten beide nehmen.

Es gibt auch gute Gründe dafür, nur den Kasten B zu nehmen. Denken Sie daran, daß der Hellseher bisher meistens recht gehabt hat. Das ist eine der Ausgangsbedingungen. Es besteht eine hohe Wahrscheinlichkeit, daß er vorhergesehen hat, daß Sie beide Kästen nehmen; dann bekommen Sie einen Tausender. Und ein leichtgläubiger Trottel, der an übersinnliche Kräfte glaubt, würde eine Million kriegen.

Was wäre, wenn das Experiment schon Hunderte von Malen durchgeführt worden wäre und der Hellseher immer recht behalten hätte? Das sollte nichts an der Situation ändern, denn die Zuverlässigkeit des Hellsehers war ja einkalkuliert. Buchmacher nehmen Wetten auf das Ergebnis des Experiments an. Falls Sie nur den Kasten B nehmen, schließen Sie Wetten im Verhältnis 9 : 1 darauf ab, daß der Kasten die Million enthalten wird. Wenn Sie beide Kästen nehmen, stehen die Chancen 9 : 1 gegen Sie. Die Buchmacher haben die Wettquoten nicht aus schierer Menschenliebe so festgelegt. Es handelt sich um die reale Wahrscheinlichkeit, soweit sie irgend jemand berechnen kann.

Da es bei dem Experiment nur um Geld geht, kann man die Gründe dafür, nur den Kasten B zu nehmen, in Mark und Pfennig berechnen. Wenn Sie beide Kästen nehmen, gewinnen Sie mit Sicherheit eintausend Mark (Kasten A) und haben eine zusätzliche Chance von 10 %, eine Million zu gewinnen – wenn nämlich der Hellseher irrtümlicherweise vorausgesagt hat, daß Sie nur den Kasten B nehmen werden.

Bei normaler Berechnung durchschnittlicher Wettquoten hat eine zehnprozentige Chance, eine Million zu gewinnen, einen Spielwert von 100 000 Mark. Also ist der zu erwartende Gesamtgewinn, wenn Sie beide Kästen nehmen, 1000 plus 100 000 oder 101 000 Mark.

Wenn Sie statt dessen nur den Kasten B nehmen, haben Sie eine neunzigprozentige Chance, daß der Hellseher recht gehabt und eine Million Mark in den Kasten gelegt hat. Das macht einen durchschnittlichen Spielwert von 900 000 Mark aus. Es spricht also alles dafür, daß Sie nur den Kasten B nehmen sollten. Je höher die bisherige Erfolgsquote des Hellsehers ist, desto größer sind Ihre Gewinnaussichten, wenn Sie nur den Kasten B nehmen. Wenn er in 99 % aller Fälle recht behält, haben die jeweiligen Alternativen einen Wert von 11 000 Mark (beide Kästen) beziehungsweise 990 000 Mark (nur Kasten B). Im Grenzfall, also wenn er immer recht behält, kommt das Spiel auf die Wahl zwischen 1000 Mark (beide Kästen) und 1 000 000 Mark (nur Kasten B) heraus.

Bisher ist es niemand gelungen, die beiden einander entgegengesetzten Strategien zufriedenstellend gegeneinander abzuwägen. Die Vielfältigkeit und Ausgeklügeltheit der vorgeschlagenen Auflösungen für Newcombs Paradox ist wohl einzigartig. Eine der bizarrsten unter den ernsthaft vorgeschlagenen Erklärungen lautet, die versiegelten Kästen stellten die gleiche Situation dar wie Schrödingers Katze: Sie seien weder voll noch leer, bevor sie geöffnet werden.

Die konventionelle Analyse, wie sie für das Gefangenendilemma vorliegt, steht hier aus. Beachten Sie die Übereinstimmungen! Wie die beiden Gefangenen sollten Sie und der Hellseher eigentlich «kooperieren», indem Sie nur den Kasten B vorhersehen und dann wählen. Aber wenn Sie annehmen, daß der Hellseher sich kooperativ verhalten hat, sind Sie ernsthaft versucht, sich zusätzlich zu bereichern, indem Sie beide Kästen nehmen. Es ist einer der Grundsätze der Spieltheorie, daß man in der Situation des Gefangenendilemmas nie der erste sein sollte, der abtrünnig wird. Aber wie sollte sich dieser Ratschlag hier auswirken? Der Hellseher hat bereits gehandelt, und es gibt keine zukünftigen Folgen, über die Sie sich den Kopf zerbrechen müßten.

Man hat eine Anzahl von Variationen der Grundsituation vorgeschlagen, um die richtige Vorgehensweise deutlicher zu machen. Es kann ein Wesen von einem anderen Stern sein, das die Voraussage macht, Gott, der langjährige Ehepartner, der «genau weiß, was Sie denken», oder auch ein Computer, der mit ausführlichen Informationen über den Zustand aller Neuronen in Ihrem Gehirn gefüttert worden ist. Man kann auch die Trefferquote desjenigen, der Ihre Entscheidung vorhersagen soll, von 50 bis 100 Prozent variieren und sehen, welchen Unterschied das macht. Manche Variationen ergeben eine deutliche Präferenz für eine der beiden Alternativen, aber keine davon hebt das Paradox auf.

Das Paradox hängt vom Glauben an die Zuverlässigkeit desjenigen ab, der die Vorhersage macht. Nehmen wir einmal an, der «Hellseher» habe keinerlei übersinnliche Kräfte und werfe einfach eine Münze, um zu entscheiden, ob er die Million in den Kasten B legen soll oder nicht. In diesem Fall ist es klar, daß Sie beide Kästen nehmen sollten, ob der Hellseher nun recht gehabt hat oder nicht. Sie sind beide Male um 1000 Mark reicher, wenn Sie beide Kästen nehmen. Wenn Sie die Wettchancen berechnen, ergibt sich die gleiche Schlußfolgerung. Wenn Sie beide Kästen nehmen, haben Sie sichere 1000 Mark plus eine fünfzigprozentige Chance, eine Million zu bekommen (insgesamt 501 000), nehmen Sie nur den Kasten B, sind es fünfzig Prozent von einer Million (also 500 000 Mark).

Weiterhin geht das Paradox von der Annahme aus, daß die Zuverlässigkeit des Hellsehers groß genug ist, um den Verlust des sicheren Gewinns im Kasten A auszugleichen. Bei den genannten Summen ist dafür eine Zuverlässigkeit von mehr als 50,05 % erforderlich. Allgemein gesprochen muß die Zuverlässigkeit mindestens (A + B) geteilt durch 2 B betragen, wenn A die Geldsumme im Kasten A ist und B die Summe, die entweder im Kasten B ist oder nicht.

Die Gründe dafür, beide Kästen zu nehmen, werden überzeugender, wenn der Kasten A aus Glas besteht und der Kasten B ein Glasfenster auf der Ihnen abgewandten Seite hat. Sie können sich selbst davon überzeugen, daß die tausend Mark im Kasten A sind. Eine Nonne, die ein Aufrichtigkeitsgelübde abgelegt hat, sitzt am anderen Tischende und kann durch das Fenster in den Kasten B hineinsehen. Die Nonne darf den Inhalt von Kasten B weder durch ihren Gesichtsausdruck noch sonstwie verraten, aber nach Abschluß des Experiments wird sie bestätigen können, daß das Geld nicht in dem Augenblick, in dem Sie Ihre Wahl getroffen haben, verschwunden oder aus dem Nichts aufgetaucht ist. Würde es Ihnen unter diesen Umständen nicht töricht vorkommen, nur den Kasten B zu nehmen? Der Hellseher hat sich bereits festgelegt. Die Nonne wird sehen, wie Sie entweder sichere tausend Mark liegenlassen und einen leeren Kasten B nehmen – dann kommen Sie sich wirklich dumm vor – oder zwar eine Million bekommen, aber immer noch grundlos tausend Mark liegenlassen.

Vor Beginn des Experiments haben Sie angekündigt, daß Sie 10 % Ihres Gewinns für ein Waisenhaus spenden werden. Die Nonne, die den Inhalt beider Kästen sieht, betet stumm darum, daß Sie das tun, was die größere Spende ergibt. *Es kann überhaupt kein Zweifel daran bestehen, was Sie nach dem Willen der Nonne tun sollen.* Sie will, daß Sie beide Kästen nehmen. Unabhängig davon, was sie sieht, bringt es den Waisen einhundert Mark mehr ein, wenn Sie beide Kästen nehmen.

In einer weiteren Variante, die Newcombe selbst vorgeschlagen hat, sind beide Kästen rundum aus Glas. Kasten B enthält einen Zettel, auf den eine sehr große ungerade ganze Zahl geschrieben ist. Die Sponsoren haben versprochen, dem Überbringer dieses Zettels eine Million Mark auszuzahlen, falls es sich um eine Primzahl handelt. Der Hellseher hat die Zahl so ausgewählt, daß sie nur dann eine Primzahl sein wird, wenn er vorhergesehen hat, daß Sie nur den Kasten B wählen werden. Sie können die Zahl sehen und dürfen sie für sich notieren, aber Sie dürfen erst feststellen, ob es eine Primzahl ist, nachdem Sie sich entschieden haben. Eine mathematische Tatsache wird sich sicherlich nicht ändern. Die Zahl ist älter als das Universum. Nichts, das irgendeiner von uns auf diesem unbedeutenden Planeten tut, wird irgend etwas im ewigen Reich der Mathematik verändern. Diese Version des Paradoxons ist die letzte Möglichkeit, alle Zweifel aufzuheben, die etwa dahin gingen, daß Ihre Entscheidung die Vorhersage im Zuge irgendeiner seltsamen rückwärtsgerichteten Kausalität beeinflußt haben könnte.

Wie das chronische Klopfen im Getriebe Ihres Autos geht auch das Paradox nicht weg, wenn Sie anfangen, es auseinanderzunehmen. Nehmen wir an, die Veranstalter des Experiments wollten Ihnen die Sache etwas leichter machen. Unter den veränderten Spielregeln dürfen Sie zunächst den Kasten B öffnen und können sich erst dann entscheiden, ob Sie auch den Kasten A nehmen wollen; ja, man fordert Sie geradezu dazu auf, dies zu tun. Nachdem Sie Kasten B geöffnet und gesehen haben, was darin ist, können Sie Ihre Million (falls sie darin war) fest umklammern, ja sie sogar auf Ihr Bankkonto einzahlen, wenn Sie immer noch den törichten Verdacht hegen, das Geld könne plötzlich ins Blaue hinein verschwinden. Erst danach müssen Sie sich entscheiden, ob Sie auch die tausend Mark im anderen Kasten nehmen wollen.

Sind wir uns nicht alle einig darüber, daß man vollkommen wahnsinnig, debil und unzurechnungsfähig sein müßte, u[illegible] den Kasten A nicht zu nehmen? Natürlich werden Sie ihn n[illegible]men, wenn Sie feststellen, daß Kasten B leer ist. Es wä[illegible] aber genauso unvernünftig, Kasten A nicht zu nehmen, na[illegible]em Sie Ihre Million kassiert und auf die Bank gebracht ha[illegible]

Auch wenn wir uns darüber alle einig sind, si[illegible] [illegible]rmutlich [illegible] es immer nicht alle Menschen vernünftig. Gelegentlich[illegible]n findet und noch einen Trottel, der Kasten B öffnet, eine[illegible]n Trottel Ka- Kasten A nicht nimmt. Natürlich wird se[illegible] sten A nehmen, wenn er Kasten B geöffnet und nichts darin gefunden hat.

Bei Voraussagen über menschliches Handeln erhebt sich die Frage der Willensfreiheit. Den freien Willen können wir aus Newcombs Paradox folgendermaßen eliminieren: Der «Hellseher» besitzt die Fähigkeit, die er beansprucht, in Wirklichkeit nicht. Er kann nichts vorhersehen. Statt dessen besitzt er einen Apparat, mit dem er die Versuchsperson dazu bringen kann, die Alternative zu wählen, die er bestimmt hat. Der Hellseher entscheidet, daß Sie beide Kästen nehmen werden, präpariert sie entsprechend und zwingt Sie dann durch Knopfdruck dazu, beide Kästen zu nehmen.

Damit fällt der Einwand weg, die Vorhersage in Newcombs Paradox sei einfach unmöglich. Natürlich können wir jetzt nicht mehr fragen: «Was würden Sie tun?» Sie würden das tun, was der Hellseher beschlossen hat, daß Sie tun sollen. Wir können allenfalls noch fragen: «Wer wären Sie lieber, ein Zombie, der tausend Mark bekommt, oder ein Zombie, der eine Million bekommt?» Natürlich würden Sie lieber eine Million bekommen. Wenn Sie schon auf Ihren freien Willen verzichten, wollen Sie wenigstens anständig dafür bezahlt werden.

Wenn Sie bisher keine Einwände hatten, macht es dann eigentlich einen echten Unterschied, wie der Hellseher seine Trefferquote erzielt, durch Vorhersage oder durch Gedankenkontrolle? Ihnen geht es nur ums Geld, nicht darum, irgendeine bedeutsame Aussage über das Universum und den menschlichen Geist zu machen. Sollten Sie also nicht auf alle [illegible]lle den Kasten B nehmen, selbst wenn es keine Gedankenko[illegible]rolle gibt und Sie Willensfreiheit genießen?

M[illegible] ist sich bis heute nicht über Newcombs Paradox einig gewo[illegible]n. Der Unterschied zwischen den Anhängern der Beide-[illegible]en-Theorie und der Nur-Kasten-B-Theorie ist, daß jederma[illegible]der nur Kasten B nehmen würde, erwartet, die Million zu b[illegible]men. Die Leute mit den zwei Kästen verteilen sich auf di[illegible]igsamen Menschen, die nur tausend Mark erwarten, und diejenigen, die sich einbilden, ihre Chance auf die Million sei größer, als in den Spielregeln angegeben.

Wenn ich wirklich davon überzeugt wäre, daß die von Newcomb beschriebene Situation real existierte, würde ich nur den Kasten B nehmen. Ich behaupte nicht, das sei «richtig»; ich sage nur, ich würde es tun. Es scheint sich um die beliebtere unter den beiden Möglichkeiten zu handeln, und es entspricht der spieltheoretischen Analyse des Gefangenendilemmas, sofern das etwas zu bedeuten hat. Newcomb war der Ansicht, man solle nur den Kasten B nehmen. Viele Philosophen sind anderer Meinung.

Nozicks zwei Prinzipien der Entscheidung

Eine der tiefschürfendsten Analysen des Paradoxons findet sich in Robert Nozicks 1969 veröffentlichtem Artikel «Newcomb's Problem und Two Principles of Choice». Nozick weist darauf hin, daß das Paradox zwei bewährte Prinzipien der Spieltheorie gegeneinander ausspielt. Das eine Prinzip ist das der Dominanz: Wenn eine bestimmte Strategie unter allen Umständen besser ist als eine andere, dann sagt man, sie dominiere die andere Strategie; das bedeutet, daß man sie der anderen vorziehen sollte. Hier dominiert die Strategie, beide Kästen zu nehmen, gegenüber der Strategie, nur Kasten B zu nehmen. Egal was der Hellseher getan hat, Sie sind um tausend Mark reicher, wenn Sie beide Kästen nehmen.

Genauso bewährt ist aber auch das Prinzip des erwarteten Nutzens. Es besagt, daß Sie bei Berechnung der Gewinne aus alternativen Strategien (wie wir sie oben vorgenommen haben) die Strategie wählen sollten, die den höheren erwarteten Gewinn verspricht. Niemand hatte vorausgesehen, daß die beiden Prinzipien in Widerspruch zueinander geraten könnten.

Aber so einfach ist es nicht. Ob eine Strategie eine andere dominiert, kann davon abhängen, wie man die Lage beurteilt.

Nehmen wir an, Sie stünden vor der Wahl, auf eines von zwei Pferden, Cremeschnitte und Sahnetörtchen, zu wetten. Die Wette auf Cremeschnitte kostet fünf Mark, und Sie gewinnen fünfzig Mark (plus Ihren Einsatz), wenn er siegt. Die Wette auf Sahnetörtchen kostet sechs Mark, und wenn er siegt, gewinnen Sie neunundvierzig Mark. Tabellarisch sieht das so aus:

	Sieg für Cremeschnitte	Sieg für Sahnetörtchen
Wette auf Cremeschnitte	Gewinn DM 50,–	Verlust DM 5,–
Wette auf Sahnetörtchen	Verlust DM 6,–	Gewinn DM 49,–

Was sollten Sie in diesem Fall tun? Keine der beiden zugelassenen Wetten dominiert. Es ist offenbar günstiger, auf Cremeschnitte zu wetten, wenn Cremeschnitte gewinnt, und günstiger, auf Sahnetörtchen zu wetten, wenn Sahnetörtchen gewinnt. In diesem Fall muß man sich an das Prinzip des erwarteten Nutzens halten und die Siegeschancen beider Pferde mit in die Rechnung einbeziehen. Nehmen wir an, Sahnetörtchen hätte eine neunzigprozentige Chance, Sieger zu werden, und Cremeschnitte nur eine Chance von zehn Prozent. Dann würden Sie ja wohl mit Sicherheit auf Sahnetörtchen setzen.

Betrachten wir das unter einem anderen Aspekt. Statt die mögliche Lage der Dinge nach dem Pferd zu bestimmen, das Sieger wird, sprechen wir einmal von Ihrem Spielerglück. Berechnen wir Ihren Gewinn oder Verlust, wenn Sie Glück oder Unglück bei Ihrer Wette haben.

	Ihr Pferd siegt	Ihr Pferd verliert
Wette auf Cremeschnitte	Gewinn DM 50,–	Verlust DM 5,–
Wette auf Sahnetörtchen	Gewinn DM 49,–	Verlust DM 6,–

Diesmal ist die Wette auf Cremeschnitte die dominante Strategie über die Wette auf Sahnetörtchen. Wenn Ihr Pferd siegt, gewinnen Sie eine Mark mehr, wenn es verliert, verlieren Sie eine Mark weniger.

Irgend etwas stimmt da nicht. Beide Tabellen beschreiben die Gewinne korrekt. Es könnte sich um einen ähnlichen Unterschied handeln wie zwischen Goodmans «graun» und dem realen «grün». Aber beide Arten, die Lage zu bestimmen (nach dem Namen des Siegers oder danach, ob Ihr Pferd siegt oder verliert), entsprechen der natürlichen Sprache, es sind keine künstlichen Kategorien wie «graun» und «blün».

Nozick nahm an, der Widerspruch gehe auf die Tatsache zurück, daß die zweiten Sachlagen (Ihr Pferd siegt/Ihr Pferd verliert) nicht «wahrscheinlichkeitstheoretisch unabhängig» von Ihrer Entscheidung sind. Ihre Wahl des Pferdes, auf das Sie setzen wollen, beeinflußt Ihre Chance, Glück oder Unglück zu haben. Cremeschnitte ist der Außenseiter. Wenn Sie auf ihn setzen, haben Sie eine gute Chance, Unglück zu haben. Wenn Sie auf den Favoriten Sahnetörtchen setzen, steigen Ihre Chancen, Glück zu haben.

Daraus schloß Nozick, man könne das Prinzip der Dominanz nur dann gültig anwenden, wenn die Entscheidung das Ergebnis nicht beeinflußt. Wenden wir diese Regel probeweise auf Newcombs Paradox an. Das Prinzip der Dominanz, demzufolge Sie beide Kästen nehmen sollten, ist unzuverlässig, wenn Ihre Wahl die Vorhersage des Hellsehers beeinflussen kann. Das wäre nur dann möglich, wenn es eine rückwärtsgerichtete Kausalität gäbe. Das aber gilt allgemein als unmöglich. Die Regel versagt bei der Auflösung des Paradoxons.

Nozick untersuchte dann weitere faszinierende Gedankenspiele. Es ist möglich, daß Ihre Entscheidung keine Kausalwirkung auf das Ergebnis hat, aber dennoch wahrscheinlichkeitstheoretisch mit ihm verknüpft ist.

Was wäre mit einem Hypochonder, der die Symptome aller bekannten Krankheiten auswendig gelernt hat und sich folgendes überlegt: «Ich habe Durst. Ich glaube, ich sollte ein Glas Wasser trinken. In letzter Zeit habe ich überhaupt viel getrunken. O weh! Übermäßiger Durst ist ein Symptom für Diabetes. Will ich wirklich Wasser trinken? Ich glaube, nein.»

Wir sind uns darüber einig, daß das lächerlich ist. Wassertrinken verursacht keinen Diabetes. Es ist vollkommen absurd, die Frage, ob man ein Glas Wasser trinken will, von pathologischen Korrelationen abhängig zu machen. Das heißt nicht, daß die pathologischen Korrelationen ungültig seien. Der Durst nach Wasser ist eine (extrem geringe) Bestätigung für die Hypothese, man habe eine Krankheit, zu deren Symptomen der Durst nach Wasser gehört. Der Trugschluß liegt darin, die Entscheidung von diesen Korrelationen abhängig zu machen. Der Hypochonder behandelt im wörtlichen Sinne die Symptome statt der Krankheit.

Nozick verglich Newcombs Paradox mit einem Gefangenendilemma mit eineiigen Zwillingen. Ein Gefangener und sein eineiiger Zwilling werden unter Kontaktsperre gehalten, und beide überlegen sich unabhängig voneinander, ob sie Kronzeugen werden sollen. Nehmen wir einmal an, sagt Nozick, es sei bekannt, daß das Verhalten in Situationen wie dem Gefangenendilemma genetisch bestimmt sei. Manche Menschen haben Gene, die sie zur Kooperation prädestinieren, andere neigen von Geburt an dazu, abtrünnig zu werden. Umwelt und andere Faktoren spielen zwar auch eine Rolle, aber wir können davon ausgehen, daß die Entscheidung zu 90 % durch das Erbgut bestimmt wird. Keiner der beiden Gefangenen weiß, welches Erbgut er und sein Zwillingsbruder besitzen. Jeder der beiden könnte sich folgendes überlegen: Wenn ich abtrünnig werde, wird mein Zwillingsbruder, der die gleichen Gene wie ich besitzt, wahrscheinlich auch abtrünnig werden. Das ist für uns beide ungünstig. Wenn ich kooperiere, wird das mein Zwillingsbruder wahrscheinlich auch tun, und das wäre kein schlechtes Ergebnis. Also sollte ich (mit meinem Zwilling) kooperieren (mich weigern, Kronzeuge zu werden).

Das Diagramm sieht wie folgt aus. Die Resultate für beide Zwillinge sind in willkürlich gewählten Maßeinheiten ausgedrückt, wobei «0/10» das schlechtestmögliche Ergebnis für Zwilling Nr. 1 und das bestmögliche für Zwilling Nr. 2 bedeutet. Die beiden genetisch begünstigten («was heißt das eigentlich??!») Resultate, bei denen die beiden Zwillinge die gleiche Strategie wählen, sind kursiv gesetzt.

	Zwilling 2 wird Kronzeuge	Zwilling 2 weigert sich zu sprechen
Zwilling 1 wird Kronzeuge	*1/1*	10/0
Zwilling 1 weigert sich zu sprechen	0/10	*5/5*

Ist diese Argumentation nicht genauso lächerlich wie die Überlegungen des Hypochonders? Die Entscheidung, die Zwilling 1 trifft, kann die Entscheidung von Zwilling 2 nicht beeinflussen, erst recht nicht «zurückreichen» und das gemeinsame Erbgut beeinflussen. Entweder haben die Zwillinge das entsprechende Gen, oder sie haben es nicht. Obwohl Kooperation sicher keine schlechte Idee ist, ist es illegitim, die genetische Korrelation zur Basis dieser Entscheidung zu machen.

Nozick stellte am Ende seines Artikels die Frage, worin sich die Situation in Newcombs Paradox eigentlich von den Gedankengängen der Zwillinge unterscheidet. Seine Schlußfolgerung war, daß man «wenn die Handlungen oder die Entscheidungen, die Handlungen durchzuführen, den bestehenden Zustand nicht berühren, herstellen, beeinflussen etc., unter beliebigen Wahrscheinlichkeitsbedingungen... die dominante Handlungsweise wählen sollte». Also empfiehlt er, beide Kästen zu nehmen.

Muß es eigentlich Schwindel sein?

Von Martin Gardner stammt die interessante Behauptung, die hier geforderte Art von Vorhersage sei unmöglich: Jedes Newcombsche Experiment in der wirklichen Welt müsse ein Schwindel sein, oder die Indizien für die Zuverlässigkeit desjenigen, der die Vorhersage macht, müßten ungültig sein. Wären wir jemals mit einem echten Newcombschen Experiment konfrontiert, sagt Gardner, müsse es so sein, «als ob mich jemand aufforderte, 91 Eier so auf 13 Kartons zu verteilen, daß in jedem Karton sieben Eier sind, und dann hinzufügte, es gebe experimentelle Beweise dafür, daß 91 eine Primzahl sei. Ich bekäme eine Million Mark für jedes Ei, das übrigbleibt, und zehn Pfennig, wenn es keine übrigen Eier gäbe. Da ich nicht daran glauben kann, daß 91 eine Primzahl ist, würde ich sieben Eier in jeden Karton legen, meine zehn Pfennig einstecken und mir keine Sorgen darüber machen, ob ich eine ungünstige Wahl getroffen hätte.»

Wenn das Experiment, wie hier behauptet, in sich unmöglich ist, ändert das alles. Ohne Vorhersage kein Paradox; und natürlich sollten Sie dann beide Kästen nehmen. Aber die praktischen Hindernisse, die der Durchführung des Experiments entgegenstehen, sollten bedeutungslos sein. Selbst die Frage, ob es so etwas wie außersinnliche Wahrnehmung oder ein allwissendes Wesen wirklich gibt, ist vermutlich irrelevant. Es geht nur darum, ob diese Art von Vorhersage in der Realität gemacht werden kann. Vielleicht enthält ja bereits der Begriff der Vorhersage der Handlungen eines anderen Menschen einen inneren Widerspruch (besonders dann, wenn er weiß, daß seine Handlungen vorhergesagt worden sind).

Niemand kann willkürliche menschliche Handlungen mit der Genauigkeit voraussagen, die Newcombs Paradox verlangt. Aber das wird selten als einer der fundamentalen Fehler der Situation angeführt. Die Vorstellung, daß der menschliche Körper einschließlich des menschlichen Gehirns den gleichen physikalischen Gesetzen unterworfen ist wie der Rest des Universums, wird von Naturwissenschaftlern wie von Philosophen als selbstverständlich akzeptiert. Wenn menschliches Handeln determiniert ist, muß die Möglichkeit bestehen, es vorauszusagen.

Ich bin der Meinung, daß das Newcombsche Experiment

praktisch durchführbar ist. Die Methode, die ich vorschlage, ist zwar offensichtlicher Schwindel, aber das ändert nichts Grundlegendes an der Situation. Nehmen wir an, der Hellseher sei ein Betrüger, der seine Leistungen durch unbekannte Tricks erbringt. Die Tricks brauchen (und sollten) die Regeln nicht verletzen. Vielleicht hat der angebliche Hellseher entdeckt, daß 90% der Versuchspersonen, nachdem sie ausgiebig über die Situation nachgedacht haben, immer den Kasten B allein wählen. In diesem Fall sagt er immer voraus, daß die Versuchsperson nur den Kasten B nehmen wird, und behält in 90% aller Fälle recht.

Nachdem er 1973 im *Scientific American* über das Paradox geschrieben hatte, berichtete Martin Gardner, daß die Leser, die Briefe an die Zeitschrift geschrieben hatten, im Verhältnis von 2,5 zu 1 dafür waren, nur den Kasten B zu nehmen. Wenn die Leserbriefschreiber eine repräsentative Auswahl darstellten, kann jedermann in über 70% aller Fälle eine korrekte Vorhersage machen, indem er immer sagt, die Versuchsperson werde nur Kasten B nehmen. Eine Genauigkeit von 70% liegt weit über den 50,05%, die als Grenzwert erreicht werden müssen, wenn das Paradox bei Summen von tausend Mark und einer Million Mark auftreten soll. Es bleibt sogar genug Spielraum, daß ein cleverer «Hellseher» gelegentlich beide Kästen voraussagen kann, um das Publikum zu verwirren.

Natürlich dürfen die Versuchspersonen nichts von dieser Methode der «Voraussage» wissen. Vom Erfolg vieler sogenannter «Hellseher» ausgehend (die ihre Methoden auch vor ihrem Publikum geheimhalten), halte ich es für möglich, daß ein Scharlatan einen soliden Ruf für richtige Voraussagen erringen und ein Newcombsches Experiment möglich machen könnte.

Dennoch bleibt die weitere und interessante Frage bestehen, ob etwas so Komplexes wie menschliches Verhalten vorausgesagt werden kann. Menschliche Wesen sind imstande, Voraussagen zunichte zu machen.

Zwei Typen der Voraussage

Manches läßt sich wissenschaftlich gut voraussagen, anderes nicht. Eine Sonnenfinsternis im Jahre 5000 n. Chr. kann man mit Sicherheit und verhältnismäßig einfach vorausberechnen. Die Wettervorhersage vom Morgen ist oft schon am Nachmittag falsch. Woher kommt diese Unstimmigkeit?

Offenbar sind einige Ereignisse leichter voraussagbar als andere. Das rührt von der Tatsache her, daß es zwei Arten von Voraussagen gibt. Die eine Art stützt sich auf Modelle oder Simulationen. Man stellt eine Darstellung des Gegenstandes der Voraussage her, die genauso komplex ist wie der Gegenstand selbst. Die andere, einfachere Art der Voraussage verwendet zum gleichen Zweck «Abkürzungen».

Was für einen Wochentag werden wir heute in 100 Tagen haben? Ein Kalender ist typisch für die Simulationsmethode. Jeder der kommenden 100 Tage wird von einer Zeile auf einem Kalenderblatt dargestellt. Wir können 100 Tage abzählen und die Antwort ablesen.

Man kann aber auch eine Abkürzung anwenden: Teilen Sie 100 durch 7 und merken Sie sich den Rest. Genau so viele Wochentage von heute wird es in 100 Tagen sein. Einhundert geteilt durch 7 läßt einen Rest von 2. Wenn heute Montag ist, wird es in zwei Tagen Mittwoch sein. In 100 Tagen wird es ebenfalls Mittwoch sein.

Wo immer möglich, ziehen wir die abkürzende Methode vor. Was wäre, wenn Sie wissen wollten, was für ein Wochentag es in 1 000 000 Tagen von heute an sein wird? Wahrscheinlich gibt es auf der ganzen Welt keinen Kalender, der so weit reicht. Sie müßten erst einmal Ihre eigenen Kalender für die nächsten paar tausend Jahre herstellen. Die Abkürzungsmethode erspart Ihnen diese Art von Fleißarbeit. Eine Million durch 7 zu teilen und den Rest festzustellen, ist kaum mühsamer, als 100 durch 7 zu teilen.

Leider müssen wir häufig von Simulationen ausgehen. Es

gibt Ereignisse, bei deren Voraussage keine Abkürzungen möglich sind. Keine Methode, kein Modell, keine Simulation, die einfacher ist als das vorauszusagende Phänomen selbst, kann es vorhersagen.

Chaos

Blasen Sie einen Luftballon auf, ohne ihn zuzubinden, und lassen Sie ihn dann los. Der Weg, den der Ballon durch das Zimmer nimmt, ist nicht voraussagbar. Könnte man die Flugbahn voraussagen, indem man die exakte Position und den Inflationsgrad des Ballons im Augenblick des Starts mißt? Wahrscheinlich nicht. Egal, wie genau Ihre Meßergebnisse auch sein mögen, sie werden nicht genau genug sein.

Den Ausgangszustand des Ballons und des Zimmers festzustellen setzt erheblich mehr Informationen voraus, als wir bisher erwähnt haben. Luftdruck, Temperatur und Strömungsgeschwindigkeit an jedem Punkt des Zimmers müßten bekannt sein, denn der Ballon steht in Interaktion mit der Luft, durch die er fliegt. Irgendwann wird er auch gegen eine Wand oder ein Möbelstück stoßen. Also wird exaktes Wissen um alles, was sich im Zimmer befindet, notwendig.

Selbst dieses Wissen wäre unzureichend. Der Ballon würde immer noch im Zickzackkurs umherfliegen und jedesmal woanders landen. In gewisser Hinsicht ist dieses Scheitern der Vorhersage bemerkenswert. Der Ballon richtet sich nicht nach unbekannten physikalischen Gesetzen. Seine Bewegung hängt vom Luftdruck, der Schwerkraft und der Massenträgheit ab. Wenn wir die Umlaufbahn des Neptun auf Jahrtausende hinaus vorausberechnen können, warum scheitern wir an einem Spielzeugballon?

Die Antwort lautet: CHAOS! Das ist ein verhältnismäßig neuer Fachterminus für Phänomene, die zwar determiniert, aber nicht voraussagbar sind. Wissenschaft befaßt sich im wesentlichen mit dem Voraussagbaren. Dennoch umgibt uns überall das Unvorhersehbare: ein Blitzschlag, der Schaum aus einer Sektflasche, das Mischen eines Kartenspiels, der kurvenreiche Lauf von Flüssen. Es gibt gute Gründe dafür, das Chaos für normal und voraussagbare Ereignisse für Ausnahmen zu halten.

Sogenannte «Zufallsphänomene» unterliegen den gleichen physikalischen Gesetzen wie alles andere. Was sie unvorhersehbar macht, ist eine einfache Tatsache: Bei chaotischen Phänomenen wächst unser Meßfehler bei der Feststellung des Anfangszustands exponential zur verstrichenen Zeit. Jules Henri Poincaré hat das Chaos vorausgesehen, als er 1903 schrieb:

> «Eine sehr kleine Ursache, die unserer Aufmerksamkeit entgeht, bestimmt eine beachtliche Wirkung, die wir beobachten müssen, und dann sagen wir, die Wirkung sei vom Zufall abhängig. Wenn wir die Naturgesetze und den Zustand des Universums im Anfangsmoment genau genug kennten, könnten wir den Zustand des Universums zu einem späteren Zeitpunkt genau voraussagen. Aber selbst wenn die Naturgesetze kein Geheimnis mehr für uns bärgen, könnten wir den Anfangszustand nur ungefähr kennen. Wenn uns das in den Stand setzte, den Folgezustand mit dem gleichen Exaktheitsgrad vorauszusagen, wäre das alles, was wir wollen, und wir könnten sagen, das Phänomen sei voraussagbar und damit gesetzmäßig. Aber das ist nicht immer der Fall. Unter Umständen können sehr kleine Unterschiede in den Ausgangsbedingungen sehr große Unterschiede im resultierenden Phänomen hervorrufen. Ein kleiner Fehler bei der Bestimmung jener erzeugt einen gewaltigen Fehler bei der Voraussage dieser. Vorhersage wird dann unmöglich, und wir haben es mit einem Zufallsereignis zu tun.»

Jede Messung enthält einen kleinen Meßfehler. Wenn in Ihrem Personalausweis steht, Sie seien 1 Meter 78 groß, heißt das nicht, daß das Ihre exakte Größe ist. Die Messung ist auf den nächsten Zentimeter gerundet worden; der Maßstab hat sich, seit er geeicht wurde, ein bißchen verzogen; Ihre Größe hat sich seit der Messung unmerklich verändert; Sie haben bei der Messung ein bißchen krumm gestanden. Sie finden sich mit der Tatsache ab, daß eine Messung menschlicher Größe um 1 % falsch sein kann, und dabei lassen Sie es bewenden. Derartige Meßfehler stören uns nicht, weil sie nicht zunehmen. In anderen Zusammenhängen summiert sich ein kleiner Fehler so lange, bis er so groß ist, daß wir die gemessene Menge nicht mehr kennen.

Chaos ist der unausgesprochene Grund dafür, daß wir Spielkarten mischen. Nach einer Pokerrunde sammelt der Geber die Karten ein und mischt sie. Unvermeidlicherweise sehen ein paar Mitspieler, wohin die Karten im eingesammelten Spiel gehen. Einer bemerkt die Pik 2 ganz unten, ein anderer sieht, daß seine Karten, ein Straight, jetzt oben liegen. Jeder einzelne verfügt über ein gewisses Ausmaß an Wissen und ein gewisses Ausmaß an Gewißheit über die Reihenfolge der Karten. Das Mischen vergrößert die Ungewißheit.

Nehmen wir an, Sie hatten einen Straight Flush, also die Herz 6, 7, 8, 9 und 10. Sie haben die Karten in dieser Reihenfolge zusammengelegt, und Sie haben gesehen, daß der Geber Ihre Karten, so wie sie waren, aufgenommen hat. Wenn der Geber vor dem Ausgeben nicht mischte, hätten Sie gewisse Informationen über die neuen Karten der anderen Mitspieler. Wenn Sie in der nächsten Runde die Herz 8 bekommen, können Sie daraus schließen, daß der Spieler vor Ihnen die Herz 7 und der Spieler nach Ihnen die Herz 9 bekommen hat.

Im Durchschnitt wird bei einem normalen Mischvorgang jeweils eine Karte zwischen zwei Karten eingeschoben, die ursprünglich nebeneinander lagen. Die Folge Herz 6, Herz 7, Herz 8, Herz 9, Herz 10 wird zu Herz 6, ?, Herz 7, ?, Herz 8, ?,

Herz 9, ?, Herz 10 und dann zu Herz 6, ?, ?, ?, Herz 7, ?, ?, ?, Herz 8, ?, ?, ?, Herz 9, ?, ?, ?, Herz 10. Der Abstand zwischen zwei ursprünglich benachbarten Karten verdoppelt sich bei jedem Mischvorgang. Nach dem zweiten Mischen sind die erste und die letzte Karte des ursprünglichen Straight Flush sechzehn Karten voneinander entfernt. Die Wahrscheinlichkeit spricht dafür, daß sie beim dritten Mischen auf zwei Häufchen aufgeteilt sind. Danach sind die Karten durch das ganze Spiel verteilt.

Das ist eine unvollkommene Darstellung der Verwirrung, denn in Wirklichkeit mischt niemand Karten vollkommen gleichmäßig. Manchmal erwischt man zwei Karten statt einer; manchmal sind es mehrere Karten. Die Ungewißheit des Mischvorgangs erhöht bei jedem Mischen die Gesamtungewißheit. Versuchen Sie einmal folgendes Experiment: Legen Sie das Pik As oben auf den Stapel, und mischen Sie ein paarmal. Das Pik As wandert schnell durch den ganzen Stapel. (Je nachdem, wie die Karten fallen, kann es eine Zeitlang oben bleiben.) Hätte das Spiel unendlich viele Karten, würde sich der Abstand des Pik As zur obersten Karte bei jedem Mischen ungefähr verdoppeln. Genauso würde sich jede anfangs geringe Ungewißheit über die Lage der Karte im Spiel mit jedem Mischen verdoppeln. In einem endlichen Kartenspiel wandert die Karte, nachdem sie einmal unter den Mittelpunkt des Stapels gelangt ist, in das untere Häufchen und kann nach dem nächsten Mischen irgendwo im Stapel sein. Um die Karte in einem normalen Spiel unauffindbar zu machen, genügt es, sechs- oder siebenmal zu mischen.

Chaotische Phänomene gelten als irreduzibel. Man kann sie nicht auf ein Modell reduzieren, das einfacher ist als sie selbst. Die Simulation kann vielerlei Gestalt annehmen: eine Gleichung, ein Modell im Maßstab 1 : 10, die Gesamtheit der Neuronenkreise in Ihrem Gehirn, die Ihren Gedankengängen entspricht. Eine feste Umlaufbahn kann man in wenigen Gleichungen oder in einem Planetarium darstellen. Aber es ist unmöglich, ein Modell eines ausströmenden Luftballons in einem Zimmer in Schuhkartongröße so genau zu bauen, daß eine Vorhersage darüber, wohin ein wirklicher Ballon in einem wirklichen Zimmer fliegen wird, möglich ist. Um so unmöglicher ist es, eine vollständige Simulation eines Flußlaufs, eines Wirbelsturms oder des menschlichen Gehirns zu entwerfen. Die einfachste Darstellung eines chaotischen Phänomens ist das Phänomen selbst. An einem Kuckuck ist mehr dran, als in eine Kuckucksuhr paßt.

Die Nicht-Reduzierbarkeit des Gehirns kann man sich folgendermaßen klarmachen: Denken Sie an ein unbedeutendes Erlebnis in der Vergangenheit; denken Sie an einen Menschen, der damals anwesend war und an den Sie seit langem nicht mehr gedacht haben; zählen Sie die Zahl der Buchstaben im Vornamen dieses Menschen; und dann knicken Sie, wenn, und nur wenn die Zahl ungerade ist, ein Eselsohr in diese Seite. Könnte Ihr engster Vertrauter voraussagen, ob Sie die Seite knicken werden? In einer derartigen Situation (und in vielen anderen) kann ein winziger Teil Ihres Gedächtnisses, vielleicht nur ein paar Neuronen groß, an die Oberfläche stoßen und Ihre Gedankengänge bestimmen. Niemand könnte darauf hoffen, Ihre Handlungen in einer derartigen Situation vorhersagen zu können, wenn er nicht an allen Ihren Erinnerungen bis hinunter zu jeder einzelnen Zelle, ja jedem einzelnen Molekül teilhat. Von nichts, das einfacher ist als Sie selbst, kann man erwarten, daß es sich genau so verhält wie Sie.

Chaos ist etwas anderes als die Unbestimmtheit der Quantentheorie. In einer Welt aus vollkommen determinierten Atomen gäbe es immer noch Chaos. Treffen Quantenunbestimmtheit und normales Chaos zusammen, wie sie es in der Realität tun, wird die Vorhersage um so schwieriger. Selbst in Idealsituationen, in denen keine anderen Fehlerquellen existieren, gibt es immer noch Quantenunbestimmtheit. Chaotische Phänomene vergrößern diese Unbestimmtheit immer mehr. Die Unbestimmtheit der Quanten steigt in die Alltagswelt auf und macht sie unvorhersehbar.

Willensfreiheit und Determinismus

In der Philosophie wird viel vom Konflikt zwischen Willensfreiheit und Determinismus gesprochen. Wie kann es in einer deterministischen Welt so etwas wie freien Willen geben? Die Frage hat Philosophen seit dem Aufstieg der mechanistischen Denkweise beschäftigt. Sie macht einen großen Teil des Geheimnisses um Newcombs Paradox aus.

Es gibt mindestens drei Möglichkeiten, die Frage zu beantworten. Sie können beschließen, daß es so etwas wie Willensfreiheit nicht gibt, und das Problem ad acta legen. Der freie Wille ist eine Illusion.

Das Störende daran ist, daß praktisch jedermann das Gefühl hat, in den meisten Dingen so etwas wie einen freien Willen zu besitzen. Im normalen Alltagsleben bedeutet fehlende Willensfreiheit, daß Sie etwas tun wollen, aber von einer äußeren Macht daran gehindert werden. Sie würden gerne sagen, was Sie vom Premierminister halten, aber bei uns in Transsylvanien landet man dann in den Salzminen. Wahrscheinlich haben Sie nicht das Gefühl, daß Ihre Willensfreiheit eingeschränkt ist, wenn Sie erfahren, daß der Zustand der Quarks und Gluonen in Ihrem Gehirn strengen physikalischen Gesetzen unterliegt.

Statt dessen können Sie behaupten, der Determinismus sei die Illusion. Die Welt oder doch zumindest der menschliche Geist sind nicht vollkommen durch die Vergangenheit bestimmt. Diese Lösung erscheint den meisten zeitgenössischen Denkern wenig attraktiv. Man muß die wissenschaftliche Entwicklung der letzten fünf Jahrhunderte leugnen, wenn man abstreiten will, daß Ereignisse (trotz der Quantentheorie) von Naturgesetzen abhängig sind und nicht beliebig vor sich gehen.

Die «Vereinbarkeitstheorie» geht davon aus, daß es keinen

tiefgehenden Widerspruch zwischen Willensfreiheit und Determinismus gibt. Determinismus bedeutet nicht notwendigerweise das gleiche wie Voraussagbarkeit und schon gar nicht Unmöglichkeit des freien Willens. Unser wachsendes Wissen um die Rolle, die das Chaos im Universum spielt, macht diese Antwort immer plausibler.

Willensfreiheit heißt tun können, was man will, selbst wenn das, was man will, durch den Zustand der Neuronen im Gehirn vorherbestimmt ist. Wenn meine Handlungen zwar vorherbestimmt sind, aber weder ich selbst noch irgend jemand anderes erfahren kann, was geschehen wird, bevor es geschieht, spielt der scheinbare Widerspruch keine Rolle mehr. Natürlich kann man fragen, was für einen Unterschied ein so modifizierter Determinismus überhaupt noch macht. Die Zukunft bleibt weiterhin unerkennbar. Was immer Sie tun, niemand blickt Ihnen über die Schulter und murmelt im Tonfall absoluter Gewißheit: «Na klar, er wird beide Kästen nehmen.»

Determinismus kann unser Gefühl der Willensfreiheit nur dann beeinträchtigen, wenn wir erfahren, was uns vorherbestimmt ist. Wahrscheinlich weiß Gott, ob Sie morgen früh die Zahnpasta von der Mitte der Tube auspressen werden oder nicht. Das ist kein Problem – solange Gott es Ihnen nicht verrät. Unannehmbar ist nur die Situation, in der ich weiß, daß ich dazu bestimmt bin, dieses oder jenes zu tun, und von all den gefühllosen Atomen «gezwungen» werde, es zu tun. Erst dann werden die deterministischen Gesetze der Physik zu jener Zwangsinstitution, die uns daran hindert, einen freien Willen zu haben.

Voraussage und unendlicher Regreß

Bei dem Versuch, irreduzible Phänomene vorauszusagen, treten zahlreiche Probleme auf. Ein Gedankenexperiment, das gelegentlich mit Newcombs Paradox in Zusammenhang gebracht wird, läuft folgendermaßen: In einem hermetisch abgedichteten Raum steht ein Supercomputer mit exaktem Wissen um jedes einzelne Atom im Zimmer. Alle Gesetze der Physik, der Chemie und der Biologie sind in den Computer einprogrammiert, so daß er alles voraussagen kann, was in dem Raum geschehen wird. (Der Raum muß nach außen abgedichtet sein, damit keine äußeren Kräfte die Voraussage beeinflussen.) In einem Terrarium in dem Raum sind ein paar Frösche und Pflanzen. Der Computer sagt die Geburten, Todesfälle, Kopulationen, Gebietskämpfe und Geisteszustände der Frösche voraus. All diese Voraussagen zusammen stellen eine vollständige Bestimmtheit der Bewegung einer großen, aber endlichen Zahl von Atomen im Terrarium dar. Keine Glühbirne kann durchbrennen, keine Wandfarbe abblättern, ohne daß der Computer es vorausgesagt hätte.

In dem Raum befinden sich auch ein paar Personen. Auch hier kennt der Computer jedes einzelne Atom, aus dem sie bestehen. Eine von ihnen fängt an, sich über diese Verletzung der Willensfreiheit zu ärgern, und fragt den Computer: «Werde ich heute um Mitternacht einen Kopfstand machen?» Dann teilt sie den anderen mit: «Was immer der Computer sagt, ich werde das Gegenteil tun. Wenn er sagt, ich werde um Mitternacht einen Kopfstand machen, werde ich alles in meiner Macht Stehende tun, damit ich keinen Kopfstand mache. Wenn er sagt, ich werde keinen Kopfstand machen, werde ich es tun.» Was würde in diesem Fall geschehen?

Der Computer kann eine falsche Antwort vermeiden. Er könnte die Antwort verweigern, erst eine Minute nach Mitternacht oder in einer Sprache antworten, die niemand im Zimmer versteht. Er könnte voraussagen, der Frager werde keinen Kopfstand machen, und dieser könnte am Abend früh einschlafen und die ganze Angelegenheit vergessen. Aber die Tatsache, daß derartige Abläufe eine paradoxe Situation vermeiden, heißt nicht, daß sie auftreten müssen.

Falls er eine rechtzeitige Antwort erhält, gibt es keinen

Grund, daß der Frager seine Ankündigung nicht wahrmachen könnte. Ob Willensfreiheit nun eine Illusion ist oder nicht, jeder von uns kann beschließen, einen Kopfstand zu machen oder es bleiben zu lassen. Die Voraussage des Computers beraubt niemanden der Freiheit, sich so oder anders zu entscheiden.

In der Tat kann der Computer überhaupt keine gültige Voraussage machen. Warum? Wie kommt der Computer zu seiner Voraussage? Benützt er eine Abkürzung: eine Regel, einen Trick, eine mathematische Formel? Es ist nicht vorstellbar, daß irgendeine einfache Regel angeben könnte, ob eine bestimmte Person zu einem bestimmten Zeitpunkt einen Kopfstand machen wird. Das ist etwas ganz anderes als die Vorhersage von Wochentagen, Jahreszeiten oder der Laufbahn von Kometen. Das alles sind regelmäßige Phänomene. Kopfstand ist kein regelmäßiges Phänomen. Selbst wenn es hier eine Regelmäßigkeit gäbe (wenn der Fragesteller die Angewohnheit hätte, an jedem zweiten Dienstag um Mitternacht einen Kopfstand zu machen), würde sein Versprechen, das Gegenteil zu tun, die Regel außer Kraft setzen.

Offenbar macht der Computer Voraussagen, indem er die Situation im Zimmer simuliert. Wir hatten gesagt, daß der Computer die Bewegung jedes einzelnen Atoms vorhersagen müßte, um die Handlungen der Frösche vorauszusagen. Hier kommen wir an den Kernpunkt des Paradoxons. Da der Fragesteller auf alle Fälle von der Voraussage des Computers beeinflußt wird, muß der Computer sowohl seine eigene Voraussage als auch die Reaktionen des Fragestellers auf die Voraussage voraussagen. Das Modell, von dem der Computer ausgeht, muß den Computer selbst detailgetreu darstellen.

Diese paradoxe Bedingung erinnert an eine Landkarte, wie sie Jorge Luis Borges und Adolfo Bioy Casares beschrieben haben:

«In jenem Reich hatte die Kunst der Kartographie einen solchen Grad der Vollkommenheit erreicht, daß die Landkarte einer einzigen Provinz die Fläche einer ganzen Stadt einnahm und die Karte des Reichs eine ganze Provinz. Auf Dauer aber erwiesen sich diese disproportionierten Karten nicht als zufriedenstellend, und die Schulen der Kartographen entwarfen eine Karte des Reichs, die so groß war wie das Reich und an jedem Punkt mit ihm übereinstimmte. Spätere Generationen, die der Kunst der Kartographie weniger ergeben waren, sahen ein, daß diese maßlos vergrößerte Karte nutzlos war, und überließen sie nicht ohne Respektlosigkeit den Unbilden der Sonne und des Winters. In den westlichen Wüsten gibt es noch verstreute Fragmente der Karte, die von Tieren und Bettlern bewohnt sind. Im ganzen übrigen Land sind keine Spuren der geographischen Künste mehr erhalten.»

Der Computer will einen gewissen Teil seiner Gedächtniskapazität für eine Simulation seiner eigenen Funktion reservieren. Unglücklicherweise kann das kein Teil des Computers leisten, der kleiner ist als der ganze Computer. Die effektivste Weise, in der der Computer sich selbst simulieren kann, besteht darin, er selbst zu sein. Dann aber bleibt, wie bei Borges' und Casares' Landkarte, kein Platz für irgend etwas anderes.

Selbst wenn der Computer hochgradig redundant arbeitet, treten Schwierigkeiten auf. Einige Computer, wie sie etwa in der Raumfahrt und als medizinische Rettungssysteme verwendet werden, besitzen zwei oder mehr Subsysteme, die genau das gleiche tun. Das verringert die Fehlerwahrscheinlichkeit. Potentiell ermöglicht es auch jedem der redundanten Systeme, «vorauszusagen», was der Computer als Ganzes tun wird.

Vergleichen wir das mit einer Landkarte des Borges-Casares-Typs im Maßstab 1 : 2. Die Karte ist halb so groß wie das Land, das sie darstellt. Eine Karte der Vereinigten Staaten im

Maßstab 1 : 2 erstreckt sich von San Francisco bis Kansas City und bedeckt die Bergstaaten. Eine Landkarte dieser Größe ist selbst ein bedeutsames von Menschenhand geschaffenes Monument und sollte auf Karten des Landes dargestellt sein. Das bedeutet, daß die Karte im Maßstab 1 : 2 sich selbst darstellen muß. Und die Karte auf der Karte muß eine Karte ihrer selbst enthalten, und so weiter bis in alle Ewigkeit.

Aus dem gleichen Grund müßte ein redundanter Computer, der sich selbst simuliert, eine Simulation des Computers, eine Simulation dieser Simulation, eine Simulation der Simulation der Simulation und so weiter enthalten. Nichts hindert Sie daran, sich so etwas vorzustellen. Aber kein realer, aus Atomen bestehender Computer kann unendlichen Regreß erreichen. Die Simulationen und Simulationen von Simulationen müssen als Zustände von Chips physische Realität haben, und Chips können nicht unendlich klein sein. Deshalb ist die Voraussage unmöglich.

Kehren wir zu Newcombs Beispiel zurück. Man kann gute Argumente dafür anführen, daß das Experiment, so wie es üblicherweise beschrieben wird, unmöglich ist, weil die Voraussage unmöglich ist. Der Grund ist im wesentlichen der gleiche wie oben. Unendlicher Regreß macht eine hundertprozentig genaue Voraussage unmöglich.

Schon, aber würden uns nicht letzten Endes 90 % genügen? Widerspenstig, wie der Geist des Menschen nun einmal ist, können kleine Ungewißheiten über den geistigen Zustand der Versuchsperson oder des Hellsehers exponentiell anwachsen und vollkommene Ungewißheit erzeugen. Das System, das aus der Voraussage und demjenigen besteht, der die Voraussage macht, vorauszusagen ist genauso unmöglich wie die Voraussage irgendeines anderen chaotischen Phänomens. Der Unterschied zwischen hundertprozentiger und neunzigprozentiger Genauigkeit ist nicht beiläufig. Das ist so, als sei man sich mit neunzigprozentiger Gewißheit über die Reihenfolge der Karten im Stapel sicher, bevor er gemischt wird. Solange der wahrsagende Computer den Zustand des Zimmers nicht vollständig in den Griff bekommt (und das kann er nicht), kann er möglicherweise überhaupt keine Voraussage irgendeines Genauigkeitsgrades machen.

Soweit ein gemeinsames Motiv die Paradoxe, die ich hier zusammengetragen habe, miteinander verbindet, so liegt dies in der Torheit, seine eigene Unwissenheit zu leugnen. Die Tatsache, daß etwas so ist, wie es ist, bedeutet noch lange nicht, daß wir es wissen können. Es gibt eine notwendige Unwissenheit, und sie spielt eine weitaus größere Rolle als jeder nur denkbare Solipsismus.

Die Annahme, alles Wahre sei auch erkennbar, ist die Urahnin aller Paradoxe. In ihrer reinen Form ist sie die Grundlage von Buridan-Sätzen und Unendlichkeitsmaschinen. Hempels und Goodmans Rätsel bauen auf dem Trugschluß auf, die Bedeutung jeder Beobachtung sei von vorneherein erkennbar. Das Opfer der unerwarteten Hinrichtung irrt, weil es meint, es könne etwas durch logisches Denken erschließen, was es nicht erschließen kann. Newcombs Experiment scheitert an den Klippen der Unmöglichkeit, wenn derjenige, der die Voraussage macht, seine eigenen Gedanken kennen soll.

Der Physiker Ludwig Boltzmann hat darüber spekuliert, daß unser Erstaunen über die Ordnung der Welt unangebracht sein kann: Das bekannte Universum könnte eine kleine Zufallskonstellation in einem unendlichen Universum sein, das alle denkbaren Konstellationen von Atomen enthält. Man kann sich des Gedankens nicht erwehren, daß auch unser Wissen auf die gleiche Art von einem größeren Ganzen umschlossen sein könnte. Vielleicht besteht das wahre Geheimnis darin, daß alles Vorstellbare irgendwie, irgendwo wahr ist und daß unser Geist in einem unendlich kleinen Teil eines gesamten Seins gefangen ist, dessen Fußpfade wir selbst bei unseren ersten Forschungsreisen getreten haben.

Newcombs Paradox im Jahr 3000

Es gibt keine befriedigendere Auflösung eines Entscheidungsparadoxons als den Nachweis, daß die Situation nie entstehen kann. Unglücklicherweise fühle ich mich zu dem Schluß gedrängt, daß eine leicht abgeänderte Version des Experiments durchaus vorstellbar ist. Dazu kann ich auf einen von zwei Apparaten der Science-fiction-Literatur zurückgreifen.

Das Newcombsche Experiment wird im Jahr 3000 n. Chr. durchgeführt, und demjenigen, der die Voraussage machen soll, stehen zwei Apparate zur Verfügung: eine Zeitmaschine und ein Materieduplikator. Im ersten Fall springt der Hellseher in seine Zeitmaschine und stellt sie auf den Zeitpunkt, unmittelbar nachdem die Versuchsperson ihre Entscheidung getroffen hat, ein. In der näheren Zukunft angekommen, steigt er aus und erfährt, wie die Entscheidung gefallen ist. Dann steigt er wieder in seine Zeitmaschine und kehrt an den Tag vor dem Experiment zurück. Er macht seine Voraussage also auf der Grundlage sicheren Wissens über die Zukunft.

Das gäbe der Versuchsperson, die vorhatte, beide Kästen zu nehmen, zu denken. Sie sind die Versuchsperson, und Sie bemerken eine Videokamera in der Zimmerecke. Gerade bevor Sie sich entschieden haben, betritt der Hellseher den Raum und überreicht Ihnen eine Videokassette. Es ist die Aufnahme, die er aus der Zukunft zurückgebracht hat, auf der Sie den Kasten (oder die Kästen) öffnen. Er hat nicht nur eine offensichtlich richtige Voraussage zu bieten, sondern außerdem noch eine Videoaufnahme, die sie bestätigt.

Zeitreisen sind allerdings eine so ausgefallene Idee, daß wir uns besser nicht darauf verlassen sollten. Die andere futuristische Methode der Vorhersage, bei der Ihnen vielleicht weniger Bedenken aufsteigen, wäre ein Materieduplikator. Der Duplikator kann Materie ganz genau verdoppeln. Sie bauen die Maschine auf, lassen sie einen Tausendmarkschein abtasten, und sie erzeugt einen neuen Schein, der mit dem alten bis zum

Quantenzustand seiner Atome identisch ist. Tastet man einen Menschen mit der Maschine ab, entsteht sein exakter Doppelgänger. Auch mit diesem technologischen Hilfsmittel ausgestattet wird es möglich, das Resultat von Newcombs Experiment genau vorauszusagen.

Hier sind allerdings einige Feinheiten der Logistik zu beachten. Es genügt nicht, einfach einen Zwilling der Versuchsperson zu erzeugen und einen Probelauf des Experiments mit dem Zwilling zu veranstalten. Die Details des Experiments blieben nicht die gleichen. Es fände zu einer anderen Tageszeit statt; der Zwilling könnte anders gelaunt sein; der Moderator könnte irgendein Detail ein klein wenig anders erklären. Vielleicht machen solche Kleinigkeiten ja keinen Unterschied, aber darauf kann man sich nicht verlassen. Die Versuchsperson könnte widerspenstig sein. Gerade weil sie von dem Doppelgänger weiß, könnte sie beschließen, ihre Willensfreiheit zu beweisen, indem sie das Gegenteil von dem tut, was ihr im ersten Moment einfällt. Wir wollen sichergehen, daß die Voraussage beliebig genau sein kann.

Um eine gültige Voraussage zu ermöglichen, sind zwei drastische Schritte erforderlich. Man müßte ein exaktes Duplikat nicht nur der Versuchsperson, sondern auch der Kästen, des Versuchsraums, der Wächter, jeder Person und jedes Gegenstandes schaffen, die mit dem Experiment zu tun haben. Die verdoppelte Region müßte so groß sein, daß keinerlei äußere Einflüsse die Versuchsperson erreichen können, bevor sie ihre Wahl trifft. Wir benötigen einen hermetisch abgedichteten Raum mit künstlicher Beleuchtung. Sonst könnte sogar der Winkel, in dem das Sonnenlicht durchs Fenster fällt, einen Unterschied machen. Und die Sonne kann man nicht verdoppeln.

Das zweite Problem ist eine Frage der zeitlichen Koordinierung. Das Zwillingsexperiment muß im Zeitraffer ablaufen, damit wir wissen, was die wirkliche Versuchsperson tun wird, bevor sie es tut. Sonst war der ganze Aufwand umsonst, und es gibt keine Voraussage.

Zwei Lösungen sind denkbar. Einmal könnte man die ursprüngliche Versuchsperson mitsamt ihrer ganzen Umgebung in eine riesige Rakete packen und sie in einem Tempo nahe der Lichtgeschwindigkeit in den Weltraum schießen. Die automatische Steuerungsanlage steuert die Rakete mehrere Lichtjahre weit in den Raum, läßt sie dann wenden und immer noch mit Beinahelichtgeschwindigkeit zur Erde zurückkehren. Die Beschleunigung der Rakete erzeugt ein künstliches Schwerefeld von 1 g, so daß die Versuchsperson im versiegelten Raum nichts von der Reise bemerkt. Bis die Versuchsperson wieder auf der Erde ist, wissen wir, was ihr Doppelgänger getan hat. Mit Hilfe eines Zwillingsparadoxons haben wir erreicht, daß die wirkliche Versuchsperson ihre Entscheidung noch nicht getroffen hat.

Praktischer ist es, den Doppelgänger zur Versuchsperson zu machen. Der Abtast- und Verdoppelungsprozeß braucht auf alle Fälle Zeit. Tasten wir also die ursprüngliche Versuchsperson ab, warten ab, wie ihre Entscheidung ausfällt, und schaffen den Doppelgänger erst dann. Diesmal sagen wir voraus, was der Doppelgänger tun wird.

Also gut. Wir schreiben das Jahr 3000, und Sie sind die Versuchsperson in Newcombs Experiment. Unmittelbar bevor Sie Ihre Entscheidung treffen, teilt man Ihnen mit, daß Sie vielleicht nur ein Doppelgänger Ihrer selbst sind, der vor fünf Minuten erzeugt wurde. Erinnert Sie das an Bertrand Russell? Sie haben keinen Grund, daran zu zweifeln. Materieduplikatoren sind im Jahr 3000 n. Chr. so verbreitet wie heutzutage Mikrowellenherde. Sie gehen also von der Tatsache aus, daß derjenige, der die Voraussage macht, hundertprozentige Genauigkeit und Zuverlässigkeit erreicht, indem er einen Doppelgänger in einem identischen Raum beobachtet.

Sie können fragen, ob Sie überhaupt feststellen können, ob Sie das Original oder der Doppelgänger sind. Sie können es nicht feststellen. Wir haben es genau mit der gleichen Situation zu tun wie in Russells Gedankenexperiment, in dem die Welt vor fünf Minuten geschaffen wurde. Doppelgänger und Original haben identische Erinnerungen einschließlich der Erinnerung daran, vor ein paar Minuten das Zimmer betreten und den Doppelgänger geschaffen zu haben. Das Original und der Doppelgänger werden aufgefordert, ihre Wahl zwischen den Kästen zu treffen.

Die Veranstalter des Experiments müssen auch Ihrer wirklichen Person erzählen, daß sie ein Doppelgänger sein könnte. Das ganze Experiment dreht sich um Sie, den Doppelgänger, der seine Wahl erst trifft, nachdem man das Original hat beobachten können. Also mußten die Veranstalter dem Original sagen, es könne ein Doppelgänger sein, um Ihnen mitzuteilen, daß Sie ein Doppelgänger sind. Erst wenn Sie nach der Entscheidung den Versuchsraum verlassen, werden Sie erfahren, ob Sie das Original oder der Doppelgänger sind.

Damit ist allen Gegenstrategien von vorneherein der Boden unter den Füßen weggezogen. Sie können denjenigen, der die Voraussage macht, nicht aufs Kreuz legen, indem Sie im «Probelauf» das eine und im «richtigen» Experiment das Gegenteil tun. Sie können auf keine Weise feststellen, was der Probelauf, was das Experiment ist. Das trifft auch dann noch zu, wenn Sie genau über die Methode der Voraussage Bescheid wissen.

Eine andere technische Frage ist, was man in die Kästen legen soll. Was auch immer sich in den Originalkästen befindet, wird mit Notwendigkeit auch in den Kästen im duplizierten Versuchsraum sein. Natürlich weiß niemand, was man in die Kästen tun muß, bevor das Experiment im ursprünglichen Versuchsraum abgelaufen ist. Die Lösung besteht darin, die Kästen leer zu lassen oder ganz abzuschaffen. Statt dessen teilen Sie nur mit, was Sie tun würden, und kassieren beim Verlassen des Raums, sofern sich herausstellt, daß Sie der Doppelgänger (und damit die Versuchsperson des «richtigen» Experiments) sind.

Der Materieduplikator ändert nicht das geringste am Paradox. Er weist nur einen Weg auf, wie man bei der Voraussage einen unendlichen Regreß vermeiden kann. Man kann Newcombs Experiment nicht mit dem Hinweis darauf abtun, es sei von Unendlichkeiten, einer allwissenden Gottheit, außersinnlicher Wahrnehmung oder anderen Imponderabilien abhängig. Zugegeben, daß die Quantenunbestimmtheit einen Materieduplikator wahrscheinlich unmöglich macht. Dennoch ist es unbefriedigend, wenn bloße Physik einem logischen Paradox im Wege stehen soll.

Wäre ein Materieduplikator möglich, könnten wir das Paradox in seiner schärfsten Form erleben. Es gäbe zwei identische Personen in zwei identischen Zimmern; sie würden nach gebührendem Nachdenken ihre Wahl halbherzig oder zuversichtlich treffen; und der «Hellseher», der die eine Person beobachtet, würde mit der gleichen Sicherheit wissen, was der verspätete Doppelgänger tun wird, mit der wir das Ergebnis einer Fußballwiederholung im Fernsehen kennen. Die Versuchspersonen, die beide Kästen nehmen, würden immer tausend Mark bekommen; die Versuchspersonen, die den Kasten B nehmen, würden immer eine Million bekommen. Das ist die Situation, vor der wir stehen, und sie ist so ungeklärt wie eh und je.

Bibliographie

Dieses Buch gibt nur eine Kostprobe der vielen herausfordernden Paradoxe und Gedankenexperimente, die in der naturwissenschaftlichen und philosophischen Literatur diskutiert werden. Wer an weiterführender Lektüre interessiert ist, sollte am besten zunächst die letzten Ausgaben von Fachzeitschriften wie *Analysis*, *The British Journal of the Philosophy of Science*, *Mind*, *Philosophical Studies* oder *Philosophy of Sciences* heranziehen.

Bacon, Roger (?): Geheimschrift-Manuskript («Voynich-Manuskript»). Im Bestand der Beinecke Rare Book and Manuscript Library, Yale University, New Haven.

Barber, Theodore Xenophon und Albert Forgione, John F. Chaves, David S. Calverley, John D. McPeake und Barbara Bowen: Five Attempts to Replicate the Experimenter Bias Effect, in: Journal of Consulting and Clinical Psychology 33 (1969), 1–6.

Bennett, William Ralph jr.: Scientific and Engineering Problem-solving with the Computer. Englewood Cliffs, N.J. 1976.

Borges, Jorge Luis: Fiktionen. Erzählungen. Frankfurt a. M. 1992.
– Labyrinthe. Erzählungen. München 1952.
– Das Sandbuch. Erzählungen. München 1977.
– und Adolfo Bioy Casares: Gemeinsame Werke. München 1983/1985.

Burge, Tyler: Buridan and Epistemic Paradox, in: Philosophical Studies 39 (1978), 21–35.

Carroll, Lewis: Symbolic Logic. Hg. v. William Warren Bartley III. New York 1986.

Coate, Randoll, Adrian Fisher und Graham Burgess: A Celebration of Mazes. St. Albans 1986.

Cole, David: Thought and Thought Experiments, in: Philosophical Studies 45 (1984), 431–444.

Cook, Stephen: The Complexity of Theorem Proving Procedures. New York 1971.

Einstein, Albert, Leopold Infeld: Die Evolution der Physik. Reinbek bei Hamburg 1987.

Gardner, Martin: Bacons Geheimnis. Die Wurzeln des Zufalls und andere numerische Merkwürdigkeiten. Frankfurt a. M. 1990.
– Logik unterm Galgen. Ein Mathematical in 20 Problemen. Braunschweig 1971.
– Mathematische Rätsel und Probleme. Braunschweig 1971.

Garey, Michael R. und David S. Johnson: Computers and Intractability: A Guide to the Theory of NP-Completeness. New York 1979.

Gettier, Edmund: Is Justified True Belief Knowledge?, in: Analysis 23 (1963), 121–123.

Goodman, Nelson: Tatsache, Fiktion, Voraussage. Frankfurt a. M. 1975.

Grünbaum, Adolf: Are ‹Infinity Machines› Paradoxical?, in: Science 159 (1968), 396–406.

Hazelhurst, F. Hamilton: Gardens of Illusion: The Genius of André Le Nostre. Nashville 1980.

Heller, Joseph: Catch 22. Roman. Frankfurt a. M. 1971.

Hesse, Mary: Ramifications of ‹Grue›, in: British Journal for the Philosophy of Science 20 (1969), 13–25.

Hofstadter, Douglas R.: Gödel, Escher, Bach. Ein endloses geflochtenes Band. Stuttgart 1985.

Hume, David: Ein Traktat über die menschliche Natur. Hamburg 1978.

Jevons, William Stanley: Die Theorie der politischen Ökonomie. Jena 1924.

Karp, Richard: Reductibility among Combinatorial Problems, in: R. E. Miller/J. W. Thatcher (Hg.), Complexity of Computer Computations. New York 1972.

Ladner, R. E.: On the Structure of Polynominal Time Reductibility, in: Journal of the Association of Computing Machinery 22 (1975), 155–171.

Leibniz, Gottfried Wilhelm: Grundwahrheiten der Philosophie. Monadologie. Frankfurt a. M. 1962.

Levitov, Leo: Solution of the Voynich-Manuscript: A Liturgical Manual For The Endura Rite Of The Cathari Heresy, The Cult of Isis. Laguna Hills 1987.

Olds, James: Pleasure Centers in the Brain, in: Scientific American, Oktober 1956, 105–116.

Penfield, Wilder: The Cerebral Cortex in Man, in: Archives of Neurology and Psychiatry 40 (1938), 3.

Platon: Sämtliche Werke. Reinbek bei Hamburg 1981.

Putnam, Hilary: Mind, Language and Reality. New York 1975.
– Vernunft, Wahrheit und Geschichte. Frankfurt a. M. 1982.

Rado, Tibor: On Non-Computable Functions, in: The Bell System Technical Journal, Mai 1962.

Rescher, Nicholas u. a. (Hg.): Essays in Honor of Carl G. Hempel. Dordrecht (Holland) 1969.

Rosenthal, Robert: Experimenter Effects in Behavioral Research. New York 1966.

Rucker, Rudy: Die Ufer der Unendlichkeit. Analysen und Spekulationen über die mathematischen, physikalischen und wirklichen Ränder unseres Denkens. Frankfurt a. M. 1989.

Russell, Bertrand: Das menschliche Wissen. Darmstadt 1952.
– The Principles of Mathematics. London 1937.

Salmon, Wesley (Hg.): Zeno's Paradoxes. New York 1970.

Searle, John: Minds, Brains, and Programs, in: Behavioral and Brain Sciences 3 (1980), 442–444.

Smullyan, Raymond: What is the Name of This Book? The Riddle of Dracula and Other Logical Puzzles. Englewood Cliffs, N. J. 1978.
– This Book Needs No Title: A Budget of Living Paradoxes. Englewood Cliffs, N. J. 1980.

Turing, Alan M.: Computing Machinery and Intelligence, in: Mind 59 (1950).

Vonnegut, Kurt: Katzenwiege. Roman. Reinbek bei Hamburg 1989.

Walker, Jearl: Methods for Going Through a Maze Without Becoming Lost or Confused, in: Scientific American, Dezember 1986.

Watkins, Ben: Complete Choctaw Definer. Van Buren, Ark. 1892.

Whitrow, G. J.: On the Impossibility of an Infinite Past, in: British Journal for the Philosophy of Science 29 (1978), 39–45.

Register